유도은
S+감정평가실무

유도은 편저

2차 | 기본서 3권 제13판

박문각 감정평가사

차례
CONTENTS | PREFACE |

공시지가 및 보상감정평가

표준지공시지가 및 표준주택 감정평가 등

제1절 표준지공시지가의 평가(평가기준 및 방법)

01 표준지공시지가 평가의 개관

1. 개념

> **부동산 가격공시에 관한 법률 제2조**(정의)
>
> 이 법에서 사용하는 용어의 뜻은 다음과 같다.
> 1. "주택"이란 「주택법」 제2조 제1호에 따른 주택을 말한다.
> 2. "공동주택"이란 「주택법」 제2조 제3호에 따른 공동주택을 말한다.
> 3. "단독주택"이란 공동주택을 제외한 주택을 말한다.
> 4. "비주거용 부동산"이란 주택을 제외한 건축물이나 건축물과 그 토지의 전부 또는 일부를 말하며 다음과 같이 구분한다.
>   가. 비주거용 집합부동산 : 「집합건물의 소유 및 관리에 관한 법률」에 따라 구분소유되는 비주거용 부동산
>   나. 비주거용 일반부동산 : 가목을 제외한 비주거용 부동산
> 5. "적정가격"이란 토지, 주택 및 비주거용 부동산에 대하여 통상적인 시장에서 정상적인 거래가 이루어지는 경우 성립될 가능성이 가장 높다고 인정되는 가격을 말한다.

(1) 표준지공시지가

표준지공시지가라 함은 「부동산 가격공시에 관한 법률」(이하 "부동산공시법")의 규정에 의한 절차에 따라 국토교통부장관은 토지이용상황이나 주변 환경, 그 밖의 자연적·사회적 조건이 일반적으로 유사하다고 인정되는 일단의 토지 중에서 선정한 표준지에 대하여 매년 공시기준일 현재의 단위면적당 적정가격을 말한다.

> **부동산 가격공시에 관한 법률 제3조**(표준지공시지가의 조사·평가 및 공시 등)
>
> ① 국토교통부장관은 토지이용상황이나 주변 환경, 그 밖의 자연적·사회적 조건이 일반적으로 유사하다고 인정되는 일단의 토지 중에서 선정한 표준지에 대하여 매년 공시기준일 현재의 단위면적당 적정가격(이하 "표준지공시지가"라 한다)을 조사·평가하고, 제24조에 따른 중앙부동산가격공시위원회의 심의를 거쳐 이를 공시하여야 한다.
> ② 국토교통부장관은 표준지공시지가를 공시하기 위하여 표준지의 가격을 조사·평가할 때에는 대통령령으로 정하는 바에 따라 해당 토지 소유자의 의견을 들어야 한다.
> ③ 제1항에 따른 표준지의 선정, 공시기준일, 공시의 시기, 조사·평가 기준 및 공시절차 등에 필요한 사항은 대통령령으로 정한다.

④ 국토교통부장관이 제1항에 따라 표준지공시지가를 조사·평가하는 경우에는 인근 유사토지의 거래가격·임대료 및 해당 토지와 유사한 이용가치를 지닌다고 인정되는 토지의 조성에 필요한 비용추정액, 인근지역 및 다른 지역과의 형평성·특수성, 표준지공시지가 변동의 예측 가능성 등 제반사항을 종합적으로 참작하여야 한다.

⑤ 국토교통부장관이 제1항에 따라 표준지공시지가를 조사·평가할 때에는 업무실적, 신인도(信認度) 등을 고려하여 둘 이상의 「감정평가 및 감정평가사에 관한 법률」에 따른 감정평가법인등(이하 "감정평가법인등"이라 한다)에게 이를 의뢰하여야 한다. 다만, 지가 변동이 작은 경우 등 대통령령으로 정하는 기준에 해당하는 표준지에 대해서는 하나의 감정평가법인등에 의뢰할 수 있다.

⑥ 국토교통부장관은 제5항에 따라 표준지공시지가 조사·평가를 의뢰받은 감정평가업자가 공정하고 객관적으로 해당 업무를 수행할 수 있도록 하여야 한다.

⑦ 제5항에 따른 감정평가법인등의 선정기준 및 업무범위는 대통령령으로 정한다.

⑧ 국토교통부장관은 제10조에 따른 개별공시지가의 산정을 위하여 필요하다고 인정하는 경우에는 표준지와 산정대상 개별 토지의 가격형성요인에 관한 표준적인 비교표(이하 "토지가격비준표"라 한다)를 작성하여 시장·군수 또는 구청장에게 제공하여야 한다.

(2) 개별공시지가

개별공시지가란 시장·군수 또는 구청장은 국세·지방세 등 각종 세금의 부과, 그 밖의 다른 법령에서 정하는 목적을 위한 지가산정에 사용되도록 하기 위하여 제25조에 따른 시·군·구부동산가격공시위원회의 심의를 거쳐 매년 공시지가의 공시기준일 현재 관할 구역 안의 개별토지의 단위면적당 가격을 말한다.

부동산 가격공시에 관한 법률 제10조(개별공시지가의 결정·공시 등)

① 시장·군수 또는 구청장은 국세·지방세 등 각종 세금의 부과, 그 밖의 다른 법령에서 정하는 목적을 위한 지가산정에 사용되도록 하기 위하여 제25조에 따른 시·군·구부동산가격공시위원회의 심의를 거쳐 매년 공시지가의 공시기준일 현재 관할 구역 안의 개별토지의 단위면적당 가격(이하 "개별공시지가"라 한다)을 결정·공시하고, 이를 관계 행정기관 등에 제공하여야 한다.

② 제1항에도 불구하고 표준지로 선정된 토지, 조세 또는 부담금 등의 부과대상이 아닌 토지, 그 밖에 대통령령으로 정하는 토지에 대하여는 개별공시지가를 결정·공시하지 아니할 수 있다. 이 경우 표준지로 선정된 토지에 대하여는 해당 토지의 표준지공시지가를 개별공시지가로 본다.

③ 시장·군수 또는 구청장은 공시기준일 이후에 분할·합병 등이 발생한 토지에 대하여는 대통령령으로 정하는 날을 기준으로 하여 개별공시지가를 결정·공시하여야 한다.

④ 시장·군수 또는 구청장이 개별공시지가를 결정·공시하는 경우에는 해당 토지와 유사한 이용가치를 지닌다고 인정되는 하나 또는 둘 이상의 표준지의 공시지가를 기준으로 토지가격비준표를 사용하여 지가를 산정하되, 해당 토지의 가격과 표준지공시지가가 균형을 유지하도록 하여야 한다.

⑤ 시장·군수 또는 구청장은 개별공시지가를 결정·공시하기 위하여 개별토지의 가격을 산정할 때에는 그 타당성에 대하여 감정평가법인등의 검증을 받고 토지소유자, 그 밖의 이해관계인의 의견을 들어야 한다. 다만, 시장·군수 또는 구청장은 감정평가법인등의 검증이 필요 없다고 인정되는 때에는 지가의 변동상황 등 대통령령으로 정하는 사항을 고려하여 감정평가법인등의 검증을 생략할 수 있다.

⑥ 시장·군수 또는 구청장이 제5항에 따른 검증을 받으려는 때에는 해당 지역의 표준지의 공시지가를 조사·평가한 감정평가법인등 또는 대통령령으로 정하는 감정평가실적 등이 우수한 감정평가법인등에

> ⑦ 국토교통부장관은 지가공시 행정의 합리적인 발전을 도모하고 표준지공시지가와 개별공시지가와의 균형유지 등 적정한 지가형성을 위하여 필요하다고 인정하는 경우에는 개별공시지가의 결정·공시 등에 관하여 시장·군수 또는 구청장을 지도·감독할 수 있다.
>
> ⑧ 제1항부터 제7항까지에서 규정한 것 외에 개별공시지가의 산정, 검증 및 결정, 공시기준일, 공시의 시기, 조사·산정의 기준, 이해관계인의 의견청취, 감정평가법인등의 지정 및 공시절차 등에 필요한 사항은 대통령령으로 정한다.

2. 표준지공시지가의 공시사항

> **부동산 가격공시에 관한 법률 제5조**(표준지공시지가의 공시사항)
>
> 제3조에 따른 공시에는 다음 각 호의 사항이 포함되어야 한다.
> 1. 표준지의 지번
> 2. 표준지의 단위면적당 가격
> 3. 표준지의 면적 및 형상
> 4. 표준지 및 주변토지의 이용상황
> 5. 그 밖에 대통령령으로 정하는 사항

3. 표준지공시지가의 적용 및 효력

> **부동산 가격공시에 관한 법률 제8조**(표준지공시지가의 적용)
>
> 제1호 각 목의 자가 제2호 각 목의 목적을 위하여 지가를 산정할 때에는 그 토지와 이용가치가 비슷하다고 인정되는 하나 또는 둘 이상의 표준지의 공시지가를 기준으로 토지가격비준표를 사용하여 지가를 직접 산정하거나 감정평가법인등에 감정평가를 의뢰하여 산정할 수 있다. 다만, 필요하다고 인정할 때에는 산정된 지가를 제2호 각 목의 목적에 따라 가감(加減) 조정하여 적용할 수 있다.
> 1. 지가 산정의 주체
>   가. 국가 또는 지방자치단체
>   나. 「공공기관의 운영에 관한 법률」에 따른 공공기관
>   다. 그 밖에 대통령령으로 정하는 공공단체
> 2. 지가 산정의 목적
>   가. 공공용지의 매수 및 토지의 수용·사용에 대한 보상
>   나. 국유지·공유지의 취득 또는 처분
>   다. 그 밖에 대통령령으로 정하는 지가의 산정
>
> **동법 제9조**(표준지공시지가의 효력)
>
> 표준지공시지가는 토지시장에 지가정보를 제공하고 일반적인 토지거래의 지표가 되며, 국가·지방자치단체 등이 그 업무와 관련하여 지가를 산정하거나 감정평가법인등이 개별적으로 토지를 감정평가하는 경우에 기준이 된다.

4. 개별공시지가의 활용

양도소득세의 산정(소득세법 제96조~제100조), 상속세 및 증여세의 산정(상속세 및 증여세법 제60조~제61조), 종합부동산세의 산정(종합부동산세법 제13조), 재산세의 산정(지방세법 제110조), 취득세의 산정(지방세법 제10조), 등록면허세의 산정(지방세법 제27조), 개발부담금의 산정(개발이익환수에 관한 법률 제10조), 개발제한구역 보전부담금의 산정(개발제한구역의 지정 및 관리에 관한 특별조치법 제24조), 개발제한구역 내 토지 매수청구대상의 판정(개발제한구역의 지정 및 관리에 관한 특별조치법 시행령 제28조), 국·공유재산의 대부료·사용료(국유재산법 시행령 제29조), 기초연금의 산정(기초연금법 시행령 제3조, 지방세법 제4조), 공직자 재산등록 기준(공직자윤리법 제4조), 건강보험료의 산정(국민건강보험법 시행령 제42조), 교통사고 유자녀 등 지원기준(자동차손해배상 보장법 제30조), 근로장려금의 신청자격 기준(조세특례제한법 제100조의3) 등에서 활용된다.

5. 조사평가절차 [1]

기간	조사·평가절차	비고
공시기준일 전년도 9월	표준지 선정 및 조사 의뢰	국토교통부
〃	공시지가 조사·평가자 교육	국토교통부 및 협회
공시기준일 전년도 9월~12월	표준지 선정 및 조사 지역분석	조사·평가자
공시기준일 전년도 12월	공시가격(표준지·표준주택) 시장분석회의 등 시·군·구 내 가격균형협의	〃
	시·군·구 간 가격균형협의	
	시·도별 가격균형협의	
	전국 가격균형협의	

---

1) 201○년 표준지공시지가 조사·평가업무요령, 국토교통부

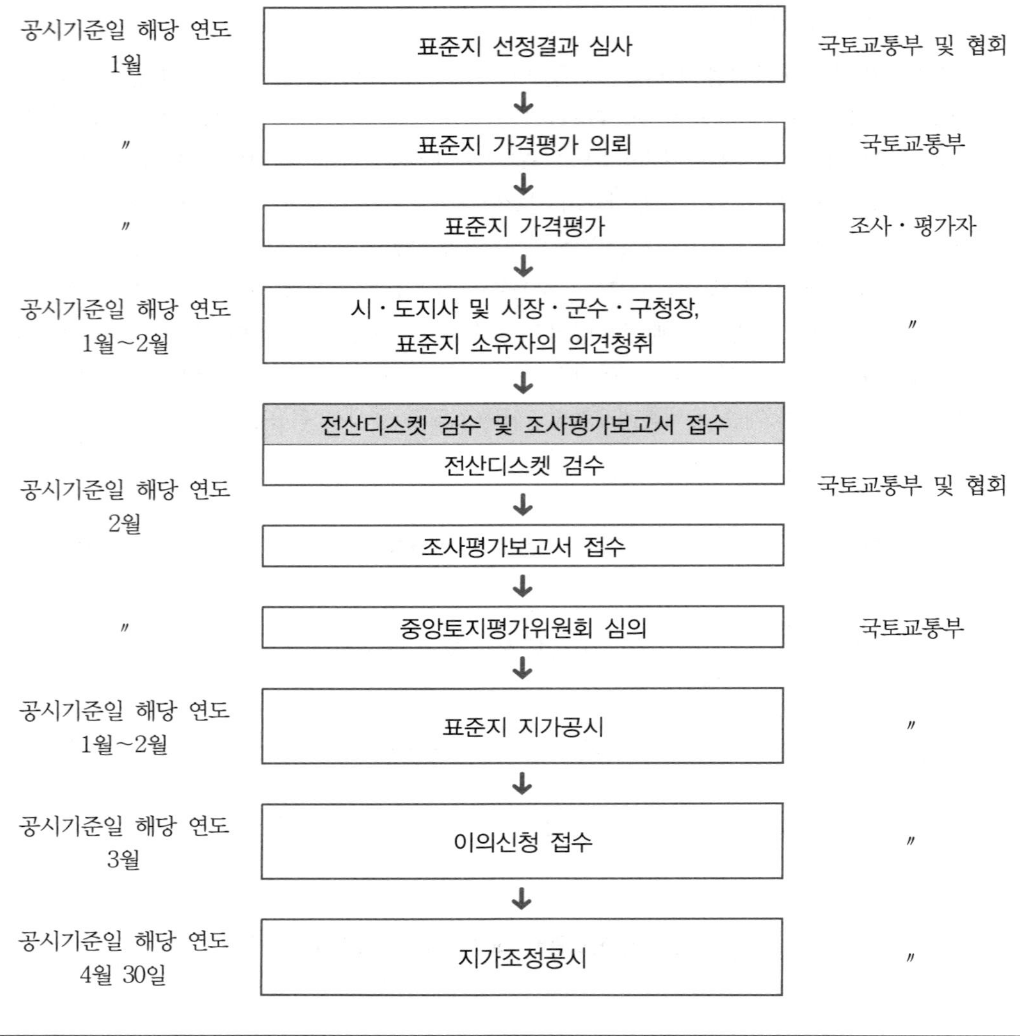

02 표준지공시지가의 선정 · 관리 및 조사 · 평가기준

1. 표준지의 선정 및 관리

1) 표준지선정의 기본원칙

① 토지의 감정평가 및 개별공시지가의 산정 등에 효율적으로 활용되고 일반적인 지가정보를 제공할 수 있도록 표준지를 선정 · 관리한다.

② 다양한 토지유형별로 일반적이고 평균적인 토지이용상황, 가격수준 및 그 변화를 나타낼 수 있도록 표준지를 선정 · 관리한다.

③ 표준지 상호 간 연계성을 고려하여 용도지역·용도지대별로 또는 토지이용상황별로 표준지를 균형 있게 분포시키고, 인근토지의 가격비교기준이 되는 토지로서 연도별로 일관성을 유지할 수 있도록 표준지를 선정·관리한다.

2) 표준지선정의 일반적 기준

(1) 일반적인 기준

① 지가의 대표성

표준지선정단위구역 내에서 지가수준을 대표할 수 있는 토지 중 인근지역 내 가격의 층화를 반영할 수 있는 표준적인 토지

② 토지특성의 중용성

표준지선정단위구역 내에서 개별토지의 토지이용상황·면적·지형지세·도로조건·주위환경 및 공적규제 등이 동일 또는 유사한 토지 중 토지특성빈도가 가장 높은 표준적인 토지

③ 토지용도의 안정성

표준지선정단위구역 내에서 개별토지의 주변이용상황으로 보아 그 이용상황이 안정적이고 장래 상당기간 동일 용도로 활용될 수 있는 표준적인 토지

④ 토지구별의 확정성

표준지선정단위구역 내에서 다른 토지와 구분이 용이하고 위치를 쉽게 확인할 수 있는 표준적인 토지

> "표준지선정단위구역"이라 함은 동일한 용도지역 내에서 가격수준 및 토지이용상황 등을 고려하여 표준지의 선정범위를 구획한 구역을 말한다.

(2) 예외

① 특수토지 또는 용도상 불가분의 관계를 형성하고 있는 비교적 대규모의 필지를 일단지로 평가할 필요가 있는 경우에는 표준지로 선정하여 개별공시지가의 산정기준으로 활용될 수 있도록 하되, 토지형상·위치 등이 표준적인 토지를 선정한다.

② 국가 및 지방자치단체에서 행정목적상 필요하여 표준지를 선정하여 줄 것을 요청한 특정지역이나 토지에 대해서는 지역특성을 고려하여 타당하다고 인정하는 경우에는 표준지를 선정할 수 있다.

③ 골프장·스키장·광천지 등 특수토지는 최대한 표준지로 선정하며, 일단지 토지 내에 1개의 표준지만을 선정한다.

3) 표준지의 교체사유

기존 표준지는 특별한 사유가 없는 한 교체하지 아니한다. 다만, ⅰ) 행정구역개편, ⅱ) 용도지역변경, ⅲ) 개발사업시행, ⅳ) 지적사항변경, ⅴ) 형질변경, ⅵ) 토지이용상황변경, ⅶ) 분포밀도조정, ⅷ) 기타 (개별공시지가 산정 시 비교표준지로서의 활용성이 낮아 실질적으로 기준성을 상실한 경우 등)에는 인근의 다른 토지로 교체하거나 삭제할 수 있다.

4) 표준지선정의 제외대상

(1) 국·공유지

원칙적으로 국·공유지는 표준지로 선정하지 아니하나, 「국유재산법」상 일반재산인 경우와 국·공유의 토지가 여러 필지로서 일단의 넓은 지역을 이루고 있어 그 지역의 지가수준을 대표할 표준지가 필요한 경우에는 국·공유의 토지를 표준지로 선정할 수 있다.

(2) 한 필지가 둘 이상의 용도로 이용되고 있는 토지

원칙적으로 한 필지가 둘 이상의 용도로 이용되고 있는 토지는 표준지로 선정하지 아니하나, 부수적인 용도의 면적과 토지의 효용가치가 경미한 경우에는 비교표준지로의 활용목적을 고려하여 표준지로 선정할 수 있다.

2. 표준지공시지가의 조사·평가

1) 조사해야 할 공부 및 사항

(1) 적용원칙

표준지의 적정가격의 조사·평가는 「부동산공시법」이나 「부동산공시법 시행규칙」, 「감정평가에 관한 규칙」에서 정하는 것을 제외하고는 기준이 정하는 바에 의하고 이 기준에서 정하지 아니한 사항은 감정평가의 일반이론에 따라 평가한다.

(2) 용어의 정리[2]

① 개발이익

공익사업의 계획 또는 시행이 공고 또는 고시되거나 공익사업의 시행, 그 밖에 공익사업의 시행에 따른 절차로서 행하여진 토지이용계획의 설정·변경·해제 등으로 인하여 토지소유자가 자기의 노력에 관계없이 지가가 상승되어 현저하게 받은 이익으로서 정상지가 상승분을 초과하여 증가된 부분을 말한다.

② 일시적인 이용상황

관련 법령에 따라 국가나 지방자치단체의 계획이나 명령 등으로 해당 토지를 본래의 용도로 이용하는 것이 일시적으로 금지되거나 제한되어 다른 용도로 이용하고 있거나 해당 토지의 주위 환경 등으로 보아 현재의 이용이 임시적인 것으로 인정되는 이용을 말한다.

③ 나지

"나지"란 토지에 건물이나 그 밖의 정착물이 없고 지상권 등 토지의 사용·수익을 제한하는 사법상의 권리가 설정되어 있지 아니한 토지를 말한다.

---

2) 표준지공시지가 조사·평가기준 제2조(정의)

2) 가격자료의 종류 및 요건

⑴ 가격자료의 종류

표준지의 적정가격을 조사·평가할 때에는 인근지역 및 동일수급권 안의 유사지역에 있는 거래사례, 평가선례, 보상선례, 조성사례, 분양사례, 수익사례 등과 세평가격 등 가격결정에 참고가 되는 자료(이하 "가격자료"라 한다)를 수집하여 이를 정리한다.

> ● 전년도 공시지가의 활용 여부
>
> 전년도 공시지가 자료는 원칙적으로 가격자료로 활용할 수 없다. 단, 문제풀이 시 전년도 공시지가와의 격차율(상승률 혹은 하락률)을 분석하여 기재하면 좋을 것이다.

⑵ 가격자료의 요건

최근 3년 이내의 자료일 것, 사정보정이 가능할 것, 지역요인 및 개별요인의 비교가 가능할 것, 위법 또는 부당한 거래 등이 아닐 것, 토지 및 그 정착물이 일체로 거래된 경우 배분법 적용이 합리적이어야 한다.

3) 사정보정 및 시점수정

⑴ 사정보정

수집된 거래사례 등에 거래당사자의 특수한 사정 또는 개별적인 동기가 개재되어 있거나 평가선례 등에 특수한 평가조건 등이 반영되어 있는 경우에는 그러한 사정이나 조건 등이 없는 상태로 이를 적정하게 보정한다.

⑵ 시점수정

가격자료의 거래시점 등이 공시기준일과 다른 경우에는 「부동산 거래신고 등에 관한 법률」 제19조에 따라 국토교통부장관이 조사한 지가변동률로서 가격자료가 소재한 시·군·구의 같은 용도지역 지가변동률로 시점수정을 행한다. 다만, 같은 용도지역의 지가변동률을 적용하는 것이 불가능하거나 적절하지 아니하다고 판단되는 경우에는 공법상 제한이 같거나 비슷한 용도지역의 지가변동률, 이용상황별 지가변동률 또는 해당 시·군·구의 평균지가변동률로 시점수정하며, 지가변동률을 적용하는 것이 불가능하거나 적절하지 아니한 경우에는 「한국은행법」 제86조에 따라 한국은행이 조사·발표하는 생산자물가지수에 따라 산정된 생산자물가상승률 등으로 시점수정한다.

4) 지역요인 및 개별요인의 비교 등

(1) 지역요인 및 개별요인의 비교

수집·정리된 거래사례 등의 토지가 표준지의 인근지역에 있는 경우에는 개별요인만을 비교하고, 동일수급권 안의 유사지역에 있는 경우에는 지역요인 및 개별요인을 비교한다.

지역요인 및 개별요인의 비교는 표준지의 공법상 용도지역과 실제이용상황 등을 기준으로 그 용도적 특성에 따라 용도지대를 분류하고, 가로조건·접근조건·환경조건·획지조건·행정적 조건·기타조건 등에 관한 사항을 비교한다.

(2) 인근지역의 확정

지역요인 및 개별요인의 비교를 위한 인근지역의 판단은 토지의 용도적 관점에 있어서의 동질성을 기준으로 하되, 일반적으로 지형·지물 등 다음 각 호의 사항을 확인하여 인근지역의 범위를 정한다.

① 지반, 지세, 지질
② 하천, 수로, 철도, 공원, 도로, 광장, 구릉 등
③ 토지이용상황
④ 공법상 용도지역, 지구, 구역 등
⑤ 역세권, 통학권, 통작권역

5) 평가가격의 결정 및 표시

① 거래사례비교법 등에 따라 표준지의 가격을 산정한 때에는 인근지역 또는 동일수급권 안의 유사지역에 있는 유사용도 표준지의 평가가격과 비교하여 그 적정 여부를 검토한 후 평가가격을 결정하되, 유사용도 표준지의 평가가격과 균형이 유지되도록 하여야 한다.

② 표준지로 선정된 1필지의 토지가 둘 이상의 용도로 이용되는 경우에는 용도별 면적비율에 의한 평균가격으로 평가가격을 결정한다. 다만, 다른 용도로 이용되는 부분이 일시적인 이용상황인 경우나, 다른 용도로 이용되는 부분이 주된 용도와 가치가 유사하거나 면적비율이 현저하게 낮아 주된 용도의 가격을 기준으로 거래되는 관행이 있는 경우에는 주된 용도의 가격으로 평가가격을 결정할 수 있다.

③ 표준지의 평가가격은 제곱미터당 가격으로 표시하되, 유효숫자 두 자리로 표시함을 원칙으로 한다. 다만, 그 평가가격이 10만원 이상인 경우에는 유효숫자 세 자리까지 표시할 수 있다.

④ 표준지 이의신청에 따른 평가가격 또는 「부동산 가격공시에 관한 법률」 제3조 제5항[3] 단서에 따라 하나의 감정평가법인등에게 의뢰하여 표준지공시지가를 평가하는 경우의 평가가격의 유효숫자 제한은 국토교통부장관이 별도로 정할 수 있다.

---

3) 부동산 가격공시에 관한 법률 제3조(표준지공시지가의 조사·평가 및 공시 등)
　⑤ 국토교통부장관이 제1항에 따라 표준지공시지가를 조사·평가할 때에는 업무실적, 신인도(信認度) 등을 고려하여 둘 이상의 「감정평가 및 감정평가사에 관한 법률」에 따른 감정평가법인등(이하 "감정평가법인등"이라 한다)에게 이를 의뢰하여야 한다. 다만, 지가 변동이 작은 경우 등 대통령령으로 정하는 기준에 해당하는 표준지에 대해서는 하나의 감정평가법인등에게 의뢰할 수 있다.

6) 경계지역 간 가격균형 검토

① 표준지의 평가가격을 결정한 때에는 인근 시·군·구의 유사용도 표준지의 평가가격과 비교하여 그 가격의 균형 여부를 검토해야 한다.

② 가격균형 여부의 검토는 용도지역·용도지대 및 토지이용상황별 지가수준을 비교하는 것 외에 특수 토지 및 경계지역 부분에 있는 유사용도 표준지에 대하여 개별필지별로 행하되, 필요한 경우에는 인근 시·군·구의 가격자료 등을 활용하여 평가가격을 조정함으로써 상호 균형이 유지되도록 하여야 한다.

3. 표준지공시지가 평가의 기준

1) 적정가격 기준평가

"해당 토지에 대하여 통상적인 시장에서 정상적인 거래가 이루어지는 경우 성립될 가능성이 가장 높다고 인정되는 가격(적정가격)"으로 결정하되, 시장에서 형성되는 가격자료를 충분히 조사하여 표준지의 객관적인 시장가치를 평가한다.

특수토지 등 시장성이 없거나 거래사례 등을 구하기가 곤란한 토지는 해당 토지와 유사한 이용가치를 지닌다고 인정되는 토지의 조성에 필요한 비용추정액 또는 임대료 등을 고려한 가격으로 평가하거나, 해당 토지를 인근지역의 주된 용도의 토지로 보고 그 용도적 제한이나 거래제한의 상태 등을 고려한 가격으로 평가한다.

> **부동산 가격공시에 관한 법률 제26조의2**(적정가격 반영을 위한 계획 수립 등)
>
> ① 국토교통부장관은 부동산공시가격이 적정가격을 반영하고 부동산의 유형·지역 등에 따른 균형성을 확보하기 위하여 부동산의 시세 반영률의 목표치를 설정하고, 이를 달성하기 위하여 대통령령으로 정하는 바에 따라 계획을 수립하여야 한다.
> ② 제1항에 따른 계획을 수립하는 때에는 부동산 가격의 변동 상황, 지역 간의 형평성, 해당 부동산의 특수성 등 제반사항을 종합적으로 고려하여야 한다.
> ③ 국토교통부장관이 제1항에 따른 계획을 수립하는 때에는 관계 행정기관과의 협의를 거쳐 공청회를 실시하고, 제24조에 따른 중앙부동산가격공시위원회의 심의를 거쳐야 한다.
> ④ 국토교통부장관, 시장·군수 또는 구청장은 부동산공시가격을 결정·공시하는 경우 제1항에 따른 계획에 부합하도록 하여야 한다.
>
> **부동산 가격공시에 관한 법률 시행령 제74조의2**(적정가격 반영을 위한 계획 수립)
>
> ① 국토교통부장관은 법 제26조의2 제1항에 따른 계획을 수립하는 때에는 다음 각 호의 사항을 포함하여 수립해야 한다.
> 1. 부동산의 유형별 시세 반영률의 목표
> 2. 부동산의 유형별 시세 반영률의 목표 달성을 위하여 필요한 기간 및 연도별 달성계획
> 3. 부동산공시가격의 균형성 확보 방안
> 4. 부동산 가격의 변동 상황 및 유형·지역·가격대별 형평성과 특수성을 반영하기 위한 방안

> ② 국토교통부장관은 법 제26조의2 제1항에 따른 계획을 수립하기 위하여 필요한 경우에는 국가기관, 지방자치 단체, 부동산원, 그 밖의 기관·법인·단체에 대하여 필요한 자료의 제출 또는 열람을 요구하거나 의견의 제출을 요구할 수 있다.
>
> **부동산 가격공시에 관한 법률 시행규칙 제32조**(자료의 공개)
>
> 국토교통부장관은 법 제26조 제1항에 따라 표준지공시지가, 표준주택가격 및 공동주택가격의 주요사항에 관한 보고서를 국회에 제출하는 때에 같은 조 제2항에 따라 다음 각 호의 자료를 영 제4조에 따른 부동산공시가격시스템에 게시해야 한다.
> 1. 부동산 유형별 종합적인 시세 반영률
> 2. 부동산 유형별 공시가격의 조사·산정 기준 및 절차
> 3. 부동산 공시가격 산정에 고려된 용도지역 또는 용도 등 주요 특성 및 현황
> 4. 부동산 공시가격 산정에 참고한 인근지역의 실거래가 및 시세자료 등 가격에 관한 자료

2) 실제용도 기준평가

표준지의 평가는 공부상의 지목에도 불구하고 공시기준일 현재의 이용상황을 기준으로 평가하되, 일시적인 이용상황은 이를 고려하지 아니한다.

3) 나지상정 평가

토지에 건물 기타의 정착물이 있거나 지상권 등 토지의 사용·수익을 제한하는 사법상의 권리가 설정되어 있는 경우에는 그 정착물 등이 없는 토지의 나지상태를 상정하여 평가한다.

4) 공법상 제한상태 기준평가

표준지의 평가에 있어서 공법상 용도지역·지구·구역 등 일반적인 계획제한사항뿐만 아니라 도시·군계획시설 결정 등 공익사업의 시행을 직접목적으로 하는 개별적인 계획제한사항이 있는 경우에는 그 공법상 제한을 받는 상태를 기준으로 평가한다.

≫ 보상감정평가 : 개별적 제한사항은 제한을 받지 않는 상태를 기준으로 평가한다.

5) 개발이익 반영평가

표준지의 평가에 있어서 개발이익은 이를 반영하여 평가한다. 다만, 그 개발이익이 주위환경 등의 사정으로 보아 공시기준일 현재 현실화·구체화되지 아니하였다고 인정되는 경우에는 그러하지 아니하다.

≫ 보상감정평가 : 해당 사업으로 인한 개발이익은 배제한 가격으로 평가한다.
개발이익을 반영함에 있어서 공익사업시행지구 안에 있는 토지는 해당 공익사업의 단계별 성숙도 등을 고려하여 평가하되, 인근지역 또는 동일수급권 안의 유사지역에 있는 유사용도 토지의 지가수준과 비교하여 균형이 유지되도록 하여야 한다.

6) 일단지의 평가

(1) 용도상 불가분의 관계의 일단의 토지 중 1필지가 표준지로 선정 시 일단지를 1필지로 보고 평가한다.

(2) **용도상 불가분의 관계**

사회적, 경제적, 행정적 측면에서 합리적이고, 가치형성측면에서도 타당하다고 인정되는 관계에 있는 경우를 말한다.

(3) **구체적인 사례**

① **개발사업예정지의 경우**

공시기준일 현재 관련 법령에 따른 해당 사업계획의 승인이나 「공익사업을 위한 토지 등의 취득 및 보상에 관한 법률」 제20조에 따른 사업인정(다른 법률에 따라 사업인정으로 보는 경우를 포함한다)이 있기 전에는 이를 일단지로 보지 아니한다.

② 2필지 이상의 토지에 하나의 건축물(부속건축물을 포함한다)이 건립되어 있거나(건축물대장의 관련지번을 통하여 확인) 건축 중에 있는 토지와 공시기준일 현재 나지상태이나 건축허가 등을 받고 공사를 착수한 때에는 토지소유자가 다른 경우에도 일단지로 본다.

③ **조경수목재배지 등으로 현재의 이용이 일시적인 경우**

2필지 이상의 일단의 토지가 조경수목재배지, 조경자재제조장, 골재야적장, 간이창고, 간이체육시설용지(테니스장, 골프연습장, 야구연습장 등) 등으로 이용되고 있는 경우로서 주위환경 등의 사정으로 보아 현재의 이용이 일시적인 이용상황으로 인정되는 경우에는 이를 일단지로 보지 아니한다.

④ **토지소유권과의 관계**

일단으로 이용되고 있는 2필지 이상의 토지는 일반적으로 토지소유자가 1인이거나 공유관계에 있는 것이 대부분이지만, 각각의 토지소유자가 다른 경우에도 토지의 최유효이용의 결과로서 용도상 불가분의 관계에 있는 경우에는 일단지로 평가한다.

⑤ **「공간정보의 구축 및 관리 등에 관한 법률」상의 지목과의 관계**

일단지의 범위는 용도상 불가분의 관계를 기준으로 판정하므로 「공간정보의 구축 및 관리 등에 관한 법률」상의 지목개념과 반드시 일치하는 것은 아니다. 용도상 가치가 명확하게 구분되어 사회통념상 가치형성이 달라 용도상 불가분의 관계가 명확하지 않다고 인정되는 경우에는 용도상 불가분의 관계로 볼 수 없다.

⑥ **건축 중인 토지의 일단지 조사 · 평가 적용시점**

건축 중에 있는 토지의 공시기준일 현재 나지상태이나 건축허가 등을 받고 공사를 착수한 때에는 일단지로 조사 · 평가하게 된다. 건축허가와 착공신고를 필하고 건축물의 기초공사 등을 착수하여 일단의 토지가 하나의 건축물(부속 건축물을 포함한다) 등의 부지로서 이용되는 것이 객관적으로 인식되는 시점을 "공사를 착수한 때"로 본다.

(4) 일단지의 구분평가

일단지의 일부가 용도지역 등을 달리하는 등 가치가 명확히 구분되어 둘 이상의 표준지가 선정된 때에는 구분된 부분을 각각 일단지로 보고 평가한다.

7) 평가방식의 적용

(1) 원칙

표준지의 평가는 거래사례비교법, 원가법 또는 수익환원법의 3방식 중에서 해당 표준지의 특성에 가장 적합한 평가방식 하나를 선택하여 행하되, 다른 평가방식에 따라 산정한 가격과 비교하여 그 적정 여부를 검토한 후 평가가격을 결정한다. 다만, 해당 표준지의 특성 등으로 인하여 다른 평가방식을 적용하는 것이 현저히 곤란하거나 불필요한 경우에는 하나의 평가방식으로 결정할 수 있으며, 이 경우 표준지 조사·평가지침 제14조에 따른 조사·평가보고서에 그 사유를 기재하여야 한다.

: 표준지공시지가 거래사례비교법 예시

특성	표준지	거래사례
소재지	○○동 35-20	○○동 71-40
용도	농림	농림
지목	답	답
이용상황	답	답
도로	맹지	세로(가)
형상	가장형	세장형
지세	평지	평지
전년공시지가(원/m²)	201,000	176,700

소재지	○○동 71-40(거래사례)	비고
거래가격	302,500	사례단가
거래시점	20○○-04-21	사례거래시점
사정보정	1.0000	–
시점수정	1.06457	지가변동률
지역요인비교	1.0000	–
개별요인비교	1.1055	개별요인*
그 밖의요인	0.6343	목표현실화율**
평가가격	225,815	–
시가수준입력	356,000	평가자 입력

＊ 실무상 개별요인 역산보정치를 이용하여 시가수준에 따른 공시가격이 입력되도록 한다.

개별요인 역산보정치 = 시가수준 입력 ÷ (거래가격 × 사정보정 × 시점수정 × 지역요인)

＊＊ 목표현실화율은 용도별(주거용, 상업용, 공업용, 농경지, 임야, 기타)에 따라 매년 설정되어진다.

(2) 시장성이 있는 토지

일반적으로 시장성이 있는 토지는 거래사례비교법으로 평가한다. 다만, 새로이 조성 또는 매립된 토지는 원가법으로 평가할 수 있으며, 상업용지 등 수익성이 있는 토지는 수익환원법으로 평가할 수 있다.

(3) 시장성이 없거나 토지의 용도 등이 특수하여 거래사례 등을 구하기가 현저히 곤란한 토지

시장성이 없거나 토지의 용도 등이 특수하여 거래사례 등을 구하기가 현저히 곤란한 토지는 원가법에 따라 평가하거나, 해당 토지를 인근지역의 주된 용도의 토지로 보고 거래사례비교법에 따라 평가한 가격에 그 용도적 제한이나 거래제한의 상태 등을 고려한 가격으로 평가한다. 다만, 그 토지가 수익성이 있는 경우에는 수익환원법으로 평가할 수 있다.

(4) 원가법에 의하여 결정할 경우 평가방식

표준지의 평가가격을 원가법에 따라 결정할 경우에는 다음과 같이 한다. 다만, 특수한 공법을 사용하여 토지를 조성한 경우 등 해당 토지의 조성공사비가 평가가격 산출 시 적용하기에 적정하지 아니한 경우에는 인근 유사토지의 조성공사비를 참작하여 적용할 수 있다.

> [조성 전 소지가격 + (조성공사비 및 부대비용 + 개발부담금 등 제세공과금 + 적정이윤)]
> ÷ 해당 토지의 면적

(5) 수익환원법에 의하여 결정할 경우 평가모형

현행 공시지가 조사·평가 시 거래사례비교법 중심의 평가방법 이외에 '오피스·매장용빌딩 임대료조사 및 투자수익률 조사·평가' 결과에 의한 전국의 임대동향표본을 활용하여 수익환원법에 의한 공시지가의 수익(시산)가격을 산출·조정함으로써 공시지가제도의 안정성 및 공신력을 제고함을 목적으로 한다. 수익환원법에 의한 표준지공시지가의 조사·평가는 해당 시군구의 표준지 중 상업용 및 업무용 표준지 수의 일정비율의 표준지를 수익환원법으로 검증하도록 하고 있다.

$$P_L=\left(a-B\times\frac{y-g}{1-\left[\dfrac{1+g}{1+y}\right]^n}\right)\times\frac{1-\left[\dfrac{1+g}{1+y}\right]^n}{y-g}+\frac{P_L(1+g)^n}{(1+y)^n}$$

P_L: 토지가격 　　　　a: 순수익 　　　　B: 건물평가가격

y: 종합수익률 　　　　g: 임대료변동률 　　　　n: 경제적 잔존내용연수

❖ 표준지공시지가 수익환원법 예시

소재지	경기도 ○○시 ○○동 544-8	
임대사례의 순수익	135,639,786	
임대사례의 소득수익률	4.97%	
임대사례의 임대료변동률(g)	1.00%	
임대사례의 투자수익률(y)	5.97%	
임대사례 건물평가가격	564,646,500	임대사례 표본의 정보 기준
임대사례의 건물귀속 순수익	46,884,776*	
임대사례의 토지귀속 순수익	124,656	
임대사례의 건물면적	1,006.50㎡	
임대사례의 토지면적	712.0㎡	
임대사례 건물의 경제적 잔존내용연수	19	

임대사례의 토지귀속 순수익	124,656	–
사정보정	1.0000	–
시점수정	1.00618	지가변동률
지역요인	1.0000	
개별요인	2.1895	표준지/임대사례 표본지
표준지의 토지귀속 순수익	274,621	–
투자수익률(y)	5.97%	–
수익환원법에 의한 시가수준(원/m²)	4,600,000	
그 밖의 요인	0.6548	현실화 목표치
수익환원법에 의한 표준지공시지가(원/m²)	3,012,000	

$$* \quad 135{,}639{,}786 - 564{,}646{,}500 \times \frac{0.0597 - 0.01}{1 - (\frac{1.01}{1.0597})^{19}} ≒ 46{,}884{,}776$$

01 용도별 토지의 평가

1. 주거용지

(1) 평가기준

인근지역 또는 동일수급권 안의 유사지역에 있는 토지의 거래사례 등 가격자료를 활용하여 거래사례비교법으로 평가한다. 다만, 새로이 조성 또는 매립된 토지로서 거래사례비교법으로 평가하는 것이 현저히 곤란하거나 적정하지 아니하다고 인정되는 경우에는 원가법에 의할 수 있다.

(2) 아파트 등 공동주택용지

그 지상에 있는 건물과 유사한 규모(층수·용적률·건폐율 등)의 건축물을 건축할 수 있는 토지의 나지상태를 상정하여 평가한다. 다만, 공시기준일 현재 해당 토지의 현실적인 이용상황이 인근지역에 있는 유사용도 토지의 표준적인 이용상황에 현저히 미달되는 경우에는 인근지역에 있는 유사용도 토지의 표준적인 이용상황을 기준으로 한다.

2. 상업·업무용지

(1) 평가기준

인근지역 또는 동일수급권 안의 유사지역에 있는 토지의 거래사례 등 가격자료를 활용하여 거래사례비교법으로 평가한다. 다만, 수익사례의 수집이 가능한 경우에는 수익환원법으로 평가할 수 있으며(이 경우 거래사례비교법으로 평가한 가격과 비교하여 그 합리성을 검토해야 한다), 새로이 조성 또는 매립된 토지는 원가법으로 평가할 수 있다.

(2) 임대사례표본을 활용한 수익환원법

상업·업무용지의 인근지역 또는 동일수급권 안의 유사지역에 임대동향표본(국토교통부장관이 매년 임대동향조사를 위하여 선정한 오피스빌딩 및 매장용 빌딩을 말한다)이 소재하는 경우 상업·업무용지는 임대동향표본을 활용하여 수익환원법으로 평가하여야 한다(이 경우 거래사례비교법으로 평가한 가격과 비교하여 그 합리성을 검토해야 한다). 다만, 인근지역 또는 동일수급권 안의 유사지역에 비교가능한 적정 거래사례가 충분하여 거래사례비교법으로 평가하는 것이 합리적인 것으로 인정되는 경우나 음(−)의 수익가격이 산출되는 등 임대동향표본을 활용한 수익환원법의 적용이 불합리한 경우에는 예외로 한다.

3. 공업용지

(1) 평가기준

인근지역 또는 동일수급권 안의 유사지역에 있는 토지의 거래사례 등 가격자료를 활용하여 거래사례비교법으로 평가한다. 다만, 새로이 조성 또는 매립된 토지로서 거래사례비교법으로 평가하는 것이 현저히 곤란하거나 적정하지 아니하다고 인정되는 경우에는 원가법으로 평가할 수 있다.

(2) 「산업입지 및 개발에 관한 법률」에 따른 국가산업단지 · 지방산업단지 · 농공단지 등 산업단지 안에 있는 공업용지

해당 토지 등의 분양가격자료를 기준으로 평가하되, 「산업집적활성화 및 공장설립에 관한 법률 시행령」 제52조에서 정한 이자 및 비용상당액과 해당 산업단지의 성숙도 등을 고려한 가격으로 평가한다. 다만, 분양이 완료된 후에 상당기간 시일이 경과되어 해당 토지 등의 분양가격자료에 따른 평가가 현저히 곤란하거나 적정하지 아니하다고 인정되는 경우에는 인근지역 또는 동일수급권의 다른 산업단지 안에 있는 공업용지의 분양가격자료를 기준으로 평가할 수 있다.

>> 공업용지로서 산업단지 안에 있는 공업용지는 분양가격자료를 기준으로 평가한다. 산업입지 및 개발에 관한 법률상 분양가격은 원가법으로 평가하도록 규정되어 있다.

4. 농경지

(1) 평가기준

인근지역 또는 동일수급권 안의 유사지역에 있는 농경지의 거래사례 등 가격자료를 활용하여 거래사례비교법으로 평가한다. 다만, 간척지 등 새로이 조성 또는 매립된 토지로서 거래사례비교법으로 평가하는 것이 현저히 곤란하거나 적정하지 아니하다고 인정되는 경우에는 원가법으로 평가할 수 있다.

(2) 과수원 지상의 과수목

과수원은 그 지상에 있는 과수목의 상황을 고려하지 아니한 상태를 기준으로 평가하되, 과수목가격이 토지가격에 비하여 경미한 경우 등은 그 지상에 있는 과수목을 포함한 가격으로 평가할 수 있다. 이 경우에 그 지상에 있는 과수목은 따로 경제적인 가치가 없는 것으로 본다.

5. 임야지

(1) 평가기준

인근지역 또는 동일수급권 안의 유사지역에 있는 임야지의 거래사례 등 가격 자료를 활용하여 거래사례비교법으로 평가하되, 그 지상입목의 상황을 고려하지 아니한 상태를 기준으로 평가한다. 다만, 다음에 해당되는 경우에는 그 지상입목을 임야지에 포함한 가격으로 평가할 수 있다. 이 경우에 그 지상입목은 따로 경제적인 가치가 없는 것으로 본다.
① 입목가격이 임야지가격에 비하여 경미한 경우
② 자연림으로서 입목도가 30퍼센트 이하인 경우

⑵ 「초지법」 규정에 의하여 허가를 받아 조성된 목장용지

인근지역 또는 유사용도 토지의 거래사례 등 가격자료를 활용하여 거래사례비교법으로 평가한다. 다만, 인근지역 및 동일 수급권 안의 유사지역에서 유사용도 토지의 거래사례 등 가격자료를 구하기가 현저히 곤란한 경우에는 원가법에 따라 다음과 같이 평가할 수 있다.

① 초지 = 조성전 소지가격 + 초지조성비용(개량비 포함) + 적정이윤 등

② 축사 및 부대시설의 부지 = 조성전 소지가격 + 토지조성비용 + 적정이윤 등

③ 목장용지 내의 주거용 "대" 부분은 목장용지로 보지 아니하며, 실제 이용상황 등을 고려하여 평가

6. 후보지

택지후보지 및 농경지후보지의 평가 시에는 인근지역 또는 동일수급권 안의 유사지역에 있는 토지의 거래사례 등 가격자료를 활용하여 거래사례비교법으로 평가한다. 다만, 인근지역 및 동일수급권 안의 유사지역에서 유사용도 토지의 거래사례 등 가격자료를 구하기가 현저히 곤란한 경우에는 택지조성 후의 토지가격에서 택지조성에 필요한 통상의 비용상당액 및 적정이윤 등을 뺀 가격에 성숙도 등을 고려한 가격으로 평가할 수 있다.

02 공법상 제한을 받는 토지의 평가

1. 도시·군계획시설 등 저촉토지

① 저촉된 상태로 평가한다(사례가 없는 경우 저촉되지 않은 상태가격에 감가율 등을 고려).

② 일부저촉의 경우는 면적비율에 의한 평균가격으로 평가한다. 다만, 잔여부분의 면적비율이 현저하게 낮은 경우 다른 한쪽을 기준으로 평가한다.

③ 공시기준일 현재 해당 도시·군계획시설사업이 완료된 경우는 도시·군계획시설에 저촉되지 아니한 것으로 보고 평가한다.

④ 도시·군계획시설에 저촉되는 토지는 그 도시·군계획시설에 저촉된 상태대로의 가격이 형성되어 있는 경우에는 그 가격을 기준으로 평가하고, 저촉된 상태대로의 가격이 형성되어 있지 아니한 경우에는 저촉되지 아니한 상태를 기준으로 한 가격에 그 도시·군계획시설의 저촉으로 인한 제한정도에 따른 적정한 감가율 등을 고려하여 평가한다.

2. 둘 이상의 용도지역에 속한 토지

각 용도지역 부분의 위치, 형상, 이용상황 및 그 밖에 다른 용도지역 부분에 미치는 영향 등을 고려하여 면적 비율에 따른 평균가격으로 평가한다. 다만, 용도지역을 달리하는 부분의 면적비율이 현저하게 낮아 가격형성에 미치는 영향이 별로 없거나 관계법령에 따라 주된 용도지역을 기준으로 이용할 수 있는 경우에는 주된 용도지역의 가격을 기준으로 평가할 수 있다.

3. 도시·군계획시설도로에 접한 토지

1) 원칙

접하지 아니한 상태 기준으로 평가한다.

2) 접한 상태를 반영하는 경우

(1) 공시기준일 현재 건설공사 중인 도로

공시기준일 현재 건설공사 중에 있는 경우에는 이를 현황도로로 본다(즉, 접한상태를 반영하여 평가한다).

(2) 「국토의 계획 및 이용에 관한 법률」에 의한 도시·군계획시설사업의 실시계획의 고시 및 「도시개발법」에 의한 도시개발사업의 실시계획의 고시가 된 경우

건설공사는 착수하지 아니하였으나 도시·군계획시설사업의 실시계획의 고시 및 도시개발사업의 실시계획의 고시가 된 경우에는 이를 반영하여 평가할 수 있다.

4. 개발제한구역 안의 토지

(1) 원칙

개발제한구역에 따른 공법상 제한을 제한받는 상태를 기준으로 평가한다.

(2) 건축물이 있는 토지

건축물이 있는 토지는 「개발제한구역법 시행령」 제13조 제1항에서 규정하는 범위 안에서의 건축물의 개축·재축·증축·대수선·용도변경 등이 가능한 토지의 나지상태를 상정하여 평가한다.

(3) 개발제한구역 지정 당시부터 지목이 대인 건축물이 없는 토지

이축된 건축물이 있었던 지목이 대인 토지로서 개발제한구역 지정 당시부터 해당 토지의 소유자와 건축물의 소유자가 다른 경우의 토지를 포함하며, 형질변경허가가 불가능한 토지를 제외한다. 건축이 가능한 상태를 기준으로 평가한다.

(4) 건축물이 없는 대지

건축물이 없는 대지를 기준으로 감정평가하며, 인근에 유사한 표준지가 없는 경우 동일수급권 내 유사지역의 표준지를 선정하거나 건축물이 있는 대지의 표준지에 격차율을 반영하여 평가한다.

(5) 건축이 불가능한 지목이 대인 토지

현실의 이용상황을 고려하여 평가한다.

5. 재개발구역 안의 토지

「도시 및 주거환경정비법」 제8조에 따라 지정된 주거환경개선구역·재개발구역 안의 토지는 그 공법상 제한을 받는 상태를 기준으로 평가한다. 다만, 공시기준일이 「도시 및 주거환경정비법」 제50조에 따른 사업시행인가 등의 고시 전으로서 해당 공익사업의 시행으로 인한 개발이익이 현실화·구체화 되지 아니하였다고 인정되는 경우에는 이를 반영하지 아니한다.

6. 환지방식에 의한 사업시행지구 안의 토지

1) 도시개발법상 환지방식에 의한 사업시행지구 안에 있는 토지

⑴ 환지처분 이전에 환지예정지로 지정된 경우

청산금의 납부 여부에 관계없이 환지예정지의 위치, 확정예정지번(블록·롯트), 면적, 형상, 도로 접면상태와 그 성숙도 등을 고려하여 평가한다.

⑵ 환지예정지의 지정 전인 경우

종전 토지의 위치, 지목, 면적, 형상, 이용상황 등을 기준으로 평가한다.

2) 「농어촌정비법」의 규정에 의한 농업생산기반정비사업시행지구 안에 있는 토지

1)을 준용한다.

7. 택지개발사업 시행지구 안의 토지

⑴ 공법상 제한사항 등의 고려

「택지개발촉진법」에 의한 택지개발사업시행지구 안에 있는 토지는 그 공법상 제한사항 등을 고려 하여 평가한다.

⑵ 택지개발사업실시계획의 승인고시일 이후에 택지로서의 확정예정지번이 부여된 경우

확정예정지의 위치 등을 고려하여 평가하되, 「택지개발촉진법」에 의한 해당 택지의 지정용도 등 을 고려하여 평가한다.

⑶ 택지로서의 확정예정지번이 부여되기 전인 경우

종전 토지의 이용상황 등을 기준으로 그 공사의 시행 정도 등을 고려하여 평가하되, 택지개발촉진 법에 의하여 공법상 용도지역이 변경된 경우에는 변경된 용도지역을 기준으로 한다.

8. 특정시설 보호 등을 목적으로 지정된 구역 등 안의 토지

「문화유산의 보존 및 활용에 관한 법률」 제27조에 따른 보호구역 등 관계법령에 따라 특정시설의 보호 등을 목적으로 지정된 구역 등 안에 있는 토지는 그 공법상 제한을 받는 상태대로의 가격이 형성되어 있는 경우에는 그 가격을 기준으로 평가하고, 제한을 받는 상태대로의 가격이 형성되어 있 지 아니한 경우에는 그 공법상 제한을 받지 아니한 상태를 기준으로 한 가격에 그 공법상 제한정도에 따른 적정한 감가율 등을 고려하여 평가한다.

03 특수토지의 평가

특수토지는 인근지역 혹은 동일수급권 내 유사지역의 특수토지와 유사한 토지의 거래사례를 기준으로 거래사례비교법을 적용하는 것을 원칙으로 한다. 하지만 특수토지는 그 거래가 많지 않기 때문에 거래사례를 구하기 어려운 경우에는 본건 인근의 표준적인 이용상황을 기준으로 평가하되 개별요인(전환가능성, 비용 등)을 고려하여 평가한다.

1. 광천지

광천지는 광천의 종류, 질 및 양의 상태, 부근의 개발상태 및 편익시설의 종류·규모, 사회적 명성 기타 수익성 등을 고려하여 거래사례비교법에 의하여 다음과 같이 평가하되, 공구당 총가격은 광천지에 화체되지 아니한 건물, 구축물, 기계·기구 등의 가격 상당액을 뺀 것으로 한다.

$$(\text{공구당 총가격} \div \text{해당 광천지의 면적}) = \text{평가가격(원/m}^2\text{)}$$

2. 광업용지

광업용지는 광물의 종류와 매장량, 질 등을 고려하여 거래사례비교법으로 평가한다. 다만, 인근지역 및 동일수급권 안의 유사지역에서 유사용도 토지의 거래사례 등 가격자료를 구하기가 현저히 곤란한 경우에는 수익환원법에 따라 평가할 수 있다.

용도가 폐지된 광업용지에 대해서는 인근지역 또는 동일수급권 안의 유사지역에 있는 용도폐지된 광업용지의 거래사례 등 가격자료에 의하여 거래사례비교법으로 평가한다. 다만, 용도폐지된 광업용지의 거래사례 등 가격자료를 구하기가 곤란한 경우에는 인근지역 또는 동일수급권 안의 유사지역에 있는 주된 용도 토지의 가격자료에 의하여 평가하되, 다른 용도로의 전환가능성 및 용도전환에 소요되는 통상비용 등을 고려한 가격으로 평가한다.

3. 염전부지

염전시설의 부지는 입지조건, 규모 및 시설 등의 상태, 염생산가능면적과 부대시설면적의 비율, 주위 환경 변동에 따른 다른 용도로의 전환가능성 및 수익성 등을 고려하여 거래사례비교법으로 평가하되, 거래사례 등 가격자료에 토지에 화체되지 아니한 건물 및 구축물 등의 가격상당액이 포함되어 있는 경우에는 이를 뺀 것으로 한다.

4. 유원지

유원지는 인근지역 또는 동일수급권 안의 유사지역에 있는 유사용도 토지의 거래사례 등 가격자료를 활용하여 거래사례비교법으로 평가한다. 다만, 그 유원지가 새로이 조성되어 거래사례비교법으로 평가하는 것이 현저히 곤란하거나 적정하지 아니하다고 인정되는 경우에는 원가법 또는 수익환원법으로 평가할 수 있다. 거래사례 등 가격자료에 토지에 화체되지 아니한 건물 등 관리시설과 공작물 등의 가격상당액이 포함되어 있는 경우에는 이를 뺀 것으로 한다.

5. 묘지

(1) 평가원칙

묘지(공설묘지를 제외)는 그 묘지가 위치한 인근지역의 주된 용도 토지의 거래사례 등 가격자료를 활용하여 거래사례비교법으로 평가하되, 해당 분묘 등이 없는 상태를 상정하여 평가한다.

(2) 종중 · 문중묘지 및 법인묘지로서 거래사례비교법을 적용하기 어려운 경우 : 원가법

① 조성공사비, 부대비용에서 화체(공작물 등이 토지에서 분리할 수 없는 일부분으로서 토지의 가치 자체를 형성하는 것)되지 아니한 금액 상당액은 제외한다.

② 특수한 공법을 사용하여 토지를 조성한 경우 등 해당 토지의 조성공사비가 평가가격 산출 시 적용하기에 적정하지 아니한 경우에는 인근 유사토지의 조성공사비를 참작하여 적용이 가능하다.

6. 골프장용지 등

(1) 평가원칙

골프장용지는 원가법에 의하여 평가하되,

① 조성공사비 및 부대비용은 토지에 화체되지 않은 골프장 안의 관리시설 등(클럽하우스 · 창고 · 오수처리시설 등 골프장 안의 모든 건축물)의 설치비용을 공제하여 결정한다.

② 면적은 「체육시설의 설치 · 이용에 관한 법률 시행령」 제20조 제1항에 따라 등록된 면적(조성공사 중인 경우 사업계획의 승인을 얻은 면적)을 기준한다.

③ 특수한 공법을 사용하여 토지를 조성한 경우 등 해당 토지의 조성공사비가 평가가격 산출 시 적용하기에 적정하지 아니한 경우에는 인근 유사토지의 조성공사비를 참작하여 적용 가능하다.

(2) 일단지평가

개발지 및 원형보전지 등 해당 골프장의 등록된 면적전체를 일단지로 보고 평가하되, 면적비율에 의한 평균가격으로 평가가격을 결정한다. 다만, 하나의 골프장이 회원제골프장과 대중골프장으로 구분 등이 되어 있어 둘 이상의 표준지가 선정된 때에는 그 구분된 부분을 각각 일단지로 보고 평가한다.

(3) 원가법으로 평가한 가격을 인근지역 및 동일수급권 내 유사지역에 있는 유사규모의 골프장 용지의 표준지공시지가 수준과 차이가 있는 경우, 수익환원법 또는 거래사례비교법으로 평가한 가격과 비교하여 그 적정 여부를 확인해야 한다.

(4) 경마장 및 스키장시설 기타 이와 유사한 체육시설용지는 골프장평가기준으로 준용한다.

7. 종교용지

(1) **원칙**

종교용지 또는 사적지는 그 토지가 위치한 인근지역의 주된 용도 토지의 거래사례 등 가격자료에
의하여 거래사례비교법으로 평가하되, 그 용도적 제한 및 거래제한의 상태 등을 고려하여 평가한다.

(2) **예외**

종교용지 등이 농경지대 또는 임야지대 등에 소재하여 해당 토지의 가격이 인근지역의 주된 용도
토지의 가격수준에 비하여 일반적으로 높게 형성되는 것으로 인정되는 경우에는 원가법에 의하되
표준적 조성공사비 및 그 부대비용은 토지에 화체되지 아니한 공작물 등의 설치에 소요되는 금액
중 상당액을 뺀 것으로 한다.

8. 공공용지

1) **개념**

공공청사, 학교, 도서관, 시장, 도로, 공원, 운동장, 체육시설, 철도, 하천, 위험·혐오시설의 부지 및
그 밖의 이와 유사한 용도의 토지를 말한다.

2) **평가기준**

(1) **공공청사, 학교, 도서관, 시장의 부지 및 그 밖에 이와 유사한 용도의 토지**

인근지역의 주된 용도 토지의 거래사례 등 가격자료를 활용하여 거래사례비교법으로 평가한다.
다만, 토지의 용도에 따른 감가율은 없는 것으로 본다.

(2) **도로, 공원, 운동장, 체육시설, 철도, 하천, 위험·혐오시설의 부지 및 그 밖에 이와 유사한 용도의 토지**

인근지역에 있는 주된 용도 토지의 표준적인 획지의 적정가격에 그 용도의 제한이나 거래제한
등에 따른 적정한 감가율 등을 고려하여 평가한다.

9. 여객자동차터미널 부지

(1) **평가기준**

인근지역의 주된 용도 토지의 표준적인 획지의 적정가격에 여객자동차터미널 부지의 용도제한이나
거래제한 등에 따른 적정한 감가율 등을 고려하여 평가한다.

(2) **감가율 적용 기준**

여객자동차터미널의 구조 및 부대·편익시설의 현황, 여객자동차터미널 사업자의 면허내용 및 해당
여객자동차터미널을 이용하는 여객자동차운송사업자 현황 등을 참작한다.

제3절 | 표준주택가격 평가

01 표준주택의 개관

1. 개념

표준주택가격이란 용도지역, 건물구조 등이 일반적으로 유사하다고 인정되는 일단의 단독주택 중에서 선정한 표준주택에 대하여 매년 공시기준일 현재의 적정가격을 말한다.

표준주택 및 표준주택가격은 2005년 1월 14일 구 지가공시법의 전면개정으로 탄생한 구 「부동산가격공시 및 감정평가에 관한 법률」과 함께 만들어진 제도로 토지·건물 구분과세로 인해 발생하고 있는 지역별·주택유형별 불형평을 해소, 즉 부동산 보유세의 형평과세를 위하여 만들어졌다.

2. 표준주택가격의 목적

매년 공시기준일(1월 1일) 현재의 단독주택에 대한 적정가격을 평가·공시하여 국가·지방자치단체 등의 기관이 행정목적으로 개별주택가격을 산정하는 경우에 그 기준으로 적용하기 위해 표준주택가격을 공시한다.

> **부동산 가격공시에 관한 법률 제16조**(표준주택가격의 조사·산정 및 공시 등)
>
> ① 국토교통부장관은 용도지역, 건물구조 등이 일반적으로 유사하다고 인정되는 일단의 단독주택 중에서 선정한 표준주택에 대하여 매년 공시기준일 현재의 적정가격(이하 "표준주택가격"이라 한다)을 조사·산정하고, 제24조에 따른 중앙부동산가격공시위원회의 심의를 거쳐 이를 공시하여야 한다.
>
> ② 제1항에 따른 공시에는 다음 각 호의 사항이 포함되어야 한다.
>
>   1. 표준주택의 지번
>   2. 표준주택가격
>   3. 표준주택의 대지면적 및 형상
>   4. 표준주택의 용도, 연면적, 구조 및 사용승인일(임시사용승인일을 포함한다)
>   5. 그 밖에 대통령령으로 정하는 사항
>
> ③ 제1항에 따른 표준주택의 선정, 공시기준일, 공시의 시기, 조사·산정기준 및 공시절차 등에 필요한 사항은 대통령령으로 정한다.
>
> ④ 국토교통부장관은 제1항에 따라 표준주택가격을 조사·산정하고자 할 때에는 「한국부동산원법」에 따른 한국부동산원(이하 "부동산원"이라 한다)에 의뢰한다.
>
> ⑤ 국토교통부장관이 제1항에 따라 표준주택가격을 조사·산정하는 경우에는 인근 유사 단독주택의 거래가격·임대료 및 해당 단독주택과 유사한 이용가치를 지닌다고 인정되는 단독주택의 건설에 필요한 비용추정액, 인근지역 및 다른 지역과의 형평성·특수성, 표준주택가격 변동의 예측 가능성 등 제반사항을 종합적으로 참작하여야 한다.
>
> ⑥ 국토교통부장관은 제17조에 따른 개별주택가격의 산정을 위하여 필요하다고 인정하는 경우에는 표준주택과 산정대상 개별주택의 가격형성요인에 관한 표준적인 비교표(이하 "주택가격비준표"라 한다)를 작성하여 시장·군수 또는 구청장에게 제공하여야 한다.
>
> ⑦ 제3조 제2항·제4조·제6조·제7조 및 제13조는 제1항에 따른 표준주택가격의 공시에 준용한다. 이 경우 제7조 제2항 후단 중 "제3조"는 "제16조"로 본다.

3. 표준주택가격의 효력

> **부동산 가격공시에 관한 법률 제19조**(주택가격 공시의 효력)
>
> ① 표준주택가격은 국가·지방자치단체 등이 그 업무와 관련하여 개별주택가격을 산정하는 경우에 그 기준이 된다.
> ② 개별주택가격 및 공동주택가격은 주택시장의 가격정보를 제공하고, 국가·지방자치단체 등이 과세 등의 업무와 관련하여 주택의 가격을 산정하는 경우에 그 기준으로 활용될 수 있다.

02 표준주택 선정기준

1. 토지

(1) 지가의 대표성

표준주택선정단위구역 내에서 지가수준을 대표할 수 있는 토지 중 인근지역 내 가격의 층화를 반영할 수 있는 표준적인 토지

(2) 토지특성의 중용성

표준주택선정단위구역 내에서 개별토지의 토지이용상황·대지면적·지형지세·도로조건·주위환경 및 공적규제 등이 동일 또는 유사한 토지 중 토지특성빈도가 가장 높은 표준적인 토지

(3) 토지용도의 안정성

표준주택선정단위구역 내에서 개별토지의 주변이용상황으로 보아 그 이용상황이 안정적이고 장래 상당기간 동일 용도로 활용될 수 있는 표준적인 토지

(4) 토지구별의 확정성

표준주택선정단위구역 내에서 다른 토지와 구분이 용이하고 위치를 쉽게 확인할 수 있는 표준적인 토지

2. 건물

(1) 건물가격의 대표성

표준주택선정단위구역 내에서 건물가격수준을 대표할 수 있는 건물 중 인근지역 내 가격의 층화를 반영할 수 있는 표준적인 건물

(2) 건물특성의 중용성

표준주택선정단위구역 내에서 개별건물의 구조·용도·연면적 등이 동일 또는 유사한 건물 중 건물특성빈도가 가장 높은 표준적인 건물

⑶ **건물용도의 안정성**

표준주택선정단위구역 내에서 개별건물의 주변이용상황으로 보아 건물로서의 용도가 안정적이고 장래 상당기간 동일 용도로 활용될 수 있는 표준적인 건물

⑷ **외관구별의 확정성**

표준주택선정단위구역 내에서 다른 건물과 외관구분이 용이하고 위치를 쉽게 확인할 수 있는 표준적인 건물

3. 예외

국가 및 지방자치단체에서 행정목적상 필요하여 표준주택을 선정하여 줄 것을 요청한 특정지역이나 단독주택에 대해서는 지역특성을 고려하여 타당하다고 인정하는 경우에는 표준주택을 선정할 수 있다.

03 선정 제외기준

1. 필수적 제외

① 공시지가 표준지 및 지가변동률 표본지
② 무허가건물(다만, 개별주택가격산정을 위하여 시·군·구에서 요청한 경우는 제외한다.)
③ 개·보수, 파손 등으로 감가수정 시 관찰감가를 요하는 단독주택

2. 임의적 제외

① 토지·건물 소유자가 상이한 주택
   ≫ 선정 시 토지·건물 소유자가 동일한 것을 전제로 하여 평가가격을 결정하여야 한다.
② 주택부지가 둘 이상의 용도지역으로 구분되어 있는 경우
③ 2개동 이상의 건물을 주건물로 이용 중인 주택

04 표준주택의 교체

⑴ 기존의 표준주택은 특별한 사유가 없는 한 교체하지 아니한다.

⑵ 표준주택은 다음의 어느 하나에 해당하는 경우에는 이를 인근의 다른 단독주택으로 교체하거나 삭제할 수 있다.
   ① 도시계획사항의 변경, 단독주택의 이용상황 변경, 주택개발사업의 시행 등으로 인하여 선정기준에 부합되지 아니하는 경우

② 개별주택가격의 산정 시에 비교표준주택으로서의 활용성이 낮아 실질적으로 기준성을 상실한 경우

(3) 해당 지역의 표준주택 수가 증가 또는 감소되는 경우에는 다음의 사항을 고려하여 표준주택이 인근 단독주택가격 비교기준으로 효율적으로 활용될 수 있도록 교체하거나 삭제될 수 있다.

① 개별주택가격의 산정 시에 비교표준주택으로의 활용실적 분석결과

② 지역분석에 따른 표준주택 분포조정 검토결과

③ 도시개발사업 또는 재개발사업 등의 시행으로 인한 주택수급의 변경 등

표준지공시지가와 표준주택의 차이점

구분	표준지공시지가	표준주택 가격
평가대상	토지	복합부동산
효력	거래지표, 지가산정 평가기준 등	과세산정기준으로 한정
가격개념	적정가격	적정가격
상정조건	나지상태	현황평가
건부감가 여부	최유효이용 상정	건부감가 고려
가격수준파악	정착물과 분리된 지가수준	토지, 건물 일체로 한 가격(일괄평가)
평가방식	토지만의 거래사례비교법이 주 방식	복합부동산의 거래사례비교법

05 표준주택가격의 조사 및 산정기준

1. 평가 원칙

(1) 적정가격 평가

표준주택의 산정가격은 해당 표준주택에 대하여 통상적인 시장에서 정상적인 거래가 이루어지는 경우 성립될 가능성이 가장 높다고 인정되는 적정가격으로 결정하되, 시장에서 형성되는 가격자료를 충분히 조사하여 표준주택의 객관적인 시장가치를 산정한다.

(2) 실제용도 기준평가

표준주택가격의 산정은 공부상의 용도에도 불구하고 공시기준일 현재의 실제용도를 기준으로 산정하되, 일시적인 이용상황은 고려하지 아니한다.

(3) 사법상 제한상태배제 상정평가

표준주택가격의 산정에서 전세권 등 그 표준주택의 사용·수익을 제한하는 사법상의 권리가 설정되어 있는 경우에는 그 사법상의 권리가 설정되어 있지 아니한 상태를 상정하여 산정한다.

⑷ 공법상 제한상태 기준평가

표준주택가격의 산정은 국토계획법 등에 따른 제한이 있는 경우에는 제한받는 상태를 기준으로 산정한다.

⑸ 일단지 평가

필지 이상에 걸쳐 있는 주택(부속건물 포함)은 대지면적을 합산하여 하나의 주택부지로 평가하며 주택 부속토지가 인접토지와 용도상 불가분의 관계에 있는 경우에는 인접토지를 포함하여 하나의 주택부지로 평가한다.

⑹ 필지의 일부만 주택인 경우

필지의 일부가 대지인 주택은 그 대지면적만을 주택부지로 산정한다. 다만, 대지면적 이외의 토지의 이용상황을 고려하여 산정한다.

2. 산정방식의 적용

1) 원칙

거래사례비교법, 원가법, 수익환원법 중 선택하여 적용한다.

2) 구체적인 평가방법

⑴ 시장성이 있는 주택

시장성이 있는 표준주택은 거래유형(별표 참조)에 따른 인근 유사 단독주택의 거래가격 등을 고려하여 토지와 건물 일체의 가격으로 산정한다.

⁝ 거래사례비교법 적용 시 거래유형 [4]

구분	약어	내용
(토지면적 × 거래단가) + 건물연면적 × 거래단가)	토단건단	주택부지가격과 건물가격을 별도로 합산하여 거래되는 유형
토지면적 × 거래단가 (건물가격을 포함)	토단	신축 후 일정기간 경과 등의 사유로 건물가격을 별도로 산정하지 아니하고 주택부지 면적만을 기준으로 거래되는 유형
(토지면적 + 건물면적) × 거래단가	토건단	주택부지면적과 건물면적을 합산한 면적에 거래단가를 곱하여 거래되는 유형
기타	기타	위 거래유형 이외의 관행에 의하여 거래되는 유형

---

4) 표준주택가격 조사·산정기준

⑵ **시장성이 없거나 주택의 용도 등이 특수하여 거래사례비교법 적용이 곤란한 경우**

유사 단독주택의 건설에 필요한 비용추정액 또는 임대료 등을 고려하여 가격을 산정한다. 비용추정액은 공시기준일 현재 해당 표준주택과 유사한 이용가치를 지닌다고 인정되는 단독주택의 건설에 필요한 표준적인 건축비와 일반적인 부대비용 및 부속토지가격 수준으로 한다.

⑶ **용도혼합 표준주택 평가**

건물 내부 용도가 주거용 부문과 비주거용 부문으로 혼재된 주택의 가격을 산정할 때에는 건물의 크기, 층별 세부용도, 층별 효용 정도, 건물 내 주거용 부분이 차지하는 비중, 비주거용의 유형 등을 종합적으로 고려하여야 한다.

3. 표준주택가격 결정 및 공시

⑴ **거래가능가격**

표준주택의 주택부지와 건물을 일체로 한 부동산시장에서의 거래가능가격(최빈거래가능가격)의 100% 수준을 조사 · 평가하여 기재한다(1,000원 미만 절사).

⑵ **표준주택가격**

토지와 건물을 일체로 평가한 거래가능가격에 단독주택의 공시비율을 곱하여 표준주택가격을 기재한다.

$$표준주택가격 = 거래가능가격 \times 공시비율(80\%)$$

⑶ **표준주택가격의 결정**

① 관계법령에서 정한 사항 이외의 세부적인 평가기준에 대해서는 표준주택가격 조사 · 산정업무요령 및 감정평가의 일반이론에 의한다.
② 거래사례, 평가선례 · 탐문가격자료 등 가격조사자료를 충분히 수집하여 정리한 후, 지역요인 및 개별요인 비교와 그 밖의 요인의 보정 등을 행한다.
③ 조사 · 평가자는 시 · 군 · 구 내, 시 · 군 · 구 간 및 시 · 도별 가격균형협의를 실시한 후 그 결과를 가격결정에 반영하여야 한다.
④ 특정 표준주택의 평가(예정)가격에 대하여 국토교통부(협회)로부터 조정의견이 제시된 경우 조사 · 평가자는 그 의견이 객관적으로 타당하다고 인정될 때에는 이를 반영하여 평가(예정)가격을 조정하여야 한다.

기 본예제

당신은 국토교통부장관으로부터 표준주택 평가를 의뢰받고 다음의 자료를 수집, 정리하였다. 제시된 자료를 활용하여 표준주택의 적정가격을 평가한 후 표준주택의 토지가액 및 공시가격을 산정하시오.

자료 1 ▶ 표준주택에 관한 사항

1. 소재지 등: S시 K구 B동 1756-1
2. 용도지역 및 주변상황
   (1) 용도지역 – 제2종일반주거지역
   (2) 지리적 위치 – K구청 동측인근
   (3) 주위환경 – 기존 주택지대
3. 토지 관련 사항
   (1) 지목: 대
   (2) 면적: 210.0m²
   (3) 형상, 지세, 도로, 향: 세로장방형, 평지, 세로(가), 남동향
4. 건물 관련 사항
   (1) 건물구조: 연와조 슬래브지붕 단층
   (2) 연면적: 105.0m²
   (3) 사용승인일자: 2021년 6월 5일
   (4) 표준주택 일련번호: 43150–000

자료 2 ▶ 인근지역 거래사례자료

1. 용도지역: 제2종일반주거지역
2. 지목 및 이용상황: 대, 단독주택
3. 면적 등: 210m², 정방형, 평지, 소로한면, 서향
4. 건물구조 등: 연와조 슬래브지붕 단층 95m²
5. 건물 사용승인일자: 2024년 3월 15일
6. 거래시점: 2025년 5월 10일
7. 거래가격: 130,000,000원

자료 3 ▶ 기준시점 현재 건축비(재조달원가)

1. 연와조 슬래브지붕: 690,000원/m²
2. 시멘트벽돌조 슬래브지붕: 600,000원/m²

자료 4 ▶ 시점수정자료

1. 생산자물가지수(총지수)

2025년 4월	2025년 10월	2025년 11월	2025년 12월
112.10	113.19	113.25	113.37

2. 주택가격지수

2025년 4월	2025년 10월	2025년 11월	2025년 12월
101.1	101.9	102.1	102.7

자료 5 ▶ 주택(토지, 건물) 개별요인 비교(건물의 잔가율 및 수량요소 포함)

대상	거래사례
100	103

자료 6 **기타자료**

1. 공시기준일은 2026년 1월 1일이다.
2. 일괄평가한 주택가격에서 원가법에 의한 건물가격을 공제하여 토지가격을 산정한다.
3. 경제적 내용연수는 30년, 감가수정은 만년감가, 잔가율은 10%이다.
4. 표준주택 공시가격은 거래가능가격(표준주택평가액)의 80%이다(십만원 미만 절사).

예시답안

Ⅰ. 평가개요

본건은 S시 K구 B동에 소재하는 표준주택에 대한 감정평가로서 공시기준일은 2026년 1월 1일이다.

Ⅱ. 표준주택가격의 평가

1. 처리방침

표준주택가격은 표준주택 조사·평가기준에 따라 토지 및 건물을 일체로 하여 거래사례비교법으로 평가한다.

2. 사례의 선택

제2종일반주거지역, 단독주택으로서 건물의 개별적인 요인이 유사하여 적정한 사례로 판단된다.

3. 평가액 결정

$130,000,000 \times 1.000 \times 1.01583^* \times 1.000 \times 100/103 ≒ 128,212,000$원

* 시점수정(주택가격지수가 적정한 시점수정자료로 판단된다.)

2026.1.1. / 2025.5.10. = 2025년 12월 / 2025년 4월 : $102.7 \div 101.1$

Ⅲ. 표준주택 토지가격 및 표준주택 공시가격

1. 토지 건물 가격의 배분

(1) 표준주택 건물의 가격 : $690,000 \times (1 - 0.9 \times 4/30) ≒ 607,000$원/m²($\times 105 = 63,735,000$원)

(2) 표준주택 토지가격 : $128,212,000 - 63,735,000 = 64,477,000(307,000$원/m²$)$

2. 표준주택 공시가격

(1) 거래가능가격 : 128,212,000원

(2) 표준주택 공시가격 : $128,212,000 \times 0.8 = 102,500,000$원(십만원 미만 절사)

제4절 **임대사례조사(부동산 투자수익률 추계)**

01 개념

투자수익률은 일정기간 동안 부동산에 대한 투자로부터 발생하는 수익을 부동산자산가격으로 나눈 값으로 소득수익률과 자본수익률로 구성되며 소득수익률과 자본수익률의 합을 종합수익률이라 한다.

02 투자수익률의 산정방법

1. 소득수익률(자본환원이율)

소득수익률(소득률) 또는 자본환원이율은 부동산이 창출하는 순영업소득을 환원하여 대상 부동산의 경제적 가치를 구하는 데 사용하는 이율을 말한다. 전문적으로는 종합환원이율이라고도 부르며, 부동산의 가격과 수익과의 관계를 표시하는 비율이다. 초년도순수익이율(First Year Cap. rate, Going-in rate), 순이율이라는 용어도 같은 의미로 사용한다.

소득수익률은 직접환원법 적용 시 환원이율의 벤치마크로 사용되기도 한다.

$$\text{소득수익률} = \frac{\text{순영업소득}}{\text{기초 자산가치}}$$

2. 자본수익률(자본이득률)

자본이득은 보유기간 동안 부동산 가치의 상승으로 인한 투자자 몫의 증가를 말하며, 자본이득률 또는 자본수익률은 일본과 한국의 경우 토지가격의 증감과 건물가격의 증감을 고려하여 보유기간 초의 자산가치로 나눈 것이다. 다른 용어로는 자본가치성장률(Capital Growth), 가격상승률(Property Growth Rate), 연평균가격상승률(Compound Annual Appreciation Rate) 등으로도 불린다.

자본수익률은 집합건물(업무용, 매장용) 시점수정 시 활용된다.

$$\text{자본수익률} = \frac{\text{기말 자산가치} - \text{기초 자산가치}}{\text{기초 자산가치}}$$

3. 투자수익률(종합수익률)

종합수익률(Rate of Total Return) 또는 총수익률은 투하자본(Capital Employed)에 대한 전체수익률로서 매기에서 단일연도(Single Year)의 소득수익률과 자본수익률의 합계를 의미한다. 투자수익률은 할인현금수지분석법 적용 시 할인율의 벤치마크로 사용되기도 한다.

$$종합수익률 = 소득수익률 + 자본수익률$$

투자수익률 추계절차 [5]

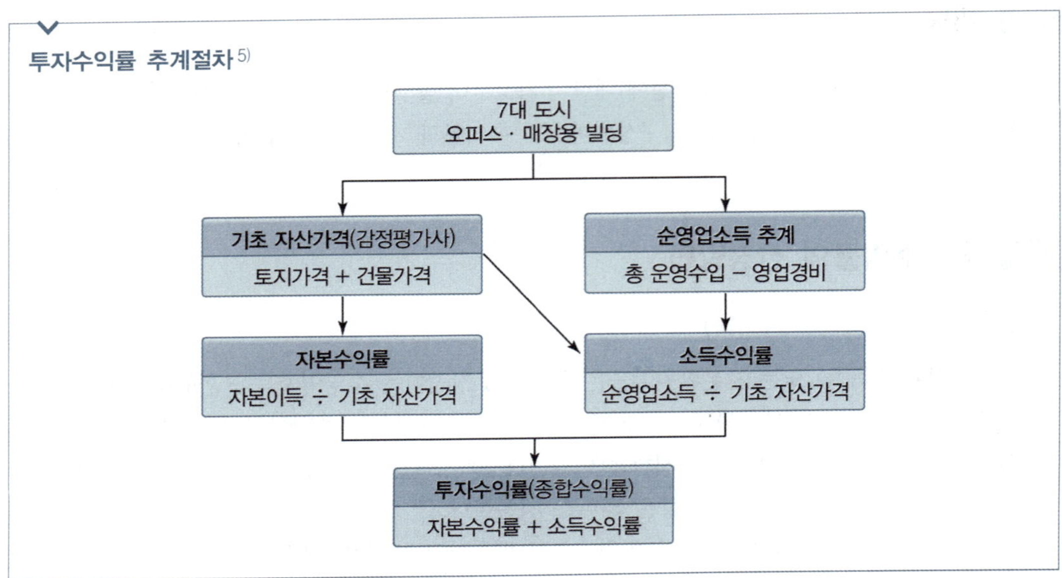

03 기타 투자수익률 분석보고서에서 참조할 수 있는 자료

1. 투자수익률

소득수익률, 자본수익률 및 투자수익률은 유형별, 권역별로 확인할 수 있다.

2. 공실률

유형별, 권역별 공실률을 확인할 수 있다.

⁝ 공실률 추세 (단위 : %, 전기대비 %p)

구분		202×		202×				202×			전기대비	전년동기대비
		3분기	4분기	1분기	2분기	3분기	4분기	1분기	2분기	3분기		
오피스		9.3	10.7	11.1	12.2	12.6	12.7	13.5	12.7	12.6	−0.1	0.0
매장용	중대형	9.7	10.2	10.3	10.5	10.5	10.3	10.5	10.8	10.6	−0.1	0.1
	소규모	−	−	−	−	−	−	5.1	4.9	5.2	0.3	

---

5) 상업용 오피스빌딩 임대동향조사, 국토교통부

3. 단위면적당 임대료

임차인이 일정공간을 점유하기 위하여 지불하는 총비용의 추정을 목적으로 하며, 유형별, 권역별 단위면적당 임대료를 확인할 수 있다.

⦂ 유형별 지역별 임대료 (단위 : 천원/m², 전기대비 %)

구분		전국	수도권			지방광역시				
			서울	경기	인천	부산	대구	광주	대전	울산
오피스		14.8	20.4	11.2	9.3	7.9	7.4	6.1	5.0	8.2
매장용	중대형	31.8	60.6	32.1	31.7	30.0	23.6	22.4	18.5	18.7
	소규모	16.4	46.5	22.1	14.8	26.3	20.6	14.0	12.3	13.6
	집합	28.8	50.2	30.3	27.6	36.7	26.1	23.5	24.2	22.9

4. 임대가격지수

두 시점 간 임차인이 일정공간을 점유하기 위하여 지불하는 총비용의 변화를 추정한다.

⦂ 지역별 임대가격지수(오피스)

지역	202×.1Q		202×.2Q		202×.3Q	
	지수	변동률	지수	변동률	지수	변동률
서울	99.51	−0.49	99.29	−0.22	99.23	−0.06
도심	99.16	−0.84	98.56	−0.60	98.47	−0.10
명동	98.79	−1.21	97.94	−0.85	97.61	−0.34

5. 층별 임대료 및 층별 효용비율

(단위 : 천원/m², 전기대비 %)

구분			지하 1층	1층	2층	3층	4층	5층	6~10층	11층 이상
오피스		임대료	9.9	27.2	15.5	13.3	12.9	12.7	13.7	18.5
		층별 효용비율	36.4	100.0	57.0	49.1	47.6	46.8	50.2	68.2
매장용	중대형	임대료	10.3	31.8	13.4	10.6	10.8	10.9	11.5	–
		층별 효용비율	32.4	100.0	42.1	33.3	33.9	34.3	36.2	–
	소규모	임대료	8.8	16.4	8.0	–	–	–	–	–
		층별 효용비율	53.5	100.0	48.6	–	–	–	–	–
	집합	임대료	8.1	28.7	11.4	9.1	8.5	7.9	8.1	–
		층별 효용비율	28.4	100.0	39.7	31.6	29.5	27.4	28.4	–

》 층별 효용비율은 1층 임대료를 기준으로 한 각 층에 임대료 수준 비율이다.

기 본예제

감정평가사 柳 씨는 아래와 같은 부동산의 투자수익률 산정에 대한 판단을 의뢰받고 자료를 수집하였다. 아래 부동산의 투자수익률을 산정하시오.

풀이영상

자료 1 ▶ 대상 부동산의 내역 등

1. 판단기준시점: 2027년 1월 1일
2. 물건내역
   (1) 토지: S시 K구 Y동 100번지, 150m²
   (2) 건물: 위 지상사무소, 연면적 700m², 2026년 1월 1일 준공되었으며, 경제적 내용연수는 50년임.

자료 2 ▶ 본건의 임대/비용 내역 등

1. 임대기간: 2027년 1월 1일~2029년 12월 31일
2. 임대료
   (1) 지불임대료: 매월 초 1,500,000원
   (2) 예금적 성격의 일시금(비소멸성): 18,000,000원
   (3) 선불적 성격의 일시금(소멸성): 18,000,000원
3. 비용명세서 발췌내용
   (1) 대손준비비 및 공실손실상당액: 총 임대료의 5%
   (2) 화재보험료: 임대개시시점에서 1,000,000원을 지급(임대기간 분)하고 화재가 발생하지 않을 경우 1,157,600원을 환급하는 조건임.
   (3) 공조공과: 연 1,000,000원
   (4) 기타의 경비내역(감가상각비 제외): 10,000,000원이며, 임차자와 임대인이 반반씩 부담하기로 함.

자료 3 ▶ 인근의 거래사례

구분	출처	면적		거래가격 (천원)	거래시점	개별요인
		토지면적(m²)	건물면적(m²)			
거래사례	매매계약서	195	750	420,000	최근	본건보다 5% 우세함.

≫ 상기 개별요인에는 건물의 잔가율이 포함되어 있으며 수량요소는 포함되어 있지 않다.
≫ 수량요소 비교 시 건물의 단위면적당 가격을 기준으로 판단하되, 반올림하여 천원 단위까지 결정한다.

자료 4 ▶ 향후 시장상황 예측

향후의 시장상황은 토지의 경우 매년 4.0%씩 상승할 것으로 예상되나, 건물은 매년 2%씩 감가될 것으로 예상된다. 토지 및 건물의 가격구성비율은 7 : 3이다.

자료 5 ▶

1. 시장이자율 및 보증금운용이율: 연 12.0%
2. 소득수익률, 자본수익률, 투자수익률은 반올림하여 백분율기준 소수점 둘째자리까지 결정한다.

예시답안

Ⅰ. 평가개요

본건은 S시 K구 Y동 소재 업무용 부동산의 투자수익률의 산정과 관련된 평가로서 2027년 1월 1일을 기준시점으로 판단한다.

Ⅱ. 본건의 투자수익률

1. 소득수익률

　⑴ 본건의 순영업소득

　　① 총수익

　　　㉠ 지불임대료 : $1{,}500{,}000 \times (1 + 0.01) \times 12$월 $= 18{,}180{,}000$원

　　　㉡ 보증금운용익 : $18{,}000{,}000 \times 0.12 = 2{,}160{,}000$원

　　　㉢ 권리금상각액 및 미상각액 운용익 : $18{,}000{,}000 \times \dfrac{0.12 \times 1.12^3}{1.12^3 - 1} \fallingdotseq 7{,}494{,}300$원

　　　㉣ 소계 : $27{,}834{,}000$원

　　② 총비용

　　　㉠ 공실 및 손실상당액 : $27{,}834{,}000 \times 0.05 \fallingdotseq 1{,}392{,}000$원

　　　㉡ 화재보험료 : $1{,}000{,}000 \times \dfrac{0.12 \times 1.12^3}{1.12^3 - 1} - 1{,}157{,}600 \times \dfrac{0.12}{1.12^3 - 1} \fallingdotseq 73{,}300$원

　　　㉢ 총비용 : $1{,}392{,}000 + 73{,}300 + 1{,}000{,}000 + (10{,}000{,}000 \times 0.5) \fallingdotseq 7{,}465{,}000$원

　　③ 순영업소득 : $27{,}834{,}000 - 7{,}465{,}000 = 20{,}369{,}000$원

　⑵ 본건의 시장가치(거래사례비교법)

　　$420{,}000{,}000 \times 1.000 \times 1.00000 \times 1.000 \times 100/105 \times 1/750 \fallingdotseq 533{,}000$원/m²$(\times 700 = 373{,}100{,}000$원$)$

　⑶ 소득수익률 : $20{,}369{,}000 \div 373{,}100{,}000 \fallingdotseq 5.46\%$

2. 자본수익률(향후 1년간 가치변동분)

　$(0.7 \times 1.04 + 0.3 \times 0.98) - 1 \fallingdotseq 2.20\%$

3. 투자수익률

　$5.46\% + 2.20\% = 7.66\%$

Chapter 02

토지의 보상감정평가

01 손실보상의 의의 등

1. 손실보상의 의의

행정상 손실보상이란 공공필요에 의한 적법한 공권력의 행사에 의하여 개인의 재산권에 가하여진 특별한 희생에 대하여, 전체적인 공평부담의 견지에서 행하여지는 재산적 전보(塡補)를 말한다. 공익사업의 시행을 위해 개인의 특정 재산권을 취득 또는 사용하거나 그 이용방법을 제한할 필요가 있게 되는 경우, 개인의 재산권의 취득·사용·제한은 당사자의 귀책사유 없이 공익적 견지에서 부과된 것이므로, 그로 인한 손실을 공평부담의 견지에서 전보하는 것이 손실보상이다. 이것을 재산권보장의 측면에서 보면, 재산권보장은 재산권을 그 상태대로 존속시키는 존속보장이 원칙이나, 공익적인 필요에 의해 존속보장이 불가능할 경우에는 재산권을 경제적 가치로 바꾸어 보장시켜 주는 가치보장을 하는 것도 허용되며, 이와 같이 재산권보장으로서의 가치보장 방법이 손실보상이라 할 수 있다.

2. 손실의 내용

손실보상에서 손실은 원칙적으로 기존재산의 상실 또는 감소 그리고 새로운 비용의 지출을 의미하고, 특별한 경우에 한하여 장래에 발생할 기대이익의 상실도 포함된다.

(1) 기존재산의 상실 또는 감소

기존재산의 상실 또는 감소는 공익사업에 편입됨으로 인하여 토지소유자 등의 재산이 상실 또는 감소하는 것을 말한다. 이러한 기존재산의 상실 또는 감소에는 취득의 직접 대상이 되는 것뿐만 아니라, 토지의 일부가 취득됨으로 인하여 그 잔여지 또는 잔여물건의 재산가치가 하락하는 것을 포함한다.

(2) 새로운 비용의 지출

새로운 비용의 지출은 잔여물건을 종전과 동등한 효용을 유지시키기 위한 시설 또는 관리에 필요한 비용의 발생을 말한다. 이전비 및 보수비 등이 여기에 해당된다.

⑶ 장래기대이익의 상실

손실보상은 손해배상과 달리 적법한 공권력의 행사에 의한 재산적 손실에 대하여 전체적인 공평 부담의 견지에서 이루어지는 것이므로, 아직 현실화되지 않은 장래기대이익의 상실은 원칙적으로 보상대상이 아니다. 다만, 객관적으로 실현이 확실한 장래의 이익에 대하여 예외적으로 보상대상 으로 인정하고 있으며, 광업권·어업권 등과 같은 권리의 보상이 여기에 해당된다.

3. 보상의 대상

공익사업의 시행으로 인하여 손실이 발생하였다고 하여 모든 손실을 보상하는 것은 아니며, 그 손실이 "특별한 희생"에 해당되는 경우에 한하여 보상한다. 여기에서 특별한 희생이란 재산권의 내재적인 제약 또는 사회적 제약의 한계를 넘어서는 희생을 말한다. 즉, 발생한 손실이 재산권에 내재하는 사회적 제약의 범위 내에 있는 것이라면 보상의 대상이 아니다.

02 손실보상의 법적 근거 및 적용

헌법 제23조 제3항에서는 "공공필요에 의한 재산권의 수용·사용 또는 제한 및 그에 대한 보상은 법률로써 하되, 정당한 보상을 지급하여야 한다"라고 규정하고 있으며 법률로는 전형적 의미의 행정 상 손실보상의 근거법인 토지수용법과 협의취득의 특례를 규정한 공공용지의 취득 및 손실보상에 관한 특례법[1]이 통합되어 탄생한 「공익사업을 위한 토지 등의 취득 및 보상에 관한 법률」(이하 "토지보상 법")과 기타 재산권의 강제적 취득을 규정한 개별법이 법적 근거를 제공하고 있다.

「토지보상법」은 공용수용의 목적물을 비롯하여 공익사업, 공용수용의 절차와 효과 등에 관하여 규정 하는 일반법적 지위를 가지고 있다. 한편 많은 개발사업 등에 관한 법률은 개발사업이나 복리행정을 목적으로 수용 등에 관하여 「토지보상법」의 특례를 규정하고 있다. 따라서 개별법률에서 보상감정평 가와 관련한 규정이 있는 경우에는 특별법 우선의 원칙에 따라 이들 특례를 우선 적용하고, 그렇지 않은 경우에는 「토지보상법」의 규정을 적용하게 된다. 또한 토지보상법령에서 규정하지 않는 것은 이 기준을 적용한다.

---

1) 이하, "공특법"이라 약칭한다.

03 기본적 정의

> **토지보상법 제2조**(정의)
>
> 이 법에서 사용하는 용어의 뜻은 다음과 같다.
> 1. "토지 등"이란 제3조 각 호에 해당하는 토지·물건 및 권리를 말한다.
> 2. "공익사업"이란 제4조 각 호의 어느 하나에 해당하는 사업을 말한다.
> 3. "사업시행자"란 공익사업을 수행하는 자를 말한다.
> 4. "토지소유자"란 공익사업에 필요한 토지의 소유자를 말한다.
> 5. "관계인"이란 사업시행자가 취득하거나 사용할 토지에 관하여 지상권·지역권·전세권·저당권·사용대차
>   또는 임대차에 따른 권리 또는 그 밖에 토지에 관한 소유권 외의 권리를 가진 자나 그 토지에 있는 물건에
>   관하여 소유권이나 그 밖의 권리를 가진 자를 말한다.
>   다만, 제22조에 따른 사업인정의 고시가 된 후에 권리를 취득한 자는 기존의 권리를 승계한 자를 제외하고는
>   관계인에 포함되지 아니한다.
> 6. "가격시점"이란 제67조 제1항에 따른 보상액 산정(算定)의 기준이 되는 시점을 말한다.
> 7. "사업인정"이란 공익사업을 토지 등을 수용하거나 사용할 사업으로 결정하는 것을 말한다.

04 적용대상

사업시행자가 다음 각 호에 해당하는 토지·물건 및 권리를 취득하거나 사용하는 경우에는 이 법을 적용한다.

> **토지보상법 제3조**(적용대상)
>
> 사업시행자가 다음 각 호에 해당하는 토지·물건 및 권리를 취득하거나 사용하는 경우에는 이 법을 적용한다.
> 1. 토지 및 이에 관한 소유권 외의 권리
> 2. 토지와 함께 공익사업을 위하여 필요한 입목(立木), 건물, 그 밖에 토지에 정착된 물건 및 이에 관한 소유권
>   외의 권리
> 3. 광업권·어업권·양식업권 또는 물의 사용에 관한 권리
> 4. 토지에 속한 흙·돌·모래 또는 자갈에 관한 권리

05 공익사업의 종류

토지보상법 제4조(공익사업)

이 법에 따라 토지 등을 취득하거나 사용할 수 있는 사업은 다음 각 호의 어느 하나에 해당하는 사업이어야 한다.

1. 국방·군사에 관한 사업
2. 관계법률에 따라 허가·인가·승인·지정 등을 받아 공익을 목적으로 시행하는 철도·도로·공항·항만·주차장·공영차고지·화물터미널·궤도(軌道)·하천·제방·댐·운하·수도·하수도·하수종말처리·폐수처리·사방(砂防)·방풍(防風)·방화(防火)·방조(防潮)·방수(防水)·저수지·용수로·배수로·석유비축·송유·폐기물처리·전기·전기통신·방송·가스 및 기상 관측에 관한 사업
3. 국가나 지방자치단체가 설치하는 청사·공장·연구소·시험소·보건시설·문화시설·공원·수목원·광장·운동장·시장·묘지·화장장·도축장 또는 그 밖의 공공용 시설에 관한 사업
4. 관계 법률에 따라 허가·인가·승인·지정 등을 받아 공익을 목적으로 시행하는 학교·도서관·박물관 및 미술관 건립에 관한 사업
5. 국가, 지방자치단체, 「공공기관의 운영에 관한 법률」 제4조에 따른 공공기관, 「지방공기업법」에 따른 지방공기업 또는 국가나 지방자치단체가 지정한 자가 임대나 양도의 목적으로 시행하는 주택건설 또는 택지조성에 관한 사업
6. 제1호부터 제5호까지의 사업을 시행하기 위하여 필요한 통로, 교량, 전선로, 재료적치장 또는 그 밖의 부속시설에 관한 사업
7. 제1호부터 제5호까지의 사업을 시행하기 위하여 필요한 주택, 공장 등의 이주단지 조성에 관한 사업
8. 그 밖에 별표에 규정된 법률에 따라 토지 등을 수용하거나 사용할 수 있는 사업

동법 제4조의2(토지 등의 수용·사용에 관한 특례의 제한)

① 이 법에 따라 토지 등을 수용하거나 사용할 수 있는 사업은 제4조 또는 별표에 규정된 법률에 따르지 아니하고는 정할 수 없다.
② 별표는 이 법 외의 다른 법률로 개정할 수 없다.
③ 국토교통부장관은 제4조 제8호에 따른 사업의 공공성, 수용의 필요성 등을 5년마다 재검토하여 폐지, 변경 또는 유지 등을 위한 조치를 하여야 한다.

토지보상법 [별표]

그 밖에 별표에 규정된 법률에 따라 토지 등을 수용하거나 사용할 수 있는 사업(제4조 제8호 관련)[2]

---

2) 세부 목록의 나열은 지면관계상 생략하였다.

06 손실보상의 당사자

1. 사업시행자

공익사업을 수행하는 자를 사업시행자라 한다(토지보상법 제2조 제3호). 토지 등의 취득·사용 또는 수용의 측면에서 보면 주체적인 권리자가 되는 반면, 손실보상의 측면에서는 의무자가 된다.

2. 토지소유자

공익사업의 수행을 위하여 필요로 하는 토지의 소유자를 말한다(토지보상법 제2조 제4호). 토지소유자에는 관계인과는 달리 사업인정의 고시일 후에 권리를 원시취득(공유수면의 매립 등)한 자도 포함된다.

3. 관계인

관계인이란 취득 또는 사용절차에 참가하여 보호받을 자기의 이익을 위하여 주장할 수 있는 모든 자 중에서 토지소유자를 제외한 자이다. 관계인은 ⅰ) 취득 또는 사용할 토지에 관하여 지상권·지역권·전세권·저당권·사용대차 또는 임대차에 따른 권리 또는 그 밖에 토지에 관한 소유권 외의 권리를 가진 자, ⅱ) 취득 또는 사용할 토지에 있는 물건에 관하여 소유권이나 그 밖의 권리를 가진 자 즉, 토지와 함께 공익사업을 위하여 필요한 입목·건축물 그 밖에 토지에 정착된 물건에 대한 소유권 및 이에 관한 소유권 외의 권리, 광업권·어업권 또는 물의 사용에 관한 권리, 토지에 속한 흙·돌·모래 또는 자갈에 관한 권리를 가진 자이다(토지보상법 제2조 제5호).

관계인에 관한 규정에서 열거하고 있는 권리는 하나의 예시에 불과하고, 토지소유권 외의 권리자 모두를 포함한다. 또한 관계인으로서의 지위가 인정되기 위해서는 사업인정고시를 할 때 이들 권리가 존재하고 있어야 한다.

대법원은 토지에 대한 수용재결절차개시 이전에 대상토지를 매수하여 대금을 완급하고 그 토지를 인도받아 사용권을 취득하였으나 그 소유권이전등기만을 마치지 아니한 자는 토지수용으로 말미암아 그 소유권을 취득할 수 없게 되는 결과를 초래하는 점에 비추어 토지에 대한 소유권 외의 권리를 가진 자인 관계인으로 보고 있다(대판 1982.9.14, 81누130 참조). 그러나 가처분등기는 토지소유자에 대하여 임의처분을 금지하는 데 그치고 그로써 소유권취득의 효력까지 주장할 수 있는 성질의 것이 아니므로 가처분권자는 관계인으로 보지 않는다(대판 1973.2.26, 72다2401·2402).

07 손실보상의 진행

1. 손실보상의 절차[3]

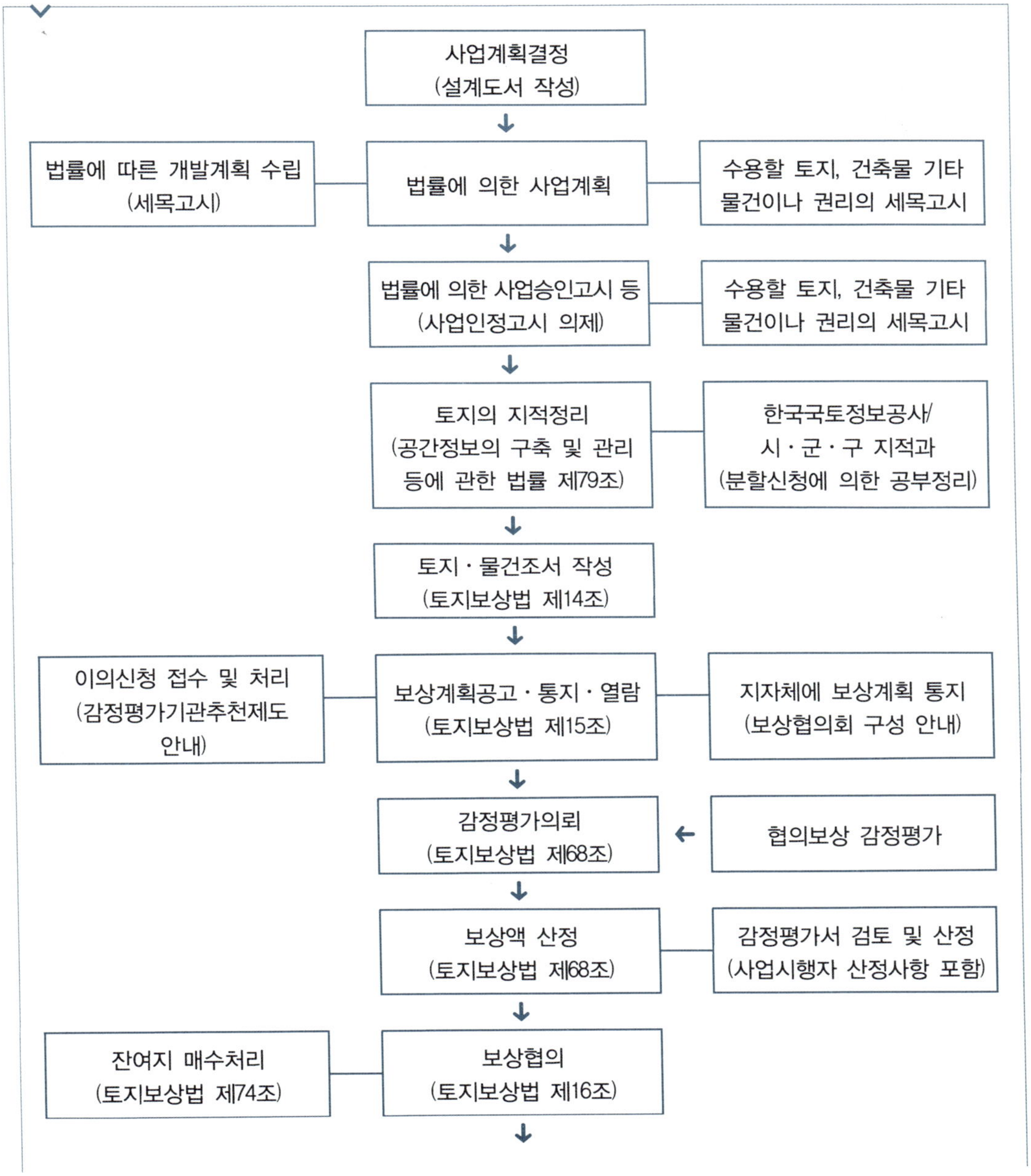

```
                        ┌─────────────────┐
                        │   사업계획결정   │
                        │  (설계도서 작성)  │
                        └─────────────────┘
                                 ↓
┌──────────────────┐    ┌─────────────────┐    ┌──────────────────┐
│ 법률에 따른 개발계획 수립 │    │  법률에 의한 사업계획  │    │ 수용할 토지, 건축물 기타 │
│     (세목고시)     │    │                 │    │ 물건이나 권리의 세목고시 │
└──────────────────┘    └─────────────────┘    └──────────────────┘
                                 ↓
                        ┌─────────────────┐    ┌──────────────────┐
                        │ 법률에 의한 사업승인고시 등 │    │ 수용할 토지, 건축물 기타 │
                        │  (사업인정고시 의제)  │    │ 물건이나 권리의 세목고시 │
                        └─────────────────┘    └──────────────────┘
                                 ↓
                        ┌─────────────────┐    ┌──────────────────┐
                        │   토지의 지적정리   │    │   한국국토정보공사/  │
                        │ (공간정보의 구축 및 관리 │    │   시·군·구 지적과   │
                        │  등에 관한 법률 제79조) │    │ (분할신청에 의한 공부정리) │
                        └─────────────────┘    └──────────────────┘
                                 ↓
                        ┌─────────────────┐
                        │  토지·물건조서 작성  │
                        │  (토지보상법 제14조)  │
                        └─────────────────┘
                                 ↓
┌──────────────────┐    ┌─────────────────┐    ┌──────────────────┐
│  이의신청 접수 및 처리  │    │ 보상계획공고·통지·열람 │    │  지자체에 보상계획 통지  │
│ (감정평가기관추천제도  │    │  (토지보상법 제15조)  │    │  (보상협의회 구성 안내)  │
│      안내)       │    │                 │    │                  │
└──────────────────┘    └─────────────────┘    └──────────────────┘
                                 ↓
                        ┌─────────────────┐    ┌──────────────────┐
                        │    감정평가의뢰    │  ← │   협의보상 감정평가   │
                        │  (토지보상법 제68조)  │    │                  │
                        └─────────────────┘    └──────────────────┘
                                 ↓
                        ┌─────────────────┐    ┌──────────────────┐
                        │    보상액 산정    │    │  감정평가서 검토 및 산정  │
                        │  (토지보상법 제68조)  │    │ (사업시행자 산정사항 포함) │
                        └─────────────────┘    └──────────────────┘
                                 ↓
┌──────────────────┐    ┌─────────────────┐
│    잔여지 매수처리    │    │     보상협의     │
│  (토지보상법 제74조)  │    │  (토지보상법 제16조)  │
└──────────────────┘    └─────────────────┘
                                 ↓
```

---

3) 감정평가실무기준 해설서(Ⅱ) 보상편, 한국감정평가사협회 등, 2014.02, p.8

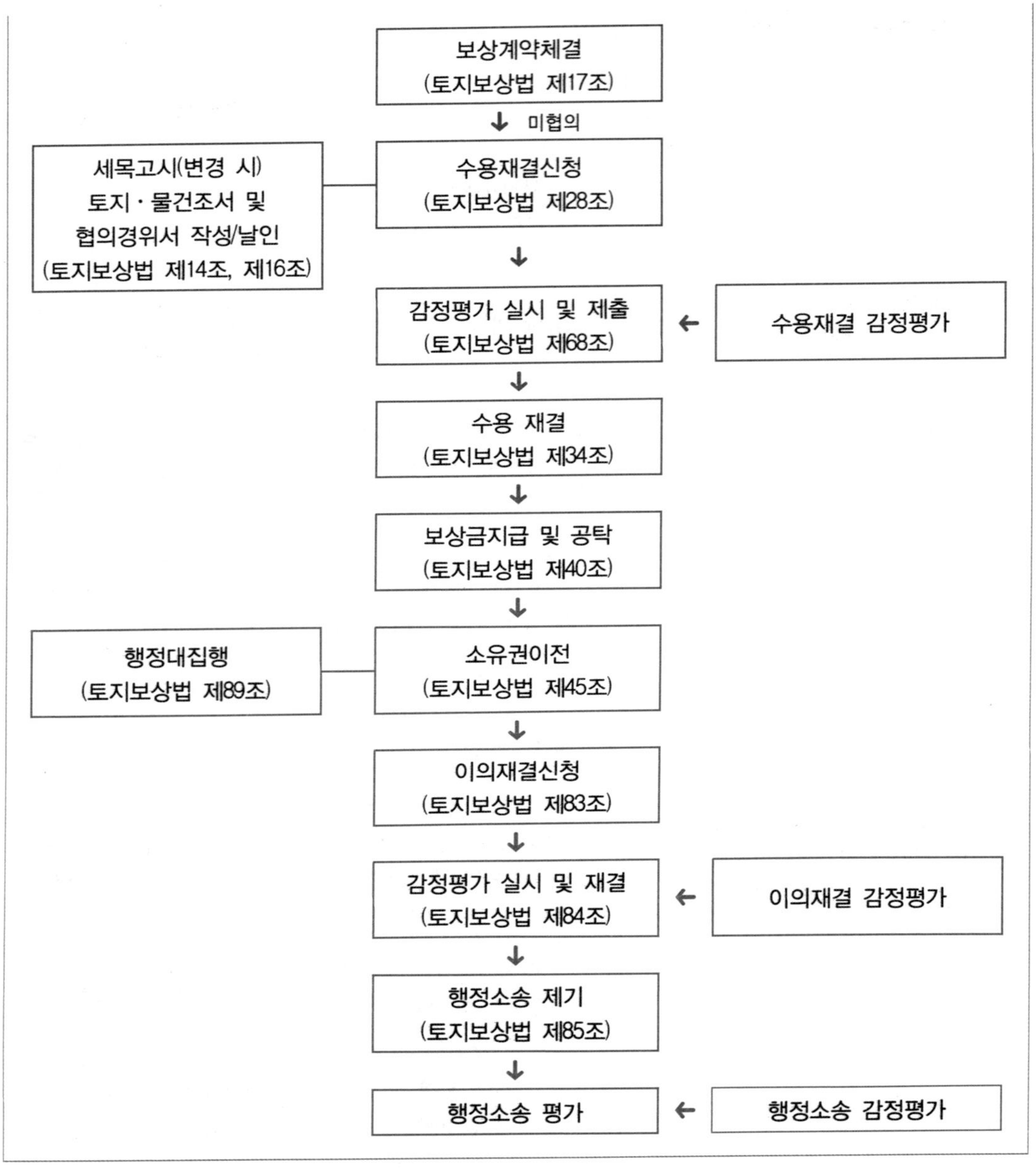

보상계약체결
(토지보상법 제17조)
↓ 미협의
세목고시(변경 시)
토지·물건조서 및
협의경위서 작성/날인
(토지보상법 제14조, 제16조)
수용재결신청
(토지보상법 제28조)
감정평가 실시 및 제출
(토지보상법 제68조)
수용재결 감정평가
수용 재결
(토지보상법 제34조)
보상금지급 및 공탁
(토지보상법 제40조)
행정대집행
(토지보상법 제89조)
소유권이전
(토지보상법 제45조)
이의재결신청
(토지보상법 제83조)
감정평가 실시 및 재결
(토지보상법 제84조)
이의재결 감정평가
행정소송 제기
(토지보상법 제85조)
행정소송 평가
행정소송 감정평가

2. 공익사업의 준비

① 사업의 준비를 위한 출입의 허가 등[4]
② 출입의 통지[5]
③ 토지점유자의 인용의무[6]
④ 장해물의 제거 등[7]
⑤ 증표 등의 휴대[8]

3. 협의에 의한 취득 또는 사용(사업인정 전 보상절차)

1) 토지조서 및 물건조서의 작성[9]

사업시행자는 공익사업의 수행을 위하여 제20조에 따른 사업인정 전에 협의에 의한 토지 등의 취득 또는 사용이 필요할 때에는 토지조서와 물건조서를 작성하여 서명 또는 날인을 하고 토지소유자와 관계인의 서명 또는 날인을 받아야 한다. 토지조서에는 현실적인 이용상황이 기재되어야 하며, 물건조서에는 구조 및 규격이 기재되어야 한다.

• 토지조서 및 물건조서의 양식(발췌)[10]

토지의 명세										
소재지	지번 (원래 지번)	지목	현실적인 이용상황	전체 면적 (m²)	편입 면적 (m²)	용도지역 및 지구	관계인		권리의 종류 및 내용	비고
							성명 또는 명칭	주소		

물건의 명세								
소재지	지번	물건의 종류	구조 및 규격	수량 (면적)	관계인		권리의 종류 및 내용	비고
					성명 또는 명칭	주소		

---

4) 토지보상법 제9조
5) 토지보상법 제10조
6) 토지보상법 제11조
7) 토지보상법 제12조
8) 토지보상법 제13조
9) 토지보상법 제14조
10) 토지보상법 시행규칙 별지 제4호 및 제5호 서식

2) 보상계획의 열람 등 [11]

① 사업시행자는 토지조서와 물건조서를 작성하였을 때에는 공익사업의 개요, 토지조서 및 물건조서의 내용과 보상의 시기 · 방법 및 절차 등이 포함된 보상계획을 전국을 보급지역으로 하는 일간신문에 공고하고, 토지소유자 및 관계인에게 각각 통지하여야 하며, 제2항 단서에 따라 열람을 의뢰하는 사업시행자를 제외하고는 특별자치도지사, 시장 · 군수 또는 구청장에게도 통지하여야 한다. 다만, 토지소유자와 관계인이 20인 이하인 경우에는 공고를 생략할 수 있다(토지보상법 제15조 제1항 및 제2항).

② 공고되거나 통지된 토지조서 및 물건조서의 내용에 대하여 이의(異議)가 있는 토지소유자 또는 관계인은 제2항에 따른 열람기간 이내에 사업시행자에게 서면으로 이의를 제기할 수 있다. 다만, 사업시행자가 고의 또는 과실로 토지소유자 또는 관계인에게 보상계획을 통지하지 아니한 경우 해당 토지소유자 또는 관계인은 제16조에 따른 협의가 완료되기 전까지 서면으로 이의를 제기할 수 있다(토지보상법 제15조 제3항).

③ 사업시행자는 해당 토지조서 또는 물건조서에 제기된 이의를 부기(附記)하고 그 이의가 이유 있다고 인정할 때에는 적절한 조치를 하여야 한다(토지보상법 제15조 제4항).

3) 보상대상의 확정

(1) 보상대상 확정의 주체

보상대상은 「토지보상법」에서 정한 위와 같은 절차에 의해 확정되고 이에 대해 사업시행자와 토지소유자 및 관계인 사이에 이의가 있을 경우에는 토지수용위원회의 재결 또는 소송을 통해 확정된다. 특히 보상대상 여부에 대해서 사업시행자와 토지소유자 사이에 이견이 있는 경우로서 사업인정 이전은 토지소유자는 협의보상에 응하지 않을 수 있고, 사업인정 이후에는 「토지보상법」 제30조에 의한 재결 신청청구를 통하여 보상대상 여부를 다툴 수 있다(대판 2011.7.14, 2011두2309 참조). 따라서 감정평가법인등은 사업시행자 또는 토지수용위원회가 제시한 목록에 의하여 감정평가해야 하고 보상대상을 임의로 추가하거나 삭제하여서는 안 된다. 보상대상이 누락되었거나 대상에 해당되지 않은 토지가 의뢰된 경우에는 사업시행자에게 그 내용을 조회한 후 처리하고, 사업시행자의 의견과 감정평가법인등의 의견이 상이할 경우에는 그 내용을 감정평가서에 기재한다.

(2) 보상대상의 확정기준일

사업인정 전 협의의 경우에는 「토지보상법」에서는 공익사업과 관련하여 토지의 보전의무 등 행위제한이 부과되지 않고 관계인의 범위도 한정되지 않으므로, 원칙적으로 보상대상은 협의종료일까지는 확정되지 않고 변동될 수 있다.

그러나 사업인정 후 협의 또는 재결의 경우에 있어서 「토지보상법」 제25조 제1항에서는 사업인정 고시일을 기준으로 토지 등의 보전의무를 부과하고, 제3항에서는 건축물의 건축 · 대수선, 공작물의 설치 또는 물건의 부가 · 증치를 한 토지소유자 또는 관계인은 해당 건축물 · 공작물 또는 물건을

---

11) 토지보상법 제15조

원상으로 회복하여야 하며, 이에 관한 손실의 보상을 청구할 수 없도록 규정하고 있으므로, 사업
인정고시일을 기준으로 보상대상이 확정된다.

4) 협의 [12]

사업시행자는 토지 등에 대한 보상에 관하여 토지소유자 및 관계인과 성실하게 협의하여야 한다.

5) 계약의 체결 [13]

사업시행자는 협의가 성립되었을 때에는 토지소유자 및 관계인과 계약을 체결하여야 한다.

4. 사업인정

(1) 개요

사업시행자는 토지 등을 수용하거나 사용하려면 대통령령으로 정하는 바에 따라 국토교통부장관의
사업인정을 받아야 한다.

(2) 사업인정의 정의

공익사업을 위해 토지 등을 수용하거나 사용할 사업으로 결정하는 것을 말한다.

(3) 사업인정 전 의견청취 등 [14]

국토교통부장관은 사업인정을 하려면 관계 중앙행정기관의 장 및 특별시장·광역시장·도지사·
특별자치도지사와 협의하여야 하며, 중앙토지수용위원회 및 사업인정에 이해관계가 있는 자의 의
견을 들어야 한다.

토지보상법 제4조에 규정된 별표에 규정된 법률에 따라 사업인정이 있는 것으로 의제되는 공익사
업의 허가·인가·승인권자 등은 사업인정이 의제되는 지구지정·사업계획승인 등을 하려는 경우
중앙토지수용위원회 및 사업인정에 이해관계가 있는 자의 의견을 들어야 한다.

중앙토지수용위원회는 사업인정 전 의견제출을 요청받은 날부터 30일 이내에 의견을 제출하여야
한다. 이 경우 같은 기간 이내에 의견을 제출하지 아니하는 경우에는 의견이 없는 것으로 본다.

(4) 사업인정의 고시 [15]

국토교통부장관은 사업인정을 하였을 때에는 지체 없이 그 뜻을 사업시행자, 토지소유자 및 관계인,
관계 시·도지사에게 통지하고 사업시행자의 성명이나 명칭, 사업의 종류, 사업지역 및 수용하거나
사용할 토지의 세목을 관보에 고시하여야 한다.

사업인정은 제1항에 따라 고시한 날부터 그 효력이 발생한다.

---

12) 토지보상법 제16조
13) 토지보상법 제17조
14) 토지보상법 제21조
15) 토지보상법 제22조

(5) **사업인정의 실효** [16]

① 사업시행자가 사업인정의 고시가 된 날부터 1년 이내에 재결 신청을 하지 아니한 경우에는 사업인정고시가 된 날부터 1년이 되는 날의 다음 날에 사업인정은 그 효력을 상실한다.

② 사업시행자는 사업인정이 실효됨으로 인하여 토지소유자나 관계인이 입은 손실을 보상하여야 한다.

(6) **사업의 폐지 및 변경** [17]

① 사업인정고시가 된 후 사업의 전부 또는 일부를 폐지하거나 변경함으로 인하여 토지 등의 전부 또는 일부를 수용하거나 사용할 필요가 없게 되었을 때에는 사업시행자는 지체 없이 사업지역을 관할하는 시·도지사에게 신고하고, 토지소유자 및 관계인에게 이를 통지하여야 한다.

② 시·도지사는 제1항에 따른 신고를 받으면 사업의 전부 또는 일부가 폐지되거나 변경된 내용을 관보에 고시하여야 한다.

③ 시·도지사는 제1항에 따른 신고가 없는 경우에도 사업시행자가 사업의 전부 또는 일부를 폐지하거나 변경함으로 인하여 토지를 수용하거나 사용할 필요가 없게 된 것을 알았을 때에는 미리 사업시행자의 의견을 듣고 제2항에 따른 고시를 하여야 한다.

④ 시·도지사는 제2항 및 제3항에 따른 고시를 하였을 때에는 지체 없이 그 사실을 국토교통부장관에게 보고하여야 한다.

⑤ 별표에 규정된 법률에 따라 제20조에 따른 사업인정이 있는 것으로 의제되는 사업이 해당 법률에서 정하는 바에 따라 해당 사업의 전부 또는 일부가 폐지되거나 변경된 내용이 고시·공고된 경우에는 제2항에 따른 고시가 있는 것으로 본다.

⑥ 제2항 및 제3항에 따른 고시가 된 날부터 그 고시된 내용에 따라 사업인정의 전부 또는 일부는 그 효력을 상실한다.

⑦ 사업시행자는 제1항에 따라 사업의 전부 또는 일부를 폐지·변경함으로 인하여 토지소유자 또는 관계인이 입은 손실을 보상하여야 한다.

(7) **사업의 완료** [18]

① 사업이 완료된 경우 사업시행자는 지체 없이 사업시행자의 성명이나 명칭, 사업의 종류, 사업지역, 사업인정고시일 및 취득한 토지의 세목을 사업지역을 관할하는 시·도지사에게 신고하여야 한다.

② 시·도지사는 제1항에 따른 신고를 받으면 사업시행자의 성명이나 명칭, 사업의 종류, 사업지역 및 사업인정고시일을 관보에 고시하여야 한다.

③ 시·도지사는 제1항에 따른 신고가 없는 경우에도 사업이 완료된 것을 알았을 때에는 미리 사업시행자의 의견을 듣고 제2항에 따른 고시를 하여야 한다.

---

16) 토지보상법 제23조
17) 토지보상법 제24조
18) 토지보상법 제24조의2

④ 별표에 규정된 법률에 따라 제20조에 따른 사업인정이 있는 것으로 의제되는 사업이 해당 법률에서 정하는 바에 따라 해당 사업의 준공·완료·사용개시 등이 고시·공고된 경우에는 제2항에 따른 고시가 있는 것으로 본다.

(8) 토지 등의 보전 [19]

① 사업인정고시가 된 후에는 누구든지 고시된 토지에 대하여 사업에 지장을 줄 우려가 있는 형질의 변경이나 물건을 손괴하거나 수거하는 행위를 하지 못한다.

② 사업인정고시가 된 후에 고시된 토지에 건축물의 건축·대수선, 공작물(工作物)의 설치 또는 물건의 부가(附加)·증치(增置)를 하려는 자는 특별자치도지사, 시장·군수 또는 구청장의 허가를 받아야 한다. 이 경우 특별자치도지사, 시장·군수 또는 구청장은 미리 사업시행자의 의견을 들어야 한다.

③ 이를 위반하여 건축물의 건축·대수선, 공작물의 설치 또는 물건의 부가·증치를 한 토지소유자 또는 관계인은 해당 건축물·공작물 또는 물건을 원상으로 회복하여야 하며 이에 관한 손실의 보상을 청구할 수 없다.

5. 수용에 의한 취득 또는 사용(사업인정 후 보상절차)

사업시행자는 공익사업의 수행을 위하여 필요하면 이 법에서 정하는 바에 따라 토지 등을 수용하거나 사용할 수 있다. 공익사업에 수용되거나 사용되고 있는 토지 등은 특별히 필요한 경우가 아니면 다른 공익사업을 위하여 수용하거나 사용할 수 없다.[20]

(1) 협의 등의 절차 준용 [21]

① 사업인정을 받은 사업시행자는 토지조서 및 물건조서의 작성, 보상계획의 공고·통지 및 열람, 보상액의 산정과 토지소유자 및 관계인과의 협의 절차를 거쳐야 한다.

② 사업인정 이전에 협의 절차를 거쳤으나 협의가 성립되지 아니하고 사업인정을 받은 사업으로서 토지조서 및 물건조서의 내용에 변동이 없을 때에는 협의 절차를 거치지 아니할 수 있다. 다만, 사업시행자나 토지소유자 및 관계인이 협의를 요구할 때에는 협의하여야 한다.

(2) 재결의 신청 [22]

협의가 성립되지 아니하거나 협의를 할 수 없을 때에는 사업시행자는 사업인정고시가 된 날부터 1년 이내에 대통령령으로 정하는 바에 따라 관할 토지수용위원회에 재결을 신청할 수 있다.

---

19) 토지보상법 제25조, 당 규정은 사업인정의 고시가 있은 후의 지장물에 대해서 보상을 하지 않는 법적 근거가 된다.
20) 토지보상법 제19조
21) 토지보상법 제26조
22) 토지보상법 제28조

(3) 협의 성립의 확인 [23]

사업시행자와 토지소유자 및 관계인 간에 사업인정 전의 협의 절차를 거쳐 협의가 성립되었을 때에는 사업시행자는 재결 신청기간 이내에 해당 토지소유자 및 관계인의 동의를 받아 대통령령으로 정하는 바에 따라 관할 토지수용위원회에 협의 성립의 확인을 신청할 수 있다.

(4) 재결 신청의 청구 [24]

사업인정고시가 된 후 협의가 성립되지 아니하였을 때에는 토지소유자와 관계인은 대통령령으로 정하는 바에 따라 서면으로 사업시행자에게 재결을 신청할 것을 청구할 수 있다.

사업시행자는 재결 신청의 청구를 받았을 때에는 그 청구를 받은 날부터 60일 이내에 대통령령으로 정하는 바에 따라 관할 토지수용위원회에 재결을 신청하여야 한다.

(5) 기타절차

① 열람 [25]

토지수용위원회는 재결신청서를 접수하였을 때에는 대통령령으로 정하는 바에 따라 지체 없이 이를 공고하고 일반인이 열람할 수 있도록 하여야 한다.

② 심리 [26]

토지수용위원회는 열람기간이 지났을 때에는 지체 없이 해당 신청에 대한 조사 및 심리를 하여야 한다.

③ 화해의 권고 [27]

토지수용위원회는 그 재결이 있기 전에는 그 위원 3명으로 구성되는 소위원회로 하여금 사업시행자, 토지소유자 및 관계인에게 화해를 권고하게 할 수 있다.

6. 수용 또는 사용의 효과

(1) 보상금의 지급 및 공탁 [28]

① 사업시행자는 수용 또는 사용의 개시일까지 관할 토지수용위원회가 재결한 보상금을 지급하여야 한다.

② 사업시행자는 보상금을 받을 자가 그 수령을 거부하거나 보상금을 수령할 수 없는 경우 등에는 수용 또는 사용의 개시일까지 수용하거나 사용하려는 토지 등의 소재지의 공탁소에 보상금을 공탁(供託)할 수 있다.

---

23) 토지보상법 제29조
24) 토지보상법 제30조
25) 토지보상법 제31조
26) 토지보상법 제32조
27) 토지보상법 제33조
28) 토지보상법 제40조

⑵ **재결의 실효** [29]

① 사업시행자가 수용 또는 사용의 개시일까지 관할 토지수용위원회가 재결한 보상금을 지급하거나 공탁하지 아니하였을 때에는 해당 토지수용위원회의 재결은 효력을 상실한다.

② 사업시행자는 재결의 효력이 상실됨으로 인하여 토지소유자 또는 관계인이 입은 손실을 보상하여야 한다.

⑶ **토지 또는 물건의 인도 등** [30]

토지소유자 및 관계인과 그 밖에 토지소유자나 관계인에 포함되지 아니하는 자로서 수용하거나 사용할 토지나 그 토지에 있는 물건에 관한 권리를 가진 자는 수용 또는 사용의 개시일까지 그 토지나 물건을 사업시행자에게 인도하거나 이전하여야 한다.

⑷ **권리의 취득 · 소멸 및 제한** [31]

① 사업시행자는 수용의 개시일에 토지나 물건의 소유권을 취득하며, 그 토지나 물건에 관한 다른 권리는 이와 동시에 소멸한다.

② 사업시행자는 사용의 개시일에 토지나 물건의 사용권을 취득하며, 그 토지나 물건에 관한 다른 권리는 사용 기간 중에는 행사하지 못한다.

⑸ **위험부담** [32]

토지수용위원회의 재결이 있은 후 수용하거나 사용할 토지나 물건이 토지소유자 또는 관계인의 고의나 과실 없이 멸실되거나 훼손된 경우 그로 인한 손실은 사업시행자가 부담한다.

⑹ **담보물권과 보상금** [33]

담보물권의 목적물이 수용되거나 사용된 경우 그 담보물권은 그 목적물의 수용 또는 사용으로 인하여 채무자가 받을 보상금에 대하여 행사할 수 있다. 다만, 그 보상금이 채무자에게 지급되기 전에 압류하여야 한다.

⑺ **반환 및 원상회복의 의무** [34]

① 사업시행자는 토지나 물건의 사용기간이 끝났을 때나 사업의 폐지 · 변경 또는 그 밖의 사유로 사용할 필요가 없게 되었을 때에는 지체 없이 그 토지나 물건을 그 토지나 물건의 소유자 또는 그 승계인에게 반환하여야 한다.

② 사업시행자는 토지소유자가 원상회복을 청구하면 미리 그 손실을 보상한 경우를 제외하고는 그 토지를 원상으로 회복하여 반환하여야 한다.

---

29) 토지보상법 제42조
30) 토지보상법 제43조
31) 토지보상법 제45조
32) 토지보상법 제46조
33) 토지보상법 제47조
34) 토지보상법 제48조

7. 보상액의 산정 [35]

(1) 감정평가법인등의 선정

① 원칙

사업시행자가 1인을 선정하고 토지소유자, 시도지사가 각각 추천하여 총 감정평가법인등 3인을 선정한다.

② 시도지사와 토지소유자가 모두 감정평가법인등을 추천하지 않는 경우

사업시행자가 2인을 선정한다.

③ 시도지사와 토지소유자 어느 한쪽이 감정평가법인등을 추천하지 않는 경우

사업시행자가 1인을 선정하고 시도지사 또는 토지소유자가 1인을 추천한다.

④ 감정평가법인등을 선정하지 않는 경우

사업시행자가 기준에 따라 직접 보상액을 산정할 수 있을 때에는 감정평가법인등을 선정하지 않을 수 있다.

(2) 보상액 결정

보상액의 산정은 각 감정평가법인등이 평가한 평가액의 산술평균치를 기준으로 한다. [36]

제2절 손실보상의 원칙 [37]

01 사업시행자 보상

공익사업에 필요한 토지 등의 취득 또는 사용으로 인하여 토지소유자나 관계인이 입은 손실은 사업시행자가 보상하여야 한다. [38]

02 사전보상

사업시행자는 해당 공익사업을 위한 공사에 착수하기 이전에 토지소유자와 관계인에게 보상액 전액(全額)을 지급하여야 한다. 다만, 제38조에 따른 천재지변 시의 토지 사용과 제39조에 따른 시급한 토지 사용의 경우 또는 토지소유자 및 관계인의 승낙이 있는 경우에는 그러하지 아니하다. [39]

---

35) 토지보상법 제68조
36) 토지보상법 시행규칙 제16조
37) 토지보상법 제61조~제68조
38) 미지급용지의 손실보상의 주체는 새로운 사업시행자이다(2010.09.16, 토지정책과-4606).
39) 토지소유자 등에게 보상금을 지급하지 아니하고 미리 공사에 착수하여 손해가 발생하였다면 사업시행자는 손해배상책임을 진다(대판 2013.11.14, 2011다27103).

03 현금보상 등

손실보상은 다른 법률에 특별한 규정이 있는 경우를 제외하고는 현금으로 지급하여야 한다. 다만, 토지소유자가 원하는 경우로서 사업시행자가 해당 공익사업의 합리적인 토지이용계획과 사업계획 등을 고려하여 토지로 보상이 가능한 경우에는 토지소유자가 받을 보상금 중 본문에 따른 현금 또는 채권으로 보상받는 금액을 제외한 부분에 대하여 「토지보상법」 제63조 제1항 각 호에서 정하는 기준과 절차에 따라 그 공익사업의 시행으로 조성한 토지로 보상할 수 있다.

04 개인별 보상

손실보상은 토지소유자나 관계인에게 개인별로 하여야 한다. 다만, 개인별로 보상액을 산정할 수 없을 때에는 그러하지 아니하다.

05 일괄보상

사업시행자는 동일한 사업지역에 보상시기를 달리하는 동일인 소유의 토지 등이 여러 개 있는 경우 토지소유자나 관계인이 요구할 때에는 한꺼번에 보상금을 지급하도록 하여야 한다.[40]

06 사업시행 이익과의 상계금지

사업시행자는 동일한 소유자에게 속하는 일단(一團)의 토지의 일부를 취득하거나 사용하는 경우 해당 공익사업의 시행으로 인하여 잔여지(殘餘地)의 가격이 증가하거나 그 밖의 이익이 발생한 경우에도 그 이익을 그 취득 또는 사용으로 인한 손실과 상계(相計)할 수 없다.[41]

---

[40] 동일인 소유 토지 전체가 도시계획시설로 결정되었으나, 일부에 대하여만 실시계획인가를 받은 경우 잔여토지에 대해서는 일괄보상할 수 없다(2013.07.05, 토지정책과-1973).

[41] 잔여지가 공익사업에 따라 설치되는 도로에 접하게 되는 이익을 참작하여 잔여지손실보상액을 산정할 것은 아니다(대판 2013.05.23, 2013두437).

07 시가(時價) 보상의 원칙 등

보상액의 산정은 협의에 의한 경우에는 협의 성립 당시의 가격을, 재결에 의한 경우에는 수용 또는 사용의 재결 당시의 가격을 기준으로 한다.[42)43)] 시가(時價)란, 통상적인 시장에서 정상적인 거래가 이루어지는 경우 성립될 가능성이 가장 높다고 인정되는 가격으로 적정가격을 말한다.

> **Check Point!**
>
> ◉ **보상감정평가에서의 가격시점**[44)]
> 1. **협의평가 : 협의 성립 당시(협의예정일)**
>   '협의 성립 당시'란 토지의 협의취득시점이 아니라 개개의 보상협의가 성립된 시점을 의미한다(대판 1997.4.22, 95다48056 · 48063). 즉, 사업시행자가 보상액을 결정하여 토지 등의 소유자에게 협의를 요청하고 토지 등의 소유자가 이에 대하여 승낙의 의사표시를 한 시점을 말한다. 다만, 협의의 경우에는 보상감정평가 당시에 개개의 보상협의가 성립될 수 있는 시점을 사전에 알 수 없으므로 정확한 가격시점을 확정하기 어렵다.
> 2. **수용재결평가 : 수용재결 당시(수용재결(예정)일), 이의재결평가 : 수용재결일**
>   '수용재결 당시'란 「토지보상법」 제50조 제1항 제3호가 규정한 수용의 개시일이 아니라 토지수용위원회의 수용재결 당시를 의미한다(대판 1992.9.25, 91누13250 참조). 수용의 경우는 수용재결일을 사전에 확정할 수 있으므로, 가격시점의 결정과 관련하여 문제점이 발생할 여지가 없다.
> 3. **가격시점의 결정**
>   「토지보상법 시행규칙」 제16조 제1항은 사업시행자는 가격시점을 정하여 감정평가법인등에게 감정평가를 의뢰하도록 규정하고 있으므로 가격시점은 감정평가법인등이 아닌 사업시행자가 결정한다. 즉, 가격시점은 사업시행자로부터 제시받아야 하며, 협의 성립 당시나 수용재결 당시에 대해 알 수 없는 감정평가법인등이 임의로 가격시점을 정할 수 없다.

08 해당 공익사업에 따른 가치변동 배제의 원칙

보상액을 산정할 경우에 아래와 같이 해당 공익사업으로 인하여 토지 등의 가격이 변동되었을 때에는 이를 고려하지 아니한다.[45)46)]

> ① 해당 공익사업의 계획 또는 시행이 공고 또는 고시된 것에 따른 가치의 증감분
> ② 해당 공익사업의 시행에 따른 절차로서 행한 토지이용계획의 설정 · 변경 · 해제 등에 따른 가치의 증감분
> ③ 그 밖에 해당 공익사업의 착수에서 준공까지 그 시행에 따른 가치의 증감분

---

42) 협의취득을 위한 보상평가의 기준시점은 '가격조사를 완료한 일자'가 아니라 '보상계약이 체결될 것으로 예상되는 시점'으로 보는 것이 타당하다(2011.10.04, 토지정책과-4699).

43) 재결평가 시 기준시점은 수용의 개시일이 아니라 수용재결일이다(대판 1998.07.10, 98두6067).

44) 현행 토지보상법상 가격시점의 용어를 사용하고 있으나 「감정평가에 관한 규칙」과 같이 기준시점으로 용어가 통일되어야 할 것이다.

45) 개발이익을 배제한 손실보상액의 산정은 정당보상의 원칙에 반하지 않는다(헌재 2010.12.28, 2008헌바57).

46) 다른 공익사업으로 인한 개발이익은 보상액에 포함되어야 한다(대판 2014.02.27, 2013두21182).

제3절   토지보상감정평가(토지보상감정평가의 방법)

> **토지보상법 제70조**(취득하는 토지의 보상)
>
> ① 협의나 재결에 의하여 취득하는 토지에 대하여는 「부동산 가격공시에 관한 법률」에 따른 공시지가를 기준으로 하여 보상하되, 그 공시기준일부터 가격시점까지의 관계법령에 따른 그 토지의 이용계획, 해당 공익사업으로 인한 지가의 영향을 받지 아니하는 지역의 대통령령으로 정하는 지가변동률, 생산자물가상승률(「한국은행법」 제86조에 따라 한국은행이 조사·발표하는 생산자물가지수에 따라 산정된 비율을 말한다)과 그 밖에 그 토지의 위치·형상·환경·이용상황 등을 고려하여 평가한 적정가격으로 보상하여야 한다.
>
> **동법 제71조**(사용하는 토지의 보상 등)
>
> ① 협의 또는 재결에 의하여 사용하는 토지에 대하여는 그 토지와 인근 유사토지의 지료(地料)·임대료·사용방법·사용기간 및 그 토지의 가격 등을 참작하여 평가한 적정가격으로 보상하여야 한다.

01   토지보상감정평가의 대상

1. 토지보상감정평가 대상의 원칙

토지보상감정평가의 대상은 공익사업의 시행으로 인하여 취득할 토지로서 사업시행자가 보상감정평가를 목적으로 제시한 것으로 한다.

2. 사업시행자 제시내용 기준

1) 사업시행자 제시내용 기준 원칙

대상토지의 현실적인 이용상황 및 면적 등은 사업시행자가 제시한 내용에 따른다. 감정평가법인등은 사업시행자가 제시한 목록에 의하여 감정평가해야 하고 보상대상을 임의로 추가하거나 삭제해서는 안 된다. 보상대상이 누락되었거나 대상에 해당되지 않는 토지가 의뢰된 경우에는 사업시행자에게 그 내용을 조회한 후 처리하고, 사업시행자의 의견과 감정평가법인등의 의견이 상이할 경우에는 그 내용을 감정평가서에 기재한다.

2) 사업시행자에게 내용을 조회해야 하는 경우

(1) 실지조사 결과 제시목록상의 이용상황과 현실적인 이용상황이 다른 것으로 인정되는 경우

(2) 한 필지의 토지가 둘 이상의 이용상황인 경우로서 이용상황별로 면적을 구분하지 아니하고 의뢰된 경우(다른 이용상황인 부분이 주된 이용상황과 가치가 비슷하거나 면적비율이 뚜렷하게 낮아 주된 이용상황의 가치를 기준으로 거래될 것으로 추정되는 경우는 제외한다.)

(3) 공부상 지목이 "대"(공장용지 등 비슷한 지목을 포함한다)가 아닌 토지가 현실적인 이용상황에 따라 "대"로 의뢰된 경우로서 다음 각 목의 어느 하나에 해당하는 경우(형질변경허가 관계 서류 등 신빙성 있는 자료가 있거나 주위환경의 사정 등으로 보아 "대"로 인정될 수 있는 경우는 제외한다.)

① 제시면적이 인근지역에 있는 "대"의 표준적인 획지면적을 현저하게 초과하거나 미달되는 경우

② 지상건축물의 용도·규모 및 부속 건축물의 상황과 관련법령에 따른 건폐율·용적률, 그 밖에 공법상 제한 등으로 보아 그 제시면적이 현저하게 과다하거나 과소한 것으로 인정되는 경우

3) 사업시행자 내용 조회 관련 절차

(1) 원칙

사업시행자에게 그 내용을 조회한 후 목록을 다시 제시받아 감정평가하는 것을 원칙으로 한다. 대상토지에 대한 내용의 판단주체는 원칙적으로 사업시행자이며, 그 내용에 대하여 사업시행자와 토지소유자 사이에 이견이 있는 경우에는 토지수용위원회의 재결 또는 소송을 통하여 확정된다. 따라서 감정평가법인등은 사업시행자 또는 토지수용위원회가 제시한 목록에서 표시된 이용상황을 기준으로 하며 이용상황을 임의로 추정하거나 변경하여서는 안 된다.

(2) 수정된 목록의 제시가 없는 경우

수정된 목록의 제시가 없을 때에는 당초 제시목록을 기준으로 감정평가하되, 감정평가서에 현실적인 이용상황을 기준으로 한 단위면적당 가액(이하 "단가"라 한다) 또는 면적을 따로 기재한다.

02 토지보상평가기준

1. 객관적 · 현실적인 이용상황 기준 감정평가

1) 객관적 기준 감정평가[47]

(1) 객관적 기준 감정평가 원칙

토지보상감정평가는 가격시점에서의 일반적인 이용방법에 따른 객관적 상황을 기준으로 평가하며, 토지소유자가 갖는 주관적 가치나 특별한 용도에 사용할 것을 전제로 한 것은 고려하지 아니한다.[48]

(2) 일반적 이용방법

일반적인 이용방법이란 토지가 놓여있는 지역이라는 공간적 상황 및 기준시점이라고 하는 시간적 상황에서 대상토지를 이용하는 사람들의 평균인이 이용할 것으로 기대되는 이용방법을 말한다. 주택지에 소재한 토지는 주택부지로, 영농에 제공되는 전·답은 농경지로, 입목의 생육에 제공되고 있는 토지는 임야로 보상액을 산정하는 것이 원칙이라는 것이다. 다만, 현재 농경지로 이용 중이

---

47) 감정평가실무기준 해설서(Ⅱ) 보상편, 한국감정평가사협회 등, 2014.02, pp.27~28
48) 토지보상법 제70조 제2항

지만 주변의 토지가 대부분 이미 택지화되어 있고, 용도지역도 주거지역 등에 속하여 향후 주거용 "대"로 이용하는 것이 합리적으로 판단되는 경우에는 주거용 나지에 준하는 택지후보지를 일반적인 이용방법으로 볼 수 있다.

⑶ 객관적 상황

객관적 상황이란 사물을 판단함에 있어 자기 자신을 기준으로 하지 않고 제3자의 입장에서 판단하는 것을 말한다. 즉, 토지를 특수한 용도에 이용할 것을 전제로 하거나 주위환경이 특별하게 바뀔 것을 전제하는 경우 등은 객관적 상황을 기준으로 하는 것이 아니다. 대법원은 구체적인 근거 없이 온천으로의 개발가능성이라는 장래의 동향을 지나치게 평가한 것은 객관성과 합리성을 결하고 기타조건의 참작의 한계를 넘어 위법하다고 판결하였다.[49]

⑷ 주관적 가치

주관적 가치란 다른 사람에게 일반화시킬 수 없는 개인적인 애착심 또는 감정가치를 말한다. 해당 토지에서 오랫동안 거주함으로 인해 발생한 애착심에 근거한 가치 등이 여기에 해당된다.

⑸ 특별한 용도

기준시점에서 토지가 소재한 지역의 일반적인 이용상황이 아닌 특정한 용도를 의미한다. 공장을 증축할 목적으로 농경지를 구입한 경우 등이 여기에 해당된다.[50]

2) 현실적인 이용상황기준 감정평가[51]

⑴ 현실적인 이용상황기준 감정평가 원칙

① 현실적인 이용상황

"현실적인 이용상황"이란 지적공부상의 지목에 불구하고 가격시점에서의 실제 이용상황으로서, 주위환경이나 대상토지의 공법상 규제 정도 등으로 보아 인정 가능한 범위의 이용상황을 말한다. 따라서 대상토지에 대한 형질변경행위가 완료되어 현실적인 이용상황의 변경이 이루어졌다고 보여지는 경우에는 비록 공부상 지목변경절차를 마치기 전이라고 하더라도 변경된 실제 현황을 기준으로 감정평가한다.[52]

토지의 지목은 「공간정보의 구축 및 관리 등에 관한 법률 시행령」 제58조에 의하여 28개의 지목으로 구분하여 토지소유자의 신청을 받아 지적소관청이 결정하거나 신청이 없는 경우에도 지적소관청이 직권으로 조사·측량하여 결정할 수 있으므로, 대부분의 경우 지적공부상의 지목과 현실적인 이용상황이 일치한다. 그러나 지목은 「공간정보의 구축 및 관리 등에 관한 법률

---

49) 온천으로의 개발가능성이라는 장래의 동향을 지나치게 평가한 것은 객관성과 합리성을 결한 것이다(대판 2000.10.06, 98두19414).

50) 토지를 매입한 의도나 장래의 이용계획은 토지의 소유자의 주관적 사정에 불과하다(대판 2003.07.25, 2002두5054).

51) 감정평가실무기준 해설서(Ⅱ) 보상편, 한국감정평가사협회 등, 2014.02, pp.29~33

52) 토지의 형질변경에는 형질변경허가에 관한 준공검사를 받거나 토지의 지목을 변경할 것을 필요로 하지 않는다(대판 2012.12.13, 2011두24033).

시행령」 제59조 제1항에 따라 1필지가 둘 이상의 용도로 활용되는 경우에도 주된 용도에 따라 지목을 설정하도록 규정하고 있다(1필 1목의 원칙). 따라서 1필지의 토지라고 하여도 둘 이상의 이용상황을 가질 수 있다. 또한 현실적인 이용상황이 변경되었음에도 토지소유자의 신청이나 직권에 의한 지목의 변경절차가 이루어지지 않는 경우가 있기 때문에 지적공부상의 지목과 현실적인 이용상황이 반드시 일치하는 것은 아니다.

이와 같이 공부상 지목과 현실적인 이용상황이 다른 경우에도 현실적인 이용상황에 따라 감정 평가하여 보상하도록 한 것은 정당보상의 원칙에 보다 충실하기 위해서이다. 다만, 이러한 현실적인 이용상황을 기준으로 하는 보상감정평가의 원칙이 관련 법령에 의하여 허가를 받아야 할 사항을 허가 없이 행한 경우, 금지된 행위를 행한 경우 등 위법에 기인한 행위까지도 보호하려는 취지는 아니다. 따라서 이러한 경우에는 현실적인 이용상황에 따라 보상감정평가하지 않는다.

② **판단기준**

현실적인 이용상황은 객관적인 자료에 의해 판단되고, 「토지보상법」에서 정하여진 일정한 절차에 따라 확정되어야 하며, 사업시행자 또는 토지소유자 등의 주관적인 의사나 감정평가법인등의 임의적 판단에 의하여 결정되어서는 안 된다.[53]

⑵ **현실적인 이용상황기준 감정평가의 예외**

① **일시적 이용상황**

㉠ 일시적인 이용상황의 개념 및 반영 여부 : 토지에 대한 보상액은 현실적인 이용상황을 고려하여 산정하되, 일시적인 이용상황은 이를 고려하지 아니한다(토지보상법 제70조 제2항). 여기서 "일시적인 이용상황"이란 관련 법령에 의한 국가 또는 지방자치단체의 계획이나 명령 등에 의하여 대상토지를 본래의 용도로 이용하는 것이 일시적으로 금지 또는 제한되어 그 본래의 용도 외의 다른 용도로 이용하고 있거나, 대상토지의 주위환경의 사정으로 보아 현재의 이용방법이 임시적인 것을 말한다(토지보상법 시행령 제38조). 「공간정보의 구축 및 관리 등에 관한 법률 시행령」 제59조 제2항은 토지가 일시적 또는 임시적인 용도로 사용될 때에는 지목을 변경하지 않도록 규정하고 있다.

㉡ 현재의 상황이 임시적인 경우와 그 예시 : 토지의 이용상황은 원칙적으로 저가이용의 토지로부터 고가이용의 토지로 변화한다. 그러므로 주위상황으로 보아 고가이용의 토지가 저가이용의 토지로 이용되고 있고 그 이용상황을 다시 고가이용의 토지로 변환시키는 데 제한이 없다면 이런 경우는 원칙적으로 현재의 이용상황을 임시적인 경우로 볼 수 있다. 즉, 인근지역이 주택지대이며 용도지역이 주거지역에 속한 지목이 대인 토지가 농경지로 이용되고 있다면, 그것은 토지의 본래적인 이용목적인 영구적인 건축물의 건축을 하기 위한 시기를 기다리는 것으로 보아야 할 것이기 때문에, 대지가 아닌 다른 용도로 이용하는 것은 일시적인 이용상황으로 보아야 한다.

---

53) 현실적인 이용상황은 주관적 의도가 아니라 관계 증거에 의하여 객관적으로 확정되어야 한다(대판 2004.06.11, 2003두14703).

다만, 지목상 고가이용의 토지가 저가이용의 토지로 이용되고 있는 경우에도 지목과 같은 고가이용의 토지로 전환하는 것이 사실상 불가능한 경우에는 현재의 이용상황을 임시적인 경우로 보지 않는다. 따라서 지적공부상 지목은 전·답이나 임야지대 내에 소재하여 수목이 자생하고 있고 사실상 농경지로 이용하는 것이 불가능한 경우에는 현실적인 이용상황을 임야로 보아야 한다. 또한 지적공부상 지목은 대이나, 현실적인 이용상황이 유지 또는 답인 저수지부지의 경우에는 사실상 원상회복이 불가능하여 현재의 이용상황을 임시적으로 볼 수 없으므로 유지 또는 답으로서 보상액을 산정하는 것이 타당하다(2006.2.17, 법제처 05-0146 참조). 그리고 토지수용재결 당시 채석지의 이용상황이 잡종지이기는 하지만 가까운 장래에 채석기간이 만료되어 훼손된 채석지에 대한 산림복구가 법령상 예정되어 있다면 이러한 이용상황은 일시적인 것에 불과하다고 보아야 하므로 이에 대한 수용보상액은 그 공부상 지목에 따라 임야로서 감정평가함이 타당하다(대판 2000.2.8, 97누15845 참조).

② 무허가건축물 등 부지, 불법형질변경토지

무허가건축물 등의 부지 또는 불법형질변경토지에 대하여는 무허가건축물 등이 건축될 당시 또는 토지가 형질변경될 당시의 이용상황을 상정하여 평가한다. 자세한 내용은 후술한다.

③ 미지급용지

미지급용지에 대하여는 종전의 공익사업에 편입될 당시의 이용상황을 상정하여 평가한다. 자세한 내용은 후술한다.

④ 그 밖에 관계법령 등에서 달리 규정하는 경우

2. 건축물 등이 없는 상태 상정 감정평가 [54]

1) 원칙(실제로 공익사업에 필요한 것은 토지뿐이다)

(1) 나지의 개념

"나지"란 토지에 건축물 등이 없는 토지를 말한다. 나지의 개념에는 건축물 등이 없는 토지와 여기에 추가하여 소유권 외의 권리의 설정이 없는 토지라는 2가지 개념이 있을 수 있다. 그러나 「토지보상법 시행규칙」 제22조 제2항에서 "토지에 건축물 등이 있는 때에는 그 건축물 등이 없는 상태를 상정하여 토지를 평가한다."라고 규정하고 있고, 「토지보상법 시행규칙」 제29조는 취득하는 토지에 설정된 소유권 외의 권리의 목적이 되고 있는 토지에 대하여는 해당 권리가 없는 것으로 하여 평가한 금액에서 소유권 외의 권리의 가액을 뺀 금액으로 평가하도록 규정하고 있으므로, 보상에서 나지란 건축물 등이 없는 토지만을 의미하고 소유권 외의 권리의 설정이 없는 토지라는 나지의 개념은 원칙적으로 적용될 수 없다. 다만, 사업시행자가 소유권 외의 권리의 설정이 없는 토지로 감정평가해 줄 것을 요청한 경우에는 이에 따른다.

---

54) 감정평가실무기준 해설서(Ⅱ) 보상편, 한국감정평가사협회 등, 2014.02, pp.42~43

⑵ **건축물 등이 없는 상태 상정 감정평가**

① **건축물 등이 없는 상태 상정 감정평가의 원칙**

토지보상감정평가는 그 토지에 있는 건축물·입목·공작물, 그 밖에 토지에 정착한 물건(건축물 등)이 있는 경우에도 그 건축물 등이 없는 상태를 상정하여 감정평가한다.

② **타인 소유 건축물 등이 있는 경우**

토지보상감정평가는 토지상에 건축물 등이 있는 경우에도 나지상태를 상정하여 감정평가한다. 이 경우 건축물 등이 토지와 동일 소유관계인지 여부는 묻지 않는다. 따라서 지상에 타인 소유의 건축물 등이 있는 경우에도 타인 소유 건축물 등이 소재함으로 인한 제한 정도를 감안하여 감정평가하여서는 안 되며 나지를 상정하여 감정평가한다. 대법원은 "협의취득을 위한 보상액을 산정하면서 … 「공익사업을 위한 토지 등의 취득 및 보상에 관한 법률 시행규칙」 제22조에 따라 토지에 건축물 등이 있는 때에는 건축물 등이 없는 상태를 상정하여 토지를 평가하여야 함에도, … 토지를 건축물 등에 해당하는 철탑 및 고압송전선의 제한을 받는 상태로 평가한 것은 정당한 토지 평가라고 할 수 없다."라고 판결하였다.[55]

다만, 타인 소유 건축물 등이 별도의 권리에 근거하여 소재하고 있다면, 이 소유권 외의 권리는 별도로 감정평가하고 토지가액은 소유권 외의 권리가 설정되지 않은 것을 상정한 감정평가금액에서 그 권리에 대한 금액을 공제하고 감정평가한다.

2) **예외**

⑴ **건축물 등이 토지와 함께 거래되는 사례나 관행이 있는 경우**

「집합건물의 소유 및 관리에 관한 법률」 제20조 제1항에서는 구분소유자의 대지사용권은 그가 가지는 전유부분의 처분에 따르도록 규정하고 있어, 구분소유권의 객체가 되는 건축물의 토지(대지사용권)와 같이 건축물과 일체로 거래될 수밖에 없는 경우 또는 건축물 등이 토지와 함께 거래되는 사례나 관행이 있는 경우에는 나지 상태를 상정하여 감정평가하지 않고 그 건축물 등을 토지와 함께 일괄하여 감정평가한다. 이 경우 그 내용을 보상평가서에 기재한다(토지보상법 시행규칙 제20조 제1항).

⑵ **개발제한구역 안의 건축물이 있는 토지의 경우**

개발제한구역 내 건부지의 경우와 같이 건축물 등이 있는 것이 오히려 증가의 요인이 되는 경우에는 건축물이 존재함으로 인한 가치를 반영하여 감정평가해야 한다.

⑶ **토지에 관한 소유권 외의 권리를 사업시행자 등의 요청에 따라 따로 평가하는 경우**

> 평가가격 = 해당 토지의 나지상태의 평가가격
> － 해당 토지에 관한 소유권 외의 권리에 대한 평가가격

---

55) 대판 2012.03.29, 2011다104253

3) 유의사항(거래사례비교법으로 평가하는 지상건축물의 소유자와 토지소유자가 다른 경우)

「토지보상평가지침」 제48조에는 주거용 건축물의 소유자와 토지소유자가 다른 경우 거래사례비교법으로 감정평가한 금액과 원가법으로 감정평가한 금액의 차액을 주거용 건축물의 소유자가 가지는 토지의 소유권 외의 권리에 대한 보상액으로 보고 그 차액을 토지보상액에서 차감하여 평가하도록 규정하고 있다. 하지만 불리한 정도가 발생되는 이유는 실질지료와 정상지료와의 차이 때문이며, 현실적인 지료의 차이는 언제든지 소멸될 수 있는 것이므로, 권리가 아니라 반사적 이익으로 보아야 하고, 이는 보상의 대상이 될 수 없으므로 나지상태대로 평가되어야 한다.

3. 해당 공익사업으로 인한 가격의 변동 배제 감정평가 [56]

1) 개발이익

(1) 해당 공익사업의 계획 또는 시행이 공고 또는 고시됨으로 인한 가치의 증감분

공익사업의 계획이나 시행계획이 수립되어 공고 또는 고시되면 일반적으로 사업지구는 물론 주변지역의 지가는 상승 또는 하락한다. 사업계획 등의 고시로 인해 발생한 증가(增價)는 불로소득으로 토지소유자가 사유화할 것이 아니다. 이러한 경우 사업지구의 보상에서 개발이익은 배제되는 것이 공평부담의 견지에서 마땅하고, 주변지역 역시 발생한 개발이익을 사회적으로 환수하는 것이 공평배분에 합치된다. 반면에 공익사업으로 지가가 하락하였다면 이는 개발손실로서 마땅히 사업지구의 보상액 산정에서 이를 고려하여야 하고, 주변지역의 토지소유자에게도 보상이 이루어져야 한다. 그러나 개발이익의 환수와 개발손실의 보상은 아직 적극적으로 제도화되지 않아 피수용자와 공익사업의 주변지역 토지소유자 간 불공평이 문제로 제기되고 있다.

이는 세부적으로 토지가치의 상승화에 따른 외부효과로 인한 지가변동, 일시적인 토지공급 부족에 따른 시장요인으로 인한 지가변동, 투기적 수요에 의한 지가변동 등이 있으며, 실무적으로는 어려움이 있지만 원칙상 이 모든 지가변동은 배제됨이 타당하다.

(2) 해당 공익사업의 시행절차로 행해진 토지이용계획의 설정·변경·해제 등으로 인한 가치의 증감분

해당 공익사업의 시행에 따른 절차로서 행한 토지이용계획의 설정·변경·해제 등에 따른 가치의 증감분은 보상액에서 배제된다. 해당 공익사업의 시행에 따른 절차로서 행한 토지이용계획의 설정·변경·해제 등은 다음과 같이 나누어 볼 수 있다.

① 일정한 용도지역에서만 행할 수 있는 도시·군계획시설

「도시·군계획시설의 결정·구조 및 설치기준에 관한 규칙」에서는 특정한 도시·군계획시설의 경우 일정한 용도지역에서만 행할 수 있도록 규정하고 있으므로, 이러한 도시·군계획시설의 설치를 위하여 용도지역을 변경한 경우에는 이를 해당 공익사업의 시행에 따른 절차로서 행한 토지이용계획의 변경에 해당된다.

---

56) 감정평가실무기준 해설서(Ⅱ) 보상편, 한국감정평가사협회 등, 2014.02, pp.41~52

② 사업지구지정으로 인한 용도지역 등의 변경

일부 공익사업은 사업지구의 지정으로 용도지역 등의 변경이 의제된다. 따라서 이러한 용도지역 등의 변경은 해당 공익사업의 시행에 따른 절차로서 행한 토지이용계획의 변경에 해당된다.

③ 실시계획승인 등에 의한 용도지역의 변경

대부분의 공익사업에서는 실시계획승인 등의 사업절차에 따라 사업준공 후 토지이용을 고려하여 토지이용계획 등이 변경된다. 이러한 변경 역시 해당 공익사업의 시행에 따른 절차로서 행한 토지이용계획의 변경에 해당된다.

(3) 착수에서 준공까지 시행으로 인한 가치의 증감분

공익사업에 1필지의 일부가 편입되는 경우 기준시점에는 토지가 분할되어 형태 등이 변경될 수 있고, 이의재결평가 또는 소송평가 등의 경우에는 공익사업이 시행되어 절토·성토 등의 형질변경 등에 따라 개별요인이 변경될 수도 있으나, 이러한 변경 역시 해당 공익사업의 시행에 따른 가치의 변동에 해당된다. 대법원은 "토지수용의 목적사업으로 인하여 토지소유자의 의사와 관계없이 토지가 분할됨으로써 특수한 형태로 되어 저가로 감정평가할 요인이 발생한 경우 분할로 인하여 발생하게 된 사정을 참작하여 수용대상토지를 저가로 감정평가하여서는 아니된다."라고 판결하고 있다(대판 1998.5.26, 98두1505).

또한 해당 공익사업으로 인하여 인근지역의 환경 등 지역요인이 변경될 수도 있으며 이로 인해 가치의 변동이 있을 수 있으나, 이 역시 해당 공익사업의 시행에 따른 가치의 변동에 해당된다.

2) 해당 공익사업으로 인한 가치의 변동을 배제하는 이유

일반적으로 공익사업의 계획 또는 시행이 공고되거나 고시되면 공익사업시행지구에 편입되는 토지 및 인근 토지는 해당 공익사업으로 인하여 가치에 영향을 받게 된다. 이러한 공익사업의 시행으로 인한 지가의 변동은 사업시행자의 투자 또는 공익사업의 시행으로 인해 발생되는 것으로서 토지소유자의 노력이나 자본의 투자 또는 귀책사유에 의하여 발생한 것이 아니다. 따라서 이러한 가치변동은 형평의 관념에 비추어 볼 때, 토지소유자에게 당연히 귀속되거나 부담시켜져야 할 성질의 것이 아니라, 오히려 투자자인 사업시행자 또는 사회에 귀속되거나 부담되어져야 할 성질의 것이다.

또한 해당 공익사업으로 인한 가치의 변동은 공익사업의 시행에 의하여 비로소 발생하는 것이므로, 그것이 대상토지가 협의 또는 수용 당시 갖는 객관적 가치에 포함된다고 볼 수도 없다. 이러한 가치의 변동은 시간적으로 해당 공익사업이 순조롭게 시행되어야 비로소 현재화될 수 있는 것이므로, 아직 공익사업이 시행되기도 전의 가치변동은 공익사업의 시행을 전제로 한 주관적 가치 부여에 지나지 않는다. 즉, 협의 또는 수용에 의하여 토지소유자가 입은 손실과 공익사업의 시행으로 발생하는 이익 또는 손실은 별개의 문제이다.

그러므로 공익사업이 시행되기도 전에 미리 그 시행으로 기대되는 이용가치의 상승 또는 하락을 감안한 지가의 변동분을 보상액에 포함시킨다는 것은 대상토지의 사업시행 당시의 객관적 가치를 초과하거나 하회하여 보상액을 산정하는 것이 되므로, 이러한 가치의 변동은 보상액에서 배제하는 것이다.

3) 구체적인 배제 방법

⑴ 적용공시지가 및 비교표준지 선정

「토지보상법」 제70조 제3항부터 제5항에 따라 적용공시지가를 선정하여 개발이익을 배제한다. 「토지보상평가지침」 제9조에 따라 선정된 비교표준지의 적용공시지가에 해당 공익사업의 시행에 따른 절차로서 행하여진 토지이용계획의 설정·변경·해제 등에 따른 지가의 증가분(개발이익)이 포함되어 있는 경우에는 이를 배제한 가격으로 평가한다.

⑵ 지가변동률

「토지보상법 시행령」 제37조 제2항에 따라 비교표준지가 소재하는 시·군 또는 구의 지가가 해당 공익사업으로 인하여 변동된 경우에는 해당 공익사업과 관계없는 인근 시·군 또는 구의 지가변동률을 적용한다.

⑶ 그 밖의 요인

그 밖의 요인으로서 개발이익을 배제할 수 있다.

4) 배제하지 않는 가치의 변동

⑴ 다른 공익사업으로 인한 가치의 변동

토지수용으로 인한 보상액에서 배제하는 가치의 변동은 해당 공익사업으로 인한 것에 한한다. 따라서 해당 공익사업과는 관계없는 다른 공익사업의 시행으로 인한 개발이익은 이를 배제하지 아니한다(대판 1995.3.3, 94누7386 참조).

⑵ 자연적인 지가변동분

「토지보상법」 제67조 제1항의 시가보상의 원칙에 근거하여, 해당 공익사업으로 인한 지가변동 외의 자연적인 지가변동분은 보상액에 포함된다. 대법원에서도 "수용대상토지 일대가 수용사업지구로 지정됨으로 인하여 그 지가가 동결된 관계로 사업지구로 지정되지 아니하였더라면 상승될 수 있는 자연적인 지가상승률만큼도 지가가 상승되지 아니하였다고 볼 수 있는 충분한 입증이 있는 경우에 한하여 참작요인이 된다고 할 것이고"라고 판결하여 자연적 지가상승률의 보정을 인정하고 있다(대판 1999.12.3, 95구2790).

4. 공시지가 기준평가

토지보상감정평가는 「부동산공시법」에 따른 표준지공시지가를 기준으로 하되[57], 그 공시기준일부터 가격시점까지의 관계법령에 따른 해당 토지의 이용계획, 해당 공익사업으로 인한 지가의 영향을 받지

---

[57] 공시지가란 표준지에 대하여 매년 공시기준일 현재의 적정가격을 공시한 것을 가리키는 것이고 개별공시지가는 토지수용보상액 산정기준이 되지 아니한다(대판 1994.10.14, 94누2664). 또한 수용대상토지의 보상가격을 정함에 있어 표준지공시지가를 기준으로 비교한 금액이 수용대상토지의 수용 사업인정 전의 개별공시지가보다 적은 경우가 있다고 하더라도, 이것만으로 정당한 보상 원리를 규정한 헌법 제23조 제3항에 위배되어 위헌이라고 할 수는 없다(대판 2001.3.27, 99두7968).

아니하는 지역의 지가변동률, 생산자물가상승률(「한국은행법」 제86조에 따라 한국은행이 조사·발표하는 생산자물가지수에 따라 산정된 비율을 말한다), 그 밖에 해당 토지의 위치·형상·환경·이용상황 등을 고려한 적정가격으로 감정평가한다.[58]

5. 개별 감정평가

1) 개별 감정평가 원칙

토지보상감정평가는 대상토지 및 소유권 외의 권리마다 개별로 하는 것을 원칙으로 한다. 다만, 개별로 보상가액을 산정할 수 없는 등 특별한 사정이 있는 경우에는 소유권 외의 권리를 대상토지에 포함하여 감정평가할 수 있다. 다만 일괄감정평가, 구분감정평가, 부분감정평가 중 하나를 행해야 하는 경우에는 그에 따른다.

2) 필지별 보상감정평가

(1) 원칙

토지의 보상감정평가는 필지별로 행함을 원칙으로 한다. 토지는 인접하여 연속되어 있다 하더라도 필지마다 개별특성이 모두 다른 개별성을 지니고 있으므로 필지마다 가액이 다를 수 있다. 필지별 감정평가는 개별 필지마다 개별적 특성을 고려한 적정한 가액을 감정평가하여 개인별 보상의 원칙을 실현하기 위해 필요한 것이다.

(2) 예외

① 일괄감정평가

㉠ 원칙 : 두 필지 이상의 토지가 일단지를 이루고 있는 경우에는 일괄감정평가한다. 여기서 일단지란 여러 필지의 토지가 일단을 이루어 용도상 불가분의 관계에 있는 경우를 말하며, "용도상 불가분의 관계에 있는 경우"란 '일단으로 이용되고 있는 상황이 사회적·경제적·행정적 측면에서 합리적이고 대상토지의 가치형성 측면에서도 타당하여 서로 불가분성이 인정되는 관계'에 해당되어야 하며(대판 2005.5.26, 2005두1428 등), 또한 부동산시장에서의 거래 관행에서도 그 전체가 일단으로 거래될 가능성이 높은 경우이어야 한다.[59]

일단지의 범위는 현실적·일반적인 관점에서 용도상 불가분의 관계를 기준으로 판단하므로, 일단지를 이루는 토지들의 현실적인 이용상황·용도지역 등이 서로 다르다거나 소유자가 다르다고 하여 이를 일단지로 볼 수 없는 것은 아니다. 다만, 잔여지보상에 있어서는 동일 소유관계를 일단지의 요건으로 한다.

---

58) 공시지가는 그 평가의 기준이나 절차로 미루어 대상토지가 대상지역공고일 당시 갖는 객관적 가치를 평가하기 위한 것으로서 적정성을 갖고 있으며, 표준지와 지가선정 대상토지 사이에 가격의 유사성을 인정할 수 있도록 표준지 선정의 적정성이 보장되므로 위 조항이 헌법 제23조 제3항이 규정한 정당보상의 원칙에 위배되거나 과잉금지의 원칙에 위배된다고 볼 수 없고, 토지수용 시 개별공시지가에 따라 손실보상액을 산정하지 아니하였다고 하여 위헌이 되는 것은 아니다(헌재 2001.4.26, 2000헌바31).

59) 일단지로 이용되고 있는지의 여부는 주관적 의도가 아니라 관계 증거에 의하여 객관적으로 판단하여야 한다(대판 2013.10.11, 2013두6138).

    ⓛ 예외 : 용도상 불가분의 관계에 있어 이를 일단지로 보고 감정평가하는 경우에도 세부적인 이용상황 또는 용도지역 등을 달리하여 가치가 명확히 구분되거나 소유자 등이 달라 개인별 보상의 원칙에 따라 이를 필지별로 감정평가해야 할 경우에는 구분감정평가한다.

② **구분감정평가**

    ㉠ 원칙 : 한 필지의 토지라고 하여도 이용상황 또는 용도지역 등이 달라 가치가 상이한 경우에는 이를 구분하여 감정평가한다. 「국토계획법」 제84조 제3항은 하나의 대지가 녹지지역과 그 밖의 용도지역 등에 걸쳐 있는 경우에는 각각의 용도지역·용도지구 또는 용도구역의 건축물 및 토지에 관한 규정을 적용하도록 규정하고 있으므로 이런 경우에는 구분감정평가한다. 이 경우 사업시행자로부터 제시받은 이용상황별 또는 용도지역 등별로 구분된 면적을 기준으로 감정평가하며, 사업시행자가 이용상황별 또는 용도지역 등별로 면적을 구분하여 제시하지 아니한 경우에는 주된 이용상황 또는 용도지역 등을 기준으로 감정평가하고, 다른 이용상황 또는 용도지역 등별 단가를 감정평가서에 따로 기재한다.

    ㉡ 예외 : 다른 이용상황으로 이용되거나 용도지역 등을 달리하는 부분이 주된 이용상황 또는 용도지역 등과 가치가 비슷하거나 면적비율이 뚜렷하게 낮아 주된 이용상황 또는 용도지역 등의 가치를 기준으로 거래될 것으로 추정되는 경우에는 주된 이용상황 또는 용도지역 등의 가치를 기준으로 감정평가할 수 있다.

③ **부분감정평가**

    ㉠ 원칙 : 한 필지 토지의 일부만이 공익사업시행지구에 편입되는 경우에는 편입 당시 토지 전체의 상황을 기준으로 감정평가한다. 특히 공익사업에 편입되는 부분의 형태·면적 등이 열악해져 가치의 하락이 있는 경우에도 이는 「토지보상법」 제67조 제2항의 "해당 공익사업으로 인하여 토지 등의 가격이 변동되었을 때"에 해당되는 것이므로, 이에 구애됨이 없이 편입 당시의 토지 전체를 기준으로 감정평가한다.

    ㉡ 예외 : 그 편입부분과 잔여부분의 가치가 다른 경우에는 편입부분의 가치를 기준으로 감정평가할 수 있다.

3) 권리자별 감정평가

(1) 원칙

취득할 토지에 소유권 외의 권리가 설정되어 있는 경우는 소유권 외의 권리마다 개별로 감정평가한다. 이 경우 소유권 외의 권리의 목적이 되고 있는 토지에 대하여는 해당 권리가 없는 것으로 하여 감정평가한 금액에서 소유권 외의 권리의 가액을 뺀 금액으로 감정평가한다(토지보상법 시행규칙 제29조).

(2) 예외

공유자가 공동으로 보상금을 수령하거나 또는 소유권자가 소유권 외의 권리를 말소하고 보상금을 수령하는 등 권리자별로 따로 보상액을 지급할 필요가 없어 사업시행자가 대상토지를 감정평가하도록 요청하는 경우에는 권리자별로 별도로 구분하여 감정평가하지 않을 수 있다.

4) 건축물 등과의 구분감정평가

(1) 원칙

취득할 토지에 건축물·입목·공작물 그 밖의 토지에 정착한 물건이 있는 경우에는 토지와 그 건축물 등을 각각 나누어 감정평가하며, 이 경우 토지는 나지를 상정하여 감정평가한다(토지보상법 시행규칙 제22조 제2항).

(2) 예외

「집합건물의 소유 및 관리에 관한 법률」 제20조 제1항에서는 구분소유자의 대지사용권은 그가 가지는 전유부분의 처분에 따르도록 규정하고 있어, 구분소유권의 객체가 되는 건축물의 토지(대지사용권)가 건축물과 일체로 거래될 수밖에 없는 경우 또는 건축물 등이 토지와 함께 거래되는 사례나 관행이 있는 경우에는 나지 상태를 상정하여 감정평가하지 않고 그 건축물 등을 토지와 함께 감정평가한다. 이 경우 그 내용을 보상평가서에 기재한다(토지보상법 시행규칙 제20조 제1항).

03 토지보상감정평가절차

보상감정평가액(원/m²) = 표준지공시지가(원/m²) × 시점수정 × 지역요인비교 × 개별요인비교
× 그 밖의 요인보정

1. 적용공시지가의 선택

1) 사업인정 전 협의취득 시(법 제70조 제3항)

사업인정 전의 협의에 의한 취득의 경우에는 「토지보상법」 제70조 제3항에 따르되, 해당 토지의 가격시점 당시에 공시된 공시지가 중에서 가격시점과 가장 가까운 시점의 것으로 한다.

2) 사업인정 후 협의취득 시(법 제70조 제4항)

사업인정 후의 취득의 경우에는 법 제70조 제4항에 따르되, 사업인정고시일 전의 시점을 공시기준일로 하는 공시지가로서, 해당 토지에 관한 협의 또는 재결 당시 공시된 공시지가 중에서 해당 사업인정고시일에 가장 가까운 시점의 것으로 한다.

⦁ 대표적인 개별법에 의한 사업인정 의제규정

법률명	사업명	사업인정의제일
「국토계획법」	도시·군계획시설사업	실시계획 고시일(제96조)
「도시정비법」	정비사업 (재건축사업 제외)	사업시행계획인가의 고시일(제65조) (시장·군수가 직접 정비사업을 시행하는 경우에는 사업시행계획서의 고시일)
「택지개발촉진법」	택지개발사업	택지개발지구 지정·고시일(제12조)
「도시개발법」	도시개발사업	수용 또는 사용의 대상이 되는 토지의 세부목록의 고시일(제22조)
「전원개발촉진법」	전원개발사업	실시계획 승인·변경승인 고시일(제6조의2)
「하천법」	하천공사	하천공사시행계획 수립·고시일(제78조)
「산업입지 및 개발에 관한 법률」	산업단지개발사업	산업단지의 지정·고시일(토지 등의 세목고시 포함)(제22조) ※ 2017.12.26. 법률 개정으로 농공단지도 산업단지의 지정·고시를 사업인정으로 의제함.
	준산업단지	
	산업단지 인근지역에서 산업단지개발사업과 직접 관련되는 사업	
	특수지역 개발사업	
	재생사업지구사업	농공단지실시계획의 승인·고시일(제22조)
「학교시설사업 촉진법」	학교시설사업	시행계획 승인고시일(제10조)
「혁신도시 조성 및 발전에 관한 특별법」	혁신도시개발사업	혁신도시개발 예정지구 지정·고시일(제15조)
「도로법」[60]	도로	• 도로구역 결정 또는 변경 고시일(제82조) • 세목고시일* : 사업인정의제일 아님.[61]
「공공주택 특별법」	공공주택사업	주택지구 지정고시일 또는 주택건설사업계획 승인 고시일(제27조)

∗「토지보상법」 제22조에서는 사업인정고시에 토지세목을 포함하도록 규정하고 있으므로 세목이 고시되지 않았다면 사업인정고시의 효력이 없다.[62]

---

60) 기반시설 중 도로, 철도, 공원, 수도, 하천 등은 의무시설로서 반드시 도시관리계획으로 결정하여야 설치할 수 있는 기반시설이며, 도시관리계획은 수시로 변경, 수립을 할 수 없어 도로법에 따라 도로를 개설하는 경우가 많다.

61)「도로법」 제82조에서 도로구역의 결정고시일을 사업인정고시일로 의제하고 있으며, 도로구역의 결정 시에 토지세목고시를 강제하고 있지 않으므로 세목이 고시되지 않는다고 하더라도 도로구역의 결정고시일에 사업인정고시의 효력이 발생하는 것으로 본다(토지관리과-4663, 2004.10.15.).

62) 법제처 2018.03.21, 안건번호 18-0014
수용 또는 사용의 대상이 되는 토지의 세부목록을 고시문에 게재해야만「토지보상법」에 따른 사업인정 및 고시가 있은 것으로 볼 수 있다.

기 본예제

다음과 같이 공익사업에 따른 수용재결 목적의 감정평가(A) 및 이의재결 목적의 감정평가(B)를 진행 시 각각의 적용공시지가의 선택을 하시오.

자료

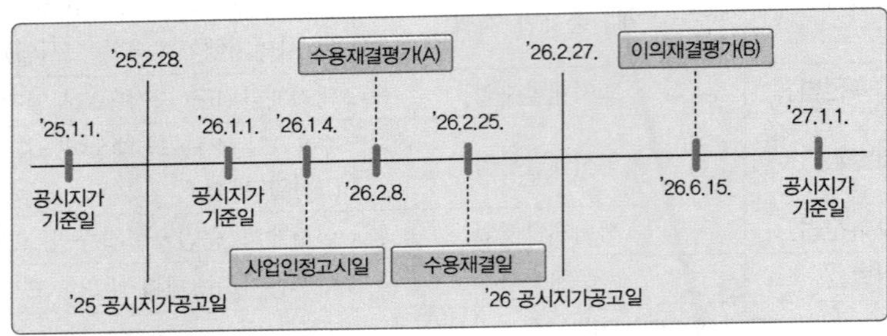

예시답안

2026.1.4. 사업인정고시된 토지로서 2026.2.8. 수용재결 평가 시(A) 적용되는 공시지가는 2026년 공시지가가 미공 시된 상태이므로 2025.1.1. 이 공시기준일로 된 공시지가를 적용하여야 하며, 위 토지가 2026.6.15. 이의재결 평가 시(B)에는 2026.1.1. 기준의 공시지가를 적용하여야 한다.

---

3) 공익사업의 계획 또는 시행이 공고되거나 고시됨으로 인하여 취득하여야 할 토지의 가격이 변동되었다고 인정되는 경우(법 제70조 제5항) [63]

(1) 일반원칙

공익사업의 계획 또는 시행이 공고되거나 고시됨으로 인하여 취득하여야 할 토지의 가격이 변동 되었다고 인정되는 경우에는 제1항에 따른 공시지가는 해당 공고일 또는 고시일 전의 시점을 공 시기준일로 하는 공시지가로서 그 토지의 가격시점 당시 공시된 공시지가 중 그 공익사업의 공고일 또는 고시일과 가장 가까운 시점에 공시된 공시지가로 한다.

(2) 취득하여야 할 토지의 가격이 변동되었다고 인정되는 경우 [64]

> **토지보상법 시행령 제38조의2**(공시지가)
>
> ① 법 제70조 제5항에 따른 취득하여야 할 토지의 가격이 변동되었다고 인정되는 경우는 도로, 철도 또는 하천 관련 사업을 제외한 사업으로서 다음 각 호를 모두 충족하는 경우로 한다.

---

63) 토지보상법의 개정 전에는 해당 사업으로 인한 개발이익을 배제하기 위하여 사업인정 전 협의의 경우에는 적용공시지가를 소급적용하고, 사업인정 후 협의 또는 재결의 경우에는 적용공시지가를 소급하지 않고 해당 공익사업으로 인한 개발이익이 포함되지 않은 인근지역의 표준지를 선정하거나(수평적 공시지가 적용), 공시지가에서 개발이익을 공제하는 방법으로 평가하 여야 하도록 이원적으로 규정하고 있었으나, 개정법률에서는 적용공시지가를 소급(수직적 공시지가 적용)하도록 법체계의 일 원화를 꾀하였다.

64) 감정평가실무기준 해설서(Ⅱ) 보상편, 한국감정평가사협회 등, 2014.02, pp.66~74

<blockquote>

1. 해당 공익사업의 면적이 20만 제곱미터 이상일 것
2. 해당 공익사업지구 안에 있는 「부동산 가격공시에 관한 법률」 제3조에 따른 표준지공시지가(해당 공익사업지구 안에 표준지가 없는 경우에는 비교표준지의 공시지가를 말하며, 이하 "표준지공시지가"라 한다)의 평균변동률과 평가대상토지가 소재하는 시(행정시를 포함한다)·군 또는 구(자치구가 아닌 구를 포함한다) 전체의 표준지공시지가 평균변동률과의 차이가 3퍼센트포인트 이상일 것
3. 해당 공익사업지구 안에 있는 표준지공시지가의 평균변동률이 평가대상토지가 소재하는 시·군 또는 구 전체의 표준지공시지가 평균변동률보다 30퍼센트 이상 높거나 낮을 것

② 제1항 제2호 및 제3호에 따른 평균변동률은 해당 표준지별 변동률의 합을 표준지의 수로 나누어 산정하며, 공익사업지구가 둘 이상의 시·군 또는 구에 걸쳐 있는 경우 평가대상토지가 소재하는 시·군 또는 구 전체의 표준지공시지가 평균변동률은 시·군 또는 구별로 평균변동률을 산정한 후 이를 해당 시·군 또는 구에 속한 공익사업지구 면적 비율로 가중평균(加重平均)하여 산정한다. 이 경우 평균변동률의 산정기간은 해당 공익사업의 계획 또는 시행이 공고되거나 고시된 당시 공시된 표준지공시지가 중 그 공고일 또는 고시일에 가장 가까운 시점에 공시된 표준지공시지가의 공시기준일부터 법 제70조 제3항 또는 제4항에 따른 표준지공시지가의 공시기준일까지의 기간으로 한다.

</blockquote>

① **공익사업에 따른 구분**

　㉠ **공익사업의 유형에 따른 구분**: 취득하여야 할 토지의 가치가 변동되었다고 인정되는 경우에는 공익사업 중 도로, 철도, 하천 관련 사업은 제외한다. 도로, 철도, 하천 관련 사업 등과 같은 선형사업의 경우는 해당지역의 지가에 전반적인 영향을 미치지 않는다고 본다. 따라서 「도로법」 제24조의2 제1항에서 도로관리청은 도로구역을 결정하려는 때에는 미리 이를 공고하여 주민 등의 의견을 청취하도록 규정하고 있으므로 이러한 의견청취절차에 의하여 토지가격의 변동이 있다고 인정되더라도 적용공시지가를 소급 적용하지 않는다.

　㉡ **공익사업의 면적에 따른 구분**: 적용공시지가를 소급하는 공익사업은 도로, 철도, 하천 관련 사업을 제외한 사업으로서 해당 공익사업의 면적이 20만제곱미터 이상인 공익사업이어야 한다. 즉, 도로·철도·하천 관련 사업을 제외한 공익사업이라고 하여도 면적이 20만제곱미터 미만인 경우는 해당지역의 지가에 전반적인 영향을 미치지 않는다고 본다.

② **평균변동률의 차이**

해당 공익사업시행지구 안에 있는 표준지공시지가의 평균변동률과 대상토지가 소재하는 시·군·구 전체의 표준지공시지가 평균변동률과의 차이가 3퍼센트 포인트 이상이어야 한다. 다만, 해당 공익사업시행지구 안에 표준지가 없는 경우[65]에는 해당 공익사업시행지구에 대한 감정평가의 기준이 되는 표준지공시지가의 평균변동률과 대상토지가 소재하는 시·군·구 전체의 표준지공시지가 평균변동률과의 차이가 3퍼센트 포인트 이상이어야 한다. 여기서 "감정평가의 기준이 되는 표준지공시지가"란 비교표준지 선정기준에 부합하여 잠정적으로 비교표준지로 선정된 표준지공시지가를 말한다.

---

65) ㉠ 평균변동률 산정기간의 시점(始點) 및 종점(終點) 중의 전부 또는 어느 한 시점에 공시지가 표준지가 전혀 없어 평균변동률의 산정이 불가능한 경우와 ㉡ 공시지가 표준지는 있으나 시점과 종점에 동일한 표준지가 없어 사실상 평균변동률의 산정이 불가능한 경우 등을 말한다.

③ 평균변동률의 고저

해당 공익사업시행지구 안에 있는 표준지공시지가의 평균변동률이 대상토지가 소재하는 시·군·구 전체의 표준지공시지가 평균변동률 보다 30퍼센트 이상 높거나 낮아야 한다. 다만, 해당 공익사업시행지구 안에 표준지가 없는 경우에는 해당 공익사업시행지구에 대한 감정평가의 기준이 되는 표준지공시지가의 평균변동률이 대상토지가 소재하는 시·군·구 전체의 표준지공시지가 평균변동률 보다 30퍼센트 이상 높거나 낮아야 한다.

④ 평균변동률 산정의 기준시점

㉠ **사업인정 전 취득의 경우**: 해당 공익사업의 계획 또는 시행이 공고되거나 고시된 당시 공시된 표준지공시지가 중 그 공고일 또는 고시일에 가장 가까운 시점에 공시된 표준지공시지가의 공시기준일부터 해당 토지의 기준시점 당시에 공시된 공시지가 중에서 기준시점에 가장 가까운 시점의 표준지공시지가의 공시기준일까지로 한다.

㉡ **사업인정 후 취득의 경우**: 해당 공익사업의 계획 또는 시행이 공고되거나 고시된 당시 공시된 표준지공시지가 중 그 공고일 또는 고시일에 가장 가까운 시점에 공시된 표준지공시지가의 공시기준일부터 사업인정고시일 전의 시점을 공시기준일로 하는 공시지가로서, 해당 토지에 대한 협의 또는 재결 당시 공시된 공시지가 중에서 해당 사업인정고시일에 가장 가까운 시점의 표준지공시지가의 공시기준일까지로 한다.

⑤ 평균변동률의 산정방법

평균변동률은 해당 표준지의 필지별 변동률의 합을 표준지수로 나누어 산정하며, 공익사업시행지구가 둘 이상의 시·군·구에 속하는 경우에는 시·군·구별로 평균변동률을 산정한 후 이를 해당 시·군·구에 속한 공익사업시행지구 면적 비율로 가중평균하여 산정한다.

$$\text{• 평균변동률} = \frac{\text{각 표준지공시지가의 변동률 합}}{\text{표준지의 수}}$$

$$\text{• A} = \frac{\text{B의 각 표준지공시지가의 변동률 합}}{\text{B의 표준지의 수}} \times D + \frac{\text{C의 각 표준지공시지가의 변동률 합}}{\text{C의 표준지의 수}} \times E$$

A : 평가대상토지가 소재하는 시·군 또는 구 전체의 표준지공시지가 평균변동률
B, C : 공익사업시행지구가 걸쳐 있는 시·군 또는 구
D : B에 속한 공익사업시행지구 면적 ÷ 공익사업시행지구 전체 면적
E : C에 속한 공익사업시행지구 면적 ÷ 공익사업시행지구 전체 면적

>> 각 표준지공시지가 변동률의 합은 표준지의 가격(단가 × 면적)이 아닌 표준지의 단가를 기준으로 해야 한다.

Check Point!

◉ **면적 가중 여부**

표준지가격변동률을 산정할 경우 표준지 단가를 기준으로 비교할 것인지 표준지의 가격(단가 × 면적)으로 비교할 것인지의 문제이나, 면적을 가중할 경우 지가변동상황이 왜곡될 여지가 있으므로 단가를 기준으로 비교한다.

기 본예제

○○택지개발사업은 경기도 B시 및 C시 일원에서 시행하는 공익사업으로서 총 사업면적은 1,500,000m² 규모이다(B시 편입면적 1,000,000m², C시 편입면적 500,000m²). 아래의 물음에 답하시오(해당 사업의 사업인정고시는 2027년에 있었으며, 주민공고·공람은 2025년에 있었다).

01 2025년 대비 2027년 사업지 내 표준지공시지가의 평균변동률(백분율 기준 소수점 둘째자리까지 산정)을 산정하시오.

연번	소재지/지번	면적(m²)	용도지역	이용상황	2025	2026	2027
1	B시 100	500	개발제한	전	20,000	21,000	23,000
2	B시 200	300	1종일주	단독주택	1,000,000	1,080,000	1,150,000
3	C시 300	900	자연녹지	전	256,000	287,000	320,000
4	C시 400	10,000	개발제한	임야	5,000	5,300	5,600

02 연도별 해당 시 표준지공시지가 변동률이 아래와 같을 때 적용공시지가를 선정하시오.

해당 시의 표준지공시지가 평균변동률	2025년~2026년	2026년~2027년
B시	4.15%	5.08%
C시	4.49%	3.87%

예시답안

Ⅰ. 물음 1

각 표준지의 2027년 공시지가와 2025년 공시지가의 격차율을 기준한다.

(2027년 공시지가 ÷ 2025년 공시지가 − 1)

구분	표준지 1	표준지 2	표준지 3	표준지 4	평균변동률
변동률	15%	15%	25%	12%	16.75%

Ⅱ. 물음 2

1. 시·군·구 평균변동률

B시, C시를 기준하되 해당 사업지 편입면적기준으로 가중평균한다.

(1) B시의 평균변동률 : $(1.0415 \times 1.0508) - 1 ≒ 9.44\%$

(2) C시의 평균변동률 : $(1.0449 \times 1.0387) - 1 ≒ 8.53\%$

(3) 시·군·구 평균변동률 : $9.44\% \times \dfrac{1,000,000}{1,500,000} + 8.53\% \times \dfrac{500,000}{1,500,000} ≒ 9.14\%$

2. 적용공시지가 선택

① 20만m² 이상의 사업으로서 도로 등 사업이 아니며, ② 사업지 내 표준지공시지가 변동률(16.75%)와 시·군·구 표준지공시지가 변동률(9.14%)의 차이가 3%포인트 이상이며, ③ 그 격차율($\dfrac{16.75}{9.14}-1$)이 30% 이상으로서 공고·고시로 인하여 취득하여야 할 토지의 가치가 변동된 것으로 보아, 공고·고시 이전의 공시지가인 2025년 공시지가를 선정한다.

(3) 해당 공익사업의 계획 또는 시행이 공고 또는 고시

① 공고 또는 고시의 의미

공고란 국가기관이나 공공단체가 일정한 사항을 공시하거나 이해관계인에게 신청의 기회를 갖게 하기 위해서 또는 소재가 불명한 사람에 대한 통지의 수단으로 광고·게시 또는 다른 공개적 방법으로 널리 알리는 것을 의미한다.[66] 이러한 공고는 법규의 성질을 가지지 않으며, 훈령 또는 행정처분과도 달리 소속공무원 또는 주민을 구속하지 않는 것이 원칙이다.

고시는 공고와 유사한 개념으로 일정한 사항을 널리 일반에게 알린다는 의미에서 같으나, 고시는 일단 정한 후 개정 또는 폐지되지 않는 한 효력이 계속되는 사항을 알리는 경우와 경우에 따라서는 구속력을 가지는 사항을 내용으로 할 때가 있다. 공고 및 고시의 방법으로는 관보나 공보 또는 신문에 게재하거나 시·구·읍·면의 게시판에 게시하는 방법에 의하는 수도 있다. 이러한 공고 또는 고시는 관련 법령에 근거를 두고 있는 경우도 있으나, 반드시 법령상의 근거를 요하지는 않는다.[67]

② 관련 규정에 따른 공고 또는 고시

「토지보상법」상으로는 해당 공익사업이 최초로 공고 또는 고시되는 때는 사업인정을 받기 이전에 취득하는 경우는 보상계획공고이며, 사업인정을 받은 후에 취득하는 경우는 사업인정고시가 된다. 그러나 관련법령에서는 해당 공익사업의 보상계획공고 또는 사업인정고시 이전에 법령의 규정에 따라 해당 공익사업에 관한 계획 또는 시행을 일반 국민에게 공고 또는 고시하는 경우가 있다. 이러한 절차가 시행된 경우에는 이를 "공익사업의 계획 또는 시행이 공고 또는 고시"가 있은 것으로 보고 이에 의한 가치의 변동이 있었는지 여부를 검토한다.

● 사전 공고 또는 고시 절차를 규정하고 있는 관련 법령

관련 법령	내용
「택지개발촉진법」 제3조의3	택지개발지구를 지정하려는 경우 이를 공고하여 주민 등의 의견청취
「산업입지 및 개발에 관한 법률」 제10조	산업단지를 지정하는 경우 이를 공고하여 주민 등의 의견청취
「도시개발법」 제7조	도시개발구역을 지정하고자 하거나 지정을 요청하려고 하는 경우에는 공람이나 공청회를 통하여 주민 등의 의견청취
「기업도시개발특별법」 제5조	개발구역을 지정하려는 경우 주민 등의 의견청취 및 공청회 개최
「도시정비법」 제15조	정비계획을 수립하여 주민에게 서면으로 통보한 후 주민설명회를 하고 주민에게 공람

---

66) 2014.03.25. 토지정책과-1965

67) 최근 대법원은 국가산단 유치계획 언론발표에 대하여 ① 이 사건 사업과 관련된 산단절차간소화법령 및 산업입지법령에 규정된 공고·고시의 형식으로 이루어진 것이 아니고, ② 이 사건 규정에서 정하는 바에 따라 공고문서가 기안되어 결재권자인 국토교통부장관이 이를 결재하고 일반에 공표하였다는 사정을 발견할 수도 없으며, ③ 이 사건 사업뿐만 아니라 전국에 산재한 5곳에서의 국가산업단지 조성계획에 관한 것으로 인허가 기간 단축 효과 및 전국적인 국가산업단지 조성을 통한 홍보에 주안점이 있으므로 「공익사업을 위한 토지 등의 취득 및 보상에 관한 법률」 제70조 제5항에 따른 '공익사업의 계획 또는 시행의 공고·고시'에 해당하지 않는다고 봄이 타당하다고 판시하였다(대판 2022.5.26, 2021두45848).

| 「도시재정비 촉진을 위한 특별법」
제4조 | 재정비촉진지구의 지정을 신청하려는 경우에는 주민설명회를 열고,
주민에게 공람 |

③ **그 외의 공고 또는 고시**

관련 법령에 별도의 규정을 두지 않은 경우에도 국가·지방자치단체 또는 사업시행자 등이 해당 공익사업의 위치와 범위, 사업기간 등 구체적인 사업계획을 일반에게 발표하는 경우가 있다. 이러한 경우에도 "공익사업의 계획 또는 시행이 공고 또는 고시"가 있은 것으로 보고 이에 의한 가치의 변동이 있었는지 여부를 검토한다.

④ **적용**

"해당 공익사업의 계획 또는 시행의 공고·고시"와 관련하여 국토교통부의 기존 유권해석은 관계법령에 의한 공고 또는 고시로 한정하고 있었다(2008.3.25, 토지정책과-137 참고).

그러나 최근 유권해석은 관련 법령에 의한 공고 또는 고시는 물론이고 공익사업의 위치와 범위, 사업기간 등 구체적인 사업계획을 일반에게 발표한 것도 포함되는 것으로 보고 있으며, 언론보도 등도 보도 내용과 취득하여야 할 토지의 가격변동 여부 등을 종합적으로 검토하여 토지의 가격이 변동되었다고 인정되는 경우에는 이에 해당하는 것으로 보고 있다(2013.10.24, 토지정책과-3996 참고).

따라서 "해당 공익사업의 계획 또는 시행이 공고되거나 고시"가 있었는지의 판단은 구체적인 사업계획을 일반에게 발표한 것과 취득하여야 할 토지의 가격변동 여부 등을 종합적으로 검토하여 판단하여야 할 것이다.

4) 적용공시지가 선정에 대해 규정하고 있는 다른 법령(공공주택 특별법)

(1) 공공주택 특별법 제27조(토지 등의 수용 등) 제5항

제10조 제1항에 따른 주민 등의 의견청취 공고로 인하여 취득하여야 할 토지가격이 변동되었다고 인정되는 등 대통령령으로 정하는 요건에 해당하는 경우에는 「공익사업을 위한 토지 등의 취득 및 보상에 관한 법률」 제70조 제1항에 따른 공시지가는 같은 법 제70조 제3항부터 제5항까지의 규정에도 불구하고 제10조 제1항에 따른 주민 등의 의견청취 공고일 전의 시점을 공시기준일로 하는 공시지가로서 해당 토지의 가격시점 당시 공시된 공시지가 중 같은 항에 따른 주민 등의 의견청취 공고일에 가장 가까운 시점에 공시된 공시지가로 한다.

(2) 공공주택 특별법 시행령 제20조(토지 등의 수용 등)

① 법 제27조 제5항에서 "취득하여야 할 토지가격이 변동되었다고 인정되는 등 대통령령으로 정하는 요건에 해당하는 경우"란 주택지구에 대한 감정평가의 기준이 되는 표준지공시지가(「부동산 가격공시에 관한 법률」에 따른 표준지공시지가를 말한다. 이하 같다)의 평균변동률이 해당 주택지구가 속하는 특별자치도, 시·군 또는 구 전체 표준지공시지가의 평균변동률보다 30퍼센트 이상 높은 경우를 말한다.

② 제1항에 따른 평균변동률은 법 제10조 제1항에 따른 주민 등의 의견청취 공고일 당시 공시된 공시지가 중 그 공고일에 가장 가까운 시점에 공시된 공시지가의 공시기준일부터 법 제12조 제1항에 따른 주택지구 지정의 고시일 당시 공시된 공시지가 중 그 고시일에 가장 가까운 시점에 공시된 공시지가의 공시기준일까지의 변동률로 한다.

③ 제1항에 따른 평균변동률을 산정할 때 주택지구가 둘 이상의 시·군 또는 구에 걸치는 경우에는 해당 주택지구가 속한 시·군 또는 구별로 평균변동률을 산정한 후 이를 해당 시·군 또는 구에 속한 주택지구 면적의 비율로 가중평균한다.

> **참고**
>
> 「토지보상법」과 「공공주택특별법」의 적용공시지가 선정의 차이점
>
> | 구분 | 토지보상법 제70조 제5항
동법 시행령 제38조의2 | 공공주택특별법 제27조 제5항
동법 시행령 제20조 |
> |---|---|---|
> | 검토요건 | 면적(20만m² 이상)
사업유형(도로, 철도, 하천사업이 아닐 것) | 면적 및 사업유형 검토 필요 없음 |
> | 표준지공시지가
변동률 검토구간 | - 공고고시일 ~ 사업인정
》 공고고시일 : 주민의견청취 등 해당 사업을
　객관적으로 알린 날 | - 주민의견청취 ~ 사업인정 |
> | 표준지 변동률
검토방법 | - 사업지구 내 표준지 vs 시·군·구 표준지
- 3%p 및 30% 차이 검토 | - 감정평가의 기준이 되는 표준지(비교표준지) vs 시·군·구 표준지
- 30% 차이 검토 |

5) 적용공시지가 선정 시 그 밖의 유의사항

(1) 사업인정의 고시가 있은 이후에 토지의 세목 등이 추가로 고시된 경우

① 사업구역의 확장이나 변경 등으로 토지의 세목 등이 추가로 고시된 경우

사업구역의 확장이나 변경 등으로 토지의 세목 등이 추가로 고시된 토지에 대한 평가의 경우에는 그 토지의 세목 등이 추가로 고시된 날짜를 사업인정고시일로 본다.

② 사업구역의 확장이나 변경 등이 없이 지적분할 등에 따라 토지의 세목 등이 변경고시된 경우

기존 사업인정고시일을 기준으로 적용공시지가를 선택한다.[68]

(2) 다른 공익사업으로 인한 가치변동분의 반영

해당 공익사업으로 인한 가치변동분에 한하여 보상금에서 배제하고 다른 공익사업으로 인한 가치의 변동분은 보상액에서 배제하여서는 안 된다. 그런데 적용공시지가를 소급하면 해당 공익사업의 계획 또는 시행이 공고 또는 고시일로부터 기준시점까지 보상액에 포함되어야 할 다른 공익사업으로 인한 가치변동분까지도 보상액에서 제외된다는 문제점이 있다. 따라서 이런 경우에는 개별요인(기타조건) 또는 그 밖의 요인 등을 통하여 보정한다.

---

68) 수용대상이 사업인가 고시 당시의 토지 또는 권리세목에 누락되었다가 추가된 경우에 보상액 산정 기준이 되는 사업인정시기는 최초 사업인정 고시일이다(대판 2000.9.8, 98두6104).

⑶ **평가시점이 공시지가 공고일 이후이고 가격시점이 공시기준일과 공시지가 공고일 사이인 경우**

평가시점이 공시지가 공고일 이후이고 가격시점이 공시기준일과 공시지가 공고일 사이인 경우에는 가격시점 해당 연도의 공시지가를 기준으로 한다.[69]

기 본예제

01 감정평가법인 D의 감정평가사 P 씨는 중앙토지수용위원회로부터 산업입지 및 개발에 관한 법률에 근거한 국가산업단지(경기도 A시 소재)에 편입되는 토지에 대한 보상감정평가를 의뢰받고 현장조사를 통하여 다음의 자료를 수집하였다. 조사된 자료를 활용하고 보상 관련 법령을 참작하여 의뢰된 토지 감정평가 시 적용공시지가를 선택하시오.

자료 1 ▶ 평가의뢰내역

1. 공익사업명 : ○○국가산업단지 조성사업(사업면적 400,000m²)
2. 사업시행자 : 경기도
3. 산업단지의 지정에 대한 주민의견청취일 : 2025년 11월 21일
4. 산업단지 지정고시 및 세목고시 : 2026년 5월 10일
5. 실시계획의 승인·고시일 : 2027년 1월 12일
6. 협의 평가 시 가격시점 : 2026년 12월 23일
7. 의뢰시점 : 2027년 8월 31일
8. 가격조사일자 : 2027년 9월 2일
9. 수용재결(예정일) : 2027년 9월 21일

풀이영상

자료 2 ▶ 전년도 대비 표준지공시지가의 변동률

1. 경기도 시·군·구의 연도별 표준지공시지가 평균변동률(%)

구분	2025년	2026년	2027년	비고
경기도 전체	–	3.51	4.23	–
A시	–	1.54	1.69	–
B시	–	1.84	2.05	–
C시	–	1.95	2.51	–
가군	–	5.12	6.08	–
나군	–	4.15	5.26	–
다군	–	2.58	3.12	–

2. 해당 국가산업단지 조성사업지구 내 표준지공시지가 평균변동률(%)

구분	2025년	2026년	2027년	비고
사업지구 내	–	7.12	5.05	–

69) 수용재결 시에 기존의 공시지가가 공시되어 있더라도 이의재결 시에 새로운 공시지가의 공시가 있었고, 그 공시기준일이 수용재결일 이전으로 된 경우에는 이의재결은 새로 공시된 공시지가를 기준으로 하여 평가한 금액으로 행하는 것이 옳다(대판 1993.3.23, 92누2653).

◢ 예시답안

I. 평가개요

본건은 토지에 대한 수용재결 목적의 보상감정평가의 적용공시지가의 선정과 관련된 건으로서 가격시점은 수용재결(예정)일인 2027년 9월 21일을 기준한다.

II. 사업인정의제일 등

산업단지 지정고시일 이후에 토지 세목고시가 있는바, 토지의 세목고시일인 2026년 5월 10일이 사업인정의제일이 되나 산업단지 지정고시로 인하여 취득해야 할 토지의 가격변동이 있는지 여부를 검토한다(2025년과 2026년의 격차).

III. 토지가격이 변동되었는지 여부

① 도로, 하천, 철도사업이 아니면서 사업면적이 20만m^2 이상이며, ② 사업지 내 표준지(7.12%)와 A시 전체 표준지 가격의 변동률(1.54%) 차이가 3% 포인트 이상이고, ③ 그 격차율($\frac{7.12}{1.54} - 1$)이 30% 이상으로서 산업단지의 지정고시로 인하여 취득해야 할 토지가격이 변동되었다고 인정된다.

IV. 적용공시지가 선택

「토지보상법」 제70조 제5항에 의거하여 산업단지 지정고시일 이전의 최근 공시지가인 2025년 공시지가를 적용한다.

02 위 사안에서 공익사업이 「공공주택 특별법」에 의한 공공주택 사업(사업면적 400,000m^2)인 경우로서 아래 정보가 추가될 경우의 적용공시지가를 선정하시오.

자료 1 ▶ 공익사업일정

1. 주민의견청취 공고일 : 2025년 11월 21일
2. 사업인정일 : 2026년 5월 10일
3. 가격시점 : 2027년 9월 21일

자료 2 ▶ 해당 감정평가 시 선정된 비교표준지의 평균변동률(%)

구분	2024~2025	2025~2026	2026~2027
비교표준지	–	7.10	5.30

자료 3 ▶

제시되지 않은 자료는 상기 기본예제와 동일한 것으로 본다.

◢ 예시답안

「공공주택특별법」에 의하여 2025~2026의 시군구 비교표준지 가격변동률과 비교표준지의 가격변동률을 비교하여 결정한다. 따라서 $\frac{7.10}{1.54} - 1 > 30\%$ 로서 주민의견청취 공고일 이전 최근 공시지가를 선정한다(2025년).

2. 비교표준지 선정 [70]

1) 선정기준 [71]

비교표준지는 다음 각 호의 선정기준에 맞는 표준지 중에서 대상토지의 감정평가에 가장 적절하다고 인정되는 표준지를 선정한다. 다만, 한 필지의 토지가 둘 이상의 용도로 이용되고 있거나 적절한 감정 평가액의 산정을 위하여 필요하다고 인정되는 경우에는 둘 이상의 비교표준지를 선정할 수 있다.

① 「국토의 계획 및 이용에 관한 법률」 제36조부터 제38조까지, 제38조의2 및 제39조부터 제42조까지에서 정한 용도지역, 용도지구, 용도구역 등 공법상 제한이 같거나 유사할 것

>> 용도지구 또는 용도구역 등이 다른 비교표준지로 선정하는 경우에는 개별요인 비교에서 반드시 건축물의 용도, 이용밀도 등의 차이에 대한 보정을 하여야 한다(⑩ 녹지지역에서 취락지구가 지정된 경우 녹지지역의 건폐율은 20% 이하이나 취락지구는 60% 이하이므로 그 차이가 있다).

② 평가대상토지와 실제 이용상황이 같거나 유사할 것

③ 평가대상토지와 주위 환경 등이 같거나 유사할 것

④ 평가대상토지와 지리적으로 가까울 것

>> 공법상 제한은 같으면 가장 좋지만 유사한 경우에도 공법상 제한의 차이에 따른 시세가 존재하거나 격차율 등으로 보정이 가능하다면 선정이 가능하다.

2) 공익사업의 유형별 비교표준지 선정 시 유의사항

(1) 면적(面的)인 공익사업의 선정기준

택지개발사업·산업단지개발사업 등 공익사업지구 안에 있는 토지의 평가 시에는 그 공익사업지구 안에 있는 표준지 중에서 선정기준에 가장 적합한 표준지 하나를 선정하는 것을 원칙으로 하되, 공익사업지구 안에 있는 표준지의 전부 또는 그중 일부를 선정대상에서 제외하여서는 아니된다. 다만, 해당 공익사업지구 안에 있는 표준지의 전부 또는 그중 일부를 선정대상에서 제외할 특별한 사유가 있는 경우에는 해당 공익사업지구 밖에 있는 표준지를 선정하거나 해당 공익사업지구 안에 있는 표준지 중 일부를 선정대상에서 제외할 수 있다. 이 경우에는 그 사유를 평가서에 기재하여야 한다.

(2) 선적(線的)인 공익사업의 선정기준

선적인 사업의 경우에도 해당 사업시행지구 내에 소재한 표준지를 비교표준지로 선정함을 원칙으로 한다. 다만, 해당 공익사업으로 인한 제한이 표준지공시지가에 반영되어 있으나 이러한 제한이 없는 상태로 감정평가하는 경우 등은 해당 공익사업시행지구 밖의 표준지를 비교표준지로 선정할 수 있다. 이 경우에도 해당 공익사업으로 인한 가격의 변동이 포함되지 않은 표준지를 비교표준지로 선정한다.

---

70) 감정평가실무기준 해설서(Ⅱ) 보상편, 한국감정평가사협회 등, 2014.02, pp.56~60
71) 토지보상법 시행규칙 제22조

3) 비교표준지 선정 시 기타 참고사항[72]

(1) 비교표준지의 수

비교표준지는 선정기준에 가장 적합한 공시지가 표준지 하나를 선정하는 것을 원칙으로 한다. 다만, 한 필지의 토지가 둘 이상의 용도로 이용되고 있거나 적정한 평가가격의 산정을 위하여 필요하다고 인정되는 경우에는 둘 이상의 공시지가 표준지를 선정할 수 있다.

(2) 동일수급권 내 유사지역의 비교표준지 선정

선정기준에 적합한 공시지가 표준지가 인근지역에 없거나 인근지역에 있는 공시지가 표준지가 공시기준일 이후에 용도변경이나 형질변경 등[73]이 되어 비교표준지로 선정하는 것이 적정하지 아니한 경우에는 동일수급권 안의 유사지역에 있는 공시지가 표준지를 선정할 수 있다.

(3) 공시기준일 이후 용도변경이나 형질변경이 된 경우

공시기준일 이후 용도변경이나 형질변경이 된 경우에 대하여 「토지보상법」, 「감정평가법」 및 「감정평가에 관한 규칙」에서는 별도로 규정하고 있지 않다. 표준지공시지가는 공시기준일 당시의 용도지역 및 이용상황 등을 기준으로 한 가격으로 공시되고, 공시지가를 기준으로 감정평가하는 경우에는 공시지가를 사정보정하여 대상토지와 비교하는 것이 아니므로, 공시기준일 이후에 이루어진 용도변경 또는 형질변경은 비교표준지 선정의 제한사유가 될 수 없다.

대법원은 "해당 공익사업이 시행되는 지역 내에 있는 표준지의 용도나 형질이 그 공익사업의 시행으로 인하여 변경되었다 하더라도, 다른 자료에 의하여 공시기준일 당시의 그 표준지의 현황을 확인할 수 있다면 그 표준지의 수용재결 당시의 공시지가를 기준으로 하여 수용대상토지에 대한 손실보상액을 산정하는 것이 「감정평가에 관한 규칙」 제17조 제2항의 규정취지에 배치되는 것은 아니다."라고 판결하고 있다(대판 1993.9.28, 93누5314). 단, 토지특성에 오류가 있는 표준지는 비교표준지로 선정하지 않는 것이 타당하다.[74]

(4) 선정사유의 기재

「감정평가에 관한 규칙」 제13조 제3항 제2호는 공시지가기준법으로 토지를 감정평가한 경우 비교표준지의 선정 내용을 명기하도록 규정하고 있고, 대법원도 수용대상토지에 대한 표준지를 특정하지 아니하여 보상액 산정요인들이 어떻게 참작되었는지 알아볼 수 없게 되어 있는 감정평가는 법령의 규정에 따라 적법하게 감정평가된 것이라 할 수 없다고 판결하고 있으므로(대판 1993.3.9, 92누9531 참조), 비교표준지를 선정한 때에는 선정이유를 감정평가서에 기재한다.

---

72) 토지보상평가지침 제9조
73) 「토지보상법」, 「감정평가법」 및 「감정평가에 관한 규칙」에서는 별도로 규정하고 있지 않다. 표준지공시지가는 공시기준일 당시의 용도지역 및 이용상황 등을 기준으로 한 가격으로 공시되고, 공시지가를 기준으로 감정평가하는 경우에는 공시지가를 사정보정하여 대상토지와 비교하는 것이 아니므로, 공시기준일 이후에 이루어진 용도변경 또는 형질변경은 원칙적으로는 비교표준지 선정의 제한사유가 될 수 없다.
74) 한국감정평가사협회, 감정평가기준팀-4155, 2014.12.03.

4) 용도지역 등이 변경된 토지

⑴ 원칙

용도지역 등이 변경된 토지는 기준시점에서의 용도지역 등을 기준으로 감정평가한다.

⑵ 변경 전 용도지역 등을 기준으로 감정평가하는 경우

① 해당 공익사업의 시행을 직접 목적으로 하는 변경

㉠ 「국토계획법」에 따른 변경: 「국토계획법」 제42조 제1항은 ⅰ) 「산업입지 및 개발에 관한 법률」 제2조 제8호 가목부터 다목까지의 규정에 따른 국가산업단지, 일반산업단지 및 도시첨단산업단지, ⅱ) 「택지개발촉진법」 제3조에 따른 택지개발지구, ⅲ) 「전원개발촉진법」 제5조 및 같은 법 제11조에 따른 전원개발사업구역 및 예정구역(수력발전소 또는 송·변전설비만을 설치하기 위한 전원개발사업구역 및 예정구역은 제외한다)의 구역 등으로 지정·고시된 지역은 이 법에 따른 도시지역으로 결정·고시된 것으로 보도록 규정하고 있다. 따라서 농림지역, 관리지역, 자연환경보전지역 등에 속하였던 토지가 위 조항에 의해 도시지역으로 용도지역이 변경된 경우는 해당 공익사업의 시행을 직접 목적으로 하는 변경에 해당된다.

㉡ 공공주택사업을 위한 변경: 「공공주택특별법」 제12조 제4항은 공공주택지구의 지정·변경 또는 해제를 고시한 때에는 도시지역, 지구단위계획구역의 지정·변경 또는 해제가 있는 것으로 보도록 규정하고 있으므로, 농림지역, 관리지역, 자연환경보전지역 등에 속하였던 토지가 위 조항에 의해 도시지역으로 용도지역이 변경된 경우는 해당 공익사업의 시행을 직접 목적으로 하는 변경에 해당된다.

㉢ 도시·군계획시설을 위한 변경: 「도시·군계획시설의 결정·구조 및 설치기준에 관한 규칙」 제32조(자동차정류장), 제44조(자동차 및 건설기계검사시설), 제47조(자동차 및 건설기계운전학원), 제57조(유원지), 제63조(유통업무설비), 제68조(전기공급설비), 제71조(가스공급설비), 제74조(열공급설비), 제83조(시장), 제86조(유류저장 및 송유설비), 제92조(운동장), 제100조(체육시설), 제113조(청소년수련시설), 제146조(장례식장), 제149조(도축장), 제152조(종합의료시설), 제157조(폐기물처리시설), 제160조(수질오염방지시설), 제163조(폐차장) 등의 경우는 특정한 용도지역에 한하여 설치할 수 있도록 규정하고 있다. 따라서 이러한 도시·군계획시설의 설치를 위하여 용도지역을 변경한 경우는 해당 공익사업의 시행을 직접 목적으로 하는 변경에 해당된다.

㉣ 개발제한구역의 해제: 「개발제한구역특별조치법」 제12조 제1항은 개발제한구역에서는 ⅰ) 도로, 철도 등 개발제한구역을 통과하는 선형(線形)시설 등 같은 항 제1호에서 규정한 것을 제외한 도시·군계획시설사업, ⅱ) 「도시개발법」에 따른 도시개발사업, ⅲ) 「도시정비법」에 따른 정비사업 등의 공익사업의 시행을 할 수 없도록 규정하고 있다. 따라서 개발제한구역에서 허용되지 않는 공익사업을 시행하기 위하여 개발제한구역을 해제하는 경우는 해당 공익사업의 시행을 직접 목적으로 하는 변경에 해당된다. 국토교통부에서도 "정부의 개발제한구역 해제방침결정에 의하여 당초 해제대상에 해당되지 아니하는 지역을 학교시설부지로 편입시키기 위해 개발제한구역 해제입안 시 이를 포함하여 해제토록 한 경우

라면 「토지보상법 시행규칙」 제23조 제2항의 규정에 의하여 해당 공익사업의 시행을 직접 목적으로 하여 용도지역 또는 용도지구 등이 변경된 경우로 보아야 할 것으로 본다."라고 유권해석하고 있다(2004.5.11, 토관-2176).

　　　ⓔ 사실상 해당 공익사업의 시행을 직접 목적으로 하는 변경 : 법률에 근거하여 용도지역을 변경하는 경우 외에도 사실상 해당 공익사업의 시행을 직접 목적으로 하는 변경의 경우도 있다. 대법원은 "공원조성사업의 시행을 직접 목적으로 일반주거지역에서 자연녹지지역으로 변경된 토지에 대한 수용보상액을 산정하는 경우, 그 대상토지의 용도지역을 일반주거지역으로 하여 평가하여야 한다."라고 판결하고 있다(대판 2007.7.12, 2006두11507). 즉, 공원조성사업은 반드시 녹지지역에서 시행되어야 하는 공익사업이 아니라고 하여도 사실상 공원조성사업을 위하여 일반주거지역에서 자연녹지지역으로 용도지역을 변경하였다면, 이는 해당 공익사업의 시행을 직접 목적으로 하는 변경으로 보아야 한다는 것이다. 용도지역의 변경이 사실상 해당 공익사업의 시행을 직접 목적으로 한 것인지의 여부는 관보 등에 고시되는 변경사유 등을 기준으로 객관적으로 판단하여야 한다.[75]

　② **해당 공익사업의 시행에 따른 절차로서 변경**

　　「택지개발촉진법」 제11조 제1항 제1호에서는 사업시행자가 실시계획을 작성하거나 승인을 받았을 때에는 「국토계획법」 제30조에 따른 도시·군관리계획의 결정이 있은 것으로 보도록 규정하고 있으므로, 실시계획의 승인 이후 실시계획에서 정하여진 대로 용도지역이 변경된 경우는 해당 공익사업의 시행에 따른 절차로서 변경된 경우에 해당된다. 이와 같이 해당 공익사업에서 정하고 있는 실시계획의 승인 등과 같은 일정한 절차에 의하여 용도지역이 변경되는 경우는 전부 여기에 해당된다.

〔판례〕

대판 1997.4.8, 96누11396

[1] 수용대상토지가 도시계획구역 내에 있는 경우에는 그 용도지역이 토지의 가격형성에 미치는 영향을 고려하여 볼 때, 해당 토지와 같은 용도지역의 표준지가 있으면 다른 특별한 사정이 없는 한 용도지역이 같은 토지를 해당 토지에 적용할 표준지로 선정함이 상당하고, 표준지와 해당 토지의 이용상황이나 주변 환경 등에 다소 상이한 점이 있다 하더라도 이러한 점은 지역요인이나 개별요인의 분석 등 품등비교에서 참작하면 되는 것이다.

[2] 표준지가 수용대상토지로부터 상당히 떨어져 있다는 것만으로는 표준지 선정이 위법하다고 말할 수 없다.

대판 2001.3.27, 99두7968

비교표준지는 특별한 사정이 없는 한 도시계획구역 내에서는 용도지역을 우선으로 하고, 도시계획구역 외에서는 용도지역을 현실적 이용상황에 따른 실제 지목을 우선으로 하여 선정하여야 할 것이나, 이러한 토지가 없다면 지목, 용도, 주위환경, 위치 등의 제반 특성을 참작하여 그 자연적, 사회적 조건이 수용대상토지와 동일 또는 가장 유사한 토지를 선정하여야 한다.

---

75) 공원 결정·고시일과 같은 날짜에 용도지역 조정(주거지역 → 자연녹지지역)이 있었던 사정 등의 경우, 공원사업의 시행을 직접 목적으로 하여 용도지역 또는 용도지구 등을 변경한 토지에 해당한다고 본 사례(중토위 2019.1.24.)

기 본예제

감정평가사 L 씨는 택지개발예정지구로 지정고시된 지역의 보상에 대하여 중앙토지수용위원회로 부터 이의재결평가를 의뢰받았다. 보상관련법규의 제규정 등을 참작하고 제시된 자료를 활용하여 아래 토지에 대한 비교표준지를 선정하시오.

자료 1 ▶ 사업개요

1. 사업의 종류: ○○ 택지개발사업
2. 택지개발사업지구 지정고시일: 2026.4.5.
3. 협의평가 가격시점: 2027.5.21.
4. 재결일: 2027.8.25.
5. 현장조사 완료일: 2027.9.21.
6. 이의재결시점: 2027.10.5.
7. 해당 사업지구의 용도지역이 기존에는 자연녹지(개발제한구역)였으나 공익사업시행에 따른 절차로서 제2종 일반주거지역으로 변경되었음.

자료 2 ▶ 토지조서

기호	소재지	면적(m²)		용도지역	지목
		공부	편입		
1	S구 S동 210	450	350	제2종일반주거지역	대

자료 3 ▶ 인근지역의 표준지공시지가 현황

기호	소재지	면적(m²)	지목	이용상황	용도지역	공시지가(원/m²)		기타
						2026	2027	
A	S동 125	300	대	단독	2종일주	900,000	950,000	도로 20%
B	S동 130	450	대	단독	개발제한 자연녹지	500,000	600,000	도로 20%

예시답안

1. 기준시점

수용재결일인 2027년 8월 25일이다.

2. 적용공시지가

택지개발지구 지정고시일이 사업인정일로 의제되는바, 이전 최근 공시지가인 2026년 공시지가를 선택한다.

3. 비교표준지 선정

해당 사업으로 인하여 용도지역이 변경된바, 변경되기 전 용도지역을 기준으로 개발제한구역(자연녹지)을 기준하여 표준지 B를 선정한다.

3. 시점수정 [76]

1) 지가변동률의 적용

(1) 비교표준지가 소재하는 시·군·구의 용도지역별 지가변동률 적용

국토교통부장관이 조사·발표하는 지가변동률로서 평가대상토지와 가치형성요인이 같거나 비슷하여 해당 평가대상토지와 유사한 이용가치를 지닌다고 인정되는 표준지(비교표준지)가 소재하는 시(행정시를 포함한다)·군 또는 구(자치구가 아닌 구를 포함한다)의 용도지역별 지가변동률을 적용한다.

(2) 비교표준지와 같은 용도지역의 지가변동률이 조사·발표되지 아니한 경우

비교표준지와 유사한 용도지역의 지가변동률, 비교표준지와 이용상황이 같은 토지의 지가변동률 또는 해당 시·군 또는 구의 평균지가변동률 중 어느 하나의 지가변동률을 적용한다.

> **Check Point!**
>
> ❷ **구체적 적용대상**
> 1. **해당 토지의 용도지역은 세분화(계획관리, 생산관리, 보전관리)되었으나 지가변동률은 세부용도지역으로 미고시된 경우**
>   관리지역의 지가변동률을 적용하거나 이용상황별 또는 시·군·구 평균 지가변동률을 적용한다.
> 2. **해당 토지의 용도지역은 미세분화(관리지역) 되었으나 지가변동률은 세부용도지역으로 고시된 경우**
>   보전관리지역의 지가변동률을 적용하거나 이용상황별 또는 시·군·구 평균 지가변동률을 적용한다.

(3) 이용상황별 지가변동률을 적용하는 경우

① 비교표준지가 도시지역의 개발제한구역 안에 있는 경우로서 2013년 5월 28일자 법 시행령 제37조 제1항 개정 전에 공익사업의 시행에 따른 보상계획을 공고하고 토지 소유자 및 관계인에게 이를 통지한 경우에는 이용상황별 지가변동률을 우선 적용한다.

② 표준지공시지가의 공시기준일이 1997년 1월 1일 이전인 경우로서 비교표준지가 도시지역 밖에 있는 경우와 용도지역이 미지정된 경우에는 이용상황별 지가변동률을 적용한다. 다만, 비교표준지와 같은 이용상황의 지가변동률이 조사·발표되지 아니한 경우에는 비교표준지와 비슷한 이용상황의 지가변동률 또는 해당 시·군 또는 구의 평균 지가변동률을 적용할 수 있다.

(4) 비교표준지가 소재하는 시·군·구의 지가변동률이 해당 공익사업으로 인하여 변동된 경우

해당 공익사업과 관계없는 인근 시·군 또는 구(해당 시·군·구와 인접하고 있는 모든 시·군·구로서 해당 공익사업으로 인한 지가변동된 시·군·구를 제외한다)의 지가변동률을 적용한다. 다만, 비교표준지가 소재하는 시·군 또는 구의 지가변동률이 인근 시·군 또는 구의 지가변동률보다 작은 경우에는 그러하지 아니하다.

---

76) 토지보상법 시행령 제37조

(5) 비교표준지가 소재하는 시·군·구의 지가변동률이 해당 공익사업으로 인하여 변경된 경우의 의미

> **토지보상법 시행령 제37조**(지가변동률)
>
> ③ 제2항 본문에 따른 비교표준지가 소재하는 시·군 또는 구의 지가가 해당 공익사업으로 인하여 변동된 경우는 도로, 철도 또는 하천 관련 사업을 제외한 사업으로서 다음 각 호의 요건을 모두 충족하는 경우로 한다.
>   1. 해당 공익사업의 면적이 20만 제곱미터 이상일 것
>   2. 비교표준지가 소재하는 시·군 또는 구의 사업인정고시일부터 가격시점까지의 지가변동률이 3퍼센트 이상일 것. 다만, 해당 공익사업의 계획 또는 시행이 공고되거나 고시됨으로 인하여 비교표준지의 가격이 변동되었다고 인정되는 경우에는 그 계획 또는 시행이 공고되거나 고시된 날부터 가격시점까지의 지가변동률이 5퍼센트 이상인 경우로 한다.
>   3. 사업인정고시일부터 가격시점까지 비교표준지가 소재하는 시·군 또는 구의 지가변동률이 비교표준지가 소재하는 시·도의 지가변동률보다 30퍼센트 이상 높거나 낮을 것

① 공익사업에 따른 구분

　㉠ **공익사업의 유형에 따른 구분** : 비교표준지가 소재하는 시·군·구의 지가가 해당 공익사업으로 인하여 변동된 경우에는 공익사업 중 도로·철도·하천 관련 사업은 제외한다. 즉, 이러한 선적인 공익사업은 시·군·구의 지가에 전반적인 영향을 미치지 않는다고 본다.

　㉡ **공익사업의 규모에 따른 구분** : 적용공시지가를 소급하는 공익사업은 해당 공익사업의 면적이 20만제곱미터 이상인 공익사업이어야 한다. 즉, 도로·철도·하천 관련 사업을 제외한 공익사업이라고 하여도 면적이 20만제곱미터 미만인 경우는 시·군·구의 지가에 전반적인 영향을 미치지 않는다고 본다.

② 지가변동률의 누계

　비교표준지가 소재하는 시·군·구의 사업인정고시일부터 기준시점까지의 지가변동률의 누계가 3퍼센트 이상이거나 -3퍼센트 이하이어야 한다. 다만, 해당 공익사업의 계획 또는 시행이 공고되거나 고시됨으로 인하여 비교표준지의 가치가 변동되었다고 인정되는 경우에는 그 계획 또는 시행이 공고되거나 고시된 날부터 기준시점까지의 지가변동률의 누계가 5퍼센트 이상이거나 -5퍼센트 이하이어야 한다.

③ 특별시·광역시·도의 지가변동률과의 비교

　사업인정고시일부터 기준시점까지 비교표준지가 소재하는 시·군·구의 지가변동률이 비교표준지가 소재하는 시·도의 지가변동률보다 30퍼센트 이상 높거나 낮아야 한다.

2) 지가변동률의 추정 등

(1) 일괄추정방식을 사용

　가격시점 당시에 조사·발표되지 아니한 월의 지가변동률 추정은 조사·발표된 월별 지가변동률 중 가격시점에 가장 가까운 월의 지가변동률을 기준으로 하되, 월 단위로 구분하지 아니하고 일괄추정방식에 따른다.

(2) 지가변동률의 구분 적용

「토지보상법」시행령 제37조 제2항의 검토를 통하여 인근 시·군·구의 지가변동률을 적용하는 경우 지가변동률을 구분하여 적용하기 위한 것이며, 이는 비교표준지가 소재하는 시·군·구의 지가변동률을 적용한다는 원칙을 최대한 따르기 위함이다.

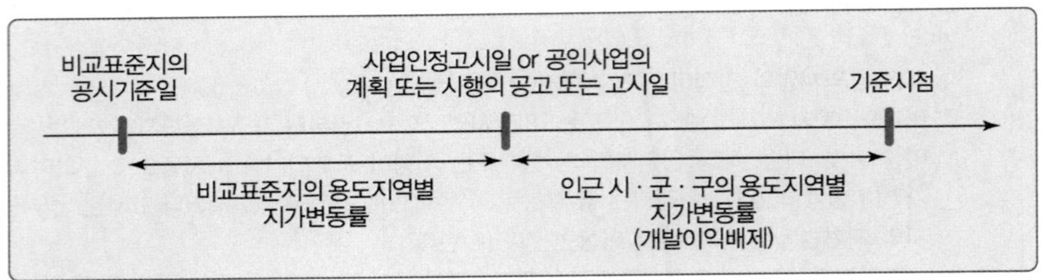

(3) 토지보상법 시행령 제37조 적용 시 기준이 되는 지가변동률

비교표준지가 소재하는 시·군·구 지가변동률과 비교표준지가 소재하는 시·도의 지가변동률을 비교함에 있어서 적용이 되는 지가변동률은 「토지보상법 시행령」제37조 제1항에 의하여 용도지역별 지가변동률을 기준함이 타당하나 종전의 실무 및 토지보상평가지침에서는 사업지 내 여러 용도지역의 토지가 혼재하는 것이 일반적이어서 평균지가변동률을 사용하였다. 다만 국토교통부 유권해석(토지정책과-5826, 2018.09.11.)에서는 용도지역별 지가변동률을 사용하는 것으로 회신한 바 있어 "용도지역별 지가변동률"과 "평균지가변동률"을 비교하여 검토하는 것이 타당할 것이다.[77]

3) 생산자 물가상승률 적용

(1) 적용하는 경우

시점수정에서 생산자물가상승률은 다음의 어느 하나에 해당되는 경우에만 적용할 수 있다. 토지에 관한 평가에서 생산자물가상승률을 시점수정자료로 활용하지 아니한 때에도 이를 지가변동률과 비교하여 평가서에 그 내용을 기재한다.[78]
① 조성비용 등을 기준으로 감정평가하는 경우
② 그 밖에 특별한 이유가 있다고 인정되는 경우

(2) 적용방법

생산자물가상승률은 공시기준일과 가격시점의 각 직전 월의 생산자물가지수를 비교하여 산정한다. 다만, 가격시점이 그 월의 15일 이후이고, 감정평가시점 당시에 가격시점이 속한 월의 생산자물가지수가 조사·발표된 경우에는 가격시점이 속하는 월의 지수로 비교한다.

---

77) 한국감정평가사협회, 감정평가기준팀-734, 2017.05.26.
78) 손실보상은 사적소유권을 강제로 수용하는 것이므로 적법하고 적정하여야 한다. 보상평가의 시점수정에서 지가변동률 외에 생산자물가상승률을 적용하도록 규정한 것도 같은 취지라고 할 수 있다. 따라서 보상평가 시 생산자물가상승률을 반드시 적용하여야 하는 것은 아니지만(대판 1999.8.24, 99두4754), 평가서에 반드시 언급은 하여야 할 것이다.

토지보상감정평가에서 생산자물가상승률을 시점수정 자료로 활용하지 아니한 경우에도 이를 지가변동률과 비교하여 감정평가서에 그 내용을 기재한다.

기 본예제

아래 공익사업에 보상 감정평가 시 적용하여야 할 지가변동률을 결정하시오.

풀이영상

1. 해당 공익사업 : 산업단지조성사업(300,000m² 규모, K도 A시 소재)
2. 해당 사업의 공고 및 고시일(주민의견청취일) : 2025.07.01.
3. 사업인정일 : 2026.08.01.
4. 가격시점 : 2027.07.31.
5. 해당 사업에 속한 토지들의 용도지역은 모두 계획관리지역이다.
6. 생산자물가지수는 검토하지 않는다.

해당 공익사업의 적용공시지가를 토지보상법 제70조 제5항 및 토지보상법 시행령 제38조의2에 의하여 아래의 경우에 따라 시점수정치를 결정하시오.

1. 사업인정일 이전 최근 공시지가인 2026년을 적용공시지가로 선택한 경우(시점수정기간 : 2026.01.01.~2027.07.31.)

2. 주민의견청취일 이전 최근 공시지가인 2025년을 적용공시지가로 선택한 경우(시점수정기간 : 2025.01.01.~2027.07.31.)

자료 지가변동률 자료

구분	K도 A시 계획관리	K도 A시 인근 시·군·구 계획관리	K도 계획관리
2025.01.01.~2027.07.31.	14.153%	10.907%	10.211%
2025.01.01.~2025.06.30.	2.658%	2.627%	2.553%
2025.07.01.~2027.07.31.	13.575%	8.231%	7.739%
2025.08.01.~2027.07.31.	11.717%	9.107%	8.197%
2026.01.01.~2026.07.31.	1.014%	0.885%	0.787%
2026.08.01.~2027.07.31.	7.978%	5.127%	4.978%

예시답안

시점수정치 결정과 관련하여, 20만m² 이상의 사업으로 도로 등 사업이 아닌바, 토지보상법 시행령 제37조에 의하여 아래의 요건을 검토하며, 각 사안별로 검토한다.

(물음 1)
사업인정일(2026.08.01.)부터 가격시점(2027.07.31.)까지 해당 시·군·구(A시)의 용도지역별 지가변동률이 3% 이상이다. (7.978%)
사업인정일(2026.08.01.)부터 가격시점(2027.07.31.)까지 해당 시·군·구(A시)의 용도지역별 지가변동률(7.978%)과 K도 용도지역별 평균 지가변동률(4.978%)의 격차율이 30% 이상이다.

$(\frac{7.978}{4.978} - 1 > 30\%)$

따라서 A시 인접한 시·군·구의 용도지역별 지가변동률을 통하여 시점수정하되, 공시기준일(2026.01.01.)부터
사업인정일(2026.08.01.)까지는 A시의 용도지역별 지가변동률을 이용하며, 사업인정일(2026.08.01.)부터 가격시점
(2027.07.31.)까지는 A시 인접한 시·군·구의 지가변동률을 구분하여 적용한다.

∴ 1.01014 × 1.05127(A시 계관지변률보다 작음) ≒ 1.06193

(물음 2)

공고고시일(2025.07.01.)부터 가격시점(2027.07.31.)까지 해당 시·군·구(A시)의 용도지역별 지가변동률이 5% 이
상이다(13.575%).
사업인정일(2026.08.01.)부터 가격시점(2027.07.31.)까지 해당 시·군·구(A시)의 용도지역별 지가변동률(7.978%)
과 K도 용도지역별 평균 지가변동률(4.978%)의 격차율이 30% 이상이다.

$(\frac{7.978}{4.978} - 1 > 30\%)$

따라서 A시 인접한 시·군·구의 용도지역별 지가변동률을 통하여 시점수정하되, 공시기준일(2025.01.01.)부터
주민의견청취일(2025.07.01.)까지는 A시의 용도지역별 지가변동률을 이용하며, 주민의견청취일(2025.07.01.)부터
가격시점(2027.07.31.)까지는 A시 인접한 시·군·구의 지가변동률을 구분하여 적용한다.

∴ 1.02658 × 1.08231(A시 계관지변률보다 작음) ≒ 1.11108

4. 지역요인과 개별요인의 비교

1) 개요

인근지역에 적정한 비교표준지가 없어서 동일수급권 안의 유사지역에서 비교표준지를 선정한 경우에는
대상토지와 지역요인 및 개별요인을 비교하고, 인근지역에서 비교표준지를 선정한 경우에는 개별요
인만을 비교하되, 이 경우에도 지역요인이 같다는 것을 감정평가서에 기재한다.

2) 지역요인

지역요인의 비교는 비교표준지가 있는 지역의 표준적인 획지의 최유효이용과 대상토지가 있는 지역의
표준적인 획지의 최유효이용을 판정하여 비교하고, 지역요인의 비교는 비교표준지가 있는 지역과 대
상토지가 있는 지역 모두 가격시점을 기준으로 한다.

3) 개별요인

개별요인의 비교는 비교표준지의 최유효이용과 대상토지의 최유효이용을 판정하여 비교하되 비교표
준지는 공시기준일을 기준으로 하고 대상토지는 가격시점을 기준으로 한다.
해당 사업으로 인하여 일부가 편입되어 분필된 경우에도 편입 전의 개별요인을 기준으로 한다(연차
별 보상계획에 따라 소유자의 의사와 무관하게 분할되어 보상되는 경우에도 분할 전 상태를 기준함
이 타당하다).

≫ 수용대상토지 자체가 표준지인 토지에 관하여는 표준지와 개별성 및 지역성의 비교란 있을 수 없다.[79]

---

79) 대판 1995.05.12, 95누2678

4) 지역·개별요인 비교와 관련한 유의사항[80]

(1) 감정평가서의 기재정도(지역요인 및 개별요인의 비교내용)

보상감정평가에서는 관련 법령에서 들고 있는 모든 가격산정요인들을 구체적·종합적으로 참작하여 그 각 요인들이 빠짐없이 반영된 적정가격을 산출하여야 한다. 따라서 감정평가서에는 모든 가격산정요인의 세세한 부분까지 일일이 설시하거나 그 요소가 감정평가에 미치는 영향을 수치로 표현할 필요는 없다고 하더라도, 적어도 그 가격산정요인들을 특정·명시하고 그 요인들이 어떻게 참작되었는지를 알아 볼 수 있는 정도로 지역요인 및 개별요인의 비교내용을 기술한다.[81]

(2) 현실적인 이용상황에 따른 비교수치 외에 다시 공부상의 지목에 따른 비교수치를 중복적용할 수 있는지 여부

비교표준지와 수용대상토지의 지역요인 및 개별요인 등 품등비교를 할 경우 현실적인 이용상황에 따른 비교수치 외에 다시 공부상의 지목에 따른 비교수치를 중복적용할 수 있는지에 대하여 대법원은 "현실적인 이용상황에 따른 비교수치 외에 다시 공부상의 지목에 따른 비교수치를 중복적용하는 것은 허용되지 아니한다고 할 것이고"라고 판시[82]하여, 현실적인 이용상황에 따른 비교수치를 적용하였다면, 다시 공부상의 지목에 따른 비교수치를 중복적용할 수 없다는 입장이다.[83]

(3) 토지가 도로에 직접 접속되어 있지 아니하고 구거 등을 사이에 두고 있는 토지의 접면도로의 판단

토지가 도로에 직접 접속되어 있지 아니하고 구거 등을 사이에 두고 있으나 그 구거 등의 원래 용도를 해하지 않는 범위 내에서 복개시설 등을 설치하여 도로로 통행할 수 있는 경우에 대하여, 대법원은 "복개시설 등의 설치가 그 구조와 형태 등에 비추어 일시적·잠정적이라거나 혹은 소요비용이나 관련 법령상의 제한 등에 비추어 극히 예외적으로만 가능하다고 하는 등의 특별한 사정이 달리 나타나 있지 않는 한, 그 해당 토지는 도로로의 통행 등의 면에서 직접 도로에 접속하고 있는 경우와 다를 바가 없어"라고 판시하고 있다(대판 2010.3.25, 2009다97062).

---

80) 감정평가실무기준 해설서(Ⅱ) 보상편, 한국감정평가사협회 등, 2014.02, pp.83~84
81) 감정평가서에 기재하여야 할 가치형성요인의 기술방법(대판 2000.07.28, 98두6081), 개별요인 비교에 관하여 아무런 설시를 하지 아니한 감정평가는 위법하다(대판 1996.05.28, 95누13173).
82) 대판 2001.03.27, 99두7968
83) 대판 2007.07.12, 2006두11507

5. 그 밖의 요인 비교[84]

1) 그 밖의 요인의 적용근거

(1) 감정평가에 관한 규칙 제14조 제2항

감정평가법인등은 공시지가기준법에 따라 토지를 감정평가할 때에 다음 각 호의 순서에 따라야 한다(5. 그 밖의 요인보정 : 대상토지의 인근지역 또는 동일수급권 내 유사지역의 가치형성요인이 유사한 정상적인 거래사례 또는 평가사례 등을 고려할 것).

(2) 대법원 판례

토지의 보상액 산정에 있어서 인근 유사 토지의 거래사례나 보상선례를 반드시 참작하여야 하는 것은 아니며, 다만 인근 유사 토지의 정상거래사례가 있고 그 거래가격이 정상적인 것으로서 적정한 보상액 평가에 영향을 미칠 수 있는 것임이 입증된 경우에는 이를 참작할 수 있다(대판 2004.5.14, 2003다38207). 이때 "인근 유사토지의 정상거래가격"이라고 함은 그 토지가 수용대상토지의 인근지역에 위치하고 용도지역, 지목, 등급, 지적, 형태, 이용상황, 법령상의 제한 등 자연적·사회적 조건이 수용대상토지와 동일하거나 유사한 토지에 관하여 통상의 거래에서 성립된 가격으로서, 개발이익이 포함되지 아니하고, 투기적인 거래에서 형성된 것이 아닌 가격을 말한다(대판 2001.4.24, 99두5085).

(3) 감정평가실무기준

(4) 국토교통부 유권해석

국토교통부 유권해석에서도 그 밖의 요인 적용의 필요성을 인정하고 있다.

(5) 토지보상평가지침

제16조(그 밖의 요인의 보정) 및 제17조(거래사례 등의 요건)에서 그 밖의 요인 보정의 근거를 마련하고 있다.

2) 그 밖의 요인비교치 결정방법

(1) 산정원칙

그 밖의 요인보정을 할 때에는 해당 공익사업의 시행에 따른 가격의 변동은 보정하여서는 아니 되며, 대상토지의 인근지역 또는 동일수급권 안의 유사지역(이하 "인근지역 등"이라 한다)의 정상적인 거래사례나 보상사례(이하 이 조에서 "거래사례 등"이라 한다)를 참작할 수 있다. 다만, 이 경우에도 그 밖의 요인보정에 대한 적정성을 검토해야 한다.

---

84) 감정평가서에는 보상선례토지와 평가대상인 토지의 개별요인을 비교하여 평가한 내용 등 산정요인을 구체적으로 밝혀 기재하여야 한다. 따라서 보상선례를 참작하면서도 위와 같은 사항을 명시하지 않은 감정평가서를 기초로 보상액을 산정하는 것은 위법하다고 보아야 한다(대판 2013.6.27, 2013두2587).

(2) 거래사례

감정평가 대상토지의 인근지역 또는 동일수급권 유사지역의 거래사례의 실제 거래가액을 기준으로 하며, 정상적인 거래사례여야 하고 해당 공익사업으로 인한 개발이익이 반영되어 있으면 안 된다. 투기적인 거래에 의한 거래가액은 이에 해당하지 않는다.

① 용도지역 등 공법상 제한이 같거나 비슷할 것

② 현실적인 이용상황 등이 같거나 비슷할 것

③ 주위환경 등이 같거나 비슷할 것

④ 해당 공익사업의 시행에 따른 가격의 변동이 반영되어 있지 아니하다고 인정될 것

⑤ 「부동산 거래신고 등에 관한 법률」에 따라 신고된 것으로서 정상적인 거래로 인정되거나 사정보정이 가능한 것일 것

(3) 거래사례 및 보상선례(거래사례 등)(보상감정평가선례에 한한다. 담보 및 경매평가선례는 제외[85])

① 실제 거래가액이나 실제 보상액(감정평가액의 산술평균)을 의미하며, 거래사례 등의 정상성을 판단하여 선정하여야 한다.

  ⊙ **거래사례 정상성에 대한 확인방법**

    i) 가치형성요인의 동일성 및 유사성, ii) 거래의 비투기성 또는 통상성, iii) 해당 공익사업으로 인한 영향성 등을 기준으로 판단한다.

    협의보상사례는 국가와 사인이 감정평가액을 기준으로 자발적으로 합의한 것이므로 일반적으로는 정상성을 인정할 수 있으나, 협의율 등을 고려하여 정상성을 판단해야 한다.

    재결사례는 불이익변경금지의 원칙(행정심판법 제47조 제2항)을 적용하여 협의가액보다 낮은 가액으로 재결하지 않는다는 점 및 협의율, 협의가격과의 차이 등을 고려하여 정상성을 판단한다. 합리적인 이유 없이 보상평가액을 상회하는 금액으로 협의하는 경우 초과금액은 일종의 사례금으로서 정당한 보상금액으로 볼 수 없다.

② **보상선례 선정기준**

  ⊙ 용도지역 등 공법상 제한이 같거나 비슷할 것

  ⊙ 현실적인 이용상황 등이 같거나 비슷할 것

  ⊙ 주위환경 등이 같거나 비슷할 것

  ⊙ 적용공시지가의 선택기준에 적합할 것(해당 공익사업의 시행에 따른 가격의 변동이 반영되어 있지 아니하다고 인정될 것)[86]

    ≫ 해당 공익사업의 보상선례는 선정하지 아니하며,[87] 보상이 완료되지 않은 경우에도 보상선례로 선정하지 않아야 한다.

    ≫ 적용공시지가 선정기준일 이후의 거래사례 등도 해당 사업에 의한 개발이익이 포함되지 않으면 선정할 수 있다.

---

85) 단순한 호가시세나 담보평가선례는 보상평가에 참작할 수 없다(대판 2003.02.28, 2001두3808).

86) 해당 공익사업으로 인한 개발이익이 포함된 보상사례라도 개발이익을 배제할 수 있다면 참작할 수 있다(대판 2010.04.29, 2009두17360).

87) 해당 공익사업에 대한 보상사례는 그 밖의 요인으로 참작할 수 없다(대판 2002.04.12, 2001두9783).

》》 "해당 공익사업의 시행에 따른 가격의 변동이 반영되어 있지 아니하다고 인정되는 사례의 경우"에는
그 사유를 감정평가서에 기재하여야 한다.

> **[판례]**
>
> **인근 유사토지의 정상거래가격의 의미[대판 2004.08.30, 2004두5621]**
>
> 토지수용에 있어서의 손실보상액 산정에 관한 관계 법령의 규정을 종합하여 보면, 수용 대상 토지의 정당한 보상액을 산정함에 있어서 인근 유사 토지의 정상거래 사례를 반드시 조사하여 참작하여야 하는 것은 아니지만, 인근 유사 토지가 거래된 사례나 보상이 된 사례가 있고 그 가격이 정상적인 것으로서 적정한 보상액 평가에 영향을 미칠 수 있는 것임이 입증된 경우에는 이를 참작할 수 있고, 여기서 '인근 유사토지의 정상거래가격'이라고 함은 그 토지가 수용 대상 토지의 인근 지역에 위치하고 용도지역, 지목, 등급, 지적, 형태, 이용상황, 법령상의 제한 등 자연적·사회적 조건이 수용 대상 토지와 동일하거나 유사한 토지에 관하여 통상의 거래에서 성립된 가격으로서, 개발이익이 포함되지 아니하고, 투기적인 거래에서 형성된 것이 아닌 가격을 말하고(대판 2002.4.12, 2001두9783 참조), 또한 그와 같은 인근 유사 토지의 정상거래 사례에 해당한다고 볼 수 있는 거래 사례가 있고 그것을 참작함으로써 보상액 산정에 영향을 미친다고 하는 점은 이를 주장하는 자에게 입증책임이 있다(대판 1994.1.25, 93누11524 참조).

> **보상평가의 그 밖의 요인 적용에서 보상사례가 특히 중요한 이유** [88]
>
> **1. 보상사례는 정상거래사례에 해당한다.**
>
> 보상평가에서 인근 유사토지의 정상거래사례의 참작을 인정하는 경우에도 통상의 실거래가격에는 매매당사자 간의 특별한 사정이 개제될 수 있으므로 이를 보상평가에 직접 적용할 수 없고, 정상거래로 전환시키는 과정, 즉 사정보정 등을 반드시 거쳐야 한다. 반면 보상사례는 감정평가법인등의 감정평가에 의한 가격을 기준으로 성립된 것이며, 특히 협의선례의 경우 토지소유자와 사업시행자의 자발적 합의에 의해 성립한 거래사례이므로, 이러한 사정보정 과정을 거치지 않아도 정상거래사례로 볼 수 있다.
>
> **2. 보상사례는 거래가격을 정확하게 파악할 수 있다.**
>
> 실거래가격의 경우 등기사항전부증명서에 거래금액을 기재하는 경우에도 그 금액의 정확성을 완전히 인정하기 어려우나, 보상사례금액은 이를 정확하게 조사할 수 있다.
>
> **3. 보상사례는 감정평가기준이 동일하다.**
>
> 미지급용지·무허가건축물부지·불법형질변경토지 및 해당 공익사업으로 인하여 용도지역 등이 변경된 토지 등 특수토지의 보상평가는 일반거래에서와는 다른 감정평가기준이 적용된다. 따라서 실거래사례의 경우에는 이러한 사항에 대한 별도의 보정이 필요하나, 보상사례는 동일한 감정평가기준에 의해 결정된 가액이므로 별도의 보정이 필요하지 않다.
>
> **4. 보상사례는 대상토지의 가치형성에 직접 영향을 미친다.**
>
> 거래사례를 보상평가에 참작하기 위해서는 그 거래사례가 적정한 보상평가에 영향을 미칠 수 있는 것이어야 한다. 실거래와 보상은 가치결정에 상이한 기준이 적용되므로 그 가치가 다를 수 있다는 것이 통상적으로 인정된다. 실거래사례는 보상평가에 간접적인 영향을 미친다고 보아야 하지만, 보상사례는 보상이라는 동일한 목적의 감정평가이므로 직접적인 영향을 미친다.

---

88) 감정평가실무기준 해설서(Ⅱ) 보상편, 한국감정평가사협회 등, 2014.02, pp.88~89

⑷ 적정성 검토

거래사례 및 보상선례를 참작하는 경우에는 그 평가기준 등의 적정성을 검토해야 한다. 또한 보상선례만으로 그 밖의 요인비교치를 도출하기보다는 인근 유사토지 거래가격을 분석하여 보상선례기준의 그 밖의 요인비교치의 적정성을 검증하는 절차를 거치는 것이 타당할 것이다.

그 밖의 요인 보정에 대한 적정성은 보정의 필요성, 거래사례 등의 선정의 적정성, 선정된 거래사례 등에 대한 분석의 적정성, 보정률 산정과정 및 결정의 적정성 등을 검토한다. 거래사례를 기준으로 보정을 한 경우에는 보상선례를 통하여, 보상선례를 기준으로 보정을 한 경우에는 거래사례를 통하여 적정성을 검토한다.

》 일부 하급심에서 방법 1(본건 기준 방식의 그 밖의 요인 비교)이 표준지의 공시지가를 기준으로 해당 토지를 감정평가하도록 정한 관련 법령에 위반되어 위법하다고 판시[89]하고 있는바, 상기의 과정을 거쳐 그 밖의 요인 보정을 할 필요가 있다.[90]

지양해야 할 방법(방법 1)	권장방법(방법 2)
하나의 보상사례 등을 기준으로 격차율을 산정하여 결정하는 방법	보상사례 등을 기준으로 격차율을 산정하고 실거래가 분석 등을 통해 그 밖의 요인 보정치를 결정하는 방법
1. 그 밖의 요인 보정 　가. 그 밖의 요인 보정의 필요성 　나. 격차율 산정 　다. 그 밖의 요인 보정치 결정	1. 그 밖의 요인 보정의 필요성 및 근거 2. 거래사례 등 기준 격차율 산정 3. 실거래가 분석 등을 통한 검증 4. 그 밖의 요인 보정치의 결정

⑸ 그 밖의 요인비교치 산정방법

① 대상토지기준 산정방식

$$격차율 = \frac{(거래사례등기준\ 대상토지\ 평가)\ 사례가격 \times 시점수정 \times 지역요인 \times 개별요인}{(공시지가기준\ 대상토지\ 평가)\ 공시지가 \times 시점수정 \times 지역요인 \times 개별요인}$$

② 비교표준지기준 산정방식

$$격차율 = \frac{(거래사례등기준\ 표준지\ 평가)\ 사례가격 \times 시점수정 \times 지역요인 \times 개별요인}{(표준지공시지가\ 시점수정)\ 공시지가 \times 시점수정}$$

　㉠ 양 방법 모두 활용이 가능하나 실무적으로는 비교표준지 기준방식을 많이 사용한다.

　㉡ 거래사례 등 또는 비교표준지와 대상토지의 시·군 또는 구가 다른 경우에는 거래사례 등 또는 비교표준지가 소재하는 시·군 또는 구의 지가변동률을 적용하되, 지가변동률 산정의 기산일은 거래사례의 경우 계약일자로 하고 보상사례의 경우 그 보상감정평가의 가격시점으로 한다.

---

[89] 서울고법 2015.12.10, 2014나2021821, 창원지법 2007.10.25, 2005구합3604

[90] 한국감정평가사협회 업무연락(2016.8.1.), 그 밖의 요인보정치 결정 및 표시방법과 시점수정 방법 관련 알림

 © 격차율을 산정한 후 실거래가 분석 등을 통한 검증 등 그 밖의 가격자료를 참조하고 적절하게 조정하여 그 밖의 요인 비교치를 결정하여야 한다.

 © 그 밖의 요인 비교치는 소수점 이하 둘째자리까지 표시할 것을 권장한다(**예** 1.05).

기 본예제

도시공원조성사업에 편입되는 다음 토지에 대한 보상 감정평가액을 결정하되, 토지 단가는 반올림하여 천원 단위까지 결정한다.

자료 1 대상토지자료

1. 위치: 충북 청주시 흥덕구 K동 100번지
2. 사업인정일: 2027.3.6.
3. 협의예정일: 2027.8.10.
4. 대상토지의 용도지역 및 이용상황: 제2종일반주거지역, 주거나지
5. 대상토지는 12m 도로에 접한 경사도가 없는 사다리형의 토지이며 면적은 300m²임.

자료 2 인근표준지공시지가(2027.1.1. 기준)

기호	소재지	면적(m²)	지목	이용상황	용도지역	도로조건 형상/지세	공시지가 (원/m²)
1	K동	270	전	전	자연녹지	세로(각) 부정형/평지	60,000
2	K동	280	대	주상용	2종일주	중로 정방형/평지	80,000
3	P동	260	전	주거나지	2종일주	소로한면 자루형/평지	100,000
4	S동	300	전	전	2종일주	소로각지 장방형/평지	120,000

» 표준지 기호 4는 도시계획공원에 100% 저촉된다.

자료 3 인근보상선례자료

구분	보상선례 1	보상선례 2	보상선례 3
사업명	도시공원조성사업	체육시설사업	도시·군계획시설도로
용도지역	2종일주	2종일주	2종일주
이용상황	주거나지	주거나지	주거나지
면적(m²)	300	350	280
가격시점	2026.01.01.	2027.01.01.	2027.06.15.
개별조건	12m도로 접함. 사다리형, 평지	6m도로에 접함. 정방형, 평지	6m도로에 접함. 가로장방형, 평지
보상가액	51,000,000원	56,000,000	53,200,000
비고	해당 공익사업임	도시계획시설 도로에 30%가 저촉된 상태임	–

자료 4 시점수정에 적용할 지가변동률

기간	변동률(%)		
	주거지역	대	전
2026년 누계	3.216	0.120	−0.207
2027년 6월 누계	0.213	0.001	0.251
2027년 6월	0.053	−0.506	0.313

자료 5 개별요인 비교치

1. 도로 : 광로(100), 중로(95), 소로(90), 세로(가)(80), 세로(불)(70), 맹지(60)
2. 형상 : 정방형(100), 장방형(90), 사다리형(85), 자루형(75), 부정형(60)
3. 지세 : 평지(100), 완경사(80), 급경사(60)
4. 각지는 한 면에 비해 5% 우세

자료 6 기타사항

1. 도시·군계획시설도로에 저촉되는 토지는 일반적으로 30% 정도의 감가가 발생하고 있음.
2. 그 밖의 요인보정률은 비교표준지 기준방식에 의함.
3. 시점수정치 결정 시 생산자물가지수의 검토는 생략한다.

예시답안

Ⅰ. **평가개요**

　본건은 도시공원조성사업에 편입되는 토지에 대한 협의목적의 보상감정평가로서 협의예정일인 2027년 8월 10일을 가격시점으로 한다.

Ⅱ. **비교표준지 선정**

　사업인정일 이전 최근 공시지가인 2027년 공시지가를 기준하며, 제2종일반주거지역, 주거용으로서 본건과 유사성 있는 표준지 3을 기준한다.

Ⅲ. **시점수정치(2027.1.1.～2027.8.10. 주거지역)**

$1.00213 \times (1 + 0.00053 \times 41/30) \fallingdotseq 1.00286$

Ⅳ. **지역 및 개별요인 비교치**

　1. **지역요인**

　　인근지역으로서 대등하다(1.00).

　2. **개별요인(중로, 사다리, 평지)**

　　$95/90 \times 85/75 \times 1 \fallingdotseq 1.196$

Ⅴ. **그 밖의 요인비교치**

　1. **거래사례 등 선정**

　　2종일반주거지역, 주거용으로서 해당 사업과 무관하며, 사업인정 이전 선례인 보상선례 2를 선정한다 ($56,000,000/350 = 160,000$원/m²).

　2. **격차율(비교표준지 기준)**

$$\frac{160,000 \times 1.00286^* \times 1.00 \times 0.844^{**}}{100,000 \times 1.00286} \fallingdotseq 1.350$$

　　* 2027.1.1.～2027.8.10. 주거지역

　　** 개별요인(표준지 3 / 보상선례 2) : $90/80 \times 75/100 \times 1$

　3. **그 밖의 요인보정치 결정**

　　상기의 격차율을 고려하여 35% 증액보정한다(1.35).

Ⅵ. **보상감정평가액**

$100,000 \times 1.00286 \times 1.00 \times 1.196 \times 1.35 \fallingdotseq 162,000$원/m² ($\times 300 = 48,600,000$원)

6. 지목 및 면적사정

> **토지보상평가지침 제18조**(현실적인 이용상황의 판단 및 면적산정)
>
> 대상토지의 현실적인 이용상황의 판단 및 면적사정은 의뢰인이 제시한 기준에 따르되, 다음 각 호의 어느 하나에 해당하는 경우에는 의뢰인에게 그 내용을 조회한 후 목록을 다시 받아 감정평가하는 것을 원칙으로 한다. 다만, 수정된 목록의 제시가 없을 때에는 당초 제시된 목록을 기준으로 감정평가하되, 감정평가서의 토지평가조서 비고란에 현실적인 이용상황을 기준으로 한 단가 또는 면적을 따로 기재한다.
> 1. 실지조사 결과 제시된 목록상의 이용상황과 현실적인 이용상황이 다른 것으로 인정되는 경우
> 2. 한 필지 토지의 현실적인 이용상황이 둘 이상인 경우로서 이용상황별로 면적을 구분하지 아니하고 감정평가 의뢰된 경우(다른 이용상황인 부분이 주된 이용상황과 비슷하거나 면적비율이 뚜렷하게 낮아 주된 이용상황의 가치를 기준으로 거래될 것으로 추정되는 경우는 제외한다)
> 3. 지적공부상 지목이 "대(공장용지 등 비슷한 지목을 포함한다. 이하 이 조에서 같다)"가 아닌 토지가 현실적인 이용상황에 따라 "대"로 감정평가 의뢰된 경우로서 다음 각 목의 어느 하나에 해당하는 경우(토지형질변경허가 관계 서류 등 신빙성 있는 자료가 있거나 주위환경의 사정 등으로 보아 "대"로 인정될 수 있는 경우는 제외한다)
>   가. 제시된 면적이 인근지역에 있는 "대"의 표준적인 획지의 면적 기준을 뚜렷이 초과하거나 미달되는 경우
>   나. 지상건축물의 용도·규모 및 부속건축물의 상황과 관계법령에 따른 건폐율·용적률, 그 밖에 공법상 제한 등으로 보아 제시된 면적이 뚜렷이 과다하거나 과소한 것으로 인정되는 경우

04 공법상 제한을 받는 토지의 보상감정평가

1. 공법상 제한의 구분(시행규칙 제23조)

1) 개설

(1) 공법상 제한을 받는 상태기준평가

일반적인 계획제한은 제한 그 자체로 목적이 완성되고 구체적인 사업의 시행이 필요하지 아니한 공법상 제한으로서 그 제한을 받는 상태를 기준으로 평가한다.

(2) 공법상 제한을 받는 상태기준평가의 예외

① 해당 공익사업의 시행을 직접 목적으로 가하여진 경우

공법상 제한이 해당 공익사업의 시행을 직접 목적으로 하여 가하여진 경우에는 제한이 없는 상태를 상정하여, 즉 이러한 제한으로 인하여 변동된 가격은 고려하지 아니하고 감정평가한다. 이와 같이 감정평가하는 이유는 「토지보상법」 제67조 제2항에서 규정한 보상액의 산정 시 해당 공익사업으로 인하여 토지 등의 가치가 변동되었을 때에는 이를 고려하지 아니한다는 원칙에 의한 것이다.

② 공익사업의 시행의 절차로써 용도지역 등이 변경된 경우

해당 공익사업의 시행을 직접 목적으로 하여 용도지역 등이 변경된 토지에 대하여는 변경되기 전의 용도지역 등을 기준으로 감정평가한다. 즉, 일반적으로 토지의 감정평가는 기준시점 현재의 용도지역 등에 따라 감정평가하나, 기준시점 당시 해당 공익사업의 시행을 위하여 용도지역 등

이 변경된 경우에는 이를 고려하지 않고 변경되기 전의 용도지역 등을 기준으로 감정평가한다. 이와 같이 감정평가하는 이유 역시 「토지보상법」 제67조 제2항에서 규정한 보상액의 산정 시 해당 공익사업으로 인하여 토지 등의 가치가 변동되었을 때에는 이를 고려하지 아니한다는 원칙에 의한 것이다.

2) 일반적인 계획제한과 개별적인 계획제한

(1) 일반적인 계획제한

> 1. 용도지역 등의 지정 · 변경
> 2. 「군사기지 및 군사시설보호법」에 따른 군사시설보호구역의 지정 · 변경
> 3. 「수도법」에 따른 상수원보호구역의 지정 · 변경
> 4. 「자연공원법」에 따른 자연공원 및 공원보호구역의 지정 · 변경[91]
> 5. 그 밖에 관계법령에 따른 위 제2호부터 제4호와 비슷한 토지이용계획의 제한

일반적 계획제한은 제한 그 자체로 목적이 완성되고 구체적인 사업의 시행이 필요하지 아니하는 제한으로서, 일반적인 계획제한은 그 제한을 받는 상태를 기준으로 감정평가한다. 다만, 제1호의 경우로서 해당 공익사업의 시행을 직접 목적으로 하여 용도지역 등이 지정 및 변경(이하 "지정 · 변경"이라 한다)된 토지에 대한 감정평가는 그 지정 · 변경이 되기 전의 용도지역 등을 기준으로 하며, 제2호부터 제5호의 경우로서 해당 법령에서 정한 공익사업의 시행을 직접 목적으로 하여 해당 구역 등 안 토지를 취득 또는 사용하는 경우에는 이를 개별적인 계획제한으로 본다.

(2) 개별적인 계획제한

> 1. 「국토의 계획 및 이용에 관한 법률」 제2조 제7호에서 정한 도시 · 군계획시설 및 제2조 제11호에서 정한 도시 · 군계획사업에 관한 같은 법 제30조 제6항에 따른 도시 · 군관리계획의 결정고시[92]
> 2. 법 제4조에 따른 공익사업을 위한 사업인정의 고시
> 3. 그 밖에 관계법령에 따른 공익사업의 계획 또는 시행의 공고 또는 고시 및 공익사업의 시행을 목적으로 한 사업구역 · 지구 · 단지 등의 지정고시

개별적 계획제한은 그 제한이 구체적인 사업의 시행이 필요한 제한으로서, 개별적 계획제한은 해당 공익사업의 시행을 직접목적으로 가하여진 것(당초의 목적사업과 다른 목적의 공익사업에 취득 또는 사용되는 경우를 포함한다)인지 여부에 불문하고, 그 제한을 받지 아니한 상태를 기준으로 감정평가한다.

---

91) 자연공원법에 의한 '자연공원 지정' 및 '공원용도지구계획에 따른 용도지구 지정'은 원칙적으로 공익사업을 위한 토지 등의 취득 및 보상에 관한 법률 시행규칙 제23조 제1항 본문에서 정한 '일반적 계획제한'에 해당한다(대판 2019.9.25, 2019두34982).

92) 도시계획시설(근린공원)로 지정된 토지에 대한 선하지 및 철탑부지의 사용료를 산정할 때 공법상 제한 없는 상태대로 평가한다(중토위 2018.4.12.).

3) 일반적·개별적 계획제한과 관련된 대법원 판례

(1) 판례의 내용

공법상의 제한을 제한 그 자체로 제한의 목적이 완성되는 일반적 계획제한과 제한만으로 제한의 목적이 완성되지 않고 구체적 사업이 수반되어야 하는 개별적 계획제한으로 구분하고, 일반적 계획제한은 제한을 받는 상태대로, 개별적 계획제한은 제한을 제한받지 않은 상태로 감정평가해야 한다고 판시하였다(대판 1992.3.13, 91누4324).

(2) 판례의 취지

위 대법원 판례에서는 "공법상 제한을 받는 수용대상토지의 보상액을 산정함에 있어서는 그 공법상의 제한이 해당 공공사업의 시행을 직접목적으로 하여 가하여진 경우는 물론 당초의 목적사업과 다른 목적의 공공사업에 편입 수용되는 경우에도 그 제한을 받지 아니하는 상태대로 평가하여야 할 것인바, 이와 같이 '해당 사업을 직접목적으로 공법상 제한이 가해진 경우'를 확장 해석하는 이유가 사업변경 내지 고의적인 사전제한 등으로 인한 토지소유자의 불이익을 방지하기 위한 것이라는 점에 비추어 볼 때 수용대상토지의 보상액 평가 시 고려대상에서 배제하여야 할 해당 공공사업과 다른 목적의 공공사업으로 인한 공법상 제한의 범위는 그 제한이 구체적인 사업의 시행을 필요로 하는 것에 한정된다고 할 것이다."라고 하였다.

즉, 「토지보상법 시행규칙」 제23조 제1항 단서(대법원 판례 당시는 「공공용지의 취득 및 손실보상에 관한 특례법 시행규칙」 제6조 제4항)에서 공법상 제한이 해당 공익사업의 시행을 직접 목적으로 하여 가하여진 경우에 한하여 제한이 없는 상태를 상정하여 감정평가하도록 규정하고 있으므로, 만일 이를 문리대로만 해석한다면 공익사업이 변경될 경우 변경 전 공익사업을 목적으로 가해진 제한을 받는 상태로 감액하여 감정평가하므로 정당보상을 이루지 못할 우려가 있기 때문에 이를 방지하기 위하여 개별적 계획제한으로 확장한 것이다.

따라서 개별적 계획제한을 받는 토지는 그 제한이 해당 공익사업의 시행을 직접 목적으로 하여 가하여진 경우뿐만 아니라, 사업의 종류가 변경되어 당초의 목적사업과 다른 사업에 편입되는 경우에도 그 공법상 제한이 없는 상태대로 감정평가해야 한다.

4) 공법상 제한을 받는 토지의 보상감정평가 시 유의점

공법상 제한을 받는 토지는 일반적 계획제한과 개별적 계획제한으로 일률적으로 구분하여 보상감정평가기준을 달리 적용하여서는 안 된다. 「토지보상법 시행규칙」 제23조 제1항 단서는 "그 공법상 제한이 해당 공익사업의 시행을 직접 목적으로 하여 가하여진 경우"에 해당하는지 여부를 판단하여 그 제한이 성격상 일반적 계획제한에 해당한다고 하여도 해당 공익사업의 시행을 직접 목적으로 하여 가하여진 경우에 해당된다면 제한이 없는 상태를 상정하여 감정평가하도록 하고 있다.[93]

---

93) 대판 2018.1.25, 2017두61799

2. 공원구역 등 안 및 비오톱 지정 토지의 평가[94]

1) 공원구역 등 안 토지의 감정평가[95]

⑴ 「자연공원법」에 의한 자연공원

① 자연공원구역의 행위제한

자연공원구역은 ⅰ) 공원자연보존지구, ⅱ) 공원자연환경지구, ⅲ) 공원마을지구, ⅳ) 공원문화유산지구 등의 용도지구로 세분되고, 각 지구마다 행위제한 사항이 상이하므로 자연공원구역 안 토지의 보상감정평가 시에는 이를 충분히 검토한다.

또한 용도지구가 공부상 명시되지 않은 경우가 많으므로, 자연공원관리청 또는 공원관리사무소에 비치된 도면이나 해당관청의 관계서류 열람 등을 통하여 이를 확인해야 한다.

② 자연공원 내 토지의 감정평가

「자연공원법」제4조에 따른 자연공원으로 지정된 구역 안에 있는 토지에 대한 감정평가는 그 공원 등의 지정에 따른 제한과 같은 법 제18조에 따른 공원구역의 용도지구 결정에 따른 제한이 일반적인 계획제한으로서 그 제한을 받는 상태를 기준으로 한다.[96]

하급심은 "국립공원의 지정으로 인한 개발가능성의 소멸과 그에 따른 지가의 하락이나 지가상승률의 상대적 감소는 토지소유자가 감수하여야 하는 사회적 제약의 범주에 속하는 것으로 보아야 할 것이고, 자신의 토지를 장래에 건축이나 개발목적으로 사용할 수 있으리라는 기대가능성이나 신뢰 및 이에 따른 지가상승의 기회는 원칙적으로 재산권의 보호범위에 속하지 아니하고, 토지소유자가 국립공원구역 지정 당시의 상태대로 토지를 사용·수익·처분할 수 있는 이상 구역지정에 따른 토지이용의 제한은 원칙적으로 재산권에 내재하는 사회적 제약의 범주 내에 있다고 할 것이다."라고 판시하고 있다(서울서부지법 2007.7.13, 2007가합1401).

다만, 같은 법 시행령 제2조[97]에서 정한 공원시설의 설치를 위한 공원사업시행계획의 결정고시 등에 따른 제한은 그 제한이 구체적인 사업의 시행이 필요한 개별적인 계획제한으로서 그 제한을 받지 아니한 상태를 기준으로 감정평가한다.

---

94) 감정평가실무기준 해설서(Ⅱ) 보상편, 한국감정평가사협회 등, 2014.02, pp.103~104
95) 토지보상평가지침 제24조(공원구역 등 안 토지의 감정평가)
96) 자연공원법에 의한 '자연공원 지정' 및 '공원용도지구계획에 따른 용도지구 지정'은 원칙적으로 공익사업을 위한 토지 등의 취득 및 보상에 관한 법률 시행규칙 제23조 제1항 본문에서 정한 '일반적 계획제한'에 해당한다(대판 2019.9.25, 2019두34982).
97) 자연공원법 시행령 제2조(공원시설)
　　「자연공원법」(이하 "법"이라 한다) 제2조 제10호에서 "대통령령으로 정하는 시설"이란 다음 각 호의 시설을 말한다.
　　1. 공원관리사무소·창고(공원관리 용도로 사용하는 것으로 한정한다)·탐방안내소·매표소·우체국·경찰관파출소·마을회관·경로당·도서관·공설수목장림·환경기초시설 등의 공공시설. 다만, 공설수목장림은 2011년 10월 5일 이전에 공원구역에 설치된 묘지를 이장하거나 공원구역에 거주하는 주민이 사망한 경우에 이용할 수 있도록 하기 위하여 공원관리청이 설치하는 경우로 한정한다.

⑵ 「도시공원 및 녹지 등에 관한 법률」에 의한 도시공원 및 도시자연공원

① 도시·군관리계획으로 결정된 도시공원

도시·군관리계획으로 결정된 도시공원에서의 행위제한은 「토지보상법 시행규칙」 제23조 제 1항 단서의 공익사업의 시행을 직접 목적으로 하여 가하여진 경우에 해당하므로, 그 공법상 제한을 받지 아니한 상태를 기준으로 감정평가한다.

② 도시자연공원

도시자연공원에서의 행위제한은 공익사업의 시행을 직접 목적으로 하여 가하여진 경우에 해당되지 않으므로, 「토지보상법 시행규칙」 제23조 제1항 본문에 따라 제한받는 상태대로 감정평가한다(다만, 도시자연공원구역 안에서 공원시설의 설치를 위한 공원사업시행계획의 결정고시 등에 따른 제한은 개별적인 계획제한으로 봄).

2) 비오톱 지정 토지

⑴ 비오톱의 개념

"비오톱"이란 특정한 식물과 동물이 하나의 생활공동체를 이루어 지표상에서 다른 곳과 명확히 구분되는 생물서식지로서, 서울시에서 「자연환경보전법」 제6조, 제8조 및 제43조를 근거로 하여 「서울특별시 도시계획조례」 제4조 및 같은 조례 시행규칙 제3조에 따라 5개의 등급으로 구분하여 지정된다.

⑵ 비오톱이 지정된 토지의 보상감정평가

비오톱 1등급 토지는 자연생태가 우수하고 절대보전이 필요한 토지로서 「서울특별시 도시계획조례」 제24조 및 [별표 1]에 따라 토지의 개발행위허가가 제한되고 있다. 비오톱 1등급 지정 고시는 자연환경의 보전을 목적으로 하고 있으므로 제한받는 상태대로 보상감정평가함이 원칙이나, 향후 구체적인 사업의 실시를 위하여 지정하는 것이라면 해당 공익사업의 시행을 직접 목적으로 하여 가하여진 경우에 해당할 수 있으므로, 향후 공익사업의 시행 여부 등 사실관계를 확인하여 판단·결정한다.

기 본예제

◎◎도로사업에 대한 보상감정평가에 있어 아래의 토지의 공법상 제한을 고려하여 감정평가액을 결정하시오.

구분	기호 #1	기호 #2
용도지역, 이용상황	1종일주. 임야	1종일주, 임야
공법상 제한	도시계획시설 공원(100%)	비오톱(100%)

인근의 통상적인 1종일반주거지역, 임야의 보상감정평가액 : 600,000원/m²

비준표

일반	공원	비오톱
1.00	0.6	0.6

> **예시답안**
>
> **기호 #1**
> 도시계획시설은 개별적 계획제한으로서 이에 구애됨 없이 감정평가한다(600,000원/m²).
>
> **기호 #2**
> 비오톱은 일반적 계획제한으로서 이를 반영하여 감정평가한다(360,000원/m²).

3. 용도지역이 없는 토지 및 용도지역 경계에 있는 토지의 평가

1) 용도지역이 없는 토지

(1) 용도지역이 지정되지 않은 토지의 감정평가[98]

「국토계획법」 제79조에 의하여 도시지역, 관리지역, 농림지역 또는 자연환경보전지역으로 용도지역이 지정되지 아니한 토지에 대하여는 자연환경보전지역에 대한 건축물의 건축제한, 용적률, 건폐율에 대한 규정을 적용하여 감정평가한다. 도시지역 또는 관리지역이 세부 용도지역으로 지정되지 아니한 토지의 경우에는 해당 용도지역이 도시지역인 경우에는 보전녹지지역을, 관리지역인 경우에는 보전관리지역에 관한 건축물의 건축제한, 용적률, 건폐율에 대한 규정을 적용하여 감정평가한다. 「국토계획법」 제41조 제1항에 의하여 대상 토지가 공유수면매립지에 해당하는 경우로서 공유수면의 매립 목적이 그 매립구역과 이웃하고 있는 용도지역의 내용과 같으면 매립준공구역은 그 매립의 준공인가일로부터 이와 이웃하고 있는 용도지역으로 지정된 것으로 본다.

(2) 용도지역 사이에 있는 토지[99]

양측 용도지역의 사이에 있는 토지가 용도지역이 지정되지 아니한 경우에 그 토지에 대한 감정평가는 그 위치·면적·이용상황 등을 고려하여 양측 용도지역의 평균적인 제한상태를 기준으로 한다.

2) 지역의 경계에 있는 도로의 용도지역

양측 용도지역의 경계에 있는 도로(도시·군계획시설(도로)을 포함한다)에 대한 용도지역 지정 여부의 확인이 사실상 곤란한 경우에는 「도시·군관리계획수립지침」에서 정하는 기준에 따라 다음 각 호와 같이 대상토지의 용도지역을 확인할 수 있다.

> 1. 주거·상업·공업지역 중 2개 지역을 경계하고 있는 도로는 도로의 중심선을 용도지역의 경계로 본다.
> 2. 주거·상업·공업지역과 녹지지역의 경계에 있는 도로가 지역 간 통과도로인 경우에는 중심선을 용도지역 경계로 보며, 일반도로인 경우에는 녹지지역이 아닌 지역으로 본다.

---

98) 토지보상평가지침 제27조의2
99) 토지보상평가지침 제25조(용도지역 사이에 있는 토지의 감정평가)

4. 둘 이상의 용도지역에 속한 토지의 평가 [100]

1) 둘 이상 용도지역에 속한 토지의 행위제한

「국토계획법」 제84조 제1항에서는 하나의 대지가 둘 이상의 용도지역 등에 걸치는 경우로서 각 용도지역 등에 걸치는 부분 중 가장 작은 부분의 규모가 330제곱미터(도로변에 띠 모양으로 지정된 상업지역에 걸쳐 있는 토지의 경우에는 660제곱미터) 이하인 경우에는 전체 대지의 건폐율 및 용적률은 각 부분이 전체 대지 면적에서 차지하는 비율을 고려하여 각 용도지역 등별 건폐율 및 용적률을 가중평균한 값을 적용하고, 그 밖의 건축 제한 등에 관한 사항은 그 대지 중 가장 넓은 면적이 속하는 용도지역 등에 관한 규정을 적용한다. 다만, 건축물이 고도지구에 걸쳐 있는 경우에는 그 건축물 및 대지의 전부에 대하여 고도지구의 건축물 및 대지에 관한 규정을 적용한다.

2) 둘 이상 용도지역에 속한 토지의 감정평가

(1) 각 용도지역별로 구분평가 원칙

둘 이상의 용도지역에 걸쳐있는 토지는 각 용도지역 부분의 위치, 형상, 이용상황, 그 밖에 다른 용도지역 부분에 미치는 영향 등을 고려하여 각 용도지역별로 감정평가한다(용도지역별 비교표준지를 선정하되, 개별요인은 최유효이용의 측면에서 전체를 기준으로 함이 원칙으로 봄이 타당할 것이다). 단, 의뢰인이 평균단가를 산출하도록 요청하는 경우에는 용도지역별 감정평가액(원/m²)을 면적비율에 따른 평균가액으로 결정할 수 있다.

(2) 노선변의 대상(帶狀)의 상업지역의 경우

노선변의 대상(帶狀)의 일반상업지역의 경우 둘 이상 용도지역에 걸친 표준지를 선정하여 용도지역 비중에 따른 요인을 개별요인(행정적 요인)을 보정하여 일괄단가로 평가할 수 있다.

● 건축연면적 산정의 예시(노선상업지역의 경우) [101]

3종일반주거지역(650m²) 용적률 250%(서울시 기준)	일반상업지역(670m²) 용적률 800%(서울시 기준)	⇒	일반상업지역 건축연면적 6,983m² (가중평균용적률 529%)

>> (650 × (250/100) + 670 × (800/100))/1,320 = 529%

3종일반주거지역(670m²)	일반상업지역(650m²)	⇒	3종일반주거지역 건축연면적 6,877m² (가중평균용적률 521%)

>> (670 × (250/100) + 650 × (800/100))/1,320 = 521%

---

100) 토지보상평가지침 제26조(둘 이상의 용도지역에 속한 토지의 감정평가)
101) 감정평가실무기준 해설서(Ⅱ) 보상편, 한국감정평가사협회 등, p.39

3) 주된 용도지역으로 감정평가하는 경우

용도지역을 달리하는 부분의 면적비율이 현저하게 낮아 가치형성에 미치는 영향이 미미하거나 관련 법령에 따라 주된 용도지역을 기준으로 이용할 수 있는 경우에는 주된 용도지역의 가액을 기준으로 감정평가할 수 있다.

5. 도시·군관리계획시설(도로)에 따른 토지의 감정평가

(1) 접한 경우 [102]

해당 공익사업과 직접 관계없이 「국토의 계획 및 이용에 관한 법률」 제32조에 따른 도시·군관리계획에 관한 지형도면이 고시된 도시·군계획시설(도로)에 접한 토지에 대한 감정평가는 그 도시·군계획시설(도로)의 폭·기능·개설시기 등과 대상토지의 위치·형상·이용상황·환경·용도지역 등을 고려한 가액으로 한다.

(2) 저촉된 경우 [103]

도시·군관리계획시설(도로)에 저촉된 토지에 대한 감정평가는 저촉되지 아니한 상태를 기준으로 한다. 다만, 해당 공익사업과 직접 관계없이 지형도면이 고시된 도시·군관리계획시설(도로)에 저촉된 부분과 저촉되지 아니한 부분이 함께 감정평가의뢰된 경우에는 저촉되지 아니한 부분에 대하여는 도시·군관리계획시설(도로)에 접한 토지의 평가를 준용할 수 있다. 이 경우에는 면적비율에 따른 평균가액으로 토지단가를 결정하되 감정평가서에 그 내용을 기재한다.

>> 「국토계획법」 제32조에 의하면 도시·군관리계획의 결정 후 2년 이내에 지형도면을 고시하여야 하며, 동 기간 내에 지형도면의 고시가 없으면 도시·군관리계획의 결정은 실효된다.

>> 「국토계획법」 제85조에 의하면 도시·군관리계획시설의 결정 고시일로부터 3개월 이내에 단계별 집행계획을 수립하여야 하며, 3년 이내에 시행하는 도시·군관리계획사업은 1단계 집행계획에, 3년 이후에 시행하는 도시·군관리계획 사업은 2단계 집행계획에 포함된다.

참고

도시·군관리계획시설(도로)에 저촉 및 접한 토지에 대한 평가방법

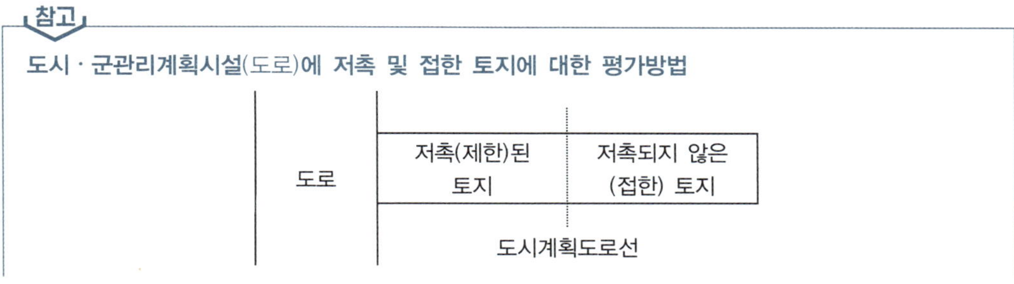

---

102) 토지보상평가지침 제28조(도시·군계획시설(도로)에 접한 토지의 감정평가)
103) 토지보상평가지침 제29조(도시·군계획시설(도로)에 저촉된 토지의 감정평가)

구분	표준지공시지가평가	보상감정평가
저촉(제한)된 토지	① 관련규정 : 기준 제28조 제1항 ② 원칙 : 저촉된 상태를 기준평가 ③ 예외 : 제한정도에 따른 적정한 감가	① 관련규정 : 토보침 제29조 ② 원칙 : 저촉되지 아니한 상태 기준
저촉(제한)되지 아니한 토지 or 접한 토지	① 관련규정 : 기준 제30조 ② 원칙 : 접하지 아니한 상태를 기준 ③ 예외 • 공시기준일 현재 건설공사 중 : 현황도로 • 실시계획고시가 된 경우 : 반영하여 평가할 수 있다.	① 관련규정 : 토보침 제28조 ② 원칙 : 해당 공익사업과 직접 관계없이 도시관리계획에 관한 지형도면이 고시된 도시계획도로에 접한 토지는 계획도로의 폭·기능·개설시기 등을 고려한 가격으로 평가할 수 있다.
저촉된 부분과 저촉되지 아니한 부분이 함께 의뢰된 경우	면적비율에 의한 평균가격	면적비율에 의한 평균가격

6. 정비구역 안 토지의 감정평가 [104]

「도시 및 주거환경정비법」 제8조에 따라 지정된 정비구역 안의 토지에 대한 감정평가는 정비구역의 지정이 해당 구역의 개발·정비를 직접목적으로 하여 가하여진 개별적인 계획제한으로서 그 공법상 제한을 받지 아니한 상태를 기준으로 한다.

7. 「문화유산의 보존 및 활용에 관한 법률」 등에 따른 보호구역 안 토지의 감정평가 [105]

「문화유산의 보존 및 활용에 관한 법률」 제27조에 따른 보호구역 안에 있는 토지를 「문화유산의 보존 및 활용에 관한 법률」 제83조 제1항에 따라 취득 또는 사용하는 경우 및 「자연유산의 보존 및 활용에 관한 법률」 제13조에 따른 보호구역 안에 있는 토지에 대한 감정평가는 그 보호구역의 지정이 해당 문화유산 등의 보존·관리를 직접목적으로 하여 가하여진 개별적인 계획제한으로서 그 공법상 제한을 받지 아니한 상태를 기준으로 한다.

8. 개발제한구역 안 토지의 감정평가 [106][107]

1) 원칙

개발제한구역 안의 토지에 대한 감정평가는 개발제한구역의 지정이 일반적인 계획제한으로서 그 공법상 제한을 받는 상태를 기준으로 한다.

---

104) 토지보상평가지침 제30조(정비구역 안 토지의 감정평가)
105) 토지보상평가지침 제30조의2(「문화유산의 보존 및 활용에 관한 법률」에 따른 보호구역 안 토지의 감정평가)
106) 감정평가실무기준 해설서(Ⅱ) 보상편, 한국감정평가사협회 등, 2014.02, pp.104~108
107) 토지보상평가지침 제31조(개발제한구역 안 토지의 감정평가)

2) 건축물이 없는 토지

⑴ 개발제한구역 지정 당시부터 지목이 "대"인 토지

① 원칙

「개발제한구역특별조치법」 제12조 제1항 단서는 개발제한구역에서도 일정한 경우 특별자치도 지사·시장·군수 또는 구청장의 허가를 받아 그 행위를 할 수 있도록 규정하고 있고, 같은 법 시행령 [별표 1] 제5호 '다'목은 개발제한구역 지정 당시부터 지목이 "대"인 토지에서는 주택을 신축할 수 있도록 규정하고 있다. 이와 같이 주택의 신축이 가능한 경우에도 주택은 「건축법 시행령」 [별표 1] 제1호 '가'목에 따른 단독주택에 한한다.

따라서 이러한 토지는 단독주택부지를 전제로 감정평가한다. 다만, 면적이 60m^2 이하인 경우는 건축이 제한되므로 이를 감안하여 감정평가한다(개발제한구역특별조치법 시행령 [별표 2]).

② 예외

개발제한구역 지정 당시부터 공부상 지목이 "대"인 토지라고 하여도 이축된 건축물이 있었던 토지의 경우에는 개발제한구역 지정 당시부터 그 토지의 소유자와 건축물의 소유자가 다른 경우만 주택의 신축이 가능하다.

또한 「개발제한구역특별조치법 시행령」 [별표 2]는 "도로·상수도 및 하수도가 설치되지 아니한 지역에 대하여는 원칙적으로 건축물의 건축(건축물의 건축을 목적으로 하는 토지형질변경을 포함한다)을 허가하여서는 아니 된다."라고 규정하고 있으므로, 건축이 가능한 "대"인 경우에도 이러한 점을 고려하여야 한다.

③ 구체적인 감정평가기준

해당 토지의 개별적인 상황에 따라 다음과 같이 구분하여 감정평가한다.

㉠ **형질변경이 필요하지 않은 토지** : 토지의 형질변경허가 절차 등의 이행이 필요 없는 대지는 인근지역에 있는 건축물이 없으나 단독주택의 건축이 가능한 표준지공시지가를 기준으로 감정평가한다. 그러나 이러한 표준지공시지가가 인근지역에 없는 경우에는 인근지역에 있는 건축물이 있는 대지의 표준지공시지가를 기준으로 하거나, 동일수급권 안의 유사지역에 있는 건축물이 없으나 단독주택의 건축이 가능한 표준지공시지가를 기준으로 감정평가할 수 있다. 다만, 도로·상수도 및 하수도가 설치되지 아니한 지역에 대하여는 원칙적으로 건축물의 건축이 제한되므로, 건축이 가능한 "대"인 경우에도 이러한 점을 고려한다.

즉, 건축이 가능한 나지를 인근지역에 있는 건축물이 있는 토지의 표준지공시지가를 기준으로 감정평가하거나, 건축물이 있는 대지를 인근지역에 있는 건축이 가능한 나지의 표준지공시지가를 기준으로 감정평가할 때에는 개발제한구역 안에서의 건축물의 규모·높이·건폐율·용적률·용도변경 등의 제한과 토지의 분할 및 형질변경 등의 제한, 그 밖에 인근지역의 유통·공급시설(수도·전기·가스공급설비·통신시설·공동구 등) 등 기반시설(도시·군관리계획시설)의 미비 등에 따른 건축물이 있는 대지와 건축물이 없는 대지의 가격격차율 수준을 조사하고 이를 개별요인의 비교 시에 고려한다. 다만, 주위환경이나 해당 토지의 상황 등에 비추어 인근지역의 건축물이 있는 대지와 건축물이 없는 대지의 가격격차율 수준이 차이가 없다고 인정되는 경우에는 별도로 고려하지 않는다.

ⓒ 농경지 등 다른 용도로 이용되고 있어 토지의 형질변경절차 등의 이행이 필요한 건축물이 없는 대지는 형질변경이 필요하지 않은 토지의 감정평가액에 형질변경 등 대지조성에 통상 필요한 비용 상당액 등을 고려한 가액으로 감정평가한다. 그러나 도로·상수도 및 하수도가 설치되지 아니한 지역에 대하여는 원칙적으로 건축물의 건축이 제한되므로 주위환경이나 해당 토지의 상황 등에 비추어 "대"로 이용되는 것이 사실상 곤란하다고 인정되는 경우에는 현재의 이용상황을 기준으로 감정평가하되, 인근지역 등에 있는 현재의 이용상황과 비슷한 이용상황의 표준지공시지가를 기준으로 한다.

(2) 그 외의 토지

개발제한구역 지정 당시부터 지목이 대인 토지 외의 토지에서는 일반적인 토지이용행위가 제한된다. 다만, 개발제한구역 주민의 주거·생활편익 및 생업을 위한 시설로서 동식물 관련 시설, 농수산물 보관 및 관리 관련 시설, 주민 공동이용시설 등의 건축이 허용되나 이는 일반적인 사항으로 인근지역 토지가격에 반영되어 있으므로 이를 별도로 보정하여서는 안 된다.

3) 건축물이 있는 토지평가

(1) 비슷한 이용상황의 표준지가 있는 경우

개발제한구역 밖에 있는 토지상의 건축물의 경우는 「건축법」 제19조에 따라 건축물의 용도변경이 허용되므로 지상건축물의 용도가 토지가격에 미치는 영향이 크지 않다. 그러나 개발제한구역 내에서의 건축물의 용도변경은 「개발제한구역특별조치법」 제12조 제1항 제8호에 의해 허용되는 경우를 제외하고는 용도변경 자체가 금지되므로, 개발제한구역 내에서는 동일한 건부지라고 하여도 건축물의 용도에 따라 지가도 다르게 형성된다. 따라서 비교표준지의 선정도 건축물의 용도를 기준으로 한 이용상황의 유사성을 기준으로 한다.

(2) 비슷한 이용상황의 표준지가 없는 경우

인근지역에 비슷한 이용상황의 표준지가 없는 경우에는 동일수급권 내의 유사지역에 있는 유사한 이용상황의 표준지를 비교표준지로 선정하고 지역격차가 있다면 지역요인을 보정하며, 동일수급권 내의 유사지역에도 비슷한 이용상황의 표준지가 없는 경우에는 인근지역에 있는 건부지로서 상이한 이용상황을 가지는 표준지를 비교표준지를 선정하고, 인근지역에 건부지의 표준지도 없는 경우에는 인근지역에 있는 건축물이 없는 토지의 표준지를 비교표준지로 선정하여 감정평가할 수 있다. 이 경우 개별요인을 보정한다.

(3) 면적사정

개발제한구역에서 건축이 허용되는 토지 또는 기존 건축물이 있는 토지라고 하여도 건축물의 건축 또는 공작물의 설치에 있어서는 건폐율·용적율·높이 등에 제한이 있으며, 토지의 형질변경에 있어서도 면적에 제한이 있다. 따라서 면적이 인근지역에 있는 "대"의 표준적인 획지면적을 뚜렷하게 초과하거나, 지상건축물 및 부속건축물의 상황과 건폐율 등을 고려할 때 제시면적이 뚜렷이 과다하거나 과소할 경우 사업시행자의 의견조회를 거쳐 건축물이 있는 대지와 건축물이 없는 대지로 구분하여 평가한다.

9. 개발제한구역이 해제된 토지의 감정평가 [108]

개발제한구역 안의 토지가 「개발제한구역의 조정을 위한 도시 · 군관리계획 변경안 수립지침」(국토교통부훈령 제1742호, 2024.4.17.) 제4절 3-4-1 각 호의 사업으로서 관계법령에 따른 공익사업 목적의 개발수요를 충족하기 위하여 이 수립지침에 따른 도시 · 군관리계획의 변경 절차 등을 거쳐 개발제한구역에서 해제된 것임을 명시하여 감정평가 의뢰한 경우 해당 토지에 대한 감정평가는 법 시행규칙 제23조 제2항에 따라 개발제한구역이 해제되기 전의 공법상 제한을 기준으로 한다.

「개발제한구역의 조정을 위한 도시관리계획 변경안 수립지침」 제4절 3-4-1 각 호의 사업은 도시 · 군계획사업과 그 외의 공익사업으로 구분되며, 도시 · 군계획사업의 경우 해당 공익사업으로 인한 GB의 해제가 명백하나, 그 외의 공익사업의 경우는 해당 공익사업으로 인한 GB의 해제가 불명확하다. 따라서 도시 · 군계획사업 외의 사업과 관련하여 GB가 해제된 토지를 감정평가하는 경우에는 해당 공익사업으로 해제된 것임을 명시하여 의뢰한 경우에 한해 GB가 해제되기 전의 상태를 기준으로 감정평가한다.

10. 개발제한구역의 우선해제대상지역 안 토지의 감정평가

1) 개발제한구역의 관리 및 해제

⑴ 환경평가 등급

환경등급을 1등급에서 5등급까지 분류하였다.

⑵ 불합리한 지역(우선해제대상지역)

집단취락 · 경계선관통취락 · 산업단지 · 개발제한구역지정의 고유목적 외의 특수한 목적이 소멸된 지역 · 그 밖에 개발제한구역의 지정 이후에 개발제한구역 안에서 공익사업의 시행 등으로 인한 소규모 단절토지에 해당되는 경우

2) (종전의)[109] 우선해제지침에 의한 우선해제대상지역

⑴ 평가의 일반적 기준

개발제한구역 안의 토지가 우선해제지침에 의한 조정가능대상에 해당하는 지역(우선해제대상지역) 중 다음에 해당하는 경우에는 우선해제가 예상된 것에 따른 정상지가 상승요인을 고려하여 평가한다.

---

108) 토지보상평가지침 제31조의2(개발제한구역이 해제된 토지의 감정평가)

109) 「집단취락 등의 개발제한구역 해제를 위한 도시관리계획 변경(안) 수립지침」(건설교통부 관리51400-1365, 2003.10.09.)이 폐지되고 「개발제한구역 해제를 위한 도시관리계획 변경(안) 수립지침」이 새로이 제정되었으며, 또한 「광역도시계획수립지침」도 폐지됨에 따라 이를 토지보상평가지침에 반영한다.

(2) 우선해제 대상지역의 확인

① 도시관리 계획안의 주요내용을 공고한 경우

② 도시관리 계획안의 주요내용이 수립되었으나 해당 공익사업 시행을 직접 목적으로 하여 개발 제한구역이 해제됨으로써 공고되지 아니한 경우

③ 해당 공익사업 시행을 직접 목적으로 개발제한구역이 해제되지 아니하였을 경우 수립, 공고가 예상되는 경우로 시장 등이 그 내용을 확인하는 경우

(3) 용도지역의 선정

① 원칙

개발제한구역으로서 평가하며, 개발제한구역 내 우선해제대상 표준지를 선정함이 원칙으로 한다.

② 해제가 예상됨에 따른 정상지가 요인을 추가반영해야 할 경우에는 그 밖의 요인으로 반영한다. 단, 상승요인이 이미 반영되어 있거나 표준지가 해제된 상태로 공시된 경우 별도로 반영하지 않는다.

③ 지구단위 계획이 수립된 지역

지구단위 계획이 수립되어 동시조치로 용도지역이 변경되는 경우 이에 의한 영향을 반영한다.

④ 지구단위 계획의 수립이 예상되는 지역

해당 택지개발사업으로 인하여 지구단위계획수립이 되지 않은 경우 지구단위계획이 수립되었 다면 변경되었을 용도지역을 반영하여 평가한다. 세부적인 내용은 시장 등이 지구단위계획이 수립되었다면 변경되었을 용도지역을 확인하여 평가한다.

3) 우선해제대상지역 외의 토지로서 조정가능지역

(1) 조정가능지역의 구분

조정가능지역은 일반조정가능지역, 취락·취락군, 국가정책사업 및 지역현안사업에 필요한 지역의 경우로 구분하고 있으며, 일반조정가능지역 및 취락·취락군은 해당 택지개발사업이 아니더라도 광역도시계획에 의하여 해제가 가능한 지역이나 국가정책사업 및 지역현안사업에 필요한 지역은 해당 공익사업이 아니라면 해제 가능성이 없는 지역이다.

(2) 조정가능지역(일반조정가능지역 및 취락·취락군)의 평가방법

개발제한구역은 일반적 제한으로써 개발제한구역의 표준지를 선정하되, 개발제한구역 해제에 따른 정상지가 상승분을 반영한다(환경평가 결과 보존가치가 낮아 해당 택지개발사업이 아니더라도 광역도시계획에 의하여 해제가 가능한 토지). 정상지가 상승분은 향후 개발제한구역이 해제될 때까지의 지가상승분을 현가화하여 활용한다.

다만, 비교표준지공시지가에 이와 같은 정상지가 상승요인이 반영되어 있는 경우에는 추가적으로 이를 반영해서는 안 될 것이다.

(3) **조정가능지역**(국가정책사업 및 지역현안사업)**의 평가방법**

위 사유로 조정가능지역으로 설정된 지역은 해당 공익사업이 아니라면 개발제한구역이 해제될 수 없는 지역이므로 해제가능성에 따른 지가상승요인은 있을 수 없고 따라서 이를 반영해서도 아니 된다.

제4절　토지보상감정평가(특수상황하의 보상감정평가)

01　특수토지에 대한 감정평가

1. 미지급용지의 감정평가 [110]

> **토지보상법 시행규칙 제25조**(미지급용지의 평가)
>
> ① 종전에 시행된 공익사업의 부지로서 보상금이 지급되지 아니한 토지(이하 이 조에서 "미지급용지"라 한다)에 대하여는 종전의 공익사업에 편입될 당시의 이용상황을 상정하여 평가한다. 다만, 종전의 공익사업에 편입될 당시의 이용상황을 알 수 없는 경우에는 편입될 당시의 지목과 인근토지의 이용상황 등을 참작하여 평가한다.
> ② 사업시행자는 제1항의 규정에 의한 미지급용지의 평가를 의뢰하는 때에는 제16조 제1항의 규정에 의한 보상평가의뢰서에 미지급용지임을 표시하여야 한다.

1) 개념

미지급용지란 종전에 시행된 공익사업의 부지로서 보상금이 지급되지 아니한 토지를 말한다.[111] 공익사업에 편입된 토지는 해당 공익사업의 준공 이전에 협의 또는 수용의 절차에 의해 취득되어야 하나, 불가피한 사유로 취득하지 못한 경우에는 준공 이후라도 해당 공익사업의 시행자가 적법한 절차를 거쳐 취득하는 것이 원칙이다.

그러나 새로운 공익사업지구 안에 소재하는 도로 등과 같은 종전의 공익사업의 부지 중 보상이 완료되지 않은 사유지가 있을 수 있는데, 이를 미지급용지라고 한다. 그러므로 미지급용지는 같은 토지에 대하여 둘 이상의 공익사업이 시행되고, 새로운 공익사업이 시행되기까지 종전에 시행된 공익사업에 의하여 보상금이 지급되지 아니한 토지를 말한다.[112] 즉, 준공된 공익사업지구 내에 소재하는 보상이 되지 않은 토지를 미지급용지라고 하는 것이 아니라, 그 토지가 다른 공익사업에 편입되어 보상의 대상이 될 때 이를 미지급용지라고 한다.

---

110) 감정평가실무기준 해설서(Ⅱ) 보상편, 한국감정평가사협회 등, 2014.02, pp.136~144
111) 동일한 공익사업에서는 미지급용지의 평가규정이 적용되지 아니한다(부당이득을 다툴 수 있음). 따라서 현황이 소유자에게 유리하게 변경되었다고 하더라도 현황을 기준으로 평가할 수 없고 종전의 이용상황을 기준으로 평가하여야 한다(해당 공익사업으로 인한 가격변동에 해당됨). 한편, 미지급용지에 대해서는 시효취득이 성립되지 않는다(대판(전) 1997.8.21, 95다28625).
112) 대판 2009.3.26, 2008두22129 참조

2) 구체적인 감정평가방법

(1) 평가의 원칙

① 종전의 공익사업에 편입될 당시의 이용상황 등 감정평가 원칙

이용상황은 편입 당시를 기준으로 한다. "종전의 공익사업에 편입될 당시의 이용상황"을 상정하는 때에는 편입 당시의 지목·실제용도·지형·지세·면적 등의 개별요인을 고려하여야 하며, 가격시점은 계약체결 당시를 기준으로 하고 공법상 제한이나 주위환경, 그 밖에 공공시설 등과의 접근성 등은 종전의 공익사업(그 미지급용지가 새로운 공익사업에 편입되는 경우에는 그 사업을 포함한다)의 시행을 직접 목적으로 하거나 해당 공익사업의 시행에 따른 절차 등으로 변경 또는 변동이 된 경우를 제외하고는 가격시점 당시를 기준으로 한다.

② 용도지역 등의 적용

용도지역 등은 원칙적으로 기준시점의 용도지역 등에 따라 감정평가한다.

㉠ 종전 또는 해당 공익사업으로 인한 용도지역 등의 변경 : 기준시점에서의 용도지역 등이 종전의 공익사업 또는 새로운 공익사업의 시행을 직접 목적으로 하거나 그 시행의 절차에 의해 변경된 경우에는 종전 용도지역 등을 기준으로 한다.

㉡ 종전 또는 해당 공익사업과 관계없이 변경된 경우 : 용도지역 등이 종전 또는 새로운 공익사업과 관계없이 변경된 경우에는 기준시점에서의 용도지역 등을 기준으로 감정평가한다. 이 경우 용도지역 등이 종전 공익사업에 편입될 당시에 비하여 나쁘게 변경되었을 경우에도 기준시점 당시의 용도지역 등을 기준으로 보상한다면, 종전 공익사업에서 보상을 시행하지 않은 위법행위로 인한 토지가격의 하락을 오히려 토지소유자에게 전가하게 된다는 문제점이 있다. 그러나 보상은 대상이 되는 권리가 소멸할 때를 기준으로 산정하며, 미지급용지의 경우 이용상황만을 소급하도록 규정하고 있으므로, 이러한 경우에도 용도지역 등은 기준시점 당시를 기준으로 한다.[113]

㉢ 미지급용지 외 인근지역의 용도지역 등이 변경된 경우 : 미지급용지 인근지역의 용도지역 등이 종전 또는 새로운 공익사업과 관계없이 변경되었고, 미지급용지가 종전의 공익사업에 편입되지 않았다면, 인근지역의 용도지역 등과 같이 변경되었을 것으로 추정되는 경우에도 이러한 변경은 고려하지 않는다. 이 역시 보상은 대상이 되는 권리가 소멸할 때를 기준으로 산정하며, 미지급용지의 경우 이용상황만을 소급하도록 규정하고 있으므로, 인근지역의 용도지역 등의 변경은 미지급용지의 감정평가에서 고려하지 않는다.

(2) 개발이익의 배제(종전 및 해당 공익사업으로 인한 가치변동의 배제)

미지급용지의 보상금에는 종전 및 해당 공익사업으로 인한 가치변동 모두가 배제되어야 한다. 미지급용지는 종전 공익사업에서 보상하여야 함에도 보상이 이루어지지 않은 토지를 보상하는 것이므로,

---

113) 이 경우 현행 「토지보상법」 체계상 손실보상의 방법으로 해결되지 않는 부분이 존재한다. 이 부분은 손해배상청구소송 또는 부당이득반환청구소송 등의 방법으로 해결할 수 있을 것으로 보이나, 현실적으로 매우 어려운 문제이다. 따라서 손실보상의 방법으로 이 문제를 해결할 필요가 있다면 입법적인 해결방안이 마련되어야 할 것이다.

종전 공익사업으로 인한 가치의 변동도 보상금에 반영하여서는 안 된다. 따라서 미지급용지의 비교표준지는 종전 및 해당 공익사업의 시행에 따른 가치의 변동이 포함되지 않은 표준지를 선정한다.

(3) 편입 당시 이용상황에 대한 판단이 어려운 경우

종전의 공익사업에 편입될 당시의 이용상황을 알 수 없는 경우에는 편입될 당시의 지목과 인근토지의 이용상황 등을 참작하여 판단한다. 이는 편입 당시의 대상토지의 공부상 지목과 유사한 인근토지의 기준시점에서의 현실적 이용상황을 참작하여 판단한다는 의미이다.

(4) 편입될 당시의 이용상황과 유사한 표준지가 없어 인근지역의 표준적인 이용상황의 공시지가 표준지를 비교표준지로 선정한 경우(인근지역의 표준적인 이용상황이 변경된 경우)

「토지보상법」 제67조 제1항은 보상액의 산정은 협의 성립 당시 또는 재결 당시의 가격을 기준으로 하도록 하여 시가보상의 원칙을 규정하고 있으므로, 종전 공익사업의 편입시점과 새로운 공익사업의 기준시점 사이에 인근지역의 표준적인 이용상황이 변경되었고, 대상토지도 공익사업에 편입되지 않았다면 현실적인 이용상황이 변경되었을 것이 객관적으로 명백한 경우에 미지급용지의 이용상황은 기준시점에서의 인근토지의 표준적인 이용상황을 기준으로 판단한다. 따라서 종전 공익사업의 편입 당시의 미지급용지의 현실적인 이용상황이 농경지이며 인근지역의 표준적인 이용상황도 농경지였으나, 새로운 공익사업의 기준시점 사이에 인근지역의 표준적인 이용상황이 주택지로 변경된 경우 미지급용지의 이용상황은 주택지로 본다. 다만, 그 형질변경 등에 소요되는 비용 등을 고려할 수 있다.

대법원은 도로에 편입된 이후 대상토지의 위치나 주위 토지의 개발 및 이용상황 등에 비추어 도로가 개설되지 아니하였더라도 대상토지의 현실적 이용상황이 주위 토지와 같이 변경되었을 것임이 객관적으로 명백하게 된 때에는, 그 이후부터는 그 변경된 이용상황을 상정하여 토지의 가격을 감정평가하여야 하는 것이 타당하다고 판시하고 있다(대판 2002.10.25, 2002다31483 참조).

(5) 적법한 절차에 의하지 않은 상태에서 취득된 후 현재의 이용상황이 편입 당시의 이용상황보다 유리한 경우

대법원은 공공사업의 시행자가 적법한 절차를 취하지 아니하여 아직 공공사업의 부지로 취득하지도 못한 단계에서 공공사업을 시행하여 토지의 현실적인 이용상황을 변경시킴으로써 오히려 토지의 거래가격이 상승된 경우까지 미지급용지의 개념에 포함되는 것은 아니라고 판시하였다(대판 1992.11.10, 92누4833 참조). 따라서 이러한 상황에서는 가격시점 당시의 현실적인 이용상황에 따라 감정평가를 해야 할 것이다.

(6) 미지급용지 판단 시의 유의사항

① 사실상 취득한 경우

국가가 과거 도로사업 등 공익사업을 하면서 토지소유자에게 보상을 하거나 기부채납을 받고도 소유권 이전등기를 하지 않아 지금까지 개인 소유로 등기되어 있는 토지가 있다. 따라서 ⅰ) 취득시기가 비슷한 국·공유지가 여러 필지가 있으나 일부 필지만 개인소유로 남아 있는 경우,

ii) 사업시행 당시 소유자의 거소가 분명했던 경우, iii) 등기명의인이 사망하여 상속인이 토지역사를 잘 모르는 경우(조상 땅 찾기 운동 등으로 우연히 발견한 재산 등), iv) 사업지구 편입을 위해 사업당시 지적 분할을 한 경우, ⅴ) 기타 보상금을 지급하였을 개연성이 많은 경우 등과 같이 현재 관련서류를 찾지 못할 뿐 과거에 보상금이 지급되었을 것으로 보여지는 경우에는 미지급용지가 아닐 개연성이 크다.

대법원에서도 "지방자치단체나 국가가 취득시효의 완성을 주장하는 토지의 취득절차에 관한 서류를 제출하지 못하고 있다 하더라도 그 점유의 경위와 용도 등을 감안할 때 국가나 지방자치단체가 점유개시 당시 공공용 재산의 취득절차를 거쳐서 소유권을 적법하게 취득하였을 가능성도 배제할 수 없다고 보이는 경우에는 국가나 지방자치단체가 소유권취득의 법률요건이 없이 그러한 사정을 잘 알면서 무단 점유한 것이 입증되었다고 보기 어려우므로 자주점유의 추정은 깨어지지 않는다."라고 판시하고 있다(대판 2010.8.19, 2010다33866).

② 사업시행기간 이내인 경우

사업시행자가 사유 토지를 협의로 취득한 후 또는 국·공유지를 무상양여의 절차에 따라 취득한 후 소송 등에 의해 소유자가 변경됨으로 인하여 다시 취득하는 경우(재결에 의한 취득은 원시취득이므로 이러한 경우가 발생하지 않는다)로서 해당 공익사업시행기간 이내에 재취득하는 경우에는 설사 기준시점 당시 해당 토지를 공익사업용지로 사용하고 있다고 하여도 미지급용지가 아니므로 미지급용지의 규정을 적용하여 보상하여서는 안 된다. 따라서 이러한 경우 현실적인 이용상황은 토지조서 작성 시를 기준으로 하며, 현재의 이용상황을 기준으로 감정평가하는 것이 유리한 경우에도 이를 기준으로 하여서는 안 된다.

⑺ 기타사항

① 보상의무자

미지급용지는 종전에 시행된 공익사업용지로 그때 보상금이 지급되었어야 함에도, 새로운 공익사업이 시행될 때까지 보상금이 지급되지 아니한 토지이기 때문에, 원론적인 보상의무자는 종전 공익사업의 사업시행자가 되어야 한다. 그러나 미지급용지에 대하여 종전 사업시행자가 보상을 하도록 하면 새로운 사업시행자는 또다시 종전 사업시행자에게 보상하여야 하므로, 이에 따른 행정력 낭비와 사업지연 등의 문제가 있기 때문에 보상금이 지급되지 아니한 토지에 대한 보상주체는 새로운 사업시행자로 한다(2011.11.18, 토지정책과-5480 참조).

② 사유의 미지급용지는 시효취득의 대상이 아니다.[114]

③ 공도 안에 있는 사유토지가 미지급용지로 평가 의뢰된 경우

공도 안에 있는 사유토지가 미지급용지로 감정평가 의뢰된 경우에는 의뢰인에게 그 토지가 도로로 편입 당시 이전부터 법 시행규칙 제26조 제2항에서 규정한 '사실상의 사도' 등으로 이

---

114) 20년간 소유의 의사로 평온·공연하게 점유하는 자는 등기함으로써 그 소유권을 취득한다(민법 제245조 제1항). 그러나 미지급용지에 대하여서는 국가나 지방자치단체가 20년 이상 공익사업부지로서 점유를 하고 있다고 하여도 점유를 시작할 당시 그 토지가 타인의 소유라는 사실을 잘 알고 있었다고 보아(타주점유) 시효취득을 인정하지 않는다(대판(전) 1997.8.21, 95다28625 참조).

용되었는지 여부 등을 조회한 후 그 제시된 의견에 따라 감정평가한다. 이 경우 의견의 제시가 없는 때에는 객관적인 판단기준에 따라 감정평가하고 그 내용을 감정평가서에 기재한다.

④ 종전의 예정공도[115]에 대한 규정은 미지급용지에 준하여 평가하도록 하고 있었지만 현행은 개설경위의 공공성이 있는 경우에 한하여 공도부지의 평가를 준용하여 평가하고 있다.

⑻ 미지급용지 사용료 평가(부당이득금)

미지급용지는 종전 공익사업의 시행시점에서부터 새로운 공익사업의 기준시점까지 사이에 종전 사업시행자가 이를 사용하였다고 보아야 하므로, 동 기간 동안의 사용에 대해 이를 「토지보상법」의 사용으로 보아 보상할 수 있는지의 문제이다. 그러나 「토지보상법」에서 규정하고 있는 사용에 대한 보상조항은 공익사업을 위하여 토지 등의 취득을 요하지 않고 사용하는 것으로 충분한 경우에 적용하는 것이지, 사업시행자가 토지를 권원 없이 사용한 경우에 적용하는 것은 아니다. 이와 같이 사업시행자가 토지를 권원 없이 사용하는 경우는 위법한 침해에 해당되는 것이므로, 부당이득반환 등 손해배상으로 처리하여야 하며 손실보상으로 처리할 수는 없다.

이 경우 미지급용지의 사용료는 적산법으로 평가하되, 관련 법률[116]에 의거 미지급용지의 사용료에 대한 소멸시효는 5년이므로 사용료의 최대기간은 5년이 된다.

$$적산임대료 = 기초가격 \times 기대이율^{117)} + 필요제경비$$

⁍ 예시(부당이득금 산정기간 : 2021.5.23.～2026.5.22.)

기간	일수	기초가액 (원/m²)	면적	기초가액 (총액)	기대이율	필요 제경비	실질임대료 (원)
2021.5.23.～2021.12.31.	223	100,000	100	10,000,000	3.0%	–	183,288
2022.1.1.～2022.12.31.	365	105,000	100	10,500,000	3.0%	–	315,000
2023.1.1.～2023.12.31.	365	110,000	100	11,000,000	3.0%	–	330,000
2024.1.1.～2024.12.31.	366	115,000	100	11,500,000	3.0%	–	345,000
2025.1.1.～2025.12.31.	365	120,000	100	12,000,000	3.0%	–	360,000
2026.1.1.～2026.5.22.	143	125,000	100	12,500,000	3.0%	–	146,516

---

115) 예정공도 중 미지급용지에 대해서만 미지급용지의 규정을 준용하며, 일반적인 예정공도의 경우 "공도의 평가" 규정을 준용하여 평가함에 유의한다.

116) 국유재산법 제73조의3, 공유재산 및 물품 관리법 제97조, 지방재정법 제82조

117) 토지의 임대료를 산정하기 위한 임대료율(기대이율)은 국공채이율, 은행의 장기대출금리, 일반 시중의 금리, 정상적인 부동산 거래 이윤율, 국유재산법과 지방재정법이 정하는 대부료율 등을 고려하여 결정한다(대판 1997.3.14, 96다55716).

3) 미보상토지를 시설물의 관리청이 취득하는 경우

(1) 미보상토지의 개념

준공된 공익사업시행지구 내에 소재하는 보상이 되지 않은 토지를 미보상토지라고 한다. 즉, 미보상토지는 준공된 공익사업시행지구 내에 소재하나 미지급용지와는 달리 다른 공익사업에 편입되지 않은 토지를 말한다.

(2) 미보상토지에 대한 「토지보상법」상의 사업인정 가능 여부

공익사업이 완료된 이후 종전의 공익사업을 위하여 사용되고 있는 미보상토지에 대한 매수협의가 이루어지지 않음을 이유로 실제로 공익사업을 수행하지 아니하면서 그 토지의 소유권만을 취득하기 위한 사업인정은 원칙적으로 허용되지 않는다(법제처 11-0073, 2011.4.7).

그 이유는 「토지보상법」 제28조 제1항에서 재결의 신청은 사업인정고시일로부터 1년 이내에 신청할 수 있도록 하여 그 수용절차 개시의 시간적인 범위를 제한하고 있는 것은 수용을 둘러싼 법률관계의 조속한 확정을 바라는 토지소유자 및 관계인의 이익을 보호하도록 하는 데 있다(대판 1997. 10.24, 97다31175 참조). 만약 공익사업이 완료된 이후에 공익사업부지 중 매입되지 아니한 토지에 대해 매수협의가 이루어지지 않는다고 하여 그 토지의 소유권만을 취득하기 위한 목적으로 공익사업의 실제 수행 없이 공용수용절차 개시를 위한 사업인정을 받을 수 있다고 한다면, 종전의 공익사업을 위한 사업시행자의 수용재결 신청기간을 공익사업이 완료된 이후까지 연장시키는 결과를 초래하므로, 사업시행자가 수용재결을 신청할 수 있는 기간을 제한한 「토지보상법」 제28조 제1항의 취지에 어긋날 수 있기 때문이다.

(3) 미보상토지의 보상감정평가방법

미보상토지에 대하여 그 공익시설의 관리청 등으로부터 보상금의 지급을 목적으로 감정평가 의뢰가 있는 경우에도 미지급용지의 감정평가기준을 적용하여 감정평가할 수 있다. 이는 미보상 토지를 종전의 사업시행자 또는 관리청이 보상하는 경우와 미보상토지가 새로운 공익사업에 편입되어 미지급용지로 보상하는 경우와 형평을 맞추기 위해서이다.

기 본예제

아래 토지에 대한 각 경우의 보상감정평가액을 결정하되, 토지단가는 반올림하여 천원 단위까지 결정한다(가격시점 : 2027년 7월 1일).

01 미지급용지인 경우의 감정평가액(의뢰인 : ○○도시개발사업조합)

>> 도시개발사업의 사업인정일은 2025년 6월 1일임.

02 미보상토지인 경우의 감정평가액(의뢰인 : ◇◇시청)

>> 이 경우 도시개발사업의 시행은 없는 것으로 본다.

자료 1 대상토지의 내역

소재지 등	용도지역	면적	지목	실제이용상황
S동 100-1	자연녹지지역	100m²	전	도로

자료 2

해당 토지는 종전에 시행된 도로사업에 의하여 보상을 받지 못한 토지이다.

자료 3 해당 토지의 지적사항

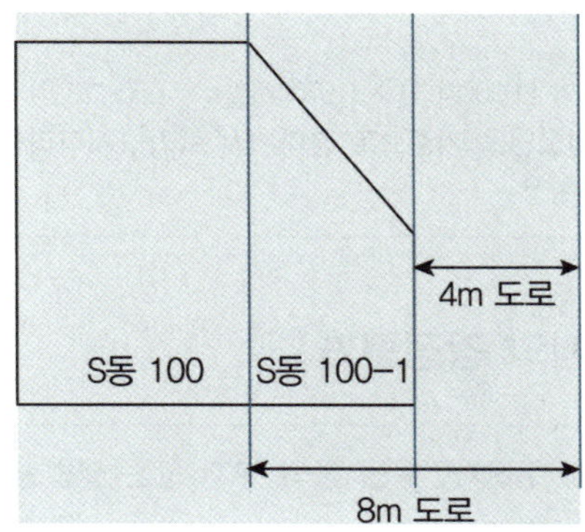

》》 종전의 도로사업에 의하여 S동 100번지로부터 직권으로 분할되었으며, S동 100번지의 지목은 전이다.

자료 4 인근지역의 표준지공시지가 목록

연번	소재지	용도지역	지목	도로조건	형상	공시지가(원/m²)	
						2025년	2027년
A	S동 200	자연녹지	전	세로(가)	가장형	350,000	400,000
B	S동 300	계획관리	전	세로(가)	가장형	280,000	310,000

》》 그 밖의 요인 비교치는 공시지가와 관계 없이 50%를 증액보정한다.

자료 5 지가변동률(생산자물가지수 적용은 생략한다.)

구분	녹지지역	계획관리
2025.01.01. ~ 2027.07.01.	5.462%	4.599%
2027.01.01. ~ 2027.07.01.	1.071%	0.856%

자료 6 개별요인 평점 등

- 소로한면(100), 세로(가)(95)
- 가장형(100), 사다리형(95)
- 도시개발사업으로 인하여 종전의 계획관리지역에서 자연녹지지역으로 변경된 것을 가정한다.

(물음 2의 경우 도시개발사업에 관계 없이 용도지역이 변경됨)

예시답안

Ⅰ. 미지급용지의 경우

  1. 비교표준지 선택

    사업인정일 이전 2025년 공시지가를 선정한다. 해당 사업으로 인한 용도지역의 변경은 반영하지 않으며 (계획관리지역), 편입 당시의 이용상황인 전을 기준으로 평가하여, 표준지 B를 선정한다.

  2. 감정평가액 결정

    $280,000 \times 1.04599(시점) \times 1.000(지역) \times 0.950(개별^*) \times 1.50(그\ 밖) ≒ 417,000원/m^2(\times 100 = 41,700,000원)$

    * 개별요인 : 종전의 개별요인을 기준으로 한다. (세로(가), 사다리형)

    ∴ $1.00(도로) \times 95/100(형상)$

Ⅱ. 미보상용지의 경우

1. 비교표준지 선택

최근의 공시지가인 2027년 공시지가를 선정한다. 현 용도지역인 자연녹지지역을 기준하며, 미지급용지의
평가를 준용하여 편입 당시의 이용상황인 전을 기준으로 표준지 A를 선정한다.

2. 감정평가액 결정

400,000 × 1.01071(시점) × 1.000(지역) × 0.950(개별) × 1.50(그 밖) ≒ 576,000원/㎡(× 100 = 57,600,000원)

* 개별요인 : 종전의 개별요인을 기준으로 한다. (세로(가), 사다리형)

∴ 1.00(도로) × 95/100(형상)

---

2. 무허가건축물 등의 부지의 감정평가 [118]

> **토지보상법 시행규칙 제24조**(무허가건축물 등의 부지 또는 불법형질변경된 토지의 평가)
>
> 「건축법」 등 관계법령에 의하여 허가를 받거나 신고를 하고 건축 또는 용도변경을 하여야 하는 건축물을 허가를
> 받지 아니하거나 신고를 하지 아니하고 건축 또는 용도변경한 건축물(이하 "무허가건축물 등"이라 한다)의 부지
> 또는 「국토의 계획 및 이용에 관한 법률」 등 관계법령에 의하여 허가를 받거나 신고를 하고 형질변경을 하여야
> 하는 토지를 허가를 받지 아니하거나 신고를 하지 아니하고 형질변경한 토지(이하 "불법형질변경토지"라 한다)에
> 대하여는 무허가건축물 등이 건축 또는 용도변경될 당시 또는 토지가 형질변경될 당시의 이용상황을 상정하여
> 평가한다.

1) 판단기준

(1) 무허가건축물 등

① 무허가건축물 등의 개념

무허가건축물 등이란 「건축법」 등 관련 법령에 의하여 허가를 받거나 신고를 하고 건축 또는
용도변경을 하여야 하는 건축물을 허가를 받지 아니하거나 신고를 하지 아니하고 건축 또는
용도변경한 건축물을 말한다(토지보상법 시행규칙 제24조). 따라서 처음부터 허가를 받거나 신
고를 하고 건축할 필요가 없어 그러한 허가나 신고 없이 건축한 건축물 등은 여기에 포함되지
아니한다. 그리고 건축 당시에는 허가받거나 신고하고 건축하여야 하는 건축물을 허가나 신고
없이 건축한 건축물로 무허가건축물 등에 해당되었으나, 기준시점에는 양성화조치에 따라 허가
받거나 신고하고 건축한 것과 같이 된 건축물 등도 무허가건축물 등에 포함되지 않는다.

② 허가 또는 신고

㉠ 관련법령에 따른 허가 또는 신고 : 「건축법」 제11조는 건축허가를, 「건축법」 제14조는 건
축신고를 규정하고 있다. 그리고 「건축법」 제22조는 건축물의 사용승인에 대하여 규정하
면서 같은 조 제3항에서는 건축주는 사용승인을 받은 후가 아니면 건축물을 사용하거나
사용하게 할 수 없도록 규정하고 있다. 따라서 관련법령에 의하여 허가 또는 신고에 건축
물의 사용승인이 포함되는지가 문제이다.

---

118) 감정평가실무기준 해설서(Ⅱ) 보상편, 한국감정평가사협회 등, 2014.02, pp.112~120

이에 대해 대법원은 "무허가건축물 또는 무신고건축물의 경우를 이주대책대상에서 제외하고 있을 뿐 사용승인을 받지 않은 건축물에 대하여는 아무런 규정을 두고 있지 않은 점, 건축법은 무허가건축물 또는 무신고건축물과 사용승인을 받지 않은 건축물을 요건과 효과 등에서 구별하고 있고, 허가와 사용승인은 법적 성질이 다른 점 등의 사정을 고려하여 볼 때, 건축허가를 받아 건축되었으나 사용승인을 받지 못한 건축물의 소유자는 그 건축물이 건축허가와 전혀 다르게 건축되어 실질적으로는 건축허가를 받은 것으로 볼 수 없는 경우가 아니라면 구 공익사업법 시행령 제40조 제3항 제1호에서 정한 무허가건축물의 소유자에 해당하지 않는다는 이유로 갑을 이주대책대상자에서 제외한 위 처분이 위법하다."고 판시하고 있다(대판 2013.8.23, 2012두24900).

따라서 그 건축물이 건축허가와 전혀 다르게 건축되어 실질적으로는 건축허가를 받은 것으로 볼 수 없는 경우가 아니라면 허가 또는 신고의 요건에는 사용승인이 포함되지 않는다고 봄이 타당하다.

ⓛ **해당 공익사업으로 인하여 사용승인을 받지 못한 경우**: 사용승인을 받지 못한 사유가 해당 공익사업으로 인한 경우에는 「토지보상법」 제67조 제2항의 규정에 따른 "해당 공익사업으로 인하여 토지 등의 가격에 변동이 있는 때"에 해당하므로 무허가건축물 등으로 보지 않는다.

ⓒ **사용승인 시점**: 사소한 하자로 인하여 사용승인을 받지 못하였으나 사후에 이를 치유하여 사용승인을 받을 수 있는 경우까지도 무허가건축물 등으로 보고 그 토지 전체를 대지로 인정하지 않는다는 것은 국민의 정당한 재산권을 과도하게 침해하는 것으로서 타당하지 않다. 또한 대법원도 보상의 대상이 되는 권리가 소멸한 때의 현황을 기준으로 보상액을 산정하는 것이 보상에 관한 일반적인 법리에 부합한다고 판시하고 있는 점(대판 2001.9.25, 2001다 30445 참조) 등을 고려하면, 토지조서 작성시점에는 무허가건축물 등의 부지에 해당하였으나 기준시점까지 하자를 치유하여 사용승인을 받았다면 무허가건축물 등으로 보지 않는다.

③ **불법용도변경 건축물**

㉠ **불법용도변경 건축물의 판단**: 불법용도변경 건축물이 무허가건축물 등에 포함된 것은 2012.1.2. 「토지보상법 시행규칙」 개정에서부터이다. 부칙 제2조에서 제24조의 개정규정은 이 규칙 시행 후 최초로 보상계획을 공고하거나 토지소유자 및 관계인에게 보상계획을 통지하는 공익사업부터 적용하도록 규정하고 있으므로, 2012.1.2. 이전에 보상계획을 공고하거나 토지소유자 및 관계인에게 보상계획을 통지한 공익사업에서는 불법용도변경 건축물은 무허가건축물 등에 포함되지 않는다.

ⓒ **허가 또는 신고를 요하지 않는 용도변경**: 건물의 용도변경은 「건축법」 제19조에 따라 특별자치시장·특별자치도지사 또는 시장·군수·구청장의 허가 또는 신고를 필요로 한다. 「건축법」에서는 건물을 9가지 시설군으로 구분하고 있으며, 각 시설군을 세부용도로 분류하고 있다. 세부용도는 다시 용도별 종류로 구분된다(건축법 시행령 제14조 관련 [별표 1]).

시설군	세부용도
1. 자동차 관련 시설군	자동차 관련 시설
2. 산업 등 시설군	가. 운수시설 나. 창고시설 다. 공장 라. 위험물 저장 및 처리시설 마. 자원순환 관련 시설 바. 묘지 관련 시설 사. 장례시설
3. 전기통신시설군	가. 방송통신 시설 나. 발전시설
4. 문화 및 집회시설군	가. 문화 및 집회시설 나. 종교시설 다. 위락시설 라. 관광휴게 시설
5. 영업시설군	가. 판매시설 나. 운동시설 다. 숙박시설 라. 제2종 근린생활시설 중 다중생활시설
6. 교육 및 복지시설군	가. 의료시설 나. 교육연구 시설 다. 노유자시설(老幼者施設) 라. 수련시설 마. 야영장 시설
7. 근린생활시설군	가. 제1종 근린생활 시설 나. 제2종 근린생활시설(다중생활시설은 제외한다)
8. 주거업무시설군	가. 단독주택 나. 공동주택 다. 업무시설 라. 교정시설 마. 국방·군사시설
9. 그 밖의 시설군	가. 동물 및 식물 관련 시설 나. 삭제 <2010.12.13.>

시설군 간의 용도변경 시 허가 또는 신고를 의무화하고 있으며, 동일 시설군 내의 용도변경(세부용도 간 용도변경)은 특별자치시장·특별자치도지사 또는 시장·군수·구청장에게 건축물대장 기재내용의 변경신청으로 완료된다.

다만, 동일 시설군 내의 용도변경(세부용도 간 용도변경) 시 「건축법 시행령」 제14조 제4항에서는 허가 또는 신고를 요하지 않을 뿐만 아니라, 건축물대장 기재내용 변경신청도 필요로 하지 않는 용도변경을 규정하고 있어 주의가 필요하다.

(2) 경과조치 [119]

1989년 1월 24일 당시의 무허가건축물 등은 보상을 함에 있어 이를 적법한 건축물로 본다(토지보상법 시행규칙 부칙 제5조 제1항). 따라서 무허가건축물 등은 1989년 1월 24일 이후에 건축된 무허가건축물 등에 한한다. 여기서 1989년 1월 24일은 종전의 「공공용지의 취득 및 손실보상에 관한 특례법 시행규칙」 제6조 제6항을 신설하여 무허가건축물 등의 부지에 대하여 현실적인 이용상황기준 감정평가의 예외를 규정한 기준일이다.

(3) 불법형질변경토지와의 구별

무허가건축물 등의 부지에 대한 평가규정과 불법형질변경토지를 구분하여야 하는데 그 판단은 지상건축물의 존재 여부에 따라 결정한다. 이때 유의할 것은 무허가건축물 등의 부지에 관한 평가규정이 적용되는 한 불법형질변경토지에 관한 평가규정이 적용될 여지가 없다는 것이다.

2) 무허가건축물 부지의 감정평가기준

(1) 1989년 1월 24일 이전 건축된 무허가건축물 등

1989년 1월 24일 개정 종전의 공특법 시행규칙 시행(건설부령 제444호) 당시의 무허가건축물 등의 부지에 대한 평가는 가격시점 당시의 현실적인 이용상황을 기준으로 한다.

> **Check Point!**
>
> ▶ **개발제한구역 안의 1989년 1월 24일 당시의 무허가건축물**
>
> 개발제한구역에서의 건축행위의 금지는 절대적 금지에 해당되므로 개발제한구역 지정일로부터 1989년 1월 24일 사이에 개발제한구역 내에서의 건축된 무허가건축물 등에 대해서도 기준시점에서의 현실적인 이용상황을 기준으로 감정평가하는지가 문제이다. 「토지보상법」에서 이에 대해 다른 규정을 두고 있지 않으므로, 개발제한구역 지정일로부터 1989년 1월 24일 사이에 개발제한구역 내에서의 건축된 무허가건축물 등의 부지도 현실적인 이용상황을 기준으로 감정평가한다.

(2) 1989년 1월 24일 이후 건축된 무허가건축물 등

무허가건축물 등의 부지를 현실적인 이용상황을 기준으로 감정평가할 경우 위법행위가 합법화되어 현저히 공정성을 잃은 불합리한 보상이 될 가능성이 있으므로, 해당 토지에 무허가건축물 등이 건축될 당시의 이용상황을 상정하여 감정평가한다.

(3) 1989년 1월 24일 이전 건축된 무허가건축물 부지의 면적산정방법

① 일반기준

1989년 1월 24일 이전 건축된 무허가건축물 부지의 면적에 대하여는 법령에 별도로 규정한 바는 없으나, 대법원에서는 "무허가건물 등의 부지"라 함은 해당 무허가건물 등의 용도·규모 등 제반여건과 현실적인 이용상황을 감안하여 무허가건물 등의 사용·수익에 필요한 범위 내

---

119) 토지보상법 시행규칙 부칙(건설교통부령 제344호, 2002.3.31.) 제5조

의 토지와 무허가건물 등의 용도에 따라 불가분적으로 사용되는 범위의 토지를 의미한다고 판시한 바 있다.[120]

현황측량결과에 의거 사업시행자가 대지로서 인정한 해당 면적이 확인되는 경우에 이를 대지로 보고 평가·보상함이 타당하다 할 것이다.[121]

② **대지 면적사정의 제한** [122]

적법한 건축물로 보는 무허가건축물 등에 대한 보상을 하는 경우 해당 무허가건축물 등의 부지 면적은 「국토의 계획 및 이용에 관한 법률」 제77조에 따른 건폐율을 적용하여 산정한 면적을 초과할 수 없다.[123][124][125]

(4) 지목감가

무허가건축물 등의 부지를 가격시점 당시의 현실적인 이용상황을 기준으로 평가하는 경우에 있어서 그 토지가 「농지법」 제38조에 따른 농지보전부담금이나 「산지관리법」 제19조에 따른 대체산림자원조성비의 부과대상이 되는 경우에는 이를 개별요인의 비교 시에 고려하여 평가할지 문제이다. 주거지대 내 답의 경우 통상적으로 표준지인 '대지'에 비하여 지반이 약하기 때문에 성토 등 지반공사가 필요하므로 대지로 지목변경할 경우 개발부담금이 부과될 수도 있으며 농지보전부담금 등 지목변경에 비용이 필요하기 때문에 감가하는 것이다.

그러나 「토지보상법 시행규칙」 부칙 제5조는 "… 1989.1.24. 당시의 무허가건축물 등에 대해서는 … 이 규칙에서 정한 보상을 함에 있어 이를 적법한 건축물로 본다."라고 규정하고 있고, 대법원은 "토지의 수용·사용에 따른 보상액을 평가함에 있어서는 … 지적공부상의 지목에 불구하고 가격 시점에 있어서의 현실적인 이용상황에 따라 평가되어야 하므로 비교표준지와 수용대상토지의 지

---

120) 대판 2002.09.04, 2000두8325

121) 토지수용 업무편람, 국토교통부·중앙토지수용위원회, 2009.1, p.64

122) 토지보상법 시행규칙 부칙(건설교통부령 제344호, 2002.3.31.) 제5조

123) 대지면적 산정 재결례(중토위 2015.11.19.)
　　○○○이 전을 대지로 보상하여 달라는 ○○동 ○○○번지상에는 1978.9.2. 사용승인을 받은 91.27m²의 적법 건축물이 존재하지만 건축물대장에는 대지면적이 기입되어 있지 아니한 것으로 확인된다. 따라서, 이 건 토지의 용도지역인 자연녹지지역의 건폐율(20%)을 적용하면 적법 건축물의 대지면적은 총 456.35m²이므로 협의 당시 대지면적으로 인정한 91.27m²에 365.08m²를 추가하여 대지로 보상하기로 한다.

124) 무허가건축물 등의 범위(대판 2002.09.04, 2000두8325)
　　'무허가건물 등의 부지'라 함은 당해 무허가건물 등의 용도·규모 등 제반 여건과 현실적인 이용상황을 감안하여 무허가건물 등의 사용·수익에 필요한 범위 내의 토지와 무허가건물 등의 용도에 따라 불가분적으로 사용되는 범위의 토지를 의미하는 것이라고 해석되고, … 무허가건물에 이르는 통로, 야적장, 마당, 비닐하우스·천막부지, 컨테이너·자재적치장소, 주차장 등은 무허가건물의 부지가 아니라 불법으로 형질변경된 토지라고 한 사례

125) 보전녹지 지역 내 무허가건축물의 대지인정 인용 사례(중토위 2020.4.9.)
　　관계 자료(인천연수구청 형질변경 회신문서, 항공사진, 건축물대장, 감정평가서, 사업시행자 의견서, 측량성과도 등)를 검토한 결과, 당초 사업시행자는 000의 00동 137-1 전 1,672m² 중 74m²를, 000의 00동 137-17 전 1,692m² 중 71m²를 각각 '대'로 인정하였으나, 한국국토정보공사의 측량 결과, 000의 00동 137-1 전 1,672m² 중 135m²(건축물 바닥면적 65m², 차양 23m², 통로 4m², 마당 19m², 화단 24m²)를 실제 대지로 사용하고 있는 것으로 확인되고, 000의 00동 137-17 전 1,692m² 중 80m²(건축물 바닥면적 69m², 차양 11m²)를 실제 대지로 사용하고 있는 것으로 확인되므로 000의 135m², 000의 80m²를 각각 대지로 평가하여 보상하기로 한다.

역요인 및 개별요인 등 품등비교를 함에 있어서도 현실적인 이용상황에 따른 비교수치 외에 다시 공부상의 지목에 따른 비교수치를 중복적용하는 것은 허용되지 아니한다."라고 판시하고 있다(대판 2001.3.27, 99두7968).

3) 「건축법」 제20조 제2항의 가설건축물 그 밖에 이와 유사한 건축물이 있는 토지

1989년 1월 24일 개정 종전의 공특법 시행규칙 시행 당시의 무허가건축물 등의 부지에 대한 평가는 가격시점 당시의 현실적인 이용상황을 기준으로 평가하는 규정은 「건축법」 제20조 제2항의 가설건축물 그 밖에 이와 유사한 건축물이 있는 토지의 경우에는 적용하지 아니하며, 무허가건축물 등의 건축시점이 분명하지 아니한 경우에는 평가의뢰인이 제시한 기준에 따른다.

4) 기타

① **철거가 고지된 무허가건축물 부지**

1989.1.24. 이전 신축이라도 현황평가예외이다(종전이용상황대로 평가).

② 토지만의 형질변경허가를 득한 후 형질변경에 대한 사용승인[126]을 받으면 건축물에 대한 사용승인을 못 받았다 하더라도 垈로 평가한다.

③ 건축허가면적 이상으로 건축하여 사용승인을 못 받은 경우에는 허가받은 면적만 垈로 평가하고 그 이상은 종전 이용상황으로 평가한다.

④ 무허가건축물관리대장에 건축물로 등재되어 있다고 하여 그 건축물이 적법한 절차를 밟아서 건축된 것이라거나 그 건축물의 부지가 적법하게 형질변경된 것으로 추정된다고 할 수 없다.[127]

⑤ **입증책임**

무허가건축물 등의 부지라는 사실은 사업시행자가 입증하여야 하므로, 감정평가법인등이 임의로 무허가건축물의 부지라고 판단하여 감정평가하여서는 안 된다.

3. 불법형질변경토지의 감정평가 [128]

1) 불법형질변경토지의 개념

(1) 형질변경

① 토지의 형질이란 일반적으로 토지의 모양이나 성질을 의미하므로, 형질변경은 토지의 외형 또는 용도를 변경하는 행위를 뜻하나, 그 내용 및 범위나 정도가 확정된 개념이 아니다. 다만, 「국토계획법 시행령」 제51조 제1항 제3호는 토지의 형질변경을 절토·성토·정지·포장 등의 방법으로 토지의 형상을 변경하는 행위와 공유수면의 매립이라 개념정의하며, 경작을 위한 토지의 형질변경은 제외하고 있다.

---

126) 준공검사까지는 아니더라도 토지의 형질을 외형적으로 사실상 변경시킬 것과 그 변경으로 인하여 원상회복이 어려운 상태에 있을 것을 요한다(대판 2013.6.13, 2012두300).

127) 대판 2002.9.6, 2001두11236(토지수용이의재결처분취소)

128) 감정평가실무기준 해설서(Ⅱ) 보상편, 한국감정평가사협회 등, 2014.02, pp.121~135

한편 대법원은 "토지의 형질변경이란 절토, 성토 또는 정지 등으로 토지의 형상을 변경하는 행위와 공유수면의 매립을 뜻하는 것으로서 토지의 형상을 외형상으로 사실상 변경시킬 것과 그 변경으로 말미암아 원상회복이 어려운 상태에 있을 것을 요한다."라고 하고 있다(대판 1993. 8.27, 93도403 ; 대판 2005.11.25, 2004도8436 등 참조). 또한 대법원은 토지의 형질을 외형상으로 사실상 변경시키는 것에는 지표뿐 아니라 지중의 형상을 사실상 변경시키는 것도 형질변경에 포함하고 있다(대판 2007.2.23, 2006두4875 참조).

따라서 토지의 형질변경은 절토·성토·정지·포장 등의 방법으로 토지의 형상을 변경하는 행위와 공유수면의 매립을 말하며, 토지의 지표 또는 지중의 형질이 외형상으로 사실상 변경되고 그 변경된 상태가 일정한 정도 고정되어 원상회복이 어려운 상태에 있는 것을 의미한다.

② 경작을 위한 토지의 형질변경,[129] 높이 50cm 이내 또는 깊이 50cm 이내의 절토·성토·정지 등, 660m² 이하의 토지에 대한 지목변경을 수반하지 않는 절토·성토·정지·포장 등, 조성이 완료된 기존 대지에서 건축물 등의 설치를 위한 굴착 등은 허가 없이 행할 수 있다.

(2) 불법형질변경토지

"불법형질변경토지"란 「국토계획법」 등 관계법령에 따라 허가를 받거나 신고를 하고 형질변경을 하여야 하는 토지를 허가를 받지 아니하거나 신고를 하지 아니하고 형질변경한 토지를 말한다.

① 불법

불법으로 형질변경한 토지에 있어서 불법이란 「국토계획법」 등 관련 법령에 의하여 허가를 받거나 신고를 하고 형질변경하여야 할 토지에 대하여 허가를 받거나 신고를 하지 아니하고 형질변경한 경우를 말한다. 따라서 허가를 받거나 신고를 하지 않고 할 수 있는 형질변경은 불법형질변경에 해당되지 않는다.

② 판단시점

불법형질변경의 판단시점은 형질변경 당시를 기준으로 할 것인지, 기준시점을 기준으로 할 것인지가 문제이다. 보상액은 보상의 대상이 되는 권리가 소멸한 때의 현실적인 이용상황을 기준으로 산정하는 것이 보상에 관한 일반적인 법리이므로, 당초에는 불법으로 형질변경하였으나 사후에 허가나 신고를 받은 경우에도 불법형질변경으로 보지 않는다.

③ 허가 또는 신고

「국토계획법」 제56조는 형질변경 허가를, 제62조는 준공검사를 규정하고 있다. 그러므로 관련법령에 의하여 허가 또는 신고에 준공검사가 포함되는지 여부가 문제이다. 대법원은 "토지의 형질변경이란 절토, 성토, 정지 또는 포장 등으로 토지의 형상을 변경하는 행위와 공유수면의 매립을 뜻하는 것으로서, 토지의 형질을 외형상으로 사실상 변경시킬 것과 그 변경으로 인하여 원상회복이 어려운 상태에 있을 것을 요하지만, 형질변경허가에 관한 준공검사를 받거나 토지의 지목까지 변경시킬 필요는 없다."고 판시하였다(대판 2013.6.13, 2012두300). 따라서 토지가 이미 실질적인 형질변경이 완료된 이상 허가 또는 신고의 요건에 준공검사가 포함되지 않는다고 봄이 타당하다.

---

129) 보상감정평가에서 지목과 이용상황이 상이할 경우 불법형질변경이 아닌지에 대한 판단이 필요하나, 농지(전·답·과수원 등) 간의 지목변경은 농지법상 원칙적으로 제한하고 있지 아니하므로 불법형질변경에 해당되지 아니한다고 보아야 한다.

2) 이용상황의 판단기준

(1) 원칙

원칙적으로 불법형질변경토지는 그 토지의 형질변경이 될 당시의 이용상황을 기준으로 한다. 보상대상의 확정에 해당하는 불법형질변경 될 당시의 이용상황은 「토지보상법」에서 정하는 절차에 따라 사업시행자가 확정한다.

(2) 예외

① 1995.1.7.[130] 당시 공익사업시행부지에 편입된 불법형질변경토지

불법형질변경 여부에 불구하고 현황기준으로 평가한다. 즉, 감정평가의 기준이 되는 이용상황의 판단을 무허가건축물 등의 부지는 무허가건축물이 건축된 시점을 기준으로 하나, 불법형질변경토지는 불법형질변경이 언제 이루어졌는지 여부에 관계없이 해당 불법형질변경토지가 공익사업에 편입된 시점을 기준으로 판단한다.

단, 해당 공익사업의 계획 또는 시행이 공고 또는 고시되거나 공익사업의 시행을 목적으로 한 사업구역ㆍ지구ㆍ단지 등이 관계법령의 규정에 의하여 지정ㆍ고시된 이후에 해당 법령에서 금지된 형질변경을 하거나 허가를 받아야 할 것을 허가 없이 형질변경한 경우에는 제외한다.

② 해당 토지의 형질변경이 된 상태가 일시적인 이용상황으로 인정되는 경우

3) 구체적인 평가방법

(1) 기준시점

원칙적으로 보상 당시를 기준으로 한다. 다만, 행위 당시에는 적법이었으나 보상 당시에는 불법으로 변경된 경우, 행위 당시에는 불법이었으나 보상 당시에는 적법인 경우 등은 적법으로 본다.

(2) 공부상 지목과 현실이용상황의 불부합

공부상의 지목과 현실적인 이용상황이 다른 경우에도 그 사유가 ① 당초 지목을 정할 때 잘못 정한 경우, ② 두 가지 이상의 이용상황을 가진 한 필지의 토지에 대하여 지목이 부여된 주된 이용상황 이외의 부분(임야와 전으로 이용 중인 한 필지를 주된 이용상황에 따라 임야로 지목을 정한 경우의 전 부분 등과 같이 불법적인 원인이 개재되지 않고 지목과 현실이용상황이 다르게 될 수 있음), ③ 농지전용 또는 산지의 형질변경에 대한 규제가 없었던 (구)「농지의 보전 및 이용에 관한 법률」의 제정(1973.1.1.) 이전, 또는 (구)「산림법」 제정(1962.1.20.) 이전에 형질변경하였으나 그에 따라 지목을 변경하지 않은 경우, ④ 지목변경은 지목변경을 위한 형태적 요건을 갖춘 후 60일 이내에 토지소유자의 신청에 의하여 이루어지나 이와 같은 지목변경과정에 있거나 그 형태적 요건은 갖추었지만 60일 이내에 지목변경을 신청하지 아니한 경우 등과 같이 불법 없이 지목과 현실적인 이용상황이 다른 경우가 많다. 그러므로 지목과 현실적인 이용상황이 다르다고 하여 이를 일률적으로 불법형질변경된 토지라고 볼 수 없다.

---

130) 편입시점에 대하여 판례는 시설결정고시일로 보나, 국토교통부 유권해석에서는 사업인정고시일 등으로 본다.

(3) 국가 · 지방자치단체 등이 불법으로 형질변경한 경우

국가 · 지방자치단체 등 행정청이 불법으로 형질변경한 사유 토지가 공익사업에 편입되어 보상이 된 경우의 이용상황에 대해서는 취득 당시의 현실적인 이용상황으로 감정평가한다는 판례[131](서울고법 2022.3.22, 2011누9150)가 있는 반면, 형질변경이 이루어질 당시의 이용상황을 상정하여 평가하여야 할 것이라고 판시한 경우[132](대판 2013.2.15, 2012두21239, 대판 2003.6.13, 2002두3409, 서울고법 2019.5.10, 2017누87984 등)도 있으므로, 사업시행자에게 이를 안내하고 토지의 이용상황을 제시받아 감정평가함이 타당하다.

(4) 조세 등의 납부

현실이용상황기준으로 종합토지세 등을 납부한 경우에도 허가나 신고를 하지 않고 형질변경한 토지는 불법형질변경토지로 본다.

(5) 형질변경 중인 경우

농지 또는 산림에 대하여 전용허가를 받거나 토지의 형질변경허가를 받아 택지 등으로 조성 중에 있는 토지는 기준시점 현재 조성공사에 소요되는 비용상당액과 공사 진행 정도, 택지조성에 소요되는 예상기간 등을 종합적으로 고려하여 감정평가한다.

① 형질변경이 초기단계인 경우

형질변경이 초기단계인 경우에는 종전의 이용상황을 기준으로 소요된 비용의 지출액을 고려하되 이로 인한 가치의 증가 등은 고려하지 않는다. 다만, 「토지보상법 시행규칙」 제57조에 따라 소요된 법정수수료, 그 밖의 비용 등으로 보상하는 경우 토지의 보상평가에서는 현재까지 소요된 경비의 지출액도 별도로 고려하여서는 안 된다.

② 형질변경이 어느 정도 진행된 경우

형질변경이 어느 정도 진행되었으나 원상회복이 가능한 수준인 경우는 종전의 이용상황을 기준으로 현재까지 소요된 경비의 지출액 및 이로 인한 가치의 증가 등을 고려하여 평가해야 한다.

③ 형질변경이 거의 완료된 경우

개발이 거의 완료되어 원상회복이 어려울 정도까지 진행된 경우는 개발이 완료된 경우의 이용상황을 기준으로 개발 완료 시까지 소요되는 추가적인 경비의 지출 등을 고려하여 평가해야 한다.

(6) 지적공부상 지목이 임야인 토지를 현황 농지로 이용하고 있는 경우

공부상 지목이 '임야'나 '농지'로 이용 중인 토지는 ① 「산지관리법」 부칙(제10331호, 2010.5.31.) 제2조 "불법전용산지에 관한 임시특례" 규정에서 정한 절차에 따라 불법전용산지 신고 및 심사를 거쳐 '농지'로 지목변경된 경우 또는 ② 해당 공익사업을 위한 산지전용허가 의제협의를 사유로 임

---

131) 국가 또는 지방공공단체가 적법한 절차를 거치지 아니하고 개인의 토지를 형질변경하여 그 토지의 가격이 상승된 이후에 공익사업의 시행자로서 그 토지를 취득하는 경우에는 수용재결 당시의 현실적인 이용상황에 따라 평가하는 것이 합당하다고 판시하였다.

132) 행정 규정에서 형질변경의 주체에 관하여 제한을 두고 있지 아니하므로 행정청이 적법한 절차를 거치지 아니한 채 타인의 토지를 형질변경하여 장기간 사용한 경우에도 그 토지에 대한 수용보상금을 산정함에 있어서는 형질변경이 이루어질 당시의 이용상황을 상정하여 평가하여야 할 것이다.

시특례규정 적용이 불가한 경우로서 시장·군수·구청장이 임시특례규정 적용대상토지임을 확인하는 경우에는 현실적인 이용상황을 기준으로 농지로 감정평가하고, 계약체결일 또는 수용재결일까지 위 절차를 거치지 아니하여 공부상 지목이 '임야'인 경우에는 불법형질변경토지로 보아 공부상 지목대로 감정평가하여 보상한다(2011.8.19, 토지정책과-4050).

>> 산지관리법상 시장·군수·구청장의 심사를 거쳐 산지전용허가를 받는 등 지목변경 처분을 받은 토지에 한하여 농지로 보상한다[2010.12.1.부터 1년간(현재는 종료) "불법전용산지에 관한 임시특례" 기간을 두어 산지전용허가 및 지목변경을 할 수 있도록 하고 있다].[133]

>> 1961.6.26. 이전에는 임야를 농지로 개간하는데 대한 허가 또는 신고를 규정하고 있지 않았으므로, 1961.6.27. 이전에 임야를 농지로 개간한 경우에는 기준시점에서의 현실적인 이용상황에 따라 평가해야 한다. 당시의 이용상황에 대해서는 1966년 촬영된 항공사진을 기준으로 하여 농지로서의 개간여부를 확인하고 있다.

(7) 건축허가 등을 받은 후 행위제한일 이후에 착공한 경우

「택지개발촉진법」 제6조 제1항에서는 택지개발지구의 지정에 관한 주민 등의 의견청취를 위한 공고가 있는 지역 및 택지개발지구에서 건축물의 건축, 공작물의 설치, 토지의 형질변경, 토석(土石)의 채취, 토지분할, 물건을 쌓아놓는 행위 등 대통령령으로 정하는 행위를 하려는 자는 특별자치도지사·시장·군수 또는 자치구의 구청장의 허가를 받아야 하도록 규정하고 있고, 제3항에서는 제1항에 따라 허가를 받아야 하는 행위로서 택지개발지구의 지정 및 고시 당시 행위허가를 받았거나 허가를 받을 필요가 없는 행위에 관하여 공사 또는 사업에 착수한 자는 특별자치도지사·시장·군수 또는 자치구의 구청장에게 신고한 후 이를 계속 시행할 수 있도록 규정하고 있다.

따라서 행위제한일 이전에 건축허가 등을 받았으나 택지개발지구 지정 및 고시일 이후에 공사에 착공한 경우는 불법형질변경에 해당된다. 대법원도 "건축법 등에 따른 건축허가를 받은 자가 택지개발 예정지구의 지정·고시일까지 건축행위에 착수하지 아니하였으면 종전의 건축허가는 예정지구의 지정·고시에 의하여 그 효력을 상실하였다고 보아야 할 것이어서, 이후 건축행위에 착수하여 행하여진 공사 부분은 택지개발촉진법 제6조 제1항의 원상회복의 대상이 되는 것이므로, 예정지구의 지정·고시 이후 공사에 착수하여 공사가 진척되었다고 하더라도 해당 토지에 대한 보상액을 산정함에 있어서 그 이용현황을 수용재결일 당시의 현황대로 평가할 수는 없고, 구 공익사업법 시행규칙 제24조에 따라 공사에 착수하기 전의 이용상황을 상정하여 평가하여야 한다."라고 판시하고 있다(대판 2007.4.12, 2006두18492).

(8) 불법형질변경으로 인하여 현실적인 이용상황이 나빠진 경우

불법형질변경토지의 감정평가방법은 불법행위를 통하여 토지의 가치가 증가된 경우 이를 보상액에서 반영하지 않아야 한다는 취지이므로, 불법형질변경으로 인하여 현실적인 이용상황이 더 나빠진 경우에는 기준시점에서의 현실적인 이용상황을 기준으로 감정평가한다.

---

133) 토지정책과-6105(2010.12.29.), 기존에는 토지정책과-2178(2005.04.26.)에 의하여 시달된 "실제이용상황에 따른 보상업무지침"에 따라서 공부상 지목이 임야인 토지를 사업시행자가 관계도서 및 실지조사에 의한 지형, 지세, 이용상황 등을 조사, 확인한 후 「농지법」 제2조 및 같은 법 시행령 제2조의 규정에 의한 농지로 판단하여 평가의뢰된 경우에는 농지로 평가(개발제한구역에서는 적용되지 아니함)할 수 있도록 규정되어 있었으나 보상감정평가 시 농지에 대한 적용기준이 기관별로 상이하여 혼란을 초래하고 있었다.

⑼ **원상회복 조치를 받은 경우 및 가까운 장래에 복구가 법령상 예정된 경우**

불법으로 형질변경한 토지에 대하여 행정청에서 원상회복 조치를 명하였으나, 이에 응하지 아니하고 계속 이용하고 있는 토지가 공공사업에 편입되어 보상의 대상이 된 경우에는 이는 「토지보상법」 제70조 제2항에서 정한 일시적인 이용상황에 해당된다고 보아야 할 것이므로, 해당 토지는 기준시점에서의 현실이용상황이 아닌 지적공부상의 지목을 기준으로 평가하거나, 불법으로 형질변경 된 토지로 보아 「토지보상법 시행규칙」 제24조에 의거 불법으로 형질변경될 당시의 이용상황을 상정하여 평가한다.

또한 법령상 가까운 장래에 허가 등의 기간이 만료되어 복구가 예정되어 있는 경우도 현재의 이용상황은 일시적 이용상황으로 보아 고려하지 않는다.

⑽ **허가 또는 신고를 필요로 하지 않는 형질변경**

관계법령에서 형질변경의 규제를 하고 있지 않거나 규제하고 있다 하더라도 경미한 형질변경으로 허가 또는 신고 사항이 아닌 경우의 형질변경은 소관청의 허가 또는 신고를 받지 아니하고, 토지의 형질을 변경하였다 하더라도 불법형질변경토지가 되지 않는다.

⑾ **입증책임**

불법형질변경토지라는 사실은 사업시행자가 입증하여야 하므로,[134] 감정평가법인등이 임의로 불법형질변경토지라고 판단하여 감정평가하여서는 안 된다.

⑿ **폐기물 등 토지의 이용을 저해하는 정도를 고려하는 조건으로 의뢰된 경우** [135]

① **저해정도가 경미한 경우**

폐기물의 종류, 성질 및 그 양 등에 비추어 해당 토지의 토사와 물리적으로 분리할 수 없을 정도로 혼합되어 토지의 일부를 구성하는 등 그 폐기물이 매립된 것에 따른 토지이용의 저해정도가 경미한 것으로 의뢰인이 인정하는 경우에는 비교표준지와 해당 토지의 개별요인의 비교 시에 기타조건(장래 동향 등) 등 항목에서 그 불리한 정도 등을 고려한 가액으로 감정평가한다.

② **저해정도가 심한 경우**

폐기물 매립이 된 것에 따른 토지이용의 저해정도가 심한 것으로 의뢰인이 인정하는 경우에는 의뢰인의 승인을 얻어 폐기물 처리업체 등의 자문 또는 용역절차를 거친 후 그 용역보고서 등에서 제시한 폐기물처리비용 상당액을 근거로 한 해당 토지의 가치 감가요인을 비교표준지와 해당 토지의 개별요인의 비교 시에 기타조건(장래 동향 등) 등 항목에서 고려한 가액으로 감정평가한다.

---

134) 대판 2012.4.26, 2011두2521
135) "토지보상평가지침 개선연구"(김원보 외 4명, 2008, 한국부동산연구원)에 의하여 현행 쓰레기 등이 매립된 토지의 평가를 불법형질변경토지에서 규정하지 않고 있어 조문을 분리시켰다[토지보상평가지침 제34조(불법형질변경토지), 토지보상평가지침 제34조의2(쓰레기 등이 매립된 토지의 평가)].

폐기물 처리업체 등의 자문 또는 용역결과 폐기물처리비용 상당액이 해당 토지가 폐기물이 매립되지 아니한 상태를 기준으로 한 가액 상당액을 뚜렷이 초과하는 것으로 인정되는 경우에는 감정평가액란에 실질적 가치가 없는 것으로 표시하되, 이 경우에는 감정평가서에 추후 사업시행자가 실제로 지출한 폐기물 처리비용 상당액이 당초 용역보고서 등에서 제시된 폐기물 처리비용 상당액과 비교하여 뚜렷이 낮아지게 되는 경우에는 감정평가액이 변동될 수 있다는 내용을 기재한다. 다만 이와 같이 감정평가하는 것이 불합리하다고 판단되는 경우에는 의뢰인과 협의하여 폐기물이 매립될 당시의 이용상황을 상정하여 감정평가한 금액을 평가금액란에 기재하고, 필요한 조치 등에 소요되는 비용 상당액을 따로 비고란에 기재할 수 있다.

③ 해당 토지의 소유자 및 관계인이 「폐기물관리법」 제48조 제1항 각 호의 어느 하나에 해당하는 자가 아닌 것으로 명시하여 감정평가 의뢰되었거나 감정평가 진행과정에서 그 사실이 밝혀진 경우에는 의뢰인과 협의를 한 후 그 폐기물이 매립될 당시의 이용상황을 기준으로 감정평가할 수 있다. 이 경우에는 감정평가서에 그 내용을 기재한다.

⒀ 토양오염물질에 토양오염이 된 토지의 감정평가

「토양환경보전법」 제2조 제2호에서 규정한 "토양오염물질"에 토양오염된 토지가 같은 법 제15조에 따른 토양오염방지 조치명령 등이 있거나 예상되는 경우로서 해당 토지의 소유자 또는 관계인이 같은 법 제10조의4에 따른 오염토양의 정화책임자에 해당하는 것을 의뢰인이 확인한 후 토양오염물질이 해당 토지의 이용을 저해하는 정도를 고려하는 조건으로 감정평가 의뢰한 경우에는 그 토양오염이 될 당시의 이용상황과 비슷한 토지의 표준지공시지가를 기준으로 감정평가하되, 감정평가서에 그 내용을 기재한다.

① 오염의 정도가 허용기준 이내인 경우

「토양환경보전법」 제10조의2에 따른 토양환경평가 등 결과 그 오염의 정도가 허용기준 이내인 것으로 의뢰인이 인정하는 경우에는 비교표준지와 해당 토지의 개별요인의 비교 시에 기타조건(장래 동향 등) 등 항목에서 그 불리한 정도 등을 고려한 가액으로 감정평가한다.

② 토양정화의 대상이 된 경우

「토양환경보전법」 제2조 제6호에 따른 토양정밀조사 등 결과 토양정화의 대상이 되었거나 예상이 되는 것으로 의뢰인이 인정하는 경우에는 의뢰인의 승인을 얻어 토양오염 정화업체 등의 자문 또는 용역절차를 거친 후 그 용역보고서 등에서 제시한 오염토양 정화비용(사업시행자가 지출한 토양정밀조사비용을 포함한다. 이하 이 조에서 같다) 상당액을 근거로 한 해당 토지의 가치 감가요인을 비교표준지와 해당 토지의 개별요인의 비교 시에 기타조건(장래 동향 등) 등 항목에서 고려한 가액으로 감정평가한다.

③ 토양오염 정화업체 등의 자문 또는 용역결과 오염토양 정화비용 상당액이 해당 토지가 오염 등이 되지 아니한 상태를 기준으로 한 가액 상당액을 뚜렷이 초과하는 것으로 인정되는 경우에는 감정평가액란에 실질적 가치가 없는 것으로 표시하되, 이 경우에는 감정평가서에 추후 사업시행자가 실제로 지출한 오염토양 정화비용 상당액이 당초 용역보고서 등에서 제시된 오

염토양 정화비용 상당액과 비교하여 뚜렷이 낮아지게 되는 경우에는 감정평가액이 변동될 수 있다는 내용을 기재한다. 다만, 이와 같이 감정평가하는 것이 불합리하다고 판단되는 경우에는 의뢰인과 협의하여 토양오염이 될 당시의 이용상황을 상정하여 감정평가한 금액을 평가금액란에 기재하고, 필요한 조치 등에 소요되는 비용 상당액을 따로 비고란에 기재할 수 있다.

④ 위 사항에도 불구하고 해당 토지의 소유자 및 관계인이 「토양환경보전법」 제10조의4에 따른 오염토양의 정화책임자가 아닌 것으로 명시하여 감정평가 의뢰되었거나 감정평가 진행과정에서 그 사실이 밝혀진 경우에는 의뢰인과 협의를 한 후 그 토양오염이 될 당시의 이용상황을 기준으로 감정평가할 수 있다. 이 경우에는 감정평가서에 그 내용을 기재한다.

기본예제

○○공원사업에 편입되는 아래의 토지에 대한 적정한 비교표준지를 선정하시오.

자료 1 토지조서

연번	소재지/지번	면적(m²)	용도지역	지목	조사사항
1	A시 100	500	자연녹지	전	지상에 1988년 5월에 신축한 무허가건축물(바닥면적 50m²)이 소재하고 있다.(현황 단독주택) 건부지 이외의 부분은 현황 전으로 이용 중이다.
2	A시 200	500	자연녹지	전	지상에 1991년 5월에 신축한 무허가건축물(바닥면적 50m²)이 소재하고 있다.(현황 단독주택) 건부지 이외의 부분은 현황 전이다.
3	A시 300	500	자연녹지	전	토지 전체를 허가 없이 전을 잡종지로 조성하여 야적장부지(잡종지)로 이용 중에 있다.

>> 토지의 실제 이용상황에 따른 감정평가 시 바닥면적의 2배를 실제 이용상황으로 인정한다.

자료 2 비교표준지 목록

연번	소재지/지번	면적(m²)	용도지역	이용상황	공시지가(원/m²)
A	A시 400	500	자연녹지	단독주택	800,000
B	A시 500	500	자연녹지	잡종지	600,000
C	A시 600	500	자연녹지	전	400,000

예시답안

I. **기호 1**

1989년 1월 24일 이전의 무허가건축물부지로서 현황에 따라 100m²(바닥면적의 2배)는 자연녹지지역의 단독주택부지인 표준지 A를 선정하고, 400m²는 현황에 따라 자연녹지지역의 전으로서 표준지 C를 선정한다.

II. **기호 2**

1989년 1월 24일 이후의 무허가건축물부지로서 현황평가의 예외로서 종전의 이용상황인 자연녹지지역의 전인 표준지 C를 선정한다.

III. **기호 3**

불법형질변경토지로서 형질변경될 당시의 이용상황인 전을 기준으로 하여 자연녹지지역의 전인 표준지 C를 선정한다.

4. 도로부지의 감정평가 [136]

> **토지보상법 시행규칙 제26조**(도로 및 구거부지의 평가)
>
> ① 도로부지에 대한 평가는 다음 각 호에서 정하는 바에 의한다.
>   1. 「사도법」에 의한 사도의 부지는 인근토지에 대한 평가액의 5분의 1 이내
>   2. 사실상의 사도의 부지는 인근토지에 대한 평가액의 3분의 1 이내
>   3. 제1호 또는 제2호외의 도로의 부지는 제22조의 규정에서 정하는 방법
> ② 제1항 제2호에서 "사실상의 사도"라 함은 「사도법」에 의한 사도외의 도로(「국토의 계획 및 이용에 관한 법률」에 의한 도시·군관리계획에 의하여 도로로 결정된 후부터 도로로 사용되고 있는 것을 제외한다)로서 다음 각 호의 1에 해당하는 도로를 말한다.
>   1. 도로개설 당시의 토지소유자가 자기 토지의 편익을 위하여 스스로 설치한 도로
>   2. 토지소유자가 그 의사에 의하여 타인의 통행을 제한할 수 없는 도로
>   3. 「건축법」 제45조에 따라 건축허가권자가 그 위치를 지정·공고한 도로
>   4. 도로개설 당시의 토지소유자가 대지 또는 공장용지 등을 조성하기 위하여 설치한 도로
> ③ 구거부지에 대하여는 인근토지에 대한 평가액의 3분의 1 이내로 평가한다. 다만, 용수를 위한 도수로부지(개설 당시의 토지소유자가 자기 토지의 편익을 위하여 스스로 설치한 도수로부지를 제외한다)에 대하여는 제22조의 규정에 의하여 평가한다.
> ④ 제1항 및 제3항에서 "인근토지"라 함은 해당 도로부지 또는 구거부지가 도로 또는 구거로 이용되지 아니하였을 경우에 예상되는 표준적인 이용상황과 유사한 토지로서 해당 토지와 위치상 가까운 토지를 말한다.

1) 사도법상 사도부지의 감정평가

(1) 「사도법」에 따른 사도부지의 개념

「사도법」에서 "사도"란 ⅰ) 「도로법」 제2조 제1항 제1호에 따른 도로, ⅱ) 「도로법」의 준용을 받는 도로, ⅲ) 「농어촌도로 정비법」 제2조 제1항에 따른 농어촌도로, ⅳ) 「농어촌정비법」에 따라 설치된 도로 등이 아닌 것으로서 그 도로에 연결되는 길로 정의되어 있다(사도법 제2조). 그리고 사도를 개설·개축(改築)·증축(增築) 또는 변경하려는 자는 시장·군수·구청장의 허가를 받아야 하고(사도법 제4조 제1항), 시장·군수·구청장은 허가를 하였을 때에는 그 내용을 공보에 고시하고, 사도관리대장에 그 내용을 기록하고 보관하여야 한다(사도법 제4조 제4항). 또한 이러한 사도에 대해서는 사도개설자라 하여도 일반인의 통행을 제한하거나 금지할 수 없다(사도법 제9조 제1항). 즉, 「사도법」에 따른 사도란 그 소유자가 자기 토지의 다른 부분의 효용증진을 위하여 스스로 관할 시장·군수의 사도개설허가를 받아 개설되는 공도에 연결되는 도로를 말하며, 사도관리대장에 등재되고 일반인의 통행을 제한하거나 금지할 수 없는 도로이다. 「사도법」상의 사도는 사실상의 사도와는 달리 동일한 소유자 간의 가치이전을 요건으로 하지 않는다.

---

136) 감정평가실무기준 해설서(Ⅱ) 보상편, 한국감정평가사협회 등, 2014.02, pp.149~171

(2) 도로의 일반적인 감정평가방법

일반적으로 물건의 가치는 그 물건을 배타적으로 이용함으로써 얻을 수 있는 장래기대이익의 현재가치로 정의된다. 그런데 도로는 유료도로를 제외하고 불특정다수인이 다른 사람의 이용을 방해하지 않는 범위 안에서 자유스럽게 이용할 수 있는 공공용물로서, 이용에 있어서 배타성이 없기 때문에 독점적으로 그것을 이용함으로써 얻어지는 별도의 경제적 이익이 있다고 할 수 없다. 즉, 도로는 공기나 물과 같이 희소성이 없어서 가치가 없는 것이 아니라, 공공재로서 이용에 대한 비용을 지불하지 아니하는 자를 이용에서 배제시킬 수 없다는 비배제성으로 인하여 가치의 산정이 어렵다. 따라서 도로는 일반적으로 다음과 같은 방법으로 감정평가한다.

① 일괄감정평가

도로는 대부분 그 자체로서 수익을 발생하거나 효용을 발휘하는 것이 아니라, 주위 토지의 수익을 증가시키거나 쾌적성을 높여주는 등 다른 토지의 효용증대에 기여하는 재화이므로, 도로의 감정평가는 도로와 그 도로로부터 편익을 받는 주위 토지와 함께 감정평가할 수 있으며 이와 같은 감정평가방법이 일괄감정평가이다. 도로는 공공재로서 비배제성으로 인하여 독립하여 가치의 산정이 어려우나, 주위 토지의 값을 증가시키는 데 기여하였으므로 주위 토지와 함께 감정평가하여 그 기여의 정도에 따라 도로의 값을 산출할 수 있다는 것이다.

공장부지와 공장부지의 효용을 높여 주는 도로의 소유자가 같을 경우, 효용증진에 기여하는 도로와 효용을 기여 받는 공장부지를 구분하지 않고 공장용지와 도로를 일괄하여 감정평가하는 방법이다.

② 구분감정평가

도로의 감정평가는 도로와 그 도로로부터 편익을 받는 주위 토지를 일괄하여 감정평가하는 것이 타당하나, 도로와 그 주위 토지의 소유자가 다르거나 그 효용증진에 기여하는 정도가 다른 경우에는 구분감정평가하는 경우도 있다.

이와 같이 도로와 그 주위의 토지를 구분하여 감정평가하는 경우 도로는 그 주위 토지의 효용을 증진시킬 뿐, 독자적으로 효용을 발휘하거나 수익을 발생하지 못하기 때문에 도로의 가치를 어떻게 감정평가할 것인가가 문제이며, 이 경우의 감정평가방법은 다음과 같다.

ㄱ. 소지가격으로 감정평가하는 방법 : 도로가 개설되지 않은 것으로 보고 소지가격으로 감정평가하는 방법이다. 이 방법은 도로의 원본가치를 기준으로 하는 방법으로 타당성이 있으나, 이 경우 주위 토지는 도로가 개설되지 않는 것으로 보아야 한다는 점과 보상감정평가의 일반원칙이라 할 수 있는 현실적인 이용상황 감정평가주의에 어긋난다는 문제점이 있다. 현재 미지급용지의 감정평가방법은 원칙적으로 이 감정평가방법에 따른다.

ㄴ. 도로 상태로 감정평가하는 방법 : 도로는 도로인 상태대로 감정평가하되, 그 가격은 인근 토지가격의 일정률로 감정평가하는 방법이다. 도로는 그 자체로서 거래의 대상이 되는 경우가 거의 없기 때문에 도로 자체의 가치 산정이 용이하지 아니하므로, 인근에 있는 성격이 유사한 다른 토지의 가치를 기준으로 하여 합리적인 가치를 산출하고자 하는 것이다. 이 방법은 현실적인 이용상황을 기준으로 감정평가한다는 원칙에는 부합하나, 적용하는 비율에

대한 이론적 근거가 약하다는 문제점이 있다. 일정률을 적용하는 이론적 근거에는 다음과 같은 두 가지 근거가 있다.

ⓐ **화체이론설**: 도로가치의 일부분이 도로에 접한 토지로 이전해 가고 도로에 남은 가치를 인근 토지가격의 일정률로 본다는 견해이다. 이 견해는 감정평가하는 도로가 토지소유자가 자기 토지의 다른 부분의 효용증진을 위하여 스스로 개설한 도로에 한정되는 경우 타당한 견해이다. 다만, 이 경우에도 도로에 접한 토지의 가치증가분에 도로의 가치감소분과 반드시 일치하지 않는다는 점 및 화체이론을 적용시킬 수 없는 도로도 있다는 문제점 등이 있다.

ⓑ **사용・수익권 제한 가치설**: 국가 또는 지방자치단체 등의 공공기관이 소유권을 취득하지 못한 타유공물인 사유의 도로는 도로로서의 공적인 목적달성을 위하여 필요한 범위 안에서 그 사용・수익권을 제한당하고 있으므로, 도로부지의 보상감정평가는 사용・수익권이 제한된 상태에서의 경제적 가치를 대상으로 하고, 이러한 제한된 경제적 가치를 인근 토지가격의 일정률로 본다는 견해이다.

이 견해는 도로의 감정평가를 단순화할 수 있다는 장점은 있으나, 도로개설의 자의성 여부, 다른 토지의 효용증진 기여정도 여부, 소유권을 행사하여 통행을 금지시킬 수 있는지 여부 등의 구체적인 사실관계에 불구하고 모든 도로가 사용・수익권이 제한되고 있는 것으로 보고 인근토지에 대한 감정평가금액의 일정률로 감정평가하는 것은 합리적인 이유 없이 국민의 재산권을 제한할 수 있다는 단점이 있다.

(3) 「사도법」에 따른 사도부지의 보상감정평가

「사도법」에 의한 사도는 「도로법」의 적용 또는 준용을 받는 도로가 아닌 것으로서 그 도로에 연결되는 도로로 개설 시 관할 시장・군수의 사도개설허가를 받은 도로를 의미하며 인근토지에 대한 감정평가액의 1/5 이내로 평가한다.

(4) 인근토지

① 인근토지의 개념

여기서 인근토지란 해당 도로부지 또는 구거부지가 도로 또는 구거로 이용되지 아니하였을 경우에 예상되는 표준적인 이용상황과 비슷한 토지로서 해당 토지와 위치상 가까운 토지를 말한다.[137]

② 인근토지에 대한 감정평가액

인근토지에 대한 감정평가액의 결정 시 해당 사도를 접면도로로 보고 감정평가할 것인지 여부가 문제이다. 즉, 인근토지에 대한 감정평가금액이 해당 사도가 개설된 상태에서의 감정평가금액인지, 사도가 개설되기 전 상태에서의 감정평가금액인지가 문제가 된다. 종전 「공공용지의 취득 및 손실보상에 관한 특례법 시행규칙」 제6조의2 제3항에서는 인근토지에 대한 감정평가금액

---

137) 인근토지에 대한 개념은 「토지보상법 시행규칙」 제26조 제4항에서 규정하고 있으며, 이 정의는 "도로부지 및 구거부지" 모두에 적용된다 할 것이다.

에는 해당 도로의 개설로 인한 개발이익을 포함하지 않도록 하는 규정이 있었으나, 「토지보상법 시행규칙」에서는 이러한 규정이 삭제되었다. 따라서 인근토지에 대한 감정평가액은 사도가 개설된 상태에서의 감정평가금액으로 본다.

이와 유사한 사안에 대하여 대법원은 "도로점용료의 산정기준 등 점용료의 징수에 관하여 필요한 사항을 정한 서울특별시 도로점용허가 및 점용료 등 징수조례(2008.3.12. 조례 제4610호로 개정되기 전의 것) 제3조 [별표]에서 인접한 토지의 개별공시지가를 도로점용료 산정의 기준으로 삼도록 한 취지는, 도로 자체의 가치 산정이 용이하지 아니하여 인근에 있는 성격이 유사한 다른 토지의 가격을 기준으로 함으로써 합리적인 점용료를 산출하고자 하는 데 있으므로, 여기서 '인접한 토지'라 함은 점용도로의 인근에 있는 토지로서 도로점용의 주된 사용목적과 동일 또는 유사한 용도로 사용되는 토지를 말한다."라고 판시하였다(대판 2010.2.11, 2009두12730).

(5) 유의사항

사도부지에 대한 감정평가는 인근토지에 대한 감정평가액의 5분의 1 이내로 하므로, 5분의 1을 적용할 경우의 단가사정은 반올림하지 않고 절사한다.

2) 사실상 사도부지의 감정평가

(1) 사실상 사도의 개념 및 감가의 이유

"사실상의 사도"란 도로로서의 효용은 「사도법」에 따른 사도와 같으나, 관할 시장·군수·구청장의 허가를 받지 않고 개설하거나 자연적으로 형성된 도로를 말한다. 여기서 '사도'란 그 도로를 둘러싼 법률관계가 「도로법」, 「국토계획법」 기타의 공법에 의하여 규율되는 도로가 아니라는 의미이며, '사실상'이란 그와 같은 도로 중 「사도법」에 따른 사도가 제외된다는 뜻을 내포하고 있다.

> **판례**
>
> **대판 1997.8.29, 96누2569**
> '사실상의 사도'라 함은 토지소유자가 자기 토지의 이익증진을 위하여 스스로 개설한 도로로서 도시·군관리계획으로 결정된 도로가 아닌 것을 말하되, 이때 자기 토지의 편익을 위하여 토지 소유자가 스스로 설치하였는지 여부는 인접토지의 획지면적, 소유관계, 이용상태 등이나 개설경위, 목적, 주위환경 등에 의하여 객관적으로 판단하여야 한다.

사실상의 사도부지를 인근토지에 비하여 낮게 감정평가하는 이유는 사도의 가치가 사도로 보호되고 있는 토지의 효용을 증가시킴으로써 보호되고 있는 토지가치에 화체되었거나 또는 화체되지 않은 경우에도 사실상 소유권을 행사하여 통행을 막을 수 없으므로, 그 경제적 가치가 정상적인 토지에 비하여 낮기 때문이다.

⑵ **사실상 사도의 판단**

① **도로개설 당시의 토지소유자가 자기토지의 편익을 위하여 스스로 설치한 도로**

㉠ 도로개설의 자의성 : 토지소유자가 스스로 설치한 도로에 해당되어야 한다. 따라서 「도로법」·「국토계획법」 등에 의하여 설치가 강제됨으로 인하여 개설된 도로(예정공도)는 사실상의 사도가 아니다.

㉡ 동일인 소유 토지로의 가치이전 : 자기 토지의 다른 부분의 효용증진을 위하여 설치한 도로이어야 한다. 즉, 도로부분의 가치가 동일인 소유의 다른 토지로 이전되어야 한다. 따라서 도로의 소유자와 그 도로를 통하여 출입하는 토지의 소유자가 다른 도로는 사실상의 사도가 아니다.

㉢ 판단시점 : 도로개설의 자의성 및 동일인 소유 토지로의 가치이전이라는 두 가지 요건은 도로개설 당시를 기준으로 판단한다. 따라서 도로개설 당시는 도로부지와 그 도로를 통하여 출입하는 토지가 동일인이었으나 그 이후 소유권이 달라진 경우에는 사실상의 사도로 본다.

㉣ 판단기준 : 도로개설 당시를 기준으로 개설의 자의성과 동일인 소유 토지로의 가치 이전이라는 2가지 요건은 인접토지의 획지면적·이용상태·개설경위·목적·주위환경 등에 의하여 객관적으로 판단한다. 즉, 토지 소유자가 자기 소유 토지 중 일부에 도로를 설치한 결과 도로 부지로 제공된 부분으로 인하여 나머지 부분 토지의 편익이 증진되는 등으로 그 부분의 가치가 상승됨으로써 도로부지로 제공된 부분의 가치를 낮게 감정평가하여 보상하더라도 전체적으로 정당보상의 원칙에 어긋나지 않는다고 볼 만한 객관적인 사유가 있다고 인정되어야 하고, 이는 도로개설 경위와 목적, 주위환경, 인접토지의 획지 면적, 소유관계 및 이용상태 등 제반 사정을 종합적으로 고려하여 판단하여야 한다(대판 2013.6.13, 2011두7007 참조).

② **토지소유자가 그 의사에 의하여 타인의 통행을 제한할 수 없는 도로**

㉠ 민법에 의하여 주위토지통행권(법정통행권)이 발생한 도로

ⓐ 민법 제219조(주위토지통행권)

민법 제219조(주위토지통행권)

① 어느 토지와 공로 사이에 그 토지의 용도에 필요한 통로가 없는 경우에 그 토지소유자는 주위의 토지를 통행 또는 통로로 하지 아니하면 공로에 출입할 수 없거나 과다한 비용을 요하는 때에는 그 주위의 토지를 통행할 수 있고 필요한 경우에는 통로를 개설할 수 있다. 그러나 이로 인한 손해가 가장 적은 장소와 방법을 선택하여야 한다.
② 전항의 통행권자는 통행지 소유자의 손해를 보상하여야 한다.

「민법」 제219조에 의한 주위토지통행권이 설정된 토지에 대해서는 정상적으로 보상이 이루어지기 때문에 타인의 통행을 제한할 수 없다는 이유만으로 사실상의 사도로 보고 인근토지에 비하여 낮게 감정평가하는 것은 타당하지 않다는 견해가 있다. 그러나 「사도법」에 따른 사도의 경우에도 사용료의 징수가 가능함에도 배타적 사용이 제한된다는

이유로 감액하고 있고, 일반적인 거래의 관행상 이러한 사도는 인근토지에 비하여 낮게 거래되는 것이 일반적이므로 감액하여 감정평가하는 것이 타당하다.

ⓑ 민법 제220조(분할, 일부양도와 주위통행권)

> **민법 제220조**(분할, 일부양도와 주위통행권)
>
> ① 분할로 인하여 공로에 통하지 못하는 토지가 있는 때에는 그 토지소유자는 공로에 출입하기 위하여 다른 분할자의 토지를 통행할 수 있다. 이 경우에는 보상의 의무가 없다.
> ② 전항의 규정은 토지소유자가 그 토지의 일부를 양도한 경우에 준용한다.

ⓛ 약정에 의한 도로

ⓐ **통행지역권에 의한 도로** : 통행지역권은 「민법」 제291조에 의해 타인의 토지(승역지)를 자기 토지(요역지)의 편익을 위하여 이용하는 권리로, 그 편익의 내용은 승역지를 통행에 사용할 수 있는 것이다. 타인의 토지를 직접 지배하는 것이 아니므로 승역지 소유자의 이용을 완전히 배제할 수 없고, 중복적으로 통행지역권을 설정할 수도 있으며, 승역지 소유권을 제한하는 물권인 점에서 설정등기를 요하고, 취득시효 및 소멸시효의 대상이 된다.

ⓑ **채권계약에 의한 통행권이 설정된 도로** : 채권계약에 의한 통행권은 인근토지 소유자와 사용대차 또는 임대차 등 채권계약을 체결하여 인근토지를 자기 토지의 통행에 이용하게 하는 것을 말한다. 사용대차에 의한 통행권인가 임대차에 의한 통행권인가의 구분은 차임의 유무에 의해서 구별되나, 통행에 관한 계약이 있는 경우 임대차에 의한 것인가 혹은 통행지역권설정에 의한 것인가는 분명하지 않는 경우가 많다.

사용대차 또는 임대차에 의한 통행권은 채권이므로, 이를 등기하지 아니하면 제3자에게 대항할 수 없다. 따라서 도로의 소유권이 변동될 경우, 새로운 소유자와 다시 사용대차 또는 임대차계약을 체결하지 않으면 안 된다.

ⓒ **적용** : 약정에 의한 도로도 타인의 필요에 의하여 일부 토지를 사도로 제공하고 정상적인 임대료를 수취한다면, 그 도로의 경제적 가치를 인근 토지에 비하여 낮게 감정평가하는 것은 타당하지 않다는 견해가 있다. 그러나 「민법」 제219조에 의한 도로와 마찬가지의 이유로 감액하여 감정평가하는 것이 타당하다.

ⓒ **자연발생적으로 형성된 도로** : 자연발생적으로 형성된 도로는 일반적으로 도로로 개설 또는 형성과정에 도로관리청 기타 행정청이 관여하지 아니한 도로를 말한다. 토지소유자가 관여하였는지는 묻지 않으나, 여기서는 토지소유자가 스스로 설치한 도로를 제외한다.

도로는 우리 생활과 밀접한 관련이 있음에도 도로관리청 기타 행정청이 도로를 적기에 개설하지 못하기 때문에, 토지소유자가 개설하거나 공동생활의 편익증진을 위하여 주민들이 협동하여 또는 자연스럽게 도로를 만들거나 형성되는 경우가 많다. 이러한 토지를 감액하여 감정평가하기 위해서는 다음과 같은 점을 고려한다.

ⓐ **원상회복이 가능한지 여부** : 주위 토지통행권에 의한 도로나 약정에 의한 도로는 도로 개설과 관련된 법률관계가 소멸되거나 변경되면 원상회복이 가능하다는 점에는 이견이

없으나, 자연발생적으로 형성된 도로의 경우 소유자가 소유권을 행사하여 원상회복이 가능한가 하는 것이 문제이다.

「도로법」 제4조에서는 "도로를 구성하는 부지, 옹벽 기타의 물건에 대하여서는 사권(私權)을 행사할 수 없다. 다만, 소유권을 이전하거나 저당권을 설정함은 그러하지 아니하다."라고 규정하여 도로에 대해서는 원칙적으로 원상회복을 인정하지 않고 있다. 「도로법」상의 도로에 자연발생적으로 형성된 도로가 포함되는지가 문제이나, 「도로법」 제2조 제1호에서 '차도, 보도(步道), 자전거도로, 측도(側道), 터널, 교량, 육교 등 대통령령으로 정하는 시설로 구성된 것으로서 제10조에 열거된 것을 말하며, 도로의 부속물을 포함한다.'라고 규정하고 있고, 「도로법」 제10조에서 도로는 고속국도, 일반국도, 특별시도·광역시도, 지방도, 시도, 군도, 구도로 나누고 있어 자연발생적으로 형성된 도로는 「도로법」상의 도로에 포함되지 않는다. 대법원에서도 "「도로법」 제5조의 적용을 받는 도로는 적어도 「도로법」에 의한 노선인정과 도로구역결정 또는 이에 준하는 도시계획법 소정의 절차를 거친 도로를 말하므로, 이러한 절차를 거친 바 없는 도로에 대해서는 「도로법」 제5조를 적용할 여지가 없다."라고 판시하여 이러한 도로에 대하여 원상회복을 인정하였다(대판 1999.12.28, 99다39227·39234 등).

ⓑ **독점적·배타적인 사용수익권을 포기하였다고 보아야 하는지 여부** : 자연발생적으로 형성된 도로의 경우 소유자가 독점적이고 배타적인 사용수익권을 포기하였다고 보아야 하는지에 대하여 의문이 있으나, 대법원은 "어느 사유지가 종전부터 자연발생적으로, 또는 도로예정지로 편입되어 사실상 일반 공중의 교통에 공용되는 도로로 사용되고 있는 경우, 그 토지의 소유자가 스스로 그 토지를 도로로 제공하여 인근 주민이나 일반 공중에게 무상으로 통행할 수 있는 권리를 부여하였거나 그 토지에 대한 독점적이고 배타적인 사용수익권을 포기한 것으로 의사 해석함에 있어서는, 그가 해당 토지를 소유하게 된 경위나 보유기간, 나머지 토지들을 분할하여 매도한 경위와 그 규모, 도로로 사용되는 해당 토지의 위치나 성상, 인근의 다른 토지들과의 관계, 주위환경 등 여러 가지 사정과 아울러 분할·매도된 나머지 토지들의 효과적인 사용·수익을 위하여 해당 토지가 기여하고 있는 정도 등을 종합적으로 고려하여 판단하여야 한다."라고 판시하여 자연발생적으로 형성된 도로라 하여 일률적으로 소유자가 독점적이고 배타적인 사용수익권을 포기하였다고 볼 수 없다고 하고 있다(대판 1999.4.7, 98다56232).

ⓒ **관습상의 통행권이 발생하였다고 볼 수 있는지 여부** : 오랜 세월에 걸쳐 타인의 토지를 통행하여 온 결과 당초는 도로가 없었지만 자연히 도로로서의 외관이 완성되고 그것을 누가 보더라도 도로라고 인식할 수 있는 상태가 되었을 경우, 그 도로에 관습에 의하여 성립하는 관습상의 통행권을 인정할 수 있는지 여부가 문제이다. 여기에 대하여 대법원은 "민법 제185조는 이른바 물권법정주의를 선언하고 있고, 물권법의 강행법규성은 이를 중핵으로 하고 있으므로, 법률이 인정하지 않는 새로운 종류의 물권을 창설하는 것은 허용되지 아니한다. 공로로부터 자연부락에 이르는 유일한 도로인 자연도로의 일

부에 대하여 관습상의 통행권 인정은 물권법정주의에 위배된다."라고 판시하여 사도에 대하여 관습상의 통행권을 인정하지 않고 있다(대판 2002.2.26, 2001다64165). 따라서 자연발생적으로 형성된 도로라 하여 일률적으로 소유자가 독점적이고 배타적인 사용수익권을 포기하였다고 볼 수 없을 뿐만 아니라, 이러한 도로에 대하여 관습상의 통행권도 인정되지 않는다.

ⓓ **국가 또는 지방자치단체를 점유주체로 볼 수 있는지 여부**: 주위 토지통행권에 의한 도로나 약정에 의한 도로의 점유주체를 사인으로 보아야 한다는 점에는 의문이 없으나, 자연발생적으로 형성된 도로의 경우 점유주체를 국가나 지방자치단체로 볼 수 있는지에 대해서는 의문이 있다.

이에 대하여 대법원은 "국가나 지방자치단체가 도로를 점유하는 형태는 도로관리청으로서의 점유와 사실상의 지배주체로서의 점유로 나누어 볼 수 있는바, … 「도로법」 등에 의한 도로의 설정행위가 없더라도 국가나 지방자치단체가 기존의 사실상 도로에 대하여 확장, 도로포장 또는 하수도 설치 등 도로의 개축 또는 유지보수공사를 시행하여 일반 공중의 교통에 이용한 때에는 이때부터 그 도로는 국가나 지방자치단체의 사실상 지배하에 있는 것으로 보아 사실상 지배주체로서의 점유를 개시한 것으로 볼 수 있다."라고 판시하고 있다. 또한 "주민들이 자조사업으로 사실상의 도로를 개설하거나 기존의 사실상 도로에 개축 또는 유지, 보수공사를 시행한 경우에는 그 도로의 사실상의 지배주체를 국가나 지방자치단체라고 보기 어렵고, 다만 주민자조사업의 형태로 시공한 도로라고 할지라도 실지로는 국가나 지방자치단체에서 그 공사비의 상당부분을 부담하고 공사 후에도 도로의 유지, 보수를 담당하면서 공중의 교통에 공용하고 있는 등 사정이 인정된다면 실질적으로 그 도로는 국가나 지방자치단체의 사실상 지배하에 있다고 볼 수 있다."라고 판시하고 있다(대판 2002.3.12, 2001다70900).

ⓔ **불법행위로 인한 손해배상청구가 가능한지 여부**: 자기 소유 토지에 불법으로 도로가 개설되어 그로 인하여 손해를 입은 토지소유자는 불법행위를 원인으로 한 손해배상을 청구할 수 있을 것이다. 이때 손해배상의 요건으로는 ⅰ) 도로의 설치 또는 제3자의 통행행위가 위법할 것, ⅱ) 그 행위자의 고의 또는 과실이 있을 것, ⅲ) 그리고 그 자에 책임능력이 있을 것 및 ⅳ) 그 가해행위에 의하여 손해가 발생할 것을 요구하고 있다. 따라서 국가·지방자치단체의 도로설치 또는 제3자의 통행행위가 위법하더라도 그것이 그것을 행한 공무원 또는 제3자의 고의 또는 과실이 없을 때에는 불법행위의 요건을 구성하지 않기 때문에 손해배상을 청구할 수 없다. 그러므로 자연발생적으로 형성된 도로에 대하여 불법행위로 인한 손해배상이 인정되는 경우는 거의 없다.

ⓕ **부당이득이 성립되는지 여부**: 국가나 지방자치단체가 사인의 토지를 도로관리청으로서 점유하고 있는 경우에 부당이득이 성립된다는 데에는 이론이 없다(대판 2000.6.23, 2000다12020). 그러나 자연발생적으로 형성된 도로에 대해서도 국가나 지방자치단체의 부당이득이 성립되는지에 대해서는 명확하지 않다. 일반적으로 부당이득이 성립하기 위해서

는 ⅰ) 타인의 재산 또는 노무로 인하여 이익을 얻을 것, ⅱ) 타인에게 손해가 발생할 것, ⅲ) 수익과 손실 간에 인과관계가 있을 것, ⅳ) 수익을 정당화시키는 법률상 원인이 없을 것의 요건을 요구하고 있다.

앞에서 설명한 도로로 이용되고 있는 토지에 대한 점유사용이 정당한 이유에서 물권적 청구권이 배척되거나 그 불법점유사유가 행위자의 고의 또는 과실에 의한 것이 아니라는 이유에서 불법행위에 의한 손해배상청구가 받아들여지지 아니하는 경우가 많으나, 부당이득반환의 청구는 그 점유가 정당하거나 또는 행위자의 고의·과실이 없더라도 앞의 4가지 요건이 다 충족되면 이를 광범위하게 인정되고 있다.

따라서 국가·지방자치단체가 사실상 지배주체로서 점유한 도로,「민법」제219조에 따른 주위토지통행권이 발생한 도로 등은 부당이득반환의 청구가 인정될 수 있다. 대법원에서도 종전부터 일반 공중의 통행로로 사실상 공용되던 토지에 대하여 사실상 필요한 공사를 하여 도로로서 형태를 갖춘 다음 사실상 지배주체로서 도로를 점유하게 된 도로에 대하여 부당이득을 인정하고 있다(대판 1995.11.28, 95다18451).

⑨ 손실보상청구가 가능한지 여부 : 도로사업을 시행하는 사업시행자는「도로법」에 따른 노선인정·도로구역의 결정 또는「국토계획법」등에서 정한 절차를 거쳐 손실을 보상하고 도로사업에 필요한 토지를 협의 취득 또는 수용할 수 있다. 그러나 국가 또는 지방자치단체가 위와 같은 절차를 거치지 아니하고 개인 소유의 토지를 도로로 무단점유 사용하고 있을 때 우리의 제도상 손실보상을 청구할 수 있는지가 문제이다.

공권력의 작용에 의하여 재산권이 침해된 경우 그 손실(손해)을 어떠한 제도에 의하여 전보할 것인가 하는 것은 기본적으로 입법정책의 문제라고 할 것이며, 헌법 제23조 제3항에서 "공공필요에 의한 재산권의 수용·사용 또는 제한 및 그에 대한 보상은 법률로써 하되, 정당한 보상을 지급하여야 한다."라고 규정함으로써 그 침해가 적법한 경우에는 손실보상제도에 의하여, 위법한 경우에는 국가배상제도에 의하여 손실(손해)을 전보하도록 하는 이원적 제도를 택하고 있고, 이에 따라 손실보상에 관하여는「토지보상법」기타 법률이, 국가배상에 관하여는「국가배상법」이 제정되어 있다.

헌법재판소와 대법원에서도 공권력의 작용에 의한 손실(손해)전보제도를 손실보상과 국가배상으로 나누고 있는 우리 헌법 아래에서는 불법사용의 경우에는 원래 국가배상 등을 통하여 문제를 해결할 것으로 예정되어 있고, 기존 침해상태의 유지를 전제로 보상청구나 수용청구를 함으로써 문제를 해결하도록 예정되어 있지는 않다고 하여, 그 가능성을 완전히 부정하고 있다(헌재 1997.3.27, 96헌바21 결정, 같은 취지의 대판 1996.9.10, 96누5896).

따라서 도로로 무단 점유 사용되고 있는 토지에 대하여 수용의 대상으로 보상할 것인지 또는 손해배상 또는 부당이득반환으로 처리할 것인지의 여부는 오직 사업시행자의 판단에 달려 있으므로, 사업시행자가 노선인정, 도로구역의 결정 등의 절차를 거치지 아니하고 도로로 무단점유하고 있는 토지에 대하여 그 소유자는 점유자에 대하여 손실보상을 청구할 수가 없다.

ⓗ **적용** : 이와 같은 사실상의 사도 중 '토지소유자가 그 의사에 의하여 타인의 통행을 제한할 수 없는 도로'는 그 유형이 대단히 다양하고, 그 성격상 단순히 타인의 통행을 제한할 수 없다는 이유만으로 일률적으로 감액하여 보상하는 것이 타당하지 않은 경우도 있다. 특히 타인의 통행을 제한할 수 있는지 여부를 「형법」 제185조의 일반교통방해죄를 기준으로 판단하면 사실상 모든 도로를 타인의 통행을 제한할 수 없는 도로로 보아야 하므로, 사실상의 사도에 한하여 감액 감정평가하도록 한 제도의 취지가 상실된다는 문제점이 발생하게 된다.

특히 1995.1.7. (구)「공공용지의 취득 및 손실보상에 관한 특례법 시행규칙」 제6조의2를 개정하여 「사도법」에 따른 사도를 제외한 모든 도로를 인근토지에 대한 평가금액의 3분의 1 이내로 평가하도록 하였으나, 대법원은 "특례법 시행규칙 제6조의2 제1항 제2호의 규정 취지는 사실상 불특정 다수인의 통행에 제공되고 있는 토지이기만 하면 그 모두를 인근 토지의 3분의 1 이내로 평가한다는 것이 아니라 그 도로의 개설 경위, 목적, 주위 환경, 인접 토지의 획지면적, 소유관계, 이용 상태 등의 제반 사정에 비추어 해당 토지소유자가 자기 토지의 편익을 위하여 스스로 공중의 통행에 제공하는 등 인근 토지에 비하여 낮은 가격으로 보상하여 주어도 될 만한 객관적인 사유가 인정되는 경우에만 인근 토지의 3분의 1 이내에서 평가하고 그러한 사유가 인정되지 아니하는 경우에는 위 규정의 적용에서 제외한다는 것으로 봄이 상당하다."라고 판결하여 종전의 사실상의 사도와 같이 해석하여 판시한 바 있다(대판 1997.4.25, 96누13651).

도로는 공공용물로서 국가나 지방자치단체가 예산을 투입하여 개설하는 것이 원칙이나, 예산사정 등으로 인하여 도로가 제때 개설되지 않고 있는 경우 어쩔 수 없이 사인의 토지를 많은 사람들이 통행하게 되어 외관적으로는 도로의 형태를 갖추게 된다. 그러나 토지소유자는 그 도로의 통행을 금지시킬 경우 주민의 반발 및 사회적 비난을 받게 되므로 이를 묵인하거나 또는 공동체 생활을 위한 호의로 통행을 허용하는 경우 등이 있을 수 있다. 결국 토지소유자는 사유재산을 아무런 대가 없이 공공의 사용에 제공해 오고 있는 것인데, 이러한 사유로 단지 통행을 제한할 수 없다는 이유만으로 사후에 공익사업을 위한 보상을 하면서 인근 토지에 비하여 현저하게 낮게 보상한다면, 국가나 사회를 위하여 희생한 자에게 불이익을 주게 되는 결과가 초래되므로 타당하지 않다. 따라서 사실상의 사도로 보고 감액 감정평가하는 도로를 가능한 한 좁게 해석하는 것이 타당한 것으로 보인다.

따라서 자연발생적으로 형성된 도로를 '토지소유자가 그 의사에 의하여 타인의 통행을 제한할 수 없는 도로'로 보기 위해서는 사유지가 일반 공중의 교통에 공용되고 있고 그 이용상황이 고착되어 있어, 원상회복하는 것이 법률상 허용되지 아니하거나 사실상 현저히 곤란한 정도에 이른 경우에 해당되어야 한다. 그러므로 어느 토지가 불특정 다수인의 통행에 장기간 제공되어 왔고 이를 소유자가 용인하여 왔다는 사정만으로 언제나 도로로서의 이용상황이 고착되었다고 볼 것은 아니고, 이는 해당 토지가 도로로 이용되게 된 경위, 일반의 통행에 제공된 기간, 도로로 이용되고 있는 토지의 면적 등과 더불어 그 도로가 주위 토지로 통하는 유일한 통로인지 여부 등 주변 상황과 해당 토지의 도로로 서의 역할과 기능 등을 종합하여 원래의 지목 등에 따른 표준적인 이용상태로 회복하는 것이 용이한지 여부 등을 가려서 판단해야 한다(대판 2013.6.13, 2011두7007 참조).

> **판례**
>
> ### [대판 2013.6.13, 2011두7007] 사실상 사도인정요건 구체화 사건
> **사건번호 2011두7007 토지수용보상금증액 (사) 상고기각**
>
> **공익사업을 위한 토지 등의 취득 및 보상에 관한 법률 시행규칙 제26조 제2항 제1, 2호 소정의 사실상 사도에 대한 구체적 판단기준**
>
> 공익사업을 위하여 취득하는 토지에 대한 보상액은 재결 등 가격시점 당시의 현실적인 이용상황, 즉 현황을 기준으로 보상하여야 하고, 이 원칙에 따른 구체적인 보상액의 산정 및 평가방법은 투자비용, 예상수익 및 거래가격 등을 고려하여 국토해양부령으로 정하도록 위임되어 있다['공익사업을 위한 토지 등의 취득 및 보상에 관한 법률'(이하 '공익사업법'이라 한다) 제70조 제2항, 제6항]. 그에 따라 공익사업법 시행규칙(이하 '규칙'이라 한다)은 도로부지 중 '사실상의 사도'의 부지는 인근토지의 평가액의 3분의 1 이내로 평가하도록 규정하면서, 여기서 '사실상의 사도'라 함은 '사도법에 의한 사도 외의 도로(국토의 계획 및 이용에 관한 법률에 의한 도시관리계획에 의하여 도로로 결정된 후부터 도로로 사용되고 있는 것을 제외한다)'로서 다음 각 호의 1에 해당하는 도로를 말한다고 하고, 제1호에서는 '도로 개설 당시의 토지소유자가 자기 토지의 편익을 위하여 스스로 설치한 도로'를, 제2호에서는 '토지소유자가 그 의사에 의하여 타인의 통행을 제한할 수 없는 도로'를, 제3호에서는 '건축법 제45조의 규정에 의하여 건축허가권자가 그 위치를 지정·공고한 도로'를, 제4호에서는 '도로개설 당시의 토지소유자가 대지 또는 공장용지 등을 조성하기 위하여 설치한 도로'를 규정하고 있다(이하 위 각 호는 제1호, 제2호 등으로 줄여 쓴다). 그리고 이 경우 보상액 평가의 기준이 되는 '인근토지'는 해당 도로부지가 도로로 이용되지 아니하였을 경우에 예상되는 표준적인 이용상황과 유사한 토지로서 해당 토지와 가까운 토지를 말한다(규칙 제26조 제4항). 한편 사도법이 적용되는 사도는 도로법에 의한 도로 등에 연결되는 도로로서 관할 지방자치단체장의 허가를 받아 설치한 도로를 가리키는 것으로 규정되어 있다(사도법 제2조, 제4조). 위와 같은 여러 규정을 종합하여 보면, 위 규칙에 의하여 '사실상의 사도'의 부지로 보고 인근토지 평가액의 3분의 1 이내로 보상액을 평가하려면, 도로법에 의한 일반 도로 등에 연결되어 일반의 통행에 제공되는 등으로 사도법에 의한 사도에 준하는 실질을 갖추고 있어야 하고, 나아가 위 규칙 제1호 내지 제4호 중 어느 하나에 해당하여야 할 것이다(대판 1995.6.13, 94누14650 등은 위 규칙 제1호처럼 토지소유자가 자기 토지의 편익을 위하여 스스로 설치한 사실상의 사도라도 토지소유자가 소유권을 행사하여 그 통행을 금지시킬 수 있는 상태에 있는 토지는 위와 같이 보상액을 감액 평가할 대상에 해당하지 아니한다고 하여, 위 규칙 제1호의 사유가 있는 경우에도 제2호의 요건까지 갖추어야 사실상의 사도에 해당한다는 취지로 판시하였으나, 이는 '사실상의 사도'에 관한 법률 규정이 달랐던 '공공용지의 취득 및 손실보상에 관한 특례법'이 시행될 당시의 사건에 관한 것이므로 공익사업법이 시행된 이후의 보상액 평가에는 적용되지 아니한다고 할 것이다).
>
> 한편, 공익사업법과 그 규칙이 사실상의 사도에 대하여 인근토지에 대한 평가액보다 감액 평가한 금액을 보상액으로 규정한 것은 헌법 제23조 제3항이 규정한 정당한 보상의 원칙 등에 비추어 함부로 확장할 것은 아니고 입법취지 등을 감안하여 제한적으로 새겨야 할 것이다.

따라서 우선 규칙 제1호에서 규정한 '도로개설 당시의 토지소유자가 자기 토지의 편익을 위하여 스스로 설치한 도로'에 해당한다고 하려면, 토지 소유자가 자기 소유 토지 중 일부에 도로를 설치한 결과 도로 부지로 제공된 부분으로 인하여 나머지 부분 토지의 편익이 증진되는 등으로 그 부분의 가치가 상승됨으로써 도로부지로 제공된 부분의 가치를 낮게 평가하여 보상하더라도 전체적으로 정당보상의 원칙에 어긋나지 않는다고 볼 만한 객관적인 사유가 있다고 인정되어야 할 것이고, 이는 도로개설 경위와 목적, 주위환경, 인접토지의 획지 면적, 소유관계 및 이용상태 등 제반 사정을 종합적으로 고려하여 판단할 것이다. 그리고 규칙 제2호가 규정한 '토지소유자가 그 의사에 의하여 타인의 통행을 제한할 수 없는 도로'는 사유지가 종전부터 자연발생적으로 또는 도로예정지로 편입되어 있는 등으로 일반 공중의 교통에 공용되고 있고 그 이용상황이 고착되어 있어, 도로부지로 이용되지 아니하였을 경우에 예상되는 표준적인 이용 상태로 원상회복하는 것이 법률상 허용되지 아니하거나 사실상 현저히 곤란한 정도에 이른 경우를 의미한다고 할 것이다. 이때 어느 토지가 불특정 다수인의 통행에 장기간 제공되어 왔고 이를 소유자가 용인하여 왔다는 사정이 있다는 것만으로 언제나 도로로서의 이용상황이 고착되었다고 볼 것은 아니고, 이는 해당 토지가 도로로 이용되게 된 경위, 일반의 통행에 제공된 기간, 도로로 이용되고 있는 토지의 면적 등과 더불어 그 도로가 주위 토지로 통하는 유일한 통로인지 여부 등 주변 상황과 해당 토지의 도로로서의 역할과 기능 등을 종합하여 원래의 지목 등에 따른 표준적인 이용상태로 회복하는 것이 용이한지 여부 등을 가려서 판단해야 할 것이다.

❖ 사실상 사도(「토지보상법 시행규칙」 제26조 제2항 제2호) 체크리스트[138]

시설군		세부항목[139]	의견[140]	증빙자료[141]	비고[142]
도로로서 역할·기능	1	도로로 이용된 경위	통행로 개설일, 개설경위, 개설목적 등 개설·이용 경위 등을 상세히 기재	1. 관련공문 2. 확인서 :	
	2	일반통행 제공 기간	(예시)"00년 00월 00일 통행로 개설 후 '00년간' 일반통행에 사용되고 있음" 형식으로 기재	1. 항공사진 2. 확인서 등 :	
	3	도로로 이용 중인 면적	(예시) 0000m^2	1. 각 현황도 2. 현장사진 :	
	4	주위 토지로 통하는 유일한 토지인지 여부	다른 통행로가 없음을 구체적으로 기재 (관련 도면 필수첨부-위성사진 등)	1. 항공사진 2. 평면도 등 :	
	5	기타사항	기타의견		
종합 검토의견[143]					
첨부서류			증1. 도로개설 관련공문 증2. 항공사진(1970년) 증3. 현장사진 :		

---

138) 2024년 토지수용업무편람, 중앙토지수용위원회

③ **건축법 제45조의 규정에 의하여 건축허가권자가 그 위치를 지정·공고한 도로**

「건축법」 제44조 제1항에서는 건축물의 대지는 극히 예외적인 경우(해당 건축물의 출입에 지장이 없다고 인정되는 것 및 건축물의 주변에 광장·공원·유원지 기타 관련법령에 의하여 건축이 금지되고 공중의 통행에 지장이 없는 공지로서 건축허가권자가 인정한 것)를 제외하고 너비 4미터 이상의 도로에(자동차만의 운행에 사용되는 도로를 제외함) 2미터 이상을 접하도록 규제하고 있다.

그리고 이러한 도로란 보행 및 자동차통행이 가능한 너비 4미터 이상의 도로(지형적 조건으로 자동차통행이 불가능한 경우에는 2~3미터, 막다른 도로의 경우에는 2~6미터 너비의 도로)로서 ⅰ) 「국토계획법」·「도로법」·「사도법」 기타 관련 법령에 의하여 신설 또는 변경에 관한 고시가 된 도로뿐만 아니라, ⅱ) 건축허가 또는 신고 시 서울특별시장·광역시장·도지사 또는 시장·군수·구청장이 그 위치를 지정·공고한 도로 또는 그 예정도로를 포함한다(건축법 제2조 제1항 제11호 및 동법 시행령 제3조의3).

위의 도로 중 ⅱ)의 도로를 「건축법」 제45조의 규정에 의하여 건축허가권자가 그 위치를 지정·공고한 도로라고 하며, 허가권자는 도로의 위치를 지정·공고하려면 ▷ 허가권자가 이해관계인이 해외에 거주하는 등의 사유로 이해관계인의 동의를 받기가 곤란하다고 인정하는 경우, ▷ 주민이 오랫동안 통행로로 이용하고 있는 사실상의 통로로서 해당 지방자치단체의 조례로 정하는 것인 경우 외에는 그 도로에 대한 이해관계인의 동의를 받아야 한다.

④ **도로개설 당시의 토지소유자가 대지 또는 공장용지 등을 조성하기 위하여 설치한 도로** [144]

토지소유자가 넓은 토지를 개발하면서 토지형질변경의 허가를 받거나, 허가받지 아니하고 자기 토지의 다른 부분의 효용증진을 위하여 도로를 개설하는 단지분할형 도로로서, 이러한 유형의 도로는 토지소유자가 자기 토지의 편익을 위해 스스로 개설한 도로의 전형적인 경우이며, 대법원에서도 이를 사실상의 사도로 보고 있다(대판 1997.8.29, 96누2569 참조).

⑶ 평가방법

사실상의 사도부지는 인근토지에 대한 감정평가액의 1/3 이내로 평가하여 보상한다(칙사).

≫ "인근토지"에 대한 판단은 사도법상 사도의 경우와 동일하다.

⑷ 사실상 사도로 보지 않는 경우

① 지적공부상으로 도로로 구분되어 있으나 가격시점 현재 도로로 이용되고 있지 아니하거나 사실상 용도폐지된 상태에 있는 것

---

139) 세부항목 : 제2호 사실상 사도에 관한 판단기준 세부항목
140) 의견 : 각 항목에 대하여 사업시행자 주장·의견을 구체적으로 기술
　　－내용이 불분명하거나 충분하지 않은 경우, 주장이 없는 것으로 판단
141) 증빙자료 : 위 의견을 뒷받침할 수 있는 자료 목록 기재
142) 비고 : 의견·증빙자료 제출 등과 관련하여 참고할 만한 사실 기재
143) 종합 검토의견 : 위 5개 항목을 종합하여, '제2호 사실상 사도'에 해당하는 이유를 종합하여 기재
144) 도로의 개설 당시의 소유자를 기준으로 하므로 개설 이후에 소유권이 변동되어도 사실상 사도에 해당한다.

② 지적공부상으로 도로로 구분되어 있지 아니한 상태에서 가격시점 현재 사실상 통행에 이용되고 있으나 소유자의 의사에 따라 법률적·사실적으로 통행을 제한할 수 있는 것

(5) 사실상 사도에 대한 판단주체

사실상 사도인지 여부는 대상토지의 현실적인 이용상황의 확정에 해당하는 사항이므로, 「토지보상법」에서 정하는 절차에 따라 사업시행자가 확정한다. 다만, 감정평가법인등이 「토지보상법 시행규칙」 제16조 제3항에 따라 현지조사한 결과 제시된 이용상황이 타당하지 않다고 판단되는 경우에는 그 내용을 사업시행자에게 조회한 후 감정평가한다.

특히 '토지소유자가 그 의사에 의하여 타인의 통행을 제한할 수 없는 도로'에 해당하는지 여부는 법률적 판단 외에도 사실적 판단이 필요한 사항이므로, 감정평가법인등이 자의적으로 판단하여서는 안 된다. 대법원도 "'토지소유자가 그 의사에 의하여 타인의 통행을 제한할 수 없는 도로'에는 법률상 소유권을 행사하여 통행을 제한할 수 없는 경우뿐만 아니라 사실상 통행을 제한하는 것이 곤란하다고 보이는 경우도 해당한다."라고 판시하고 있다(대판 2007.4.12, 2006두18492 등 참조). 따라서 단순히 해당 토지가 불특정 다수인의 통행에 장기간 제공되어 왔고 이를 소유자가 용인하여 왔다는 사정만으로는 사실상의 도로에 해당한다고 할 수 없으나, 도로로서의 이용상황이 고착화되어 해당 토지의 표준적 이용상황으로 원상회복하는 것이 용이하지 아니한 상태에 이르는 등 인근의 토지에 비하여 낮은 가격으로 감정평가하여도 될 만한 객관적인 사정이 인정되는 경우에는 사실상의 사도에 포함된다고 볼 수 있다(대판 2011.8.25, 2011두7014 참조). 그러므로 감정평가법인등은 대상토지가 사실상의 사도에 해당하는지 여부에 대해서는 신중하게 판단하여야 한다.

기 본예제

★ 미지급용지의 감정평가 기본예제의 자료를 활용한다.

S동 100-1번지에 대하여 ○○도시개발사업조합이 도시개발사업에 따른 보상감정평가로서 해당 토지를 사실상 사도로서 의뢰한 경우 해당 토지의 감정평가액을 결정하시오.

예시답안

1. 비교표준지 선택

사업인정일 이전 2025년 공시지가를 선정한다. 해당 사업으로 인한 용도지역의 변경은 반영하지 않으며(계획관리지역), 인근토지(S동 100번지) 평가금액의 1/3 이내로 평가한다.

2. 감정평가액 결정

280,000 × 1.04599(시점) × 1.000(지역) × 0.350(개별*) × 1.50(그 밖) ≒ 153,000원/m²(절사)(× 100 = 15,300,000원)

* 개별요인 : 인근토지의 개별요인을 기준으로 한다(소로한면, 가장형).

∴ 100/95(도로) × 100/100(형상) × 1/3(도로)

---

3) 공도 등 부지의 감정평가

⑴ 공도의 개념

일반적으로 공도란 국가 또는 지방자치단체가 일종의 행정권의 작용으로서 토지를 일반 공중의 통행에 제공한 도로로서, 그 도로를 둘러싼 법률관계가 「도로법」·「국토계획법」 기타의 공법에 의하여 규율되는 도로를 말한다. 이러한 공도는 다시 다음과 같이 구분할 수 있다.

① 법상 공도

법상 공도는 「도로법」·「국토계획법」 등의 관련 법률에서 규정한 절차에 따라 개설된 공도를 말한다. 이러한 법상 공도에는 미불공도 즉, 미지급용지도 포함되나, 미불공도는 공도의 감정평가방법이 적용되지 않고 미지급용지의 감정평가방법을 적용한다.

② 사실상의 공도

사실상의 공도는 국가 또는 지방자치단체가 일반 공중의 통행에 제공한 도로이기는 하나 「도로법」·「국토계획법」 등의 관련 법률에서 규정한 절차에 의하지 않고 개설된 도로를 말한다. 즉, 사도와는 달리 일반 공중의 통행에 제공되고 있으나, 도로구역결정고시 등과 같은 절차를 거치지 않고 자연발생적으로 형성된 도로를 말한다.

③ 「토지보상법 시행규칙」상의 공도

「토지보상법 시행규칙」은 공도라는 용어를 사용하지 않고 있다. 다만, 「사도법」에 따른 사도의 부지와 사실상의 사도의 부지를 제외한 도로에 대하여 「토지보상법 시행규칙」 제22조에서 정하는 방법으로 감정평가하도록 하여 구분하고 있다. 따라서 사도가 아닌 도로로서 법상 공도가 아닌 사실상의 공도에 대하여 사실상의 사도의 감정평가방법을 적용할 것인지 또는 공도의 감정평가방법을 준용할 것인지가 문제이다. 이에 대해서는 첫째, 토지소유자가 그 의사에 의하여 타인의 통행을 제한할 수 있는지, 둘째, 국가 또는 지방자치단체를 점유자로 볼 수 있는지 등에 따라 판단할 수 있다.

⑵ 공도의 분류

① 「도로법」 제2조에 따른 도로

고속도로, 일반국도, 특별시도 및 광역시도, 지방도, 시도, 군도

② 「국토의 계획 및 이용에 관한 법률」에 따른 도시·군관리계획사업으로 설치된 도로

③ 「농어촌도로정비법」 제2조의 규정에 따른 농어촌도로

읍 또는 면 지역안의 도로법에 규정되지 아니한 도로로서 농어촌 주민의 생활편익 등을 위하여 고시된 도로

⑶ 평가방법

① 평가의 원칙

공도부지는 도로로 이용되지 아니하였을 경우에 예상되는 인근지역의 표준적인 이용상황을 기준으로 감정평가한다.

공도는 전형적인 공물로서, 직접적으로 일반공중의 공동사용을 위하여 제공된 공공용물이고, 행정주체에 의해 인위적으로 가공된 인공공물에 해당하며, 「국유재산법」 및 「공유재산 및 물품 관리법」상의 행정재산 중 공공용재산에 해당된다.

이러한 공물은 그 성격상 융통성이 제한되므로, 공도는 도로인 상태로는 거래의 대상이 될 수 없다. 따라서 「국유재산법」 제27조 및 「공유재산 및 물품 관리법」 제19조는 행정재산은 용도폐지되지 않는 한 처분하지 못하도록 규정하고 있다. 그러므로 공도부지가 처분의 대상이 되기 위해서는 사전에 공용폐지의 절차가 선행되어야 하며, 인공공물인 도로의 공용폐지를 위해서는 공공용물로서의 형체가 상실되는 형태적 요건과 도로로서의 공물의 지위를 상실시키는 권한 있는 행정기관의 의사표시인 의사적 요건이 필요하다.

따라서 공도가 공익사업에 편입되어 취득의 대상이 되었다는 것은 공용폐지가 있었다고 볼 수 있다. 다만, 기준시점에서 도로인 상태로 남아 있어 형태적 요건을 충족하였다고 볼 수 없는 경우에도 이는 공익사업에 편입되어 형질변경이 예상되어 있어 별도로 형체를 상실시키지 않은 것이므로 이러한 경우에도 공용폐지가 있은 것으로 보고 감정평가한다.

② **감정평가방법**

인근지역에 있는 표준적인 이용상황과 비슷한 토지의 표준지공시지가를 기준으로 한다. 이 경우에 인근지역에 있는 표준적인 이용상황과 비슷한 토지의 표준지공시지가에 해당 도로의 개설에 따른 가치변동이 포함되어 있는 경우에는 이를 배제한 가액으로 감정평가한다. 다만, 그 공도의 부지가 미지급용지인 경우에는 미지급용지로서 감정평가한다.

③ **이용상황에 따른 감정평가방법**

해당 도로의 위치·면적·형상·지세, 도로의 폭·구조·기능·계통 및 연속성, 편입 당시의 지목 및 이용상황, 용도지역 등 공법상 제한, 인근토지의 이용상황, 그 밖의 가격형성에 영향을 미치는 요인을 고려하되, 다음과 같이 감정평가액을 결정할 수 있다. 이 경우 공작물 등 도로시설물의 가액은 그 공도부지의 감정평가액에 포함하지 아니하며, 해당 토지가 도로부지인 것에 따른 용도적 제한은 고려하지 아니한다.

㉠ **인근지역이 농경지대 또는 임야지대의 경우** : 인근지역의 표준적인 이용상황이 전, 답 등 농경지 또는 임야지인 경우에는 그 표준적인 이용상황과 비슷한 토지의 표준지공시지가를 기준으로 한 적정가격에 도로의 지반조성 등에 통상 소요되는 비용상당액과 위치조건을 고려한 가격수준으로 결정한다. 다만, 인근지역의 표준적인 이용상황의 토지가 경지정리사업지구 안에 있는 전, 답 등 농경지인 경우에는 도로의 지반조성 등에 통상 소요되는 비용상당액은 고려하지 아니한다.

㉡ **인근지역의 표준적인 이용상황이 '대' 및 이와 비슷한 농경지 또는 산지인 경우** : 그 표준적인 이용상황과 비슷한 토지의 표준지공시지가를 기준으로 한 적정가격에 도로의 지반조성 등에 통상 필요한 비용상당액과 위치조건 등을 고려한 가격수준으로 결정한다. 다만, 인근지역의 표준적인 이용상황이 경지정리사업지구 안에 있는 전·답 등 농경지인 경우에는 도로의 지반조성 등에 통상 필요한 비용상당액은 고려하지 아니한다.[145]

>> 공작물 등 도로시설물의 가격은 그 공도부지의 평가가격에 포함하지 아니한다.

> **Check Point!**
>
> ● **특수토지를 인근의 표준적인 이용상황으로 평가하는 경우**
>
> **1. 인근지역이 농경지대나 임야지대인 경우**
> 인근의 표준적인 이용상황(농지, 임야)으로 평가하되 지반조성비를 가산하여 평가한다(단, 인근지역이 경지정리된 농지인 경우에는 가산하지 않는다).
>
> **2. 인근지역이 택지지대인 경우**
> 인근의 표준적인 이용상황(택지)으로 평가하되, 위치조건 등을 고려한 가격수준으로 한다.

(4) 개별요인비교 시 고려사항

① 위치·면적·형상·지세, ② 도로의 폭·구조·기능·계통 및 연속성, ③ 도로 편입 당시의 지목 및 이용상황, ④ 용도지역·지구·구역 등 공법상 제한, ⑤ 인근토지의 이용상황, ⑥ 기타 가격형성에 영향을 미치는 요인 등을 고려한다.

(5) 예정공도

① 개념

예정공도란 「국토계획법」에 따른 도시·군관리계획에 의하여 도로로 결정된 후부터 도로로 사용되고 있는 도로를 말한다. 기반시설로서의 도로는 도시·군관리계획 결정 → 실시계획의 작성 및 인가 → 토지 등의 수용 및 사용 → 도로개설공사 등과 같은 도시·군계획시설사업의 시행절차에 따라 개설되나, 예정공도는 도시·군관리계획에 의하여 도로로 결정된 후 그 다음의 절차를 거치지 않고 사실상 개설된 도로를 말한다.

② 예정공도의 성격

「건축법」 제2조 제11호에서 「국토계획법」, 「도로법」, 「사도법」, 그 밖의 관련 법령에 따라 신설 또는 변경에 관한 고시가 된 도로도 도로로 보고 건축허가가 가능하도록 규정하고 있다. 따라서 「국토계획법」에 따른 도시·군관리계획에 의하여 도로로 결정된 후 인근 토지의 건축허가 등을 위하여 개설된 예정공도는 그 성격상으로는 "자기 토지의 편익을 위하여 스스로 설치한 도로"인 사실상의 사도와 유사하다. 그러나 이러한 예정공도는 '자기 토지의 편익을 위하여' 설치한 도로이기는 하나, 도시·군관리계획에 의하여 도로로 결정됨으로 인하여 도로개설이 강제된 것이므로 '스스로 설치한 도로'로 보지 않는다. 그러므로 예정공도는 사실상의 사도로 보지 않는다.[146]

---

145) 2020.02.19. 토지보상평가지침 개정에서 종전에 환지비율을 고려요소에서 삭제하여 환지비율이 필수적 고려요소가 아님을 명확하게 하였다.

146) 토지소유자가 도시계획도로 입안내용에 따라 스스로 도로를 제공한 토지는 예정공도가 아니라 사실상의 사도에 해당된다 (대판 1997.08.29, 96누2569).

③ **예정공도의 감정평가방법**

이러한 예정공도부지는 「사도법」에 따른 사도부지 및 사실상의 사도부지가 아닌 도로부지이
므로 「토지보상법 시행규칙」 제22조의 규정에서 정하는 방법에 따라 감정평가한다(토지보상법
시행규칙 제26조 제1항 제3호). 즉, 예정공도부지는 미지급용지에 준하여 감정평가하는 것이
아니라, 공도부지의 감정평가방법에 따라 감정평가한다. 따라서 예정공도부지의 현실적인 이
용상황은 예정공도로 편입될 당시의 이용상황을 기준으로 하는 것이 아니고 인근 토지의 표준
적인 이용상황을 기준으로 함을 원칙으로 한다.

예정공도부지는 그 성격상 미지급용지와 유사하게 볼 수도 있으나, 예정공도부지는 종전에 시
행된 공익사업의 부지로서 보상금이 지급되지 아니한 미지급용지와는 그 성격이 다르며, 미지
급용지와는 달리 종전의 공익사업에 편입될 당시라고 하는 일정한 시점이 있을 수 없어 편입될
당시의 현실적인 이용상황의 판단이 사실상 불가능하다. 따라서 미지급용지의 감정평가방법을
준용하지 않고 공도부지의 감정평가방법을 준용하는 것이 타당하다.

기 본예제

★ 미지급용지의 감정평가 기본예제의 자료를 활용한다.

S동 100-1번지에 대하여 ○○도시개발사업조합이 도시개발사업에 따른 보상감정평가로서 해당 토
지를 공도부지로서 의뢰한 경우 해당 토지의 감정평가액을 결정하시오.

예시답안

1. **비교표준지 선택**

사업인정일 이전 2025년 공시지가를 선정한다. 해당 사업으로 인한 용도지역의 변경은 반영하지 않으며(계획
관리지역), 인근의 표준적 이용상황 기준하되, 해당 도로개설에 따른 영향은 고려하지 않는다.

2. **감정평가액 결정**

$280{,}000 \times 1.04599(\text{시점}) \times 1.000(\text{지역}) \times 0.950(\text{개별}^{*}) \times 1.50(\text{그 밖}) \fallingdotseq 417{,}000\text{원}/\text{m}^2(\times 100 = 41{,}700{,}000\text{원})$

* 개별요인 : 종전의 개별요인을 기준으로 한다(세로(가), 사다리형).

∴ 1.00(도로) × 95/100(형상)

4) 그 밖의 도로부지의 감정평가

(1) 그 밖의 도로부지의 감정평가

다음의 관계법령의 규정에 의한 공익사업의 시행으로 설치된 도로의 부지에 대한 평가는 토지보
상평가지침 제36조(공도 등 부지의 감정평가)의 규정(인근지역에 있는 표준적인 이용상황의 표준
지공시지가 기준평가)을 준용한다.

① 「택지개발촉진법」에 의한 택지개발사업

② 종전의 「농촌근대화촉진법」의 규정에 의한 농지개량사업

③ 종전의 「농어촌발전특별조치법」에 의한 정주생활권개발사업

④ 「농어촌정비법」의 규정에 의한 농어촌정비사업

＞＞ 다만, 그 도로가 택지 등 조성사업이나 환지방식 등에 의하여 설치된 것으로서 그 도로의 폭·구조·기
능·연속성 기타 인근토지의 상황과 해당 공익사업의 성격이나 규모 등에 비추어 대지 또는 공장용지 등의
조성 시에는 유사한 기능·규모 등의 도로를 개설할 것으로 일반적으로 예상되고 그 도로부지의 가치가
조성된 대지 또는 공장용지 등에 상당부분 화체된 것으로 인정되는 경우에는 토지보상평가지침 제35조의2
(사실상의 사도부지의 감정평가)의 규정(인근 토지의 1/3 이내로 평가)을 준용할 수 있다.

(2) 새마을도로

① 새마을도로의 개념

현행 법률에서는 새마을도로라는 도로는 없으며, 그 정의 또한 명확하지 않다. 일반적으로 새
마을도로는 과거 "마을 간 또는 공도 등과의 접속을 위하여 새마을사업에 의하여 설치되었거나,
불특정 다수인의 통행에 이용되고 있는 사실상의 사도 등이 새마을사업에 의하여 확장 또는
노선변경이 된 도로"를 의미한다.

② 연혁

새마을도로에 대해서는 1977.8.8.~1991.10.28.까지는 인근 토지가격의 3분의 1 이내로 평가하던
사실상의 사도와는 달리 인근 토지가격의 2분의 1 이내로 평가하도록 규정하였고, 1991.10.28.
~1995.1.7.까지는 미지급용지에 준하여 평가하였으며, 1995.1.7.~2003.1.1.까지는 사실상의
사도와 동일하게 인근 토지가격의 3분의 1 이내로 평가하였다.

③ 새마을도로의 성격

새마을도로의 성격에 대하여 1991.10.28. 이전에는 사도의 일종으로 보면서도 상대적으로 다른
사도에 비해서는 공공적 측면이 강하다고 보고 감액비율을 낮게 적용하였다. 반면 1991.10.28.
~1995.1.7.까지는 사도에 대한 감가이론인 화체이론의 요건을 동일 소유자 간의 가치의 이전
및 도로개설의 자의성이라는 두 가지로 보고 사도의 범위를 엄격하게 제한하였으므로, 도로개
설의 자의성은 인정되나 동일 소유자 간의 가치이전이라는 요건을 충족한다고 보기 어려운 새
마을도로는 사실상의 사도로 보지 않았다. 1995.1.7.~2003.1.1.까지는 사도의 감가이론을 화체
이론이 아닌 배타적 이용의 여부를 기준으로 한 사용·수익권 제한 가치이론으로 전환됨에
따라 새마을도로도 사실상의 사도와 동일하게 감가하게 되었다.

④ 새마을도로의 보상감정평가

2003.1.1. 「토지보상법」 시행 이후에는 화체이론(법 시행규칙 제26조 제2항 제1호 및 제4호) 및
사용·수익권 제한 가치이론(제2호 및 제3호)이 같이 적용되고 있으므로, 사도의 감가이론을
화체이론에 의하고 있었던 (구)「공공용지의 취득 및 손실보상에 관한 특례법」에서는 해석상
새마을도로를 미지급용지에 준하여 취급하는 것이 가능하다고 볼 수도 있으나, 현행 「토지보
상법 시행규칙」에서는 제26조 제2항 제2호의 "토지소유자가 그 의사에 의하여 타인의 통행을
제한할 수 없는 도로"에 해당하는 사실상의 사도로 보아야 한다.

대법원은 "새마을 농로 확장공사로 인하여 자신의 소유 토지 중 도로에 편입되는 부분을 도로로
점유함을 허용함에 있어 손실보상금이 지급되지 않았으나 이의를 제기하지 않았고, 도로에 편
입된 부분을 제외한 나머지 토지만을 처분한 점 등의 제반 사정에 비추어 보면, 토지소유자가
토지 중 도로로 제공한 부분에 대한 독점적이고 배타적인 사용수익권을 포기한 것으로 봄이

상당하다.”라고 판시하고 있다(대판 2006.5.12, 2005다31736). 다만, 새마을도로의 개념 자체가 전형적인 불확정개념이므로, 인근에서 새마을도로라는 이름으로 호칭되고 있다고 하여 이를 모두 사실상의 사도로 보아서는 안 된다.

⑶ 건축선 후퇴(건축후퇴선)로 도로가 된 경우

① 건축선의 의의

건축선이란 대지가 도로와 접한 부분에 있어서 건축물을 건축할 수 있는 한계선을 말하며, 원칙적인 건축선은 대지와 도로의 경계선이 된다. 다만, 대지에 접하는 도로의 너비가 4미터 미만인 경우에는 그 중심선으로부터 그 소요 너비의 2분의 1의 수평거리만큼 물러난 선을 건축선으로 하되, 그 도로의 반대쪽에 경사지, 하천, 철도, 선로부지, 그 밖에 이와 유사한 것이 있는 경우에는 그 경사지 등이 있는 쪽의 도로경계선에서 소요 너비에 해당하는 수평거리의 선을 건축선으로 한다(건축법 제46조 제1항).

또한 특별자치도지사 또는 시장·군수·구청장은 시가지 안에서 건축물의 위치나 환경을 정비하기 위하여 필요하다고 인정하면 건축선을 따로 지정할 수 있다(건축법 제46조 제1항).

② 건축선에 따른 행위제한

건축물과 담장은 건축선의 수직면(垂直面)을 넘어서는 안 되며, 도로면으로부터 높이 4.5미터 이하에 있는 출입구, 창문, 그 밖에 이와 유사한 구조물은 열고 닫을 때 건축선의 수직면을 넘지 아니하는 구조로 하여야 한다(건축법 제47조).

③ 건축선 후퇴로 인한 도로의 보상감정평가

건축선 후퇴로 인한 도로의 경우 사실상의 사도부지로 보아야 한다는 견해[147)]가 있으나, 국토교통부는 이를 ‘일시적 이용상황’으로 보고 종전 이용상황으로 감정평가하도록 유권해석한 바 있다(2001.12.10, 토관 58342-1907).

⑷ 단지 내 도로

일단의 대규모 공장용지 또는 학교용지 내의 도로는 사실상의 사도로 보지 않고 공장용지 또는 학교용지로 본다. 국토교통부는 국방대학교 부지 내 도로로 사용하고 있는 토지는 「토지보상법 시행규칙」 제26조 제2항 각 호에 해당하지 아니하므로 ‘사실상의 도로’로 감정평가할 수 없다고 유권해석하고 있다(2011.2.15, 토지정책과-726).

⑸ 사실상 사도부지로서 평가

① 토지소유자가 자기 토지의 편익을 위하여 스스로 설치한 이후에 도시관리계획에 따른 도로로 결정되어 기반시설로 변경된 경우

② 공도부지가 그 공도로 지정될 당시에 법 시행규칙에서 규정한 “사실상 사도”로 이용된 경우

---

147) 이 견해는 건축선은 그 지정만으로 건축이 제한되며, 건폐율 및 용적률을 산정하는 기준이 되는 대지면적의 산정에서 대지에 접하는 도로의 너비가 4미터 미만인 경우에 해당되어 그 중심선으로부터 그 소요 너비만큼 물러난 건축선과 도로 사이의 면적은 대지면적에서 제외하도록 규정하고 있기 때문에 사실상의 사도부지로 보아야 한다는 것이다.

5. 도수로부지와 구거부지[148]의 감정평가(시행규칙 제26조 제3항)

1) 도수로부지의 개념

"도수로부지"라 함은 관행용수권(하천으로부터 농업용수나 생활용수를 취수 또는 인수할 수 있는 권리)과 관련하여 용수·배수를 목적으로 설치된 것으로서 일정한 형태를 갖춘 인공적인 수로[149]·둑 및 그 부속시설물(개설 당시의 토지소유자가 자기토지의 편익을 위하여 스스로 설치한 것을 제외한다)의 부지를 말한다.

2) 도수로부지의 평가방법

⑴ 평가기준

도수로부지는 도수로로 이용되지 아니하였을 경우에 예상되는 인근지역에 있는 표준적인 이용상황과 비슷한 토지의 표준지공시지가를 기준으로 한다. 이 경우 공작물 등 도수로 시설물의 가치는 도수로부지의 감정평가액에 포함하지 아니하며, 대상토지가 도수로부지인 것에 따른 용도적 제한은 고려하지 않는다.

① **인근지역의 표준적인 이용상황이 농경지 또는 임야인 경우**

인근지역의 표준적인 이용상황이 전, 답 등 농경지인 경우에는 그 표준적인 이용상황과 비슷한 토지의 표준지공시지가를 기준으로 한 적정가격에 도수로의 지반조성 등에 통상 필요한 비용 상당액과 위치조건 등을 고려한 가격수준으로 결정한다. 다만, 인근지역의 표준적인 이용상황의 토지가 경지정리사업지구 안에 있는 전·답 등 농경지인 경우에는 도수로의 지반조성 등에 통상 필요한 비용상당액은 고려하지 아니한다.

② **인근지역의 표준적인 이용상황이 "대" 또는 이와 유사한 용도인 경우**

인근지역의 표준적인 이용상황이 "대" 및 이와 비슷한 용도의 것인 경우에는 그 표준적인 이용상황과 비슷한 토지의 표준지공시지가를 기준으로 한 적정가격에 위치조건 등을 고려한 가격수준으로 결정한다. 이 경우 도수로의 지반조성 등에 통상 필요한 비용상당액은 고려하지 아니한다.

⑵ 기타 참고사항

① 공작물 등 도수로 시설물의 가격은 도수로부지의 평가가격에 포함하지 아니하며, 해당 도수로부지인 것에 따른 용도적 제한을 고려하지 않는다.

다만, 도수로로서의 기능이 사실상 상실되었거나 용도폐지된 도수로부지의 경우에는 그 도수로부지의 다른 용도로의 전환가능성, 전환 후의 용도, 용도전환에 통상 필요한 비용상당액 등을

---

148) 감정평가실무기준 해설서(Ⅱ) 보상편, 한국감정평가사협회 등, 2014.02, pp.172~178

149) 도수로에서의 '인공적인 수로'의 의미(서울고등법원 2014.09.19, 2013누30843)
'인공적 수로'는 자연발생적이 아닌 인위적인 방법에 따르기만 하면 단순히 흙쌓기와 땅파기 공사 등을 통하여도 설치될 수 있으며, 땅을 판 후 반드시 그 위에 어떠한 시설물을 설치하여야만 '인공적 수로'가 되는 것은 아니다(동 판결은 대판 2015. 2.12, 2014두14396(상고 기각)에 의하여 확정되었음).

고려한 가격수준으로 결정할 수 있다. 이 경우에는 인근지역에 있는 것으로서 일반적으로 전환 가능한 용도와 비슷한 토지의 표준지공시지가를 기준으로 감정평가한다.

② 종전의 농촌근대화촉진법의 규정에 따른 농지개량사업, 농어촌정비법의 규정에 따른 농어촌 정비사업 등 관계법령에 따른 공익사업의 시행으로 설치된 도수로의 부지도 동일하게 적용된다.

3) 구거부지의 감정평가방법

(1) 개요

구거는 사람에 의해 만들어지기도 하지만 대부분 물이 높은 곳으로부터 낮은 곳으로 흐름에 따라 자연스럽게 형성되는 것이므로, 구거와 관련된 토지의 합리적인 이용을 위한 상린관계가 성립된다. 따라서 구거의 소유자가 소유권을 행사하여 그 구거를 폐쇄시키거나 변경시키는 것이 금지 또는 제한되고 있다. 「민법」 제221조는 토지소유자는 이웃 토지로부터 자연히 흘러오는 물을 막지 못하며, 고지소유자는 이웃 저지에 자연히 흘러내리는 이웃 저지에서 필요한 물을 자기의 정당한 사용범위를 넘어서 이를 막지 못하도록 하여 자연유수의 승수의무와 권리를 규정하고 있다. 또한 「민법」 제229조는 구거 기타 수류지의 소유자는 대안의 토지가 타인의 소유인 때에는 그 수로나 수류의 폭을 변경하지 못하도록 규정하여 수류의 변경에 대해 규정하고 있다. 즉, 구거는 공공목적에 직접 제공된 공물로 보기는 어렵다고 하여도 상린관계에 의한 다양한 제한을 받고 있어 그 사용·수익권이 제한되므로 인근토지보다 가격이 낮다.

(2) 유사 개념과의 구분

① 하천

「공간정보의 구축 및 관리 등에 관한 법률 시행령」 제58조 제17호에서 하천이란 "자연의 유수 (流水)가 있거나 있을 것으로 예상되는 토지"로 규정하고 있으므로 그 개념상으로는 구거와 유사하나, 일반적으로 규모를 기준으로 큰 것은 하천, 작은 것은 구거로 나누기도 한다. 다만, 「하천법」에서 하천이란 지표면에 내린 빗물 등이 모여 흐르는 물길로서 공공의 이해에 밀접한 관계가 있어 국가하천 또는 지방하천으로 지정된 것을 의미한다. 즉, 「하천법」에서의 하천은 자연의 유수가 있고, 그 위에 국토교통부장관 또는 시·도지사의 지정이 있어야 한다는 점이 지목상 하천과 다른 점이다.

② 유지(溜池)

「공간정보의 구축 및 관리 등에 관한 법률 시행령」 제58조 제19호에서 유지란 "물이 고이거나 상시적으로 물을 저장하고 있는 댐·저수지·소류지(沼溜地)·호수·연못 등의 토지와 연·왕골 등이 자생하는 배수가 잘 되지 아니하는 토지"로 규정하고 있다. 즉, 구거는 흐르는 물의 토지인 반면, 유지는 고인 물의 토지라는 차이가 있다.

③ 수도용지

「공간정보의 구축 및 관리 등에 관한 법률 시행령」 제58조 제21호에서 수도용지란 "물을 정수하여 공급하기 위한 취수·저수·도수(導水)·정수·송수 및 배수 시설의 부지 및 이에 접속된 부속시설물의 부지"로 규정하고 있다. 즉, 구거는 자연수가 흐르는 토지인 반면, 수도용지는 정수한 물이 흐르는 토지라는 차이가 있다.

④ **도수로**

도수로에 대한 용어의 정의를 규정하고 있는 법령은 없다. 다만, 일반적으로 도수로란 관행용수권과 관련하여 용수·배수를 목적으로 일정한 형태를 갖춘 인공적인 수로·둑 및 그 부속시설물의 부지를 의미한다. 여기서 관행용수권이란 하천으로부터 농업용수나 생활용수를 취수 또는 인수하는 관행상의 권리를 말한다. 즉, 「하천법」 제50조에서는 생활·공업·농업·환경 개선·발전·주운(舟運) 등의 용도로 하천수를 사용하려는 자는 기후에너지환경부장관의 허가를 받아야 하도록 규정하고 있으나, 이러한 허가 등이 없이 장기간 하천이나 구거로부터 농업용수나 생활용수를 취수 또는 인수하여 옴에 따라 관행으로 인정된 물의 사용권을 말한다. 구거는 물이 자연적으로 흐르든, 사람이 일정한 방향으로 흐르도록 이끌든 그것은 가리지 않고 물이 흐르고 있는 토지를 의미하나, 도수로는 일정한 방향으로 물이 흐르도록 인공적으로 조성하여 물이 흐르고 있는 토지라는 차이가 있다. 즉, 도수로는 구거 중에서 관행용수권에 의하여 농업용수나 생활용수를 취수 또는 인수를 위하여 인공적으로 조성된 것을 의미한다.

⑶ **구거부지의 보상감정평가**

① **원칙**

구거부지는 인근토지에 대한 감정평가금액의 3분의 1 이내로 감정평가한다. 따라서 이러한 구거에 해당되면 그 소유자가 누구인지, 자기토지의 편익에 이용하고 있는지 등에 관계없이 인근토지에 대한 감정평가금액의 3분의 1 이내로 감정평가한다.

② **예외**

㉠ **도수로부지**: 도수로부지는 구거부지의 감정평가방법이 적용되지 않는다. 따라서 이 조항은 도수로를 제외한 구거에 적용된다.

㉡ **폐쇄 또는 전환이 가능한 구거**: 토지소유자가 독점적으로 이용하는 구거로서 언제든지 다른 용도로 전환이 가능한 구거 또는 토지소유권자가 소유권을 행사하여 그 사용을 금지시킬 수 있는 상태에 있는 구거는 「토지보상법 시행규칙」 제26조 제3항에 따라 3분의 1 이내로 감액하여 감정평가하는 구거에 해당되지 않는다. 그 이유는 사용·수익이 제한되지 않는 구거부지는 감액하여서는 안 되기 때문이다. 대법원은 사실상 구거 등으로 사용되고 있으나 토지소유권자가 소유권을 행사하여 그 사용을 금지시킬 수 있는 상태에 있는 토지는 사실상의 구거에 해당되지 않는다고 판시한 바 있다(대판 1983.12.13, 83다카1747 참조).

4) 도수로부지와 구거부지의 구분

⑴ **구분의 취지**

구거부지와 도수로부지의 감정평가방법을 달리하는 이유는 그 가치에 차이가 있다고 보기 때문이다. 즉, 관행용수권과 관련하여 용수·배수를 목적으로 인공적으로 조성된 수로인 도수로는 소유자의 의사와 관계없이 물이 흐르는 구거와는 달리, 소유자 또는 관리자의 의사에 의해서만 물이 흐르므로 몽리(蒙利) 토지 등이 없어진 경우 등 개설목적에 더 이상 사용할 필요가 없게 되면 언제든지 다른 용도로 전용할 수 있다. 또한 도수로로 인하여 인근 몽리토지의 가치가 상승한다고 하여도 도수로 부지의 소유자와 몽리 토지의 소유자가 다른 경우에는 동일한 소유자 간의 가치의 화체가 인정되지 않는다.

따라서 도수로부지는 구거부지와는 달리 인근토지보다 낮은 가격으로 보상하여도 될 만한 사정이 있다고 볼 수 없으므로 감액하여 감정평가하지 않도록 규정하고 있는 것이다. 그러므로 이 규정은 이러한 도수로부지의 특성을 고려한 보상감정평가방법을 규정하여 국민의 재산권을 보장하는 데 취지가 있다.

(2) 구분의 기준

구거부지와 도수로부지의 감정평가방법을 달리하는 이유는 그 가치에 차이가 있기 때문이므로, 도수로부지를 그보다 낮은 가격으로 감정평가하는 구거부지로 보기 위해서는 그 도수로의 개설경위·목적·주위환경·소유관계·이용상태 등의 제반 사정에 비추어 구거부지로 감정평가하여도 될 만한 객관적인 사유가 있어야 한다. 그러므로 몽리 토지의 대부분이 택지화되어 도수로의 기능이 상당부분 상실되었다고 하여 이를 구거부지로 볼 수는 없다. 대법원은 관행용수를 위한 도수로부지에 그 소유자의 의사에 의하지 아니한 채 생활오폐수가 흐르고 있다는 사정은 원래 일반토지의 감정평가방법에 의한 가격으로 감정평가하도록 되어 있는 도수로부지를 그보다 낮은 가격으로 평가하는 구거부지로 보아도 될 만한 객관적인 사유가 될 수 없다고 판시하고 있다(대판 2001.4.24, 99두5085 참조).

(3) 구거 또는 도수로의 구분 주체

대상토지가 구거인지 또는 도수로인지의 구분은 대상토지의 현실적인 이용상황에 관한 사항이므로, 「토지보상법」에서 정하는 절차에 따라 사업시행자가 확정한다. 다만, 감정평가법인등이 「토지보상법 시행규칙」 제16조 제3항에 따라 현지조사한 결과, 제시된 이용상황이 타당하지 않다고 판단되는 경우에는 그 내용을 사업시행자에게 조회한 후 감정평가한다.

6. 저수지부지[150] 등의 감정평가 [151]

1) 원칙

「농어촌정비법」에 따른 농업생산기반시설인 저수지(제방 등 부대시설을 포함한다)의 부지에 대한 감정평가는 법 시행규칙 제22조에 따르되, 다음 각 호의 사항을 고려하여 감정평가한다.

① 위치·면적·지형·지세

② 저수지의 규모·기능·유용성

③ 용도지역 등 공법상 제한

---

150) 「농어촌정비법」의 규정상 농업생산기반시설, 제방 등 부대시설을 포함한다.
151) 토지보상평가지침 제40조

④ 저수지 조성 당시 편입토지의 주된 이용상황
⑤ 전, 답 등 인근토지의 이용상황
⑥ 그 밖에 가치형성에 영향을 미치는 요인

2) 표준지공시지가가 없을 경우

⑴ 대상토지와 이용상황이 비슷한 토지의 표준지공시지가가 인근지역에 없을 경우에는 인근지역의
전, 답 등 표준적인 이용상황과 비슷한 토지의 표준지공시지가를 기준으로 감정평가할 수 있다.

⑵ **용도가 다른 것에 따른 개별요인의 비교 등이 사실상 곤란한 경우**
　① **인근지역의 표준적인 이용상황이 전, 답 등 농경지 또는 임야인 경우**
　　그 표준적인 이용상황과 비슷한 토지의 표준지공시지가를 기준으로 한 적정가격에 저수지의 지
　　반조성에 통상 필요한 비용상당액과 위치, 규모, 지형·지세, 용도지역 등을 고려한 가격수준으
　　로 결정한다. 다만, 인근지역의 표준적인 이용상황이 경지정리사업지구 안에 있는 전·답 등 농
　　경지이거나 인근지역의 지형·지세 등으로 보아 저수지의 지반조성이 따로 필요하지 아니하다
　　고 인정되는 경우에는 저수지의 지반조성에 통상 필요한 비용상당액은 고려하지 아니한다.
　② **인근의 표준적인 이용상황이 "대" 또는 이와 유사한 용도일 경우**
　　그 표준적인 이용상황과 비슷한 토지의 표준지공시지가를 기준으로 한 적정가격에 위치, 규모,
　　지형·지세, 용도지역 등을 고려한 가격수준으로 결정한다.
　③ 공작물 등 저수지 시설물의 가액은 저수지부지의 감정평가액에 포함하지 아니한다.

3) 저수지부지의 일부가 공익사업에 편입되는 경우

편입되는 부분의 가치를 기준으로 평가할 수 있다.

4) 저수지부지가 미지급용지인 경우

미지급용지로서 평가한다.

5) 농업생산기반시설로서의 기능이 상실되었거나 용도폐지된 저수지

농업생산기반시설로서의 기능이 사실상 상실되었거나 용도폐지된 저수지부지의 경우에는 그 저수지
부지의 다른 용도의 전환 가능성, 전환 후의 용도, 용도전환에 통상 필요한 비용상당액 등을 고려한
가액으로 감정평가할 수 있다. 이 경우에는 인근지역에 있는 것으로서 일반적으로 전환 가능한 용도와
비슷한 토지의 표준지공시지가를 기준으로 감정평가한다.

6) 농업기반시설이 아닌 것으로서 소류지, 호수, 연못 등("소류지 등")의 부지에 대한 감정평가

저수지부지의 감정평가방법을 준용하되 그 소류지 등의 용도·수익성 등을 고려한 가액으로 감정평
가한다.

7. 양어장부지의 감정평가 [152)]

(1) 원칙

농경지 등을 「농지법」 등 관계법령에 따라 전용하여 양어장으로 조성한 것으로서 그 수익성 등에 비추어 양어장으로서의 기능이 계속 유지될 것으로 일반적으로 예상되는 경우에는 가격시점을 기준으로 한 조성전 토지의 적정가격에 양어장으로 조성하는 데 통상 필요한 비용상당액(공작물 등 시설물의 가액은 제외한다) 등을 고려한 가액으로 감정평가할 수 있다. 이 경우에는 양어장으로 조성되기 전의 이용상황과 비슷한 토지의 표준지공시지가를 기준으로 감정평가하되, 양어장으로 조성하는 데 통상 필요한 비용상당액 및 성숙도 등을 개별요인의 비교 시에 고려한다.

(2) 양어장시설로서의 기능이 사실상 상실되었거나 용도폐지된 양어장시설 부지

그 양어장시설 부지의 다른 용도의 전환 가능성, 전환 후의 용도, 용도전환에 통상 필요한 비용상당액 등을 고려한 가액으로 감정평가할 수 있다. 이 경우에는 인근지역에 있는 것으로서 일반적으로 전환 가능한 용도와 비슷한 토지의 표준지공시지가를 기준으로 감정평가한다.

8. 염전부지 평가 [153)]

(1) 원칙

「소금산업 진흥법」에 따른 염전시설의 부지(이하 "염전부지"라 한다)에 대한 감정평가는 법 시행규칙 제22조에 따라 대상토지와 이용상황이 비슷한 토지의 표준지공시지가를 기준으로 감정평가한다.

(2) 일단지 감정평가 및 그 예외

염전부지의 감정평가 시에는 이용상황이 비슷한 토지의 표준지공시지가가 염 생산에 있어서 용도상 불가분의 관계에 있는 염전·유지·잡종지·구거 등(염 생산용도로 이용되지 아니하여 방치되고 있는 부분은 제외한다)을 일단지의 개념으로 보고 조사·평가된 것을 고려하여 일괄감정평가하는 것을 원칙으로 한다. 다만, 염생산용도로 이용되지 아니하여 방치된 부분과 염전시설을 외곽에서 보호하고 있는 제방시설의 부지, 그 밖에 염전시설의 용도로 전용적으로 이용되지 아니하고 불특정 다수인의 통행에 이용되고 있는 도로 등의 부지는 일괄감정평가의 대상에서 제외하며, 의뢰인이 염전시설 안에 있는 도로·구거 등의 부지를 주된 용도와 구분하여 감정평가 의뢰한 경우 또는 대상물건의 상황 등으로 보아 용도별로 구분하여 감정평가하는 것이 적정가격의 결정에 있어서 타당하다고 인정되는 경우 등에는 용도별로 구분하여 감정평가할 수 있다.

(3) 일부가 공익사업에 편입된 경우

염전부지의 일부가 공익사업에 편입되는 경우로서 일단의 염전부지 전체를 기준으로 하는 것이 타당하지 않은 경우는 그 편입부분의 이용상황을 기준으로 감정평가할 수 있다. 즉, 염전부지 중 배

---

152) 토지보상평가지침 제40조의2
153) 토지보상평가지침 제41조

수로의 일부나 창고부지의 일부가 편입된 경우에는 염전부지 전체를 기준으로 한 금액으로 감정평가하는 것이 타당하지 않으므로, 이러한 경우는 그 편입부분의 이용상황을 기준으로 감정평가한다.

⑷ 사실상 기능이 상실된 염전부지

사실상 염전으로서의 기능이 상실되어 더 이상 염전부지로 이용될 수 없는 경우에는 인근지역에 있는 표준적인 이용상황의 표준지를 비교표준지로 선정하여 감정평가한다. 이 경우에는 전체 염전부지를 일단지로 보지 않고 각 필지별로 인근지역의 표준적인 이용상황으로의 전환가능성, 용도전환에 소요되는 기간 및 용도전환에 필요한 통상 비용상당액 등을 고려한다. 여기에서 용도전환에 필요한 통상 비용상당액은 전환용도에 따라 달라지며, 전환용도가 농경지라면 객토비용 등 염분을 낮추는데 소요되는 비용이 포함되고, 전환용도가 건부지라면 성토 및 연약지반보강 공사비용 등이 포함된다.

9. 목장용지의 감정평가 [154)155)]

1) 「초지법」 제5조에 따라 허가받아 조성된 초지

⑴ 목초 또는 사료작물재배지

대상토지와 현실적인 이용상황이 비슷한 표준지공시지가, 즉 「초지법」 제5조에 따라 허가받아 조성된 목초 또는 사료작물재배지인 초지를 비교표준지로 선정하여 감정평가한다. 또한 「초지법」에 따라 초지조성허가를 받은 토지임에도 목장용지로 지목변경하지 않고 다른 지목으로 남아 있는 토지도 현실적 이용상황에 따라 초지로 감정평가한다.

다만, 인근지역 등에 「초지법」 제5조에 따라 허가받아 조성된 목초 또는 사료작물재배지인 표준지공시지가가 없는 경우에는 인근의 표준적인 이용상황의 표준지를 비교표준지로 선정하여 해당 초지조성에 통상 드는 비용상당액 등을 고려하여 감정평가한다. 또한 이 경우 초지에서의 행위제한 및 전용제한 등도 고려한다.

⑵ 축사 및 부대시설의 부지

지목상 목장용지이나 현실적인 이용상황 축사 및 부대시설의 부지인 경우에는 현실적인 이용상황이 유사한 표준지를 비교표준지로 선정하여 감정평가한다.

⑶ 주거용 건축물의 부지

초지 및 축사부지의 부대시설 부지 중 주거용 건축물의 부지는 원칙적으로 지목이 "대"로 구분되어야 하나, 구분되지 않고 목장용지로 되어 있는 경우에도 해당 부분을 "대"로 보고 이를 구분하여 현실적인 이용상황이 주거용인 표준지를 비교표준지로 선정하여 감정평가한다.

---

154) 감정평가실무기준 해설서(Ⅱ) 보상편, 한국감정평가사협회 등, 2014.02, p.180
155) 토지보상평가지침 제42조

2) 그 외의 초지

「초지법」에 따라 조성된 초지가 아닌 기존 전·답에 사료작물을 재배하는 경우에는 「초지법」에 따른 행위제한 및 전용제한이 없다. 따라서 일반적인 농경지를 기준으로 감정평가한다. 즉, 인근지역의 농경지 표준지를 비교표준지로 선정하여 감정평가한다.

3) 가축을 사육하는 축사 및 부대시설 등의 부지

가축을 사육하는 축사 및 부대시설 등의 부지인 목장용지는 대상토지와 현실적인 이용상황이 비슷한 표준지공시지가를 기준으로 감정평가한다. 다만, 이 경우에도 주거용 건축물의 부지는 해당 부분을 "대"로 보고 이를 구분하여 현실적인 이용상황이 주거용인 표준지를 비교표준지로 선정하여 감정평가하는 것을 원칙으로 한다.

10. 잡종지의 감정평가 [156)]

유사한 이용상황의 표준지공시지가를 기준으로 산정하며, 다만, 유사한 이용상황의 표준지공시지가가 인근지역에 없는 경우에는 인근지역에 있는 표준적인 이용상황의 표준지공시지가를 기준으로 평가할 수 있다. 인근지역의 표준적인 이용상황의 표준지공시지가를 기준으로 평가하는 경우에는 용도전환의 가능성, 전환 후의 용도, 용도전환에 통상 필요한 비용상당액 등을 개별요인의 비교 시에 고려한다.

11. 종교용지의 감정평가 [157)]

(1) 원칙

종교용지 또는 사적지("종교용지 등")에 대한 감정평가는 잡종지의 감정평가 기준을 준용하되, 관계법령에 따라 용도적 제한이나 거래제한 등이 있는 경우에는 개별요인의 비교 시에 고려한다. 다만, 그 제한이 해당 공익사업의 시행을 직접목적으로 한 개별적인 계획제한에 해당하는 경우에는 그러하지 아니하다.

(2) 감정평가방법

종교용지 등을 인근지역에 있는 표준적인 이용상황과 비슷한 토지의 표준지공시지가를 기준으로 감정평가하는 경우에서 그 종교용지 등이 농경지대 또는 임야지대 등에 소재하여 해당 토지의 가치가 인근지역에 있는 표준적인 이용상황과 비슷한 토지의 가치에 비하여 일반적으로 높은 것으로 인정되는 경우에는 조성전 토지의 적정가격에 그 종교용지 등의 조성에 통상 필요한 비용상당액(공작물 등 시설물의 가격은 제외한다) 등을 고려한 가액으로 감정평가할 수 있다. 이 경우에는 종교용지 등으로 조성되기 전의 토지와 이용상황이 비슷한 토지의 표준지공시지가를 기준으로 감정평가하되, 종교용지 등으로 조성하는 데 통상 필요한 비용상당액 및 성숙도 등을 개별요인의 비교 시에 고려한다.

---

156) 토지보상평가지침 제43조
157) 토지보상평가지침 제44조

(3) **전통사찰보존지의 감정평가**

「전통사찰의 보존 및 지원에 관한 법률」 제2조 제3호에 따른 전통사찰보존지(「개발제한구역의 지정 및 관리에 관한 특별조치법 시행령」 제14조 제9의2호 등에 따라 설치된 진입로를 포함한다) 등 관계법령에 따라 지정·관리 등을 하는 종교용지가 임야지대 또는 농경지대 등에 소재하여 해당 토지의 가치가 인근지역에 있는 표준적인 이용상황과 비슷한 토지의 가치에 비하여 일반적으로 높은 것으로 인정되는 경우에는 현실적인 이용상황을 기준으로 감정평가한다.

12. 묘지의 감정평가 [158)159)]

1) 원칙

묘지는 현실적인 이용상황이 묘지인 비교표준지를 기준으로 감정평가한다.

2) 예외

현실적인 이용상황이 묘지인 표준지공시지가가 인근지역 등에 없는 경우에는 인근지역에 있는 표준적인 이용상황의 비교표준지를 기준으로 감정평가한다.

3) 개별요인 비교

(1) **비교표준지의 현실적인 이용상황이 묘지인 경우**

일반적인 비교방법에 따른다.

(2) **비교표준지의 현실적인 이용상황이 묘지가 아닌 경우**

ⅰ) 대상토지가 지목이 묘지인 소규모 토지인 경우, ⅱ) 다른 지목의 자기 소유 토지 일부분에 묘지가 설치된 경우로서 그 묘지부분의 면적을 구분하여 감정평가 의뢰된 경우, ⅲ)「장사 등에 관한 법률」 제14조에 따른 사설묘지인 경우에는 조성전 토지의 적정가격에서 묘지조성에 통상 드는 비용상당액 등을 고려하여 감정평가한다. 여기서 조성전 토지의 적정가격이란 묘지로서의 용도에 부합하는 규모·위치 등이 반영된 가격을 의미하며, 묘지조성에 통상 드는 비용상당액이란 인근지역의 표준적인 이용상황을 묘지로 전환하는 데 소요되는 비용상당액으로서 분할비용 및 조성비용 등을 포함한다. 다만, 이 경우 석물 등 분묘시설의 설치비용은 토지가치에 포함되지 않고 별도의 보상대상이므로 고려하지 않는다.

4) 건축물 등이 없는 상태 상정

묘지를 감정평가하는 경우 해당 분묘가 없는 상태를 기준으로 한다. 「토지보상법 시행규칙」 제22조 제2항은 토지에 건축물 등이 있는 때에는 그 건축물 등이 없는 상태를 상정하여 평가하도록 규정하고 있으므로, 묘지도 분묘가 없는 나지상태를 상정하여 감정평가한다.

---

158) 감정평가실무기준 해설서(Ⅱ) 보상편, 한국감정평가사협회 등, 2014.02, p.181
159) 토지보상평가지침 제45조

5) 분묘기지권

분묘기지권은 일종의 점유권과 유사한 것으로서 이를 양도할 수 없고 분묘를 이전할 경우 그 권리가 소멸되므로, 별도의 보상대상이 되는 소유권 외의 권리에 해당되지 않는다. 따라서 토지상에 타인 소유의 분묘가 있고 기준시점 당시에 분묘기지권이 있다고 하여도 이를 고려하지 않고 감정평가한다 (대판 2017.6.28, 2007다16885).

6) 묘지가 있으나 이를 구분하여 의뢰되지 않은 경우

임야 등의 일부가 묘지로 이용 중이나 이를 구분하지 않고 의뢰된 경우에는 이를 별도로 고려하지 않고 감정평가한다.

13. 소유권 외의 권리의 목적이 되고 있는 토지 [160)]

1) 토지에 관한 소유권 외의 권리의 평가 [161)]

> **토지보상법 시행규칙 제28조**(토지에 관한 소유권 외의 권리의 평가)
> ① 취득하는 토지에 설정된 소유권 외의 권리에 대하여는 해당 권리의 종류, 존속기간 및 기대이익 등을 종합적으로 고려하여 평가한다. 이 경우 점유는 권리로 보지 아니한다.
> ② 제1항의 규정에 의한 토지에 관한 소유권 외의 권리에 대하여는 거래사례비교법에 의하여 평가함을 원칙으로 하되, 일반적으로 양도성이 없는 경우에는 해당 권리의 유무에 따른 토지의 가격차액 또는 권리설정계약을 기준으로 평가한다.

(1) 소유권 외 권리의 내용

"소유권 외의 권리"란 토지 등 수용목적물의 소유권에 설정되어 있는 제한물권 또는 채권을 말한다. 이에는 일정한 목적을 위하여 타인의 물건을 사용·수익하는 것을 내용으로 하는 용익물권인 지상권·지역권·전세권, 목적물의 교환가치 취득을 목적으로 하는 담보물권인 저당권, 채권인 사용대차 또는 임대차에 관한 권리 등이 있다. 그 밖에 소유권 외의 권리에는 지하 및 공중공간에 설정되는 구분지상권 등 모든 경제적 가치가 있는 권리를 포함한다. 다만, 점유는 사실이지 권리가 아니므로 점유를 할 수 있는 본권을 제외하고는 별도의 권리로 보지 아니한다. 이러한 권리 중에서 물권은 「민법」 제186조에 의해 법률행위에 의한 물권변동은 등기하여야 효력이 발생하지만, 채권은 등기하였는지의 여부를 묻지 않는다. 이들 소유권 외의 권리는 토지의 소유권과는 달리 공익사업을 위한 소멸수용의 대상이 되는 점에 특징이 있다.

---

160) 감정평가실무기준 해설서(Ⅱ) 보상편, 한국감정평가사협회 등, 2014.02, pp.182~184
161) 감정평가실무기준 해설서(Ⅱ) 보상편, 한국감정평가사협회 등, 2014.02, pp.192~198

(2) 소유권 외 권리의 보상감정평가

① 원칙

취득하는 토지에 설정된 소유권 외의 권리는 해당 권리의 종류, 존속기간, 해당 권리로서 받을 수 있는 기대이익 등을 종합적으로 고려하여 감정평가한다.

② 보상감정평가의 일반기준

㉠ 양도성이 있는 경우 : 소유권 외의 권리로서 양도성이 있고, 거래사례의 포착이 가능한 경우에는 거래사례비교법으로 감정평가한다.

㉡ 양도성이 없는 경우 : 소유권 외의 권리로서 양도성이 없는 경우와 양도성이 있다고 하여도 사실상 거래사례를 포착하기 어려운 경우에는 ⅰ) 해당 권리의 유무에 따른 토지가액의 차이로 감정평가하는 방법, ⅱ) 권리설정계약을 기준으로 감정평가하는 방법, ⅲ) 해당 권리를 통하여 획득할 수 있는 장래기대이익의 현재가치로 감정평가하는 방법 등 중에서 대상 권리의 성격에 가장 부합하는 합리적인 방법을 선정하여 감정평가할 수 있다.

(3) 권리별 보상감정평가

① 지상권

㉠ 원칙 : 지상권은 지상권을 통하여 획득할 수 있는 장래기대이익의 현재가치로 감정평가함을 원칙으로 한다. 이 경우 장래기대이익은 인근지역의 정상지료에서 실제지료를 차감한 액으로 하며, 환원기간은 지상권의 장래 존속기간으로 한다.

㉡ 지료의 등기가 있는 경우 : 지료의 등기가 있는 경우는 지료증감청구권이 인정되므로, 정상지료와 실제지료는 동일하다고 보아야 한다. 따라서 지상권을 통하여 획득할 수 있는 장래기대이익이 없다고 본다. 실제로 실제지료가 정상지료보다 적은 경우라 하더라도 이로 인한 이익은 반사적 이익으로 보아야 하며 보상대상인 권리로 볼 수 없다. 따라서 이러한 지상권은 별도의 경제적 가치가 없으므로 감정평가하지 않는다.

㉢ 지료의 등기가 없는 경우 : 지료의 등기가 없는 경우는 무상의 지상권으로 보기 때문에 이 경우 지상권을 통하여 획득할 수 있는 장래기대이익은 인근의 정상지료가 되고, 이를 지상권의 장래존속기간 동안 할인한 것을 지상권의 가치로 본다.

㉣ 지상권 가격의 상한 : 지상권의 존속기간에 대하여 「민법」은 최단존속기간만을 규정하고 있을 뿐 그 최장기간에 대해서는 아무런 제한을 두고 있지 않고 있다. 이에 따라 존속기간을 '무기한' 또는 '영구'로 할 수 있는지가 문제가 되지만, 현실적으로 영구에 가까운 100년 또는 200년으로 설정하는 것이 가능하므로 이를 인정하는 것과 다름없는 결과가 된다. 따라서 지료가 없는 영구지상권을 수익환원법으로 감정평가할 경우 사실상 소유권과 유사한 결과가 도출되지만, 영구지상권은 토지 자체의 처분권이 없어 처분을 전제로 한 자본이득을 수취할 수 없으므로 소유권가격과 동일하다고 할 수 없다.

> **Check Point!**

> ● 별도로 감정평가하지 않는 지상권

1. 저당권에 부대하여 설정된 지상권

토지에 대한 저당권을 설정하면서 토지소유자의 임의적인 토지사용으로 인한 채권확보의 어려움을 피하기 위하여 지상권을 같이 설정하는 경우가 있다. 이러한 지상권은 저당권의 목적인 토지의 교환가치를 확보하려는 수단으로 설정된 것이므로, 저당권이 변제 등으로 소멸되면 지상권의 존속기간이 남아있다고 하더라도 소멸되는 것으로 본다(대결 2004.3.29, 2003마1753). 따라서 저당권에 부대하여 설정된 지상권은 별도의 경제적 가치가 없는 것으로 보아 감정평가하지 않는다.

2. 분묘기지권

분묘기지권은 그 존속기간을 분묘의 존속기간으로 하고 지료의 지급의무가 없는 관습법상의 지상권으로서(대판 1995.2.28, 94다37912) 이장비가 지급되고, 분묘기지권 자체가 별도의 경제적 가치를 가지는 것으로 볼 수 없으므로 감정평가하지 않는다.

3. 법정지상권 등

「민법」 제366조의 법정지상권 및 관습법상의 법정지상권의 지료는 당사자의 청구에 의해 법원이 결정하도록 규정하고 있고, 이 경우 지료는 정상지료를 기준으로 하므로 장래기대이익이 발생한다고 볼 수 없다. 따라서 법정지상권 및 관습법상의 법정지상권은 별도의 경제적 가치가 없는 것으로 보아 감정평가하지 않는다.

② **구분지상권**

「민법」 제289조의2에 따른 구분지상권이 설정되어 있는 경우 구분지상권이 설정된 토지는 토지보상법 시행규칙 제29조에 따라 '취득하는 토지에 설정된 소유권 외의 권리의 목적이 되고 있는 토지에 대하여는 해당 권리가 없는 것으로 하여 제22조 내지 제27조의 규정에 의하여 평가한 금액에서 제28조의 규정에 의하여 평가한 소유권 외의 권리의 가액을 뺀 금액으로 평가'하여야 할 것이므로, 사용료를 평가하기 위한 규정인 같은 규칙 제31조를 질의와 같은 경우의 권리의 평가방법으로 적용할 수 없다.

다만, 토지에 관한 소유권 외의 권리로서 구분지상권은 통상의 권리와 그 성질 및 특성이 다르다고 볼 수 있으므로, 원칙적으로 같은 규칙 제28조 제2항에 따른 권리설정계약을 기준으로 평가하되 그 권리의 설정과 관련된 개별 법률의 취지와 목적, 계약의 조건과 내용 등 구체적인 사실관계를 바탕으로 감정평가법인등이 보상 및 감정평가의 원칙에 부합되도록 그 적정가액을 평가해야 한다.[162]

---

162) 공공주택지구사업으로 인해 구분지상권이 설정된 토지를 사업시행자가 취득(수용)하는 경우, 원칙적으로 같은 규칙 제28조 제2항에 따른 권리설정계약을 기준으로 평가하되 그 권리의 설정과 관련된 개별 법률의 취지와 목적, 계약의 조건과 내용 등 구체적인 사실관계를 바탕으로 감정평가법인등이 보상 및 감정평가의 원칙에 부합되도록 그 적정가액을 평가한다(2021.04.29. 토지정책과-5710).

토지가치의 일부로 보상한 구분지상권의 감정평가 [163]

「토지보상법 시행규칙」 제31조 제1항은 토지의 지하 또는 지상공간을 사실상 영구적으로 사용하는 경우 해당 공간에 대한 사용료는 해당 토지의 가치에 해당 공간을 사용함으로 인하여 토지의 이용이 저해되는 정도에 따른 적정한 입체이용저해율을 곱하여 산정한 금액으로 보상하도록 규정하고 있다. 이와 같이 사실상 영구사용에 따른 구분지상권을 설정하는 경우는 기간임대료로 보상하는 것이 아니라 사실상 토지가치의 일부로 보상한 결과가 된다. 즉, 「토지보상법 시행규칙」에서 선하지의 보상평가방법은 임대료의 감정평가방법이 아니고, 사실상 구분소유권의 감정평가방법이다. 다만, 구분지상권이 설정된 토지의 일부분에 대하여 이를 정상임대료를 지불하고 영구적으로 사용한다는 것은 해당 부분의 구분소유권과 같은 가치를 가진다고 보아야 하므로, 영구적 사용을 전제로 한 구분지상권의 감정평가방법상으로는 문제가 없다. 그러나 구분지상권의 가치를 구분소유권의 가치로 감정평가함으로써 사용기간에 부응하는 기간적인 지료가 아닌 일시금으로 지급하게 되어, 선하지가 다른 공익사업에 편입되는 경우 구분지상권의 가치를 어떻게 감정평가할 것인가의 문제가 발생한다. 이러한 문제는 지상권의 존속기간이 송전선이 존속하는 기간까지로 사실상 존속기간이 확정되지 않음에도 영구지료를 일시금으로 지급하고 있기 때문에 발생된다. 현재 송전선 또는 지하철의 건설을 위한 구분지상권은 대부분 이러한 방식으로 보상하고 있다. 특히 구분지상권의 설정과 관련한 보상액에 대하여 부증액의 특약이 있거나, 부증액의 특약이 없는 경우에도 부증액의 특약이 존재하는 것으로 추정되고, 송전선 등을 존속기간 이내에 철거하거나 이전하는 경우에도 기 지급된 보상금을 환수하지 않는다는 특약이 있으므로, 이러한 구분지상권의 감정평가와 관련해서는 여러 가지 복잡한 문제가 발생한다.

이와 같이 토지가치의 일부를 보상한 구분지상권의 감정평가방법으로는 ⅰ) 지료의 차이로 감정평가하는 방법, ⅱ) 구분지상권 유무에 따른 토지가액의 차이로 감정평가하는 방법, ⅲ) 권리설정계약을 기준으로 감정평가하는 방법, ⅳ) 기준시점에서 구분지상권의 가치로 감정평가하는 방법 등이 있다.

1. 지료의 차이로 감정평가하는 방법

이 방법은 보상금을 지료를 선납한 것으로 보고 일반적인 지상권의 감정평가방법과 같이 초과이익, 즉 정상지료와 실제지료의 차이를 자본환원하여 구분지상권의 가치를 감정평가하는 방법이다. 즉, 정상임대료는 기준시점에서의 선납지료(구분지상권의 신규설정에 대한 보상금액)를 연금의 현가화 방법을 적용하여 산정하고, 지불임대료는 실제 선납된 지료를 연금의 현가화 방법으로 연간지료를 계산하여 그 차액을 지료의 차이로 보고 이를 자본환원하여 기준시점에서 구분지상권의 가치를 감정평가하는 방법이다. 그러나 이 방법은 최근 구분지상권이 설정된 토지가 다른 공익사업에 편입될 경우에는 실질임대료와 지불임대료가 대등할 것이므로, 사실상 구분지상권의 가치가 없는 것으로, 감정평가된다는 문제점이 있다. 즉, 송전선 등의 구분지상권자는 앞으로 장기간 송전선로 등을 사용할 수 있는 구분지상권을 가지고 있음에도 현실적으로 거의 보상을 받을 수 없다는 문제점이 있다. 또한 구분지상권을 설정하는 지하철이나 송전선 등의 경우에는 그 존속기간을 해당 시설물의 존속기간까지로 등기하고 있어 지료의 차이를 자본환원하는 것이 용이하지 않다는 문제점도 있다.

2. 구분지상권의 유무에 따른 토지가액의 차이로 감정평가하는 방법

소유권 외의 권리의 가격과 권리가 설정된 토지가격의 합이 권리가 설정되지 않은 토지가격이라는 점에 근거하고 있으므로 가장 이론적인 감정평가방법이다. 그러나 현실적으로는 거래사례를 통하여 구분지상권의 유무에 따른 토지가액의 차이를 파악하는 것이 쉽지 않고, 그 차이를 기준시점에서 구분지상권의 가치로 보는 경우에는 아래 4에서와 같은 문제점이 발생한다.

---

163) 감정평가실무기준 해설서(Ⅱ) 보상편, 한국감정평가사협회 등, 2014.02, pp.194~196

> **3. 권리설정계약을 기준으로 감정평가하는 방법**
>
> 구분지상권의 설정계약에 의해 기 지급된 보상금액을 기준으로 구분지상권의 경과연수 등을 고려하여 감정평가하는 방법이다. 이 방법은 권리설정계약일이 최근일 경우에는 설득력이 있는 방법이나, 권리설정계약일로부터 장기간이 경과된 경우라면 현실성이 없으며, 일반적인 권리의 감정평가방법과 맞지 않는다는 문제점이 있다.
>
> **4. 기준시점에서 구분지상권의 설정가격으로 감정평가하는 방법**
>
> 구분지상권을 설정하는 지하철이나 송전선 등의 경우에는 구분지상권이라는 용익물건의 성격에 맞추어 매년 지급하여야 할 지료를 일시에 지급하는 형식을 취하고 있으나, 실제로는 공용제한에 따른 손실보상의 성격으로 가치의 감소분을 보상하고 있다고 보아야 하고, 토지의 지상 또는 지하의 일부 공간에 대한 영구적인 사용권의 가치와 그 가치를 표상하고 있는 구분지상권의 가치가 달라야 할 이유가 없으므로, 구분지상권의 보상평가도 같은 방법을 적용하여야 한다는 것이다. 그러나 수십 년 전에 농경지 또는 임야상에 송전선 등을 설치하면서 사실상 이용저해가 거의 없다고 하여 소액의 보상금을 지급받았으나, 기준시점에서 도시화가 진행되어 인근지역이 택지지대로 바뀐 경우, 송전선 등으로 인한 토지가격의 하락이 현저히 많을 경우, 현실적으로 토지소유자에게 수인할 수 없는 과다한 희생을 강요하게 되고, 이것이 다시 이와 같은 토지의 합리적인 공간사용을 어렵게 한다는 문제점이 있다.
>
> **5. 적용**
>
> 상기 구분지상권의 감정평가방법은 각각 일면타당성을 가지나 개별상황에 따라 불합리한 점도 있다. 따라서 개별상황에 따라 가장 적합하다고 판단되는 방법을 적용하여야 할 것이다.

③ **전세권**

전세금에 대해서는 증액청구를 인정하고 있고, 증액 비율의 상한을 규정하고 있으나, 그 비율이 적정하여 전세권에 기하여 장래기대이익이 발생한다고 볼 수 없다. 따라서 전세권은 별도의 경제적 가치가 없으므로 감정평가하지 않는다.

④ **지역권**

　㉠ **요역지가 공익사업에 편입된 경우**: 승역지에 지역권을 설정하고 편익을 얻고 있는 상태대로 감정평가하여 보상하고 지역권에 대해서는 별도로 감정평가하지 않는다.

　㉡ **승역지가 공익사업에 편입된 경우**: 지역권은 요역지 토지의 권리이지 요역지 소유자의 권리가 아니므로 별도로 감정평가하지 않는다. 다만, 이 경우 요역지의 토지소유자는 「토지보상법」 제79조 제1항에 따라 요역지에 통로·도랑·담장 등의 시설 기타의 공사가 필요한 때에는 그 비용의 전부 또는 일부의 보상을 청구할 수 있을 것이다.

⑤ **임차권**

　㉠ **일반적인 임차권**: 임차권에 대해서는 차임의 증감을 청구할 수 있도록 규정하고 있으므로, 존속기간이 약정된 경우라고 하더라도 법적으로 임대차에 기하여 장래기대이익이 발생한다고 볼 수 없다. 따라서 임차권은 별도의 경제적 가치가 없으므로 감정평가하지 않는다.

　㉡ **차임을 선납한 임차권**: 지하철, 송유관 또는 송전선 등의 공익사업에서는 구분지상권을 설정하는 대신에 임차권을 설정하고 임차기간에 해당하는 차임을 선납하는 경우가 있다. 이러한 경우는 토지가치의 일부로 보상한 구분지상권의 감정평가방법을 준용한다.

⑥ **담보물권**

「토지보상법」 제47조는 담보물권의 목적물이 수용되거나 사용된 경우 그 담보물권은 그 목적물의 수용 또는 사용으로 인하여 채무자가 받을 보상금에 대하여 행사할 수 있도록 규정하고 있다. 따라서 담보물권은 보상에 의하지 않고도 담보물권의 설정목적인 우선변제를 받을 수 있으므로 별도로 감정평가하지 아니한다.

2) 소유권 외의 권리의 목적이 되고 있는 토지의 평가 [164]

> **토지보상법 시행규칙 제29조**(소유권 외의 권리의 목적이 되고 있는 토지의 평가)
>
> 취득하는 토지에 설정된 소유권 외의 권리의 목적이 되고 있는 토지에 대하여는 해당 권리가 없는 것으로 하여 제22조 내지 제27조의 규정에 의하여 평가한 금액에서 제28조의 규정에 의하여 평가한 소유권 외의 권리의 가액을 뺀 금액으로 평가한다.

의뢰인이 토지에 관한 소유권 외의 권리를 따로 감정평가할 것을 요청한 경우에는 다음과 같이 하되, 그 내용을 감정평가서에 기재한다.

> 감정평가액 = 해당 토지의 소유권 외의 권리가 없는 상태의 감정평가액
> − 해당 토지의 소유권 외의 권리에 대한 감정평가액

의뢰인이 토지에 관한 소유권 외의 권리를 따로 감정평가할 것을 요청하지 아니한 경우에는 토지의 소유권 외의 권리가 없는 상태를 기준으로 한다. 다만, 선하지에 해당 고압선의 설치를 목적으로 개별 법령에 따른 구분지상권이 설정되어 있는 경우와 토지의 지하공간에 「도시철도법」 제2조 제2호에 따른 도시철도와 「송유관안전관리법」 제2조 제2호에 따른 송유관 등 공익시설의 설치를 목적으로 구분지상권이 설정되어 있는 토지의 감정평가의 경우에는 소유권 외의 권리를 따로 감정평가한다.

3) 지상공간 등에 시설물이 있으나 보상이 되지 않은 경우

지상공간 등에 송유관 또는 송전선로 등을 시설하여 토지를 사용하기 위해서는 사전에 이에 대한 보상을 하고 구분지상권 또는 임차권 등의 권리를 설정하나, 이러한 보상 없이 시설물을 설치하여 사실상 사용하고 있고 현실적으로 이러한 시설물의 철거가 불가능한 경우에도 시설물의 소유자는 토지소유권 외의 별도의 권리를 설정하였다고 볼 수 없으므로 이에 구애됨이 없이 토지를 감정평가한다.

그 이유는 시설물의 소유자가 시설물의 사용에 대한 지료를 지급하고 있지 않거나, 정상지료보다 낮은 지료를 지급하고 있어 사실상 이익을 얻고 있는 경우에도 이는 반사적 이익에 불과하여 보상대상이 되는 권리라고 볼 수 없기 때문이다. 헌법재판소도 반사적 이익은 재산권에 속하지 않는다고 결정하고 있다(헌재 1998.7.16, 96헌마246 참조). 따라서 이 경우 시설물의 소유자에게는 토지의 사용과 관련해서는 별도로 보상하지 않는다.

---

164) 토지보상평가지침 제47조

또한, 소유권 외의 권리가 설정된 토지에 대하여 토지소유자에게 이러한 권리를 소멸시키도록 한 후 보상하기 위하여 사업시행자가 이러한 권리의 설정이 없는 상태로 감정평가하도록 조건을 제시하는 경우에는 이러한 권리가 없는 토지가액으로 감정평가할 수 있다.

4) 토지에 관한 소유권 외의 권리를 따로 평가의뢰하지 아니한 경우

토지에 관한 소유권 외의 권리를 따로 평가의뢰하지 않은 경우에는 토지의 일반적인 평가기준에 따른다(나지상태 평가).

» 근저당권, 전세권, 임차권 등 권리자체의 평가를 할 필요가 없는 권리가 설정되어 있는 경우가 그 예라 할 수 있을 것이다.

14. 전주·철탑 등의 설치를 위한 토지 및 선하지 등의 감정평가

1) 전주·철탑 등의 설치를 위한 토지의 감정평가 [165]

전주·철탑 등의 설치를 위하여 소규모로 분할하여 취득하는 토지를 감정평가할 경우에는 해당 토지 전체의 개별요인을 기준으로 감정평가하지 않고, 그 편입부분의 개별요인을 고려하여 감정평가한다. 공익사업의 시행으로 인하여 대상토지가 분할되는 경우에는 분할되기 이전의 토지를 기준으로 개별 요인을 파악하는 것이 원칙이며, 이는 분할로 인하여 편입토지의 개별요인이 바뀜으로 인한 가격의 변동도 「토지보상법」 제67조 제2항의 해당 공익사업으로 인한 가격의 변동으로 보아야 하기 때문이다. 그러나 전주·철탑 등의 설치를 위한 토지는 대규모 임야의 일부가 편입되고, 편입부분과 전체토지의 가치가 다른 경우가 대부분이므로, 편입부분의 가치를 기준으로 구분감정평가한다. 특히 이 경우 편입 부분의 위치, 면적 및 형태 등을 중점적으로 고려하여 감정평가한다. 다만, 선하지의 경우는 소규모로 분할되는 것이 아니므로 이 감정평가방법을 적용하지 않는다.

2) 선하지(토지의 지상공간에 고압선이 통과하고 있는 토지) 감정평가 [166]

(1) 평가원칙

토지의 지상공간에 고압선이 통과하고 있는 토지(선하지)에 대한 평가는 그 제한을 받지 아니한 상태를 기준으로 평가[167]한다.

(2) 구분지상권[168]이나 임대차계약이 설정되고 계약기간이 도과하지 않은 경우

① 인근지역에 있는 유사한 제한을 받는 상태로 공시된 표준지공시지가를 기준으로 함을 원칙으로 한다.

---

165) 토지보상평가지침 제46조

166) 토지보상평가지침 제46조의2

167) 기존 지침에서는 일률적으로 제한의 정도를 고려하여 평가하도록 규정하고 있었으나, 선하지에는 ① 구분지상권을 설정한 경우, ② 임대차계약을 통하여 일정한 지료를 지급하였으나 임대차기간이 도과하지 않은 경우, ③ 선하지 보상을 하지 않은 경우 등으로 나뉘어져 있었기 때문에 이를 분류하여 규정했다.

168) 「민법」 제289조의2에 따른 구분지상권이 설정되어 있는 경우로서 임대차계약 등을 체결한 후 그 임대차기간이 도과하지 않은 경우

② 그 제한을 받지 아니한 상태로 공시된 인근지역에 있는 표준지공시지가를 기준으로 하는 경우는 그 제한정도 등을 고려하여 평가한다(즉, 소유권 외의 권리의 목적이 되고 있는 토지와 동일하다).

> 감정평가액 = 해당 토지의 소유권 외의 권리가 없는 상태의 감정평가액
> − 해당 토지의 소유권 외의 권리에 대한 감정평가액*

＊ 토지가치의 일부로 보상한 구분지상권의 감정평가액

(3) 선하지의 보상을 하지 않은 경우

미지급용지의 평가규정을 준용한다.

(4) 토지의 지하공간에 「도시철도법」 제3조 제1호에서 규정한 도시철도, 「송유관안전관리법」 제2조 제1호에서 규정한 송유관 등 공익시설의 설치를 목적으로 「민법」 제289조의2에 따른 구분지상권이 설정된 경우에 준용된다.

15. 토지소유자와 지상건물 소유자가 다른 경우 토지의 평가 [169]

1) 요건

지상건축물을 평가의뢰인의 요청이나 건축물을 원가법이 아닌 거래사례비교법으로 평가하는 경우에 적용된다.

> ● 보상감정평가 시 건축물을 거래사례비교법으로 평가하거나 할 수 있는 경우 [170]
> ① 주거용 건축물에 있어서는 거래사례비교법에 의하여 평가한 금액(공익사업의 시행에 따라 이주대책을 수립·실시하거나 주택입주권 등을 해당 건축물의 소유자에게 주는 경우 또는 개발제한구역 안에서 이전이 허용되는 경우에 있어서의 해당 사유로 인한 가격상승분은 제외하고 평가한 금액을 말한다)이 원가법에 의하여 평가한 금액보다 큰 경우
> ② 「집합건물의 소유 및 관리에 관한 법률」에 의한 구분소유권의 대상이 되는 건물

2) (구)평가방법

(1) 지상건축물이 있는 토지에 대한 평가

해당 토지에 대한 나지상태의 적정가격에서 그 지상건축물이 해당 토지의 사용·수익·처분 등에 영향을 미치는 불리한 정도를 고려한 가격으로 평가한다.

(2) 불리한 정도

지상건축물의 거래사례비교법에 의한 평가가격 − 그 지상건축물을 이전비 또는 원가법으로 평가한 경우의 평가가격상당액

---

169) 감정평가실무기준 해설서(Ⅱ) 보상편, 한국감정평가사협회 등, 2014.02, pp.183~184
170) 토지보상법 시행규칙 제33조 제2항 단서

> **지상건축물이 주거용 건축물인 경우에만 적용됨에 유의할 것**(질의회신)
>
> **1. (구)토지보상평가지침 제48조의 규정 취지**
>
> 타인의 토지를 이용하는 경우로서 예를 들면 남의 땅을 빌어 건물을 짓거나 국유 또는 지방자치단체의 토지를 대차하여 건물을 지었을 때 그 건물이나 점포의 매매는 그 건물의 가격 이외에 토지의 이용권에 관한 값이 포함되어 거래된다. 또한 토지의 소유권은 지상권이나 임차권이 설정되면 그만큼 이용권이 제약되므로 그 값은 낮아지는 것이 정상이다. 따라서 이와 같은 사실을 고려하지 아니하고 소유권 이외의 권리가 없는 것으로 보고 정상평가를 하여 보상을 하게 되면 토지의 소유자는 부당한 이득을 보고 지상권이나 임차권자는 손해를 보는 결과가 되기 때문이다.
>
> **2.** 건물의 비준가액 산정 시 사례는 대상과 유사한 지상권 등이 설정된 건물만의 사례를 선정하여야 할 것이다.

3) 현재의 평가기준

(1) 거래사례비교법으로 평가한 건축물의 가격에서 이전비 또는 원가법에 따른 가격으로 평가한 건축물의 가격을 공제하는 규정

① 이는 타당하지 않다. 건물이 이전 가능할 경우에는 이전비와 가격을 비교하며, 이때 주거용 건축물에 한하여 비준가액과 원가법에 의한 가격 중의 큰 금액으로 가격을 결정한다.

② 적산가액 < 이전비 < 비준가액 또는 이전비 < 적산가액 < 비준가액의 경우에는 "이전비"로 보상한다(토지보상평가지침 제48조는 적용여지 없음).

③ 이전비 > 비준가액 > 적산가액의 경우와 이전비 불가능한 경우로서 비준가액 > 적산가액의 경우 비준가액과 적산가액의 차이를 토지가격에서 불리한 정도로서 공제하여 왔다.

(2) 현재의 평가기준

「토지보상법 시행규칙」 제33조 제2항은 건축물은 원가법으로 평가하되, 주거용 건축물로서 거래사례비교법에 의하여 평가한 금액이 원가법에 의하여 평가한 금액보다 큰 경우에는 거래사례비교법으로 평가하도록 규정하고 있다. 이 경우 주거용 건축물의 소유자와 토지소유자가 다른 경우 거래사례비교법으로 감정평가한 금액과 원가법으로 감정평가한 금액의 차액을 주거용 건축물의 소유자가 가지는 토지의 소유권 외의 권리에 대한 보상액으로 보고 그 차액을 토지보상액에서 차감할 수 있는지가 문제된다.

건축물의 소유자와 토지소유자가 다른 경우 건축물의 소유자가 정상지료를 지급한다면 공익사업의 시행에 따라 이주대책을 수립·실시하거나 주택입주권 등을 해당 건축물의 소유자에게 주는 경우 또는 개발제한구역 안에서 이전이 허용되는 경우, 해당 사유로 인한 건축물가격 상승분을 제외한 건축물가액은 거래사례비교법으로 감정평가를 한 경우와 원가법으로 감정평가를 한 경우가 이론적으로는 같아야 한다.

그러나 현실적으로 거래사례비교법으로 감정평가한 금액이 원가법으로 감정평가한 금액보다 높은 이유는 실질지료가 정상지료보다 낮기 때문이다. 이러한 현실적인 지료의 차이는 언제든지 소멸될 수 있는 것이므로, 권리가 아니라 반사적 이익으로 보아야 한다. 따라서 거래사례비교법으로 감정평가한 금액과 원가법으로 감정평가한 금액의 차액을 건축물소유자가 가지는 토지에 대한 소유권 외의 권리로 보고 이를 토지가격에서 차감할 수 없다.

또한 「토지보상법 시행규칙」 제33조 제2항에서 주거용 건축물에 한하여 거래사례비교법으로 감정평가할 수 있도록 규정한 것은 주거의 안정이라는 사회적 목적을 달성하기 위한 것이므로, 거래사례비교법으로 감정평가한 금액과 원가법으로 감정평가한 금액의 차액을 건축물소유자가 가지는 토지에 대한 소유권 외의 별도의 권리로 인정한 것으로 볼 수 없다.

따라서 토지는 나지를 상정하여 평가하여야 하며(규칙 제22조 제2항), 점유는 토지에 관한 소유권 외의 권리로 보지 않으므로(규칙 제28조 제1항) 원칙적인 방법인 나지상태로 평가하는 것이 타당하다.

16. 하천부지의 감정평가 [171]

1) 하천의 구분

하천법상 하천(국가하천, 지방하천), 소하천정비법상 소하천, 기타 사실상 하천

2) 하천구역 및 소하천구역 안 토지의 보상감정평가

⑴ 「하천법」상의 하천구역 및 「소하천정비법」상의 소하천구역

① 원칙

하천구역 및 소하천구역의 토지는 하천 또는 소하천으로 이용되지 아니하였을 경우에 예상되는 인근지역의 표준적인 이용상황을 기준으로 감정평가한다. 다만, 이 경우 인근지역의 표준적인 이용상황으로 전용하는 데 소요되는 비용상당액 등을 고려할 수 있다. 이는 하천이라는 자연공물이 공익사업에 편입되었다는 것은 공용폐지를 전제로 한다는 것에 근거하는 것이다.

② 예외

「하천편입토지 보상 등에 관한 특별조치법」의 적용대상인 토지가 ⅰ) 국가 및 지방자치단체, ⅱ) 「공공기관의 운영에 관한 법률」에 따른 공공기관, ⅲ) 「지방공기업법」에 따른 지방공기업인 사업시행자가 시행하는 공익사업에 편입되는 경우에는 「하천편입토지 보상 등에 관한 특별조치법」 제6조의 규정을 준용하여 보상평가한다(하천편입토지 보상 등에 관한 특별조치법 제7조).

⑵ 「하천법」상의 하천예정지

일반 토지의 보상감정평가방법을 준용한다. 다만, 하천예정지에서의 행위제한은 「토지보상법 시행규칙」 제23조 제1항 단서의 '해당 공익사업의 시행을 직접 목적으로 하여 가하여진 경우'에 해당하므로 하천예정지에서의 행위제한이 없는 상태를 기준으로 감정평가한다.

---

171) 감정평가실무기준 해설서(Ⅱ) 보상편, 한국감정평가사협회 등, 2014.02, pp.145~148

(3) 「하천법」상의 홍수관리구역 [172]

「하천법」 제12조 제3항에 따라 고시된 홍수관리구역 안의 토지에 대한 감정평가는 법 시행규칙 제22조에 따라 가격시점 당시의 현실적인 이용상황을 기준으로 한다.

3) 하천구역으로 된 토지 중 미보상토지의 감정평가 [173]

(1) 특별조치법 제2조에 따른 대상토지 외의 것으로서 (구)「하천법」(법률 제5893호, 1999.2.8.) 제74조 제1항에 따라 보상대상이 된 하천구역(국가 하천 및 지방1급 하천의 하천구역을 말한다) 안 토지 중 보상이 되지 아니한 토지에 대한 감정평가는 특별조치법 적용대상 토지의 감정평가방법을 준용한다. 다만, (구)「하천법」 제2조 제1항 제2호 라목에 따라 하천구역으로 지정된 토지의 경우에는 그 지정시점 당시를 하천구역으로 된 당시로 본다.

(2) 하천의 신설, 그 밖에 하천공사로 하천구역 밖에 있는 토지가 하천구역으로 된 경우로서 보상이 되지 아니한 토지에 대한 감정평가는 미지급용지의 감정평가방법에 따른다.

4) 하천구역 안의 매수대상토지의 감정평가 [174]

법률 제8338호(2007.4.6.) 「하천법」 시행일 이후에 이 법에 따른 하천구역(지방하천의 하천구역을 제외한다)으로 결정 또는 변경된 토지 중 「하천법」 제79조에 따른 매수대상 토지에 대한 감정평가는 법 시행규칙 제22조에 따라 가격시점 당시의 현실적인 이용상황을 기준으로 한다. 다만, 하천관리청의 하천공사로 현상변경이 이루어진 경우에는 그 하천공사 시행 직전의 이용상황을 기준으로 감정평가하되, 이 경우에는 미지급용지의 감정평가방법을 준용한다.

5) 지방하천의 하천구역 등 안 토지의 평가 [175]

(1) 대상

지방하천의 하천구역, 소하천구역 안의 사유토지

(2) 평가방법

일반적인 토지의 보상감정평가방법으로 평가(미지급용지가 있다면 미지급용지로 평가)한다.

---

172) 토지보상평가지침 제39조의5
173) 토지보상평가지침 제39조의2
174) 토지보상평가지침 제39조의3
175) 토지보상평가지침 제39조의4

하천법 제78조(토지 등의 수용·사용)

① 다음 각 호의 어느 하나에 해당하는 자는 하천공사에 필요한 때에는 「공익사업을 위한 토지 등의 취득 및 보상에 관한 법률」 제3조에 따른 토지·물건 또는 권리를 수용 또는 사용할 수 있다.

　　1. 제27조에 따라 하천공사를 하는 하천관리청

　　2. 제28조에 따라 하천공사를 대행하는 자

　　3. 제30조에 따라 하천공사허가를 받은 하천관리청이 아닌 자(행정기관·정부투자기관 또는 지방공기업에 한정한다)

　　4. 삭제

② 제1항에 따라 토지·물건 또는 권리를 수용 또는 사용하는 경우에는 이 법에 특별한 규정이 있는 경우를 제외하고는 「공익사업을 위한 토지 등의 취득 및 보상에 관한 법률」을 준용한다.

③ 제2항에 따라 「공익사업을 위한 토지 등의 취득 및 보상에 관한 법률」을 준용할 때 다음 각 호의 어느 하나에 해당하는 경우에는 「공익사업을 위한 토지 등의 취득 및 보상에 관한 법률」 제20조 제1항 및 제22조에 따른 사업인정과 사업인정의 고시가 있는 것으로 보며, 재결신청은 같은 법 제23조 제1항 및 제28조 제1항에도 불구하고 해당 하천공사의 사업기간 내에 하여야 한다.

　　1. 제27조에 따라 하천공사시행계획을 수립·고시한 경우

　　2. 제30조에 따라 하천공사실시계획을 수립·고시한 경우

　　3. 삭제

동법 제79조(토지 등의 매수청구)

① 하천구역(지방하천의 하천구역은 제외한다)의 결정 또는 변경으로 그 구역 안의 토지, 건축물, 그 밖에 그 토지에 정착된 물건(이하 "토지 등"이라 한다)을 종래의 용도로 사용할 수 없어 그 효용이 현저하게 감소한 토지 등 또는 그 토지 등의 사용 및 수익이 사실상 불가능한 토지 등(이하 "매수대상토지 등"이라 한다)의 소유자로서 다음 각 호의 어느 하나에 해당하는 자는 하천관리청에 그 토지 등의 매수를 청구할 수 있다.

　　1. 하천구역의 결정 당시(법률 제5893호 하천법 개정법률 제2조 제1항 제2호 가목부터 다목까지의 규정에 따른 하천구역을 이 법에 따른 하천구역으로 결정하는 경우에는 2008년 4월 7일을 말한다) 또는 변경 당시부터 해당 토지 등을 계속 소유한 자

　　2. 토지 등의 사용·수익이 불가능하게 되기 전에 그 토지 등을 취득하여 계속 소유한 자

　　3. 삭제

　　4. 제1호 또는 제2호의 자로부터 그 토지 등을 상속받아 계속 소유한 자

② 하천관리청은 제1항에 따라 매수청구를 받은 토지 등이 제3항에 따른 기준에 해당하면 그 토지 등을 매수하여야 한다.

③ 제1항에서 종래의 용도로 사용할 수 없어 그 효용이 현저하게 감소한 토지 등 또는 그 토지 등의 사용 및 수익이 사실상 불가능한 토지 등의 구체적인 판정기준은 대통령령으로 정한다.

하천편입토지 보상 등에 관한 특별조치법 제1조(목적)

이 법은 보상청구권의 소멸시효 만료로 인하여 보상을 받지 못한 하천편입토지 소유자에 대한 보상과 공익사업을 시행하는 경우의 보상 특례 등에 필요한 사항을 규정함을 목적으로 한다.

> **동법 제2조**(적용대상)
>
> 다음 각 호의 어느 하나에 해당하는 경우 중 「하천구역편입토지 보상에 관한 특별조치법」 제3조에 따른 소멸시효의 만료로 보상청구권이 소멸되어 보상을 받지 못한 때에는 특별시장·광역시장 또는 도지사(이하 "시·도지사"라 한다)가 그 손실을 보상하여야 한다.
> 1. 법률 제2292호 하천법 개정법률의 시행일 전에 토지가 같은 법 제2조 제1항 제2호 가목에 해당되어 하천구역으로 된 경우
> 2. 법률 제2292호 하천법 개정법률의 시행일부터 법률 제3782호 하천법 중 개정법률의 시행일 전에 토지가 법률 제3782호 하천법 중 개정법률 제2조 제1항 제2호 가목에 해당되어 하천구역으로 된 경우
> 3. 법률 제2292호 하천법 개정법률의 시행으로 제방으로부터 하천 측에 있던 토지가 국유로 된 경우
> 4. 법률 제892호 하천법의 시행일부터 법률 제2292호 하천법 개정법률의 시행일 전에 제방으로부터 하천 측에 있던 토지 또는 제방부지가 국유로 된 경우
>
> **동법 제3조**(보상청구권의 소멸시효)
>
> 제2조에 따른 보상청구권의 소멸시효는 2033년 12월 31일에 만료된다.

6) 「하천편입 토지보상 등에 관한 특별조치법」 적용대상토지의 보상감정평가 [176)]

(1) 하천편입토지 보상 등에 관한 특별조치법의 목적

이 법은 보상청구권의 소멸시효 만료로 인하여 보상을 받지 못한 하천편입토지 소유자에 대한 보상과 공익사업을 시행하는 경우의 보상 특례 등에 필요한 사항을 규정함을 목적으로 한다.

(2) 보상청구권의 소멸시효

2033년 12월 31일

(3) 해당 토지

1971년 7월 19일 이전에 하천에 편입된 토지 등

(4) 평가방법

① 원칙

토지의 보상감정평가는 보상청구절차를 통지 또는 공고한 날의 가격을 기준으로 하되, 편입당시의 지목 및 토지이용상황, 해당 토지에 대한 공법상의 제한, 현재의 토지이용상황 및 유사한 인근 토지의 정상가격 등을 고려하여 감정평가 한다(하천편입토지 보상 등에 관한 특별조치법 제6조 제1항). 즉, (구)「하천법」에 의해 국유화된 하천구역 토지 중 「하천편입토지 보상 등에 관한 특별조치법」 적용대상토지의 보상감정평가는 원칙적으로 미지급용지에 대한 보상감정평가에 해당한다. 감정평가의 구체적인 기준은 다음과 같다.

② 가격시점은 특별조치법 제5조에 따라 보상청구절차를 통지 또는 공고한 날짜로 하되, 의뢰인이 제시한 바에 따른다.

---

176) 토지보상평가지침 제39조

③ **편입 당시의 지목 및 이용상황**

㉠ **편입시점**: 하천관리청이 제시한 기준에 따르되, 법률 제2292호 「하천법」 시행일(1971년 7월 19일) 전에는 당시의 「하천법」 제2조 제1항 제2호 가목 및 다목에 해당되는 시점이 아니고 당시의 「하천법」의 규정에 따라 하천구역으로 공고된 시점을 편입시점으로 보며, 하천구역으로 공고되지 아니하였거나 공고시점이 불분명한 경우에는 법률 제2292호 「하천법」 시행일(1971년 7월 19일)을 편입시점으로 본다.

㉡ **지목 및 이용상황**: 편입 당시의 지목 및 토지이용상황의 판단은 의뢰인이 제시한 내용에 따르되, 하천구역으로 된 시점 당시를 기준으로 하며, 하천구역으로 된 시점 당시의 해당 토지에 대한 공부상 지목과 현실적인 이용상황이 다른 경우에는 현실적인 이용상황을 기준으로 한다.

㉢ **공법상의 제한**: 편입 당시를 기준(편입 당시의 공법상 제한을 알 수 없을 경우에는 가격시점 당시를 기준으로 할 수 있다)으로 하되, 해당 토지가 하천구역으로 된 것에 따른 「하천법」에서 정한 공법상 제한은 하천의 정비·보전 등을 직접 목적으로 가하여진 경우로서 그 제한을 받지 아니한 상태를 기준으로 감정평가한다.

㉣ **현재의 토지이용상황**: 가격시점 당시의 현실적인 이용상황을 뜻하는 것으로서 원칙적으로 고려하지 아니하나, 편입 당시의 이용상황을 알 수 없거나 하천관리청으로부터 편입 당시의 이용상황의 제시가 없는 경우에 편입 당시의 이용상황을 확인할 때 기초자료로 활용한다.

㉤ **비슷한 인근토지의 적정가격**: 하천구역으로 된 당시의 토지이용상황과 비슷한 것으로서 대상토지의 인근지역에 있는 토지에 대한 표준지공시지가를 기준으로 한 감정평가액을 말하며, 인근지역 또는 동일수급권 안의 유사지역에 이용상황이 비슷한 토지의 표준지공시지가가 없을 경우에는 인근지역 또는 동일수급권 안의 유사지역에 있는 표준적인 이용상황과 비슷한 토지의 표준지공시지가를 기준으로 하여 구한다.

④ **감정평가방법의 적용**

대상토지에 대한 편입 당시의 지목 및 토지이용상황(하천관리청의 하천공사에 따라 하천구역으로 된 경우에는 하천공사 직전의 이용상황) 또는 비슷한 인근토지의 적정가격을 알 수 없거나, 인근지역 또는 동일수급권 안의 유사지역에 있는 표준적인 이용상황과 비슷한 토지의 표준지공시지가를 기준으로 감정평가하는 경우에서 그 용도가 다른 것에 따른 개별요인의 비교 등이 사실상 곤란한 경우 등에는 가격시점 당시의 현실적인 이용상황을 기준으로 다음 표에서 정하는 기준에 따라 감정평가할 수 있다. 다만, 하천구역으로 된 이후에 하천관리청의 하천공사나 하천점용허가에 따라 현상변경이 이루어져 가격시점 당시의 현실적인 이용상황이 하천구역으로 된 당시보다 뚜렷하게 변동된 것으로 인정되는 경우에는 이용상황의 판단이나 일정비율을 적용할 때 고려할 수 있으며, 대상토지가 도시지역 안에 있는 경우로서 인근토지가 순수농경지로 인정되는 경우에는 도시지역 밖의 일정비율을 적용할 수 있다.

구분 이용상황별	일정비율	
	도시지역 안	**도시지역 밖**
농경지(전, 답 등)	인근토지에 대한 적정가격의 2분의 1 이내	인근토지에 대한 적정가격의 10분의 7 이내
제방 · 제외지측과 접한부분이 농경지인 경우	인근토지에 대한 적정가격의 2분의 1 이내	인근토지에 대한 적정가격의 10분의 7 이내
제방 · 제외지측과 접한부분이 농경지가 아닌 경우	인근토지에 대한 적정가격의 4분의 1 이내	인근토지에 대한 적정가격의 3분의 1 이내
둔치	인근토지에 대한 적정가격의 4분의 1 이내	인근토지에 대한 적정가격의 3분의 1 이내
모래밭 · 개펄	인근토지에 대한 적정가격의 7분의 1 이내	인근토지에 대한 적정가격의 5분의 1 이내
물이 계속 흐르는 토지	인근토지에 대한 적정가격의 10분의 1 이내	인근토지에 대한 적정가격의 7분의 1 이내

》 상기 이용상황별 일정비율표는 참고자료에 불과하므로 개별적 사안에 따라 적의 조정하여 적용해야 할 것이다.

● 이용상황별 일정비율표 적용 시 유의사항

「하천편입토지 보상 등에 관한 특별조치법」 적용대상토지의 보상감정평가에서 편입 당시의 이용상황을 알 수 없어 현재의 토지이용상황을 참작하는 경우의 이용상황은 농경지 · 제방 · 고수부지 · 모래밭 · 개펄 및 물이 계속 흐르는 토지로 구분하고 있다.

그러나 하천구역으로 편입된 후 몇 십년 동안 대홍수나 준설공사 등으로 인하여 하천구역 안에서 이용상황이 변하기도 하고, 또한 보상을 위한 토지조서를 작성하기 위하여 토지의 이용상황을 확인하는 시점 또는 감정평가를 위한 현장조사시점 등에 있어서도 외부환경의 변화(예를 들어 홍수기와 갈수기)에 따라 현재의 이용상황에 대한 판단이 달라질 수 있다.

특히 (구)「하천법」에서 하천구역을 결정하는 "매년 1회 이상 물이 흐른 흔적을 나타내고 있는 토지의 구역"이라는 판단기준이 명확하지 아니하여 분쟁발생의 원인이 되었으므로, 현행 「하천법」 제10조 제1항 제6호에서는 하천구역을 "하천기본계획이 수립되지 아니한 하천에 있어서는 하천에 물이 계속하여 흐르고 있는 토지 및 지형, 그 토지 주변에서 풀과 나무가 자라는 지형의 상황, 홍수흔적, 그 밖의 상황을 기초로 10년 동안 매년 최대유량을 산술평균하여 매년 1회 이상 물이 흐를 것으로 판단되는 수면 아래에 있는 토지(대홍수나 그 밖의 자연현상에 의하여 일시적으로 그 상황을 나타내고 있거나 유로가 변경된 토지는 제외한다)"로 명확하게 규정하고 있다.

따라서 현재의 이용상황의 구분은 기준시점 당시에 한정할 것이 아니라 계절에 따른 수량의 증감에 따른 이용상황의 변경가능성 등으로 고려하여 통상적인 이용상황을 상정하여 판단하며, 그 내용을 감정평가서에 기재한다.

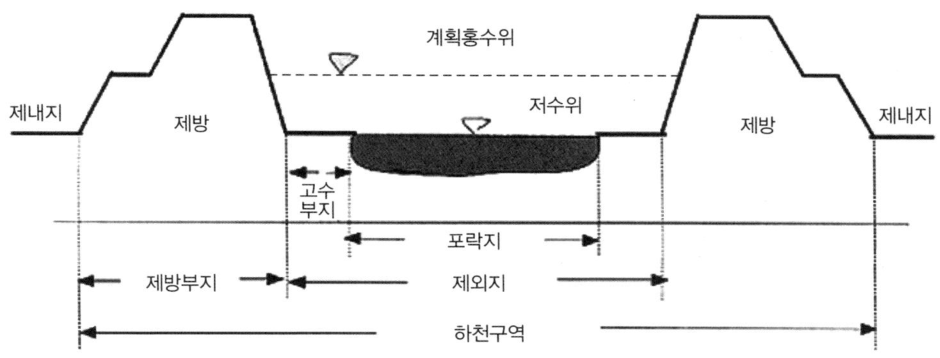

》 출처 : 국토교통부 홈페이지

17. 공동소유인 토지 [177]

1) 공동소유의 종류

공동소유에는 ⅰ) 물건을 지분에 의하여 수인의 소유로 되어 있는 형태인 공유, ⅱ) 수인이 조합체로서 물건을 소유하는 형태인 합유, ⅲ) 법인 아닌 사단이 물건을 소유하는 형태인 총유 등 3가지가 있다.

2) 각 유형별 권원확보 방법

(1) 공유인 경우

공유에 있어서 공유자는 언제든지 공유물의 분할을 청구할 수 있고, 다른 공유자의 동의 등을 받을 필요 없이 그 지분을 자유로이 처분(양도·담보제공·포기)할 수 있다. 따라서 공유물의 전부를 취득하거나 사용하기 위하여서는 공유자 전원과 협의하여야 하고, 공유관계인 토지 등의 일부만을 취득하는 경우에도 그 공유자 전원과 협의하여야 한다.

수인이 한 동의 건축물 또는 한 필지의 토지의 특정부분을 내부적으로 소유하면서도 대외적으로는 한 동의 건축물 또는 한 필지의 토지 전체를 수인의 공유로 공유지분등기를 한 경우를 구분소유적 공유관계라고 하며, 이러한 토지 등을 사업시행자가 취득하거나 사용하기 위한 협의는 구분소유 하고 있는 위치에 불구하고 한 동 또는 한 필지의 전체를 기준으로 보상감정평가하여 이를 그 지분비율에 따라 안분하여 보상하여야 한다.

(2) 합유인 경우

합유에 있어서도 합유자는 지분을 가지나 합유물의 처분·변경은 물론 합유지분의 처분도 합유자 전원의 동의를 요한다. 따라서 합유인 토지 등을 사업시행자가 취득하기 위하여서는 합유자 전원의 동의를 받아야 한다.

---

177) 토지수용업무편람, 중앙토지수용위원회

(3) 총유인 경우

총유의 주체는 종중·어촌계·교회·주민공동체 등 법인이 아닌 사단 등 법인격 없는 인적 결합체이며, 총유물의 처분 및 관리는 사원총회의 결의로써 한다. 따라서 총유인 토지 등을 사업시행자가 취득하기 위하여서는 사원총회의 결의서가 있어야 한다.

18. 대지권의 목적인 토지 [178]

(1) 대지권의 목적인 토지의 개념 및 처분제한

「집합건물의 소유 및 관리에 관한 법률」에 따라 구분소유자가 전유부분을 소유하기 위하여 건물의 대지에 대하여 가지는 권리(지상권 등 용익권 외의 대지사용권을 포함함)를 대지사용권이라 하며, 이로써 등기되어 있는 권리를 대지권이라고 한다.

구분소유자의 대지사용권은 그가 가지는 전유부분의 처분에 따르고, 구분소유자는 그가 가지는 전유부분과 분리하여 대지사용권을 처분할 수 없다. 그러나 규약으로써 구분소유자가 가지는 전유부분과 분리하여 대지사용권을 처분할 수 있도록 정한 때에는 전유부분과 분리하여 처분할 수 있다.

(2) 대지권의 목적인 토지의 취득

구분소유의 대상인 건물은 공익사업의 시행을 위하여 필요하지 않고 대지권의 목적인 토지만이 필요한 경우에는 규약 또는 공정증서에서 전유부분과 분리하여 처분할 수 있도록 정하고 있거나, 건물의 대지가 아닌 토지로서 분리하여 등기하지 않는 한 협의의 대상이 될 수 없다. 즉, 대지권의 목적인 토지만에 대하여서는 그 토지를 전유부분과 분리하여 처분할 수 있는 규약 또는 공정증서가 있거나, 건물의 대지가 아닌 토지로 분리하는 등기를 먼저 한 후 그 소유자(공유자)와 협의하여야 하며, 이를 위반한 처분행위는 무효이다.

대지권의 목적인 토지를 전유부분과 분리하여 처분할 수 있는 규약이 제정되거나 건물의 대지가 아닌 토지로 분리한 후에 사업시행자가 그 토지를 취득 또는 사용하고자 하는 경우에는 단순 공유의 토지를 취득 또는 사용하는 방법과 같다.

소유자들이 규약 또는 공정증서로써 처분을 규정하지 않는다면 사업시행자는 「공간정보관리법」 제87조에 따라 사업시행자의 대위에 의해 편입부분을 분할하고 수용에 의하여 소유권을 취득할 수 있다. 이 경우 사업시행자는 소유권의 등기명의인을 대위하여 대지권이 대지권이 아닌 권리가 됨으로 인한 건물의 표시변경등기(대지권말소)를 신청하여 대지권등기를 말소한 후 편입토지를 토지등기부상의 토지로 전환하여 사업시행자 명의로 취득할 수 있다.

---

178) 토지수용업무편람, 중앙토지수용위원회

02 그 밖의 토지에 관한 평가

1. 토지사용료의 감정평가 [179]

> **토지보상법 제71조**(사용하는 토지의 보상 등)
>
> ① 협의 또는 재결에 의하여 사용하는 토지에 대하여는 그 토지와 인근 유사토지의 지료(地料), 임대료, 사용방법, 사용기간 및 그 토지의 가격 등을 고려하여 평가한 적정가격으로 보상하여야 한다.
> ② 사용하는 토지와 그 지하 및 지상의 공간 사용에 대한 구체적인 보상액 산정 및 평가방법은 투자비용, 예상 수익 및 거래가격 등을 고려하여 국토교통부령으로 정한다.

1) 토지사용료 평가의 대상

토지사용 보상감정평가의 대상은 공익사업의 시행으로 인하여 사용할 토지로서 사업시행자가 사용료 보상평가를 목적으로 제시한 것으로 한다.

제1항의 공익사업의 시행으로 인하여 사용할 토지는 지표 이외에 해당 토지의 지상 또는 지하공간의 일부도 그 대상으로 할 수 있다.

2) 토지사용료 평가의 원칙

> **토지보상법 시행규칙 제30조**(토지의 사용에 대한 평가)
>
> 토지의 사용료는 임대사례비교법으로 평가한다. 다만, 적정한 임대사례가 없거나 대상토지의 특성으로 보아 임대사례비교법으로 평가하는 것이 적정하지 아니한 경우에는 적산법으로 평가할 수 있다.

(1) 임대사례비교법 원칙

사용하는 토지에 대한 보상감정평가는 그 토지와 인근 유사토지의 지료(地料) · 임대료 · 사용방법 · 사용기간 및 그 토지의 가격 등을 참작하여 평가한 적정가격으로 보상한다(토지보상법 제71조 제1항). 즉, 임대사례비교법으로 평가한다(토지보상법 시행규칙 제30조). 여기서 임대사례비교법이란 대상물건과 가치형성요인이 같거나 비슷한 물건의 임대사례와 비교하여 대상물건의 현실적인 이용상황에 맞게 사정보정, 시점수정, 가치형성요인 비교 등의 과정을 거쳐 대상물건의 임대료를 산정하는 감정평가방법을 말한다(감정평가에 관한 규칙 제2조 제8호).

(2) 다른 방식에 의한 사용료 평가

사용하는 토지에 대한 사용료 보상은 임대사례비교법을 적용하여 감정평가하되, ⅰ) 적절한 임대사례가 없는 경우, ⅱ) 대상토지의 특성으로 보아 임대사례비교법으로 감정평가하는 것이 적절하지 아니한 경우, ⅲ) 미지급용지에 대한 사용료를 감정평가하는 경우에는 적산법으로 감정평가할 수 있다. 이 중 ⅰ)은 임대사례비교법의 적용이 사실상 불가능한 경우에 해당하고, ⅱ)는 유사한 임대사례가

---

179) 토지보상평가지침 제49조

존재하여 임대사례비교법의 적용은 가능하나, 대상토지의 성격상 임대사례비교법의 적용이 적절하지 않은 경우이며, iii)은 공용사용에 따른 보상감정평가가 아니고 「민법」상 부당이득과 관련된 사용료의 감정평가이나, 일반적으로 미지급용지의 취득과 관련된 보상감정평가에 부대하여 발생하여 취득하는 보상금액과 상호 연관성을 가지므로 적산법을 적용하도록 한 것이다. 여기서 적산법이란 대상물건의 기초가액에 기대이율을 곱하여 산정된 기대수익에 대상물건을 계속하여 임대하는 데에 필요한 경비를 더하여 대상물건의 임대료를 산정하는 감정평가방법을 말한다(감정평가에 관한 규칙 제2조 제6호).

3) 미지급용지에 대한 사용료평가

공용사용에 따른 보상감정평가가 아니고 「민법」상 부당이득과 관련된 사용료의 감정평가로서 미지급용지에 대한 사용료의 평가는 적산법에 따른다. 이 경우에 기초가격은 미지급용지의 평가규정을 준용하여 구한다.

미지급용지 사용료의 소멸시효는 채권의 소멸시효인 5년이다. 즉, 5년치의 사용료만 청구할 수 있다.

4) 지하 · 지상공간 중 일부를 사용하는 경우

(1) 토지의 지하부분 또는 지상공간을 한시적으로 사용하는 경우

토지의 지상공간 등의 일부를 한시적으로 사용하는 경우 그 사용료는 일반적인 토지사용료의 감정평가액에 입체이용저해율을 곱하여 감정평가한다. 즉, 토지의 지상공간 등의 일부를 한시적 사용의 경우에는 사용료에 대한 저해로 보고, 토지 전체를 사용하는 것을 전제로 한 사용료의 감정평가액에서 지상공간 등의 일부를 사용함으로 인하여 해당 토지의 이용이 저해되는 정도에 따른 적절한 율인 입체이용저해율을 곱하여 감정평가한다.

> 사용료 = 토지사용료의 평가가격 × 입체이용저해율(50퍼센트 이내)

(2) 토지의 지하부분 또는 지상공간을 개별법령에 따른 구분지상권을 설정하여 사실상 영구적으로 사용하는 경우

토지의 지상공간 등의 일부를 구분지상권을 설정하거나 임대차계약 등에 의해 사실상 영구적으로 사용하는 경우 그 사용료는 표준지공시지가를 기준으로 산정한 해당 토지의 가액에 입체이용저해율을 곱하여 감정평가한다. 즉, 토지의 지상공간 등의 일부를 사실상 영구적 사용의 경우에는 가격에 대한 저해로 보고, 토지의 가액에서 입체이용저해율을 곱하여 감정평가한다.

> 사용료 = 표준지공시지가를 기준으로 한 해당 토지의 적정가격 × 입체이용저해율

(3) 도시철도법 제9조의 규정에 의한 지하부분 보상을 위한 지하사용료의 평가

토지보상평가지침 제50조(도시철도 지하사용료 평가) 및 제51조(입체이용저해율 산정)의 규정에 의한다.

2. 도시철도법의 규정에 따른 지하사용료의 감정평가 [180]

1) 보상의 원칙 및 범위

도시철도건설자가 도시철도를 건설하기 위하여 타인 토지의 지하부분을 사용하려는 경우에는 그 토지의 이용 가치, 지하의 깊이 및 토지 이용을 방해하는 정도 등을 고려하여 보상한다.[181]

타인 토지의 지하부분 사용에 대하여 보상할 대상은 도시철도 시설물의 설치 또는 보호를 위하여 사용되는 토지의 지하부분으로 한다.[182]

2) 보상감정평가기준

(1) 토지의 한계심도 이내의 지하부분을 영구적으로 사용하는 경우

토지의 단위면적당 적정가격에 입체이용저해율[183]과 구분지상권 설정면적을 곱하여 산정한다.

> 지하사용료 = 토지의 단위면적당 적정가격 × 입체이용저해율 × 구분지상권 설정면적

(2) 토지의 한계심도[184]를 초과하는 지하부분을 사용하는 경우

토지의 단위면적당 적정가격에 다음 율을 적용하여 산정한다. 다만, 해당 토지의 여건상 지하의 광천수를 이용하는 등 특별한 사유가 인정되는 경우에는 따로 지하사용료를 산정할 수 있다.

> 지하사용료 = 토지의 단위면적당 적정가격 × 적용률 × 구분지상권 설정면적

토피	한계심도 초과		
	20미터 이내	20미터~40미터	40미터 이상
적용률(퍼센트)	1.0~0.5	0.5~0.2	0.2 이하

(3) 「도시철도법 시행령」[별표 1]에서 정하는 다음의 방법으로 감정평가하되, 입체이용저해율의 산정에 필요한 입체이용가치·이용률 등의 구체적인 산정기준은 해당 토지 및 인근토지의 이용실태, 입지조건 및 그 밖의 지역적 특성을 고려하여 특별시·광역시·도 및 특별자치도의 조례로 정한다(도시철도법 시행령 제10조 제2항). 현재 서울특별시 및 부산·인천·대전·광주광역시는 각각 「지하부분 토지사용에 관한 조례」를 두고 있다.

---

180) 토지보상평가지침 제50조
181) 도시철도법 제9조 제1항
182) 도시철도법 시행령 제10조 제1항
183) "입체이용저해율"이란 토지의 지상 또는 지하공간의 사용으로 인하여 해당 토지의 이용이 저해되는 정도에 따른 적절한 율을 말한다.
184) "한계심도"란 토지소유자의 통상적인 이용행위가 예상되지 아니하고 지하시설물을 따로 설치하는 경우에도 일반적인 토지이용에 지장이 없을 것으로 판단되는 깊이를 말한다.

3) 토지의 단위면적당 적정가격

인근지역에 있는 유사한 이용상황의 표준지공시지가를 기준으로 한 해당 토지의 단위면적당 평가가격으로 한다.

4) 입체이용저해율 산정

구분지상권의 평가에서 서술한 바와 동일하다.

3. 송전선로부지 등의 보상[185]

「전기사업법」 제89조에 따라 송전선로의 건설을 위하여 토지의 지상 또는 지하공간을 사용하는 경우에 있어 「전기사업법」 제90조의2 또는 「전원개발촉진법」 제6조의2에 따른 손실보상을 하기 위한 감정평가, 「송·변전설비주변지역의 보상 및 지원에 관한 법률」(이하 "송전설비주변법"이라 한다) 제4조에 따른 재산적 보상지역에 속한 토지의 재산적 보상을 위한 감정평가 및 같은 법 제5조에 따른 주택매수 청구지역에 속한 주택의 매수가액 산정을 위한 감정평가에 대한 사항이다.

1) 송전선로부지의 지상 또는 지하 공간의 사용에 따른 손실보상평가

전기사업법 제89조(다른 자의 토지의 지상 등의 사용)

① 전기사업자는 그 사업을 수행하기 위하여 필요한 경우에는 현재의 사용방법을 방해하지 아니하는 범위에서 다른 자의 토지의 지상 또는 지하 공간에 전선로를 설치할 수 있다. 이 경우 전기사업자는 전선로의 설치방법 및 존속기간 등에 대하여 미리 그 토지의 소유자 또는 점유자와 협의하여야 한다.
② 제1항의 경우에는 제88조 제2항부터 제5항까지의 규정을 준용한다.

전기사업법 제90조의2(토지의 지상 등의 사용에 대한 손실보상)

① 전기사업자는 제89조 제1항에 따른 다른 자의 토지의 지상 또는 지하공간에 송전선로를 설치함으로 인하여 손실이 발생한 때에는 손실을 입은 자에게 정당한 보상을 하여야 한다.
② 제1항에 따른 보상금액의 산정기준이 되는 토지 면적은 다음 각 호의 구분에 따른다.
  1. 지상공간의 사용 : 송전선로의 양측 가장 바깥선으로부터 수평으로 3미터를 더한 범위에서 수직으로 대응하는 토지의 면적. 이 경우 건축물 등의 보호가 필요한 경우에는 기술기준에 따른 전선과 건축물 간의 전압별 이격거리까지 확장할 수 있다.
  2. 지하공간의 사용 : 송전선로 시설물의 설치 또는 보호를 위하여 사용되는 토지의 지하부분에서 수직으로 대응하는 토지의 면적
③ 제1항 및 제2항에 따른 손실보상의 구체적인 산정기준 및 방법에 관한 사항은 대통령령으로 정한다.

전기사업법 시행령 제50조(손실보상의 산정기준)

법 제90조의2 제3항에 따른 손실보상의 구체적인 산정기준은 별표 5와 같다.

---

185) 송전선로부지 등 보상평가지침

전원개발촉진법 제6조의2(토지수용)

① 전원개발사업자는 전원개발사업에 필요한 토지 등을 수용하거나 사용할 수 있다.

② 제5조에 따른 실시계획의 승인·변경승인 또는 신고가 있은 후 전원개발사업자가 전원개발사업구역에서 협의에 의하여 매수한 토지는 「소득세법」 또는 「법인세법」을 적용할 때에는 「공익사업을 위한 토지 등의 취득 및 보상에 관한 법률」에 따른 수용에 의하여 취득한 것으로 본다.

③ 제1항을 적용할 때 제5조에 따른 실시계획의 승인·변경승인 및 고시가 있는 때에는 「공익사업을 위한 토지 등의 취득 및 보상에 관한 법률」 제20조 제1항에 따른 사업인정 및 같은 법 제22조에 따른 사업인정의 고시가 있는 것으로 본다.

④ 대통령령으로 정하는 기준에 해당하는 전원개발사업구역의 토지등의 수용과 사용에 관한 재결(裁決)의 관할 토지수용위원회는 중앙토지수용위원회로 하고, 재결의 신청은 「공익사업을 위한 토지 등의 취득 및 보상에 관한 법률」 제23조 제1항 및 같은 법 제28조 제1항에도 불구하고 전원개발사업 시행기간에 할 수 있다.

⑤ 제1항에 따른 토지 등의 수용 또는 사용에 관하여 이 법에 특별한 규정이 있는 경우를 제외하고는 「공익사업을 위한 토지 등의 취득 및 보상에 관한 법률」을 준용한다.

(1) 손실보상의 산정기준 [186]

구분	사용기간	보상금액 산정기준
지상공간의 사용	송전선로가 존속하는 기간까지 사용	보상금액 = 토지의 단위면적당 적정가격 × 지상공간의 사용면적 × (입체이용저해율 + 추가보정률)
	한시적 사용	보상금액 = 토지의 단위면적당 사용료 평가가액 × 지상공간의 사용면적 × (입체이용저해율 + 추가보정률)
지하공간의 사용	송전선로가 존속하는 기간까지 사용	보상금액 = 토지의 단위면적당 적정가격 × 지하공간의 사용면적 × 입체이용저해율

》 1. "입체이용저해율"이란 송전선로를 설치함으로써 토지의 이용이 저해되는 정도에 따른 적정한 비율을 말한다.

2. "추가보정률"이란 송전선로를 설치함으로써 해당 토지의 경제적 가치가 감소되는 정도를 나타내는 비율을 말한다.

3. "지상공간의 사용면적"이란 법 제90조의2 제2항 제1호에 따른 면적을 말하며, "지하공간의 사용면적"이란 법 제90조의2 제2항 제2호에 따른 면적을 말한다.

4. "한시적 사용"이란 법 제90조의2 제1항에 따라 전기사업자가 설치하는 송전선로에 대하여 「전원개발촉진법」 제5조에 따른 전원개발사업 실시계획 승인의 고시일부터 3년 이내에 철거가 계획된 경우를 말한다(법 제89조의2에 따른 구분지상권의 설정 또는 이전의 경우에 대해서는 적용하지 아니한다).

5. 토지의 가격(단위면적당 적정가격 및 단위면적당 사용료 평가가액을 말한다), 입체이용저해율 및 추가보정률 등 손실보상의 산정 방법에 관하여는 「공익사업을 위한 토지 등의 취득 및 보상에 관한 법률」 제67조 및 제68조에 따라 평가한다.

---

186) 전기사업법 시행령 제50조 관련 및 [별표 5]

(2) **감가율의 산정**[187]

① **산식**

해당 토지의 지상 또는 지하공간 사용에 따른 사용료의 감정평가 시에 적용되는 감가율은 송전선로의 건설에 따른 토지이용상의 제한 등이 해당 토지의 면적에 미치는 영향 정도 등을 고려하여 정한 율로서 입체이용저해율과 추가보정률로 구분되며, 다음과 같이 해당 토지의 사용료 감정평가 시에 적용할 감가율을 산정한다.

> 감가율 = 입체이용저해율 + 추가보정률

》 지하공간 사용에 따른 사용료의 감정평가 시에는 입체이용저해율만을 감가율로 본다.

② **입체이용저해율**

선하지의 공중부분 사용에 따른 토지의 이용이 입체적으로 저해되는 정도에 따른 적정한 비율로서, 입체이용저해율의 산정방법을 준용한다.

③ **추가보정률**

㉠ **추가보정률의 의의**

추가보정률이란 송전선로를 설치함으로써 해당 토지의 경제적 가치가 감소되는 정도를 나타내는 비율을 말한다. 일반적으로 입체이용저해율은 토지의 지상 또는 지하공간의 사용으로 인하여 해당 토지의 이용이 저해되는 정도에 따른 적절한 율을 의미하므로, 공익사업의 필요에 의해 사용하는 지상 또는 지하공간 외의 공간은 정상적으로 사용가능한 것을 전제로 한다. 그러나 선하지의 경우는 송전선로의 특성상 송전선이 통과하는 공간 이외의 공간은 물리적으로는 이용이 가능하다고 하여도 송전선으로 인한 쾌적성 저해 및 시장성 저해 등에 따른 경제적 가치 감소가 발생하므로, 이러한 가치감소를 반영하기 위한 것이 추가보정률이다.

㉡ **추가보정률의 구성**

추가보정률에 대하여 「전기사업법 시행령」 제50조 및 [별표 5]는 "송전선로를 설치함으로써 해당 토지의 경제적 가치가 감소되는 정도를 나타내는 비율을 말한다."라고만 규정할 뿐 그 구체적인 내용에 대해서는 별도로 규정이 없다. 다만, 한국감정평가사협회가 제정한 「송전선로부지 등 보상평가지침」 제9조는 추가보정률을 송전선로요인, 개별요인, 그 밖의 요인 등을 고려할 율로서, [별표 1]에서 정하는 기준에 따라 통과전압의 종별이 76만 5천 볼트, 34만 5천 볼트, 15만 4천 볼트인 경우로 나누어 산정하도록 규정하고 있다.

㉢ **추가보정률의 산정기준**[188]

[별표 1]에서 정하는 기준에 따라 추가보정률을 산정하는 경우에는 다음 각 호의 요인을 고려한 적정한 율로 하되, 각 요인별로 그 저해 정도를 고려하여 산정한다. 다만, 한시적으로 사용하는 경우에 있어서 사용료의 감정평가 시에는 제2호의 구분지상권 설정 여부는 적용하지 아니한다.

---

187) 송전선로부지 등 보상평가지침 제9조(감가율의 산정)
188) 송전선로부지 등 보상평가지침 제9조(감가율의 산정)

> 1. 송전선로요인 : 통과전압의 종별 및 송전선의 높이, 회선 수, 해당 토지의 철탑건립 여부, 주변 철탑 수, 철탑 거리, 철탑으로 인한 일조 장애, 송전선 통과 위치 등
> 2. 개별요인 : 용도지역, 고저, 경사도, 형상, 필지면적, 도로접면, 간선도로 거리, 구분지상권 설정 여부 등
> 3. 그 밖의 요인 : 인구수준(인구 수, 인구 순유입), 경제 활성화 정도, 장래의 동향 등

유효이용면적 또는 그 이하의 소규모 택지의 지상공간에 구분지상권을 설정하여 사실상 영구적으로 사용하는 경우 등에 있어 [별표 1]에서 정하는 기준에 따른 추가보정률을 적용하여 산정된 감정평가액이 그 송전선로부지의 지상공간 사용에 따른 해당 토지의 현실적인 경제적 가치 감소상당액 수준에 현저히 못 미친다고 인정되는 경우에는 따로 추가보정률의 산정기준 등을 정하여 감정평가할 수 있다. 이 경우에는 송전선로부지의 위치 및 면적, 송전선로 전압의 종별, 송전선로의 높이, 송전선로의 통과위치, 인근 철탑의 존재 여부 및 그 거리, 송전선로의 이전가능성 및 그 난이도 등과 주위 토지 상황 등을 종합적으로 고려하여 추가보정률 등을 정하여야 한다.

◉ 송전선로부지 등 보상평가지침[별표 1] 추가보정률 산정기준표

• 154kV

감가요인 항목		택지 및 택지예정지	농지	산지
송전선로 요인(a)	회선 수	8~21%	5~15%	5~10%
	송전선 높이			
	해당 토지의 철탑 건립 여부			
	주변 철탑 수			
	철탑 거리			
	철탑으로 인한 일조 장애			
	송전선 통과 위치			
개별요인 (b)	용도지역, 고저, 경사도, 형상	6~17%*	4~13%*	4~8%*
	필지면적			
	도로접면			
	간선도로 거리			
	구분지상권 설정 여부*			
그 밖의 요인(c)	인구수준(인구 수, 인구 순유입) 경제 활성화 정도, 장래의 동향 등	5% 이내	3% 이내	3% 이내
추가보정률 합계		14~38% +5% 이내	9~28% +3% 이내	9~18% +3% 이내

- 345kV

감가요인 항목		택지 및 택지예정지	농지	산지
송전선로 요인(a)	회선 수	9~22%	6~16%	6~11%
	송전선 높이			
	해당 토지의 철탑 건립 여부			
	주변 철탑 수			
	철탑 거리			
	철탑으로 인한 일조 장애			
	송전선 통과 위치			
개별요인 (b)	용도지역, 고저, 경사도, 형상	6~18%*	4~14%*	4~9%*
	필지면적			
	도로접면			
	간선도로 거리			
	구분지상권 설정 여부			
그 밖의 요인(c)	인구수준(인구 수, 인구 순유입) 경제 활성화 정도, 장래의 동향 등	5% 이내	3% 이내	3% 이내
추가보정률 합계		15~40% +5% 이내	10~30% +3% 이내	10~20% +3% 이내

- 765kV

감가요인 항목		택지 및 택지예정지	농지	산지
송전선로 요인(a)	회선 수	20~30%	8~18%	8~13%
	송전선 높이			
	해당 토지의 철탑 건립 여부			
	주변 철탑 수			
	철탑 거리			
	철탑으로 인한 일조 장애			
	송전선 통과 위치			
개별요인 (b)	용도지역, 고저, 경사도, 형상	15~20%*	7~17%*	7~12%*
	필지면적			
	도로접면			
	간선도로 거리			
	구분지상권 설정 여부			
그 밖의 요인(c)	인구수준(인구 수, 인구 순유입) 경제 활성화 정도, 장래의 동향 등	5% 이내	5% 이내	5% 이내
추가보정률 합계		35~50% +5% 이내	15~35% +5% 이내	15~25% +5% 이내

>> **공통유의사항**

1. 이 표는 추가보정률의 일반적인 적용범위 및 구분기준 등을 정한 것이므로 대상물건의 상황이나 지역여건 등에 따라 이를 증·감 조정할 수 있다.
2. 구분지상권이 설정되는 경우(5%)를 기준으로 한 범위이며, 미설정 시 해당 범위에서 −5%를 일괄 적용한다.
3. 이 표에서 정하지 아니한 용도 토지의 경우에는 이 표에서 정한 유사한 용도 토지의 율을 적용할 수 있다.

(3) 지상 또는 지하공간의 사용면적(보상의 범위)[189]

송전선로의 건설을 위한 토지의 지상 또는 지하공간의 사용에 따른 사용료의 감정평가 시에 적용할 사용면적은 의뢰인이 다음에서 정하는 기준에 따라 산정하여 제시한 면적으로 한다.

① 지상공간을 사용하는 경우에는 송전선로의 양측 가장 바깥선으로부터 수평으로 3미터를 더한 범위에서 수직으로 대응하는 토지의 면적(이 경우 건축물 등의 보호가 필요한 경우에는 기술기준에 따른 전선과 건축물 간의 전압별 이격거리까지 확장할 수 있다)으로 한다.

② 택지 및 택지예정지로서 해당 토지의 최유효이용을 상정한 건축물의 최고높이가 전기설비기준 제140조 제1항에서 정한 전압별 측방이격거리(3m에 35,000V를 넘는 10,000V 또는 그 단수마다 15cm를 더한 값의 거리를 말한다)의 전선 최하높이보다 높은 경우에는 송전선로의 양측 최외선으로부터 그 이격거리를 수평으로 더한 범위안에서 정한 직하 토지의 면적으로 한다.

③ 지하공간을 사용하는 경우에는 송전선로 시설물의 설치 또는 보호를 위하여 사용되는 토지의 지하부분에서 수직으로 대응하는 토지의 면적으로 한다(전기사업법 제90조의2 제2항 제2호).

2) 송전선로 주변지역 토지의 재산적 보상 등을 위한 감정평가

> **송·변전설비 주변지역의 보상 및 지원에 관한 법률 제2장 재산적 보상 및 주택매수 등 청구**
>
> **제4조**(토지에 대한 재산적 보상 청구)
>
> ① 토지소유자는 자신이 소유하고 있는 토지가 재산적 보상지역에 속한 경우에는 사업자에게 재산적 보상을 청구할 수 있다.
> ② 재산적 보상금액은 토지소유자와 사업자가 협의하여 정한다. 이 경우 협의를 위한 보상기준과 범위 등은 「전기사업법」 제90조의2에 따른 보상수준을 고려하여 대통령령으로 정한다.
> ③ 제1항에 따른 청구기간은 「전원개발촉진법」 제5조에 따른 전원개발사업 실시계획 승인일부터 해당 사업의 공사완료일(「전기사업법」 제63조에 따른 사용전검사가 완료된 때를 말한다) 이후 2년까지로 한다. 이 경우 사업자는 해당 토지소유자에게 공사가 완료되었음을 알려야 한다.
> ④ 제2항에 따른 협의가 성립되지 아니한 경우에 사업자 또는 토지소유자는 「공익사업을 위한 토지 등의 취득 및 보상에 관한 법률」 제51조에 따른 관할 토지수용위원회에 재결을 신청할 수 있다.
> ⑤ 제1항부터 제3항까지에 따른 보상에 관하여 이 법에서 정한 경우를 제외하고는 「공익사업을 위한 토지 등의 취득 및 보상에 관한 법률」 제8조, 제17조, 제63조, 제64조, 제75조 및 제83조부터 제85조까지의 규정을 준용한다.

---

189) 송전선로부지 등 보상평가지침 제10조(지상 또는 지하공간의 사용면적)

> **제5조**(주택매수 등의 청구)
>
> ① 주택소유자는 자신이 소유하고 있는 주택이 주택매수 등 청구지역에 속한 경우에는 사업자에게 다음 각 호의 어느 하나를 청구할 수 있다. 다만, 제1호를 청구하려는 주택소유자와 대지소유자가 다른 경우에는 공동으로 매수를 청구하여야 한다.
> 1. 해당 주택 및 그 대지[「공간정보의 구축 및 관리 등에 관한 법률」 제67조 제1항에 따른 지목이 대(垈)인 토지를 말한다]의 매수
> 2. 해당 주택에 대한 주거환경개선비용의 지원
> ② 제1항 제1호에 따른 매수의 청구가 있는 경우 사업자는 해당 주택 및 그 대지가 「전원개발촉진법」 제5조 제3항 제2호의 전원개발사업구역에 편입된 것으로 보아 이를 매수하여야 한다. 이 경우 매수한 주택 및 대지는 「소득세법」 또는 「법인세법」 적용 시 「공익사업을 위한 토지 등의 취득 및 보상에 관한 법률」에 따른 수용에 의하여 취득한 것으로 본다.
> ③ 제1항 제1호에 따른 주택매수의 가액 및 범위는 주택소유자와 사업자가 협의하여 정한다. 이 경우 협의를 위한 매수 청구 범위, 대상 및 매수가액 산정기준 등 구체적인 사항은 대통령령으로 정한다.
> ④ 제1항 제2호에 따른 주거환경개선비용 지원액의 산정기준 등에 관한 구체적인 사항은 대통령령으로 정한다.
> ⑤ 제1항에 따른 청구의 청구기간, 불복절차 및 그 밖의 절차는 제4조 제3항부터 제5항까지를 준용한다.

(1) **토지에 대한 재산적 보상을 위한 감정평가**

① **감정평가방법**[190]

㉠ 「송전설비주변법」 제4조에 따른 재산적 보상토지의 경제적 가치감소분에 대한 감정평가액은 지상 송전선로 건설로 인한 해당 토지의 경제적 가치 감소정도, 토지활용 제한 정도, 재산권 행사의 제약 정도 등을 고려하여 감정평가하되 다음과 같이 결정한다.

> 감정평가액 ≒ [해당 토지의 단위면적당 토지가액 × 감가율 × 재산적 보상토지의 면적]

㉡ 해당 토지의 단위면적당 토지가액은 해당 송전선로의 건설로 인한 지가의 영향을 받지 아니하는 토지로서 인근 지역에 있는 유사한 이용상황의 표준지를 기준으로 감정평가한다.

㉢ 재산적 보상평가액은 「전기사업법」 제90조의2 또는 「전원개발촉진법」 제6조의2에 따른 보상수준을 초과할 수 없다.

② **감가율의 산정**[191]

㉠ 송전선로의 건설로 인하여 발생하는 재산적 보상토지의 감정평가 시에 적용되는 감가율은 [별표 2]에서 정하는 기준에 따라 통과전압의 종별이 76만 5천 볼트, 34만 5천 볼트인 경우로 나누어 산정한다.

㉡ [별표 2]에서 정하는 기준에 따라 감가율을 산정하는 경우에는 다음 각 호의 요인을 고려한 적정한 율로 하되, 각 요인별로 그 저해 정도를 고려하여 산정한다.

---

190) 송전선로부지 등 보상평가지침 제14조(재산적 보상을 위한 감정평가)
191) 송전선로부지 등 보상평가지침 제15조(감가율의 산정)

> 1. 송전선로요인 : 통과전압의 종별 및 송전선의 높이, 회선 수, 해당 토지의 철탑건립 여부, 주변 철탑 수, 철탑 거리, 철탑으로 인한 일조 장애, 송전선 통과 위치 등
> 2. 개별요인 : 용도지역, 고저, 경사도, 형상, 필지면적, 도로접면, 간선도로 거리, 구분지상권 설정 여부 등
> 3. 그 밖의 요인 : 인구수준(인구 수, 인구 순유입), 경제 활성화 정도, 장래의 동향 등

송전선로부지 등 보상평가지침[별표 2] 재산적 보상토지 감가율 산정기준표

• 345kV

감가요인 항목		택지 및 택지예정지	농지	산지
송전선로 요인(a)	회선 수	8~20%	4~15%	4~10%
	송전선 높이			
	해당 토지의 철탑 건립 여부			
	주변 철탑 수			
	철탑 거리			
	철탑으로 인한 일조 장애			
	송전선 통과 위치			
개별요인 (b)	용도지역, 고저, 경사도, 형상	5~17%*	4~13%*	4~8%*
	필지면적			
	도로접면			
	간선도로 거리			
	구분지상권 설정 여부			
그 밖의 요인(c)	인구수준(인구 수, 인구 순유입) 경제 활성화 정도, 장래의 동향 등	5% 이내	3% 이내	3% 이내
감가율 합계		13~37% +5% 이내	8~28% +5% 이내	8~18% +5% 이내

• 765kV

감가요인 항목		택지 및 택지예정지	농지	산지
송전선로 요인(a)	회선 수	17~27%	6~17%	6~12%
	송전선 높이			
	해당 토지의 철탑 건립 여부			
	주변 철탑 수			
	철탑 거리			
	철탑으로 인한 일조 장애			
	송전선 통과 위치			
개별요인 (b)	용도지역, 고저, 경사도, 형상	13~18%*	5~14%*	5~10%*
	필지면적			
	도로접면			
	간선도로 거리			
	구분지상권 설정 여부			

그 밖의 요인(c)	인구수준(인구 수, 인구 순유입) 경제 활성화 정도, 장래의 동향 등	5% 이내	5% 이내	5% 이내
감가율 합계		30~45% +5% 이내	11~31% +5% 이내	11~22% +5% 이내

》》 공통유의사항

1. 이 표는 감가율의 일반적인 적용범위 및 구분기준 등을 정한 것이므로 대상물건의 상황이나 지역여건 등에 따라 증·감 조정할 수 있다.
2. 구분지상권이 설정되는 경우(5%)를 기준으로 한 범위이며, 미설정 시 해당 범위에서 −5%를 일괄 적용한다.
3. 이 표에서 정하지 아니한 용도 토지의 경우에는 이 표에서 정한 유사한 용도 토지의 율을 적용할 수 있다.

③ **재산적 보상토지의 면적**[192]

재산적 보상의 감정평가에 적용하는 토지면적은 의뢰인이 다음에서 정하는 기준에 따라 산정하여 제시한 면적으로 한다.

㉠ 76만 5천 볼트 송전선로의 경우에는 송전선로 양측 가장 바깥선으로부터의 거리가 각각 3미터 이상 33미터 이하, 34만 5천볼트 송전선로의 경우에는 송전선로 양측 가장 바깥선으로부터의 거리가 각각 3미터 이상 13미터 이하 범위의 직하 토지의 면적을 원칙으로 한다.

㉡ 송전선로가 그 지상을 통과하는 택지로서 건축물 등의 보호가 필요한 경우에는 송전선로 양측 가장 바깥선으로부터의 거리(3미터)를 기술기준에 따른 전선과 건축물 간의 전압별 이격거리까지 확장할 수 있고 송전선로의 양측 가장 바깥선으로부터의 거리가 76만 5천 볼트 송전선로의 경우에는 각각 그 이격거리 이상 33미터 이하, 34만 5천 볼트 송전선로의 경우에는 그 이격거리 이상 13미터 이하 범위 안에서 정한 직하 토지의 면적으로 한다.

(2) **주택매수의 청구를 위한 감정평가**[193][194]

① **감정평가방법**

「송전설비주변법」 제5조 제3항에 따른 주택매수의 가액(價額)은 「부동산 가격공시에 관한 법률」 제3조에 따른 표준지공시지가를 기준으로 한다. 이 경우 다음 각 호의 사항을 고려하되, 주택의 일시적 이용 상황, 주택소유자가 갖는 주관적 가치 및 주택소유자의 개별적 용도는 고려하지 아니한다.

> 1. 표준지공시지가 공시기준일부터 주택매수 협의의 성립시점까지의 관계 법령에 따른 해당 주택의 이용계획
> 2. 해당 지상 송전선로 건설로 인한 지가(地價)의 영향을 받지 아니하는 지역의 지가변동률
> 3. 생산자물가상승률(「한국은행법」 제86조에 따라 한국은행이 조사·발표하는 생산자물가지수에 따라 산정된 비율을 말한다)
> 4. 그 밖에 해당 주택의 위치, 형상, 환경 및 이용상황

---

192) 송전선로부지 등 보상평가지침 제16조(재상적 보상토지의 면적)
193) 송전설비주변법 시행령 제11조(주택매수 가액의 산정기준)
194) 송전선로부지 등 보상평가지침 제17조(주택매수의 청구 대상 토지의 감정평가기준)

② **표준지공시지가의 선정**

　㉠ **표준지공시지가 선정의 원칙**

　　표준지공시지가는 「송전설비주변법 시행령」 제3조에 따라 주택매수 청구지역의 보상계획을 수립한 경우에는 지상 송전선로 건설에 관한 다음 각 호의 승인, 지정 또는 인·허가(이하 "승인 등"이라 한다) 중 최초 승인 등이 있은 날(이하 "승인등완료일"이라 한다) 전의 시점을 공시기준일로 하는 표준지공시지가로서 그 주택매수의 협의 성립 당시 공시된 표준지공시지가 중 그 승인등완료일과 가장 가까운 시점에 공시된 표준지공시지가로 한다.

> 1. 「전원개발촉진법」 제5조에 따른 전원개발사업 실시계획의 승인
> 2. 「국토의 계획 및 이용에 관한 법률」 제86조에 따른 도시·군계획시설사업의 시행자 지정
> 3. 「국토의 계획 및 이용에 관한 법률」 제88조에 따른 도시·군계획시설사업에 관한 실시계획의 인가
> 4. 「산업입지 및 개발에 관한 법률」 제18조에 따른 일반산업단지개발실시계획의 승인
> 5. 「택지개발촉진법」 제9조에 따른 택지개발사업 실시계획의 승인
> 6. 그 밖에 지상 송전선로 건설을 위한 다른 법령에 따른 승인 등

　㉡ 승인등완료일 전에 「송전설비주변법 시행령」 제4조 제1항 각 호의 사업에 대한 공고 등(이하 이 항에서 "사업공고"라 한다)으로 주택매수의 청구 대상 주택의 가격이 변동되었다고 인정되는 경우

　　해당 사업공고 전의 시점을 공시기준일로 하는 표준지공시지가로서 그 주택 매수의 협의 성립 당시 공시된 표준지공시지가 중 사업공고 시점과 가장 가까운 시점에 공시된 표준지공시지가로 할 수 있다.

참고

• 송전선로 주변토지의 범위

구분	전압(kv)	적용범위		주요내용
① 재산적 보상(토지)	765	송전선로 최외선	33m	• 주변토지 가치하락 보상
	345		13m	
② 주택매수	765		180m	• 주택 매수 청구권 부여
	345	좌우	60m	
③ 지역지원사업	765		1,000m	• 매년 마을단위 지원사업(전기요금 지원, 복지사업, 육영사업, 소득증대 등)
	345		700m	
	765	변전소 울타리	850m	
	345	경계 사방	600m	

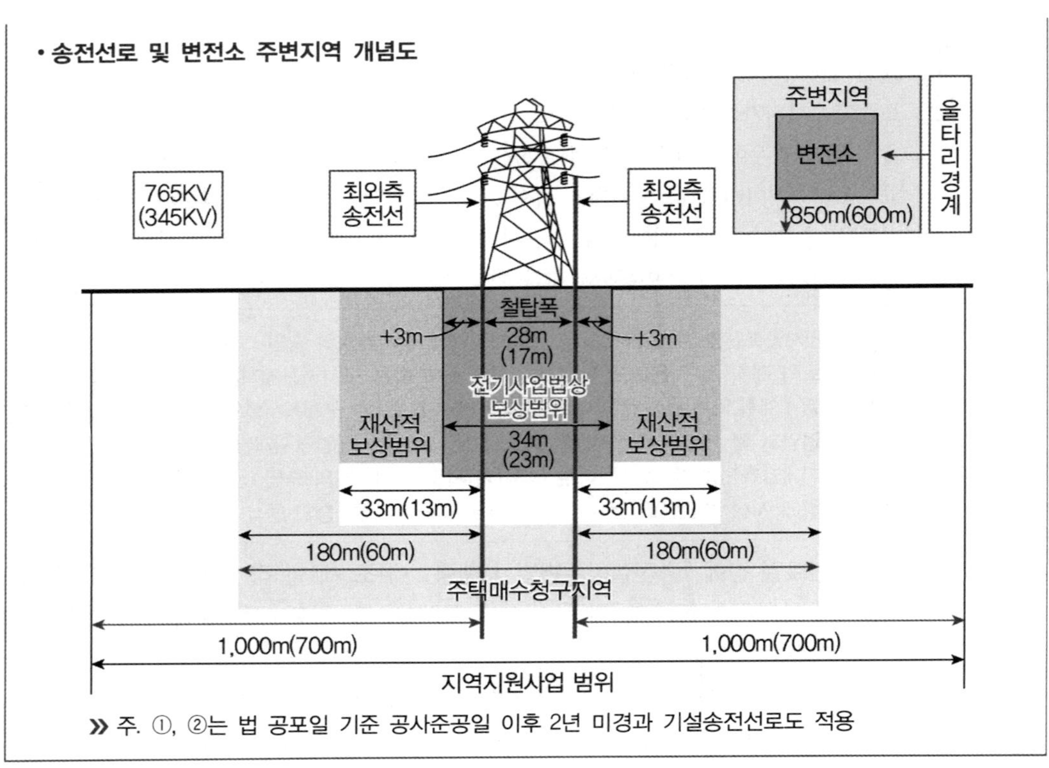

4. 개간비의 감정평가 [195)]

토지보상법 시행규칙 제27조(개간비의 평가 등)

① 국유지 또는 공유지를 관계법령에 의하여 적법하게 개간(매립 및 간척을 포함한다)한 자가 개간 당시부터 보상 당시까지 계속하여 적법하게 해당 토지를 점유하고 있는 경우(개간한 자가 사망한 경우에는 그 상속인이 개간한 자가 사망한 때부터 계속하여 적법하게 해당 토지를 점유하고 있는 경우를 포함한다) 개간에 소요된 비용(이하 "개간비"라 한다)은 이를 평가하여 보상하여야 한다. 이 경우 보상액은 개간 후의 토지가격에서 개간 전의 토지가격을 뺀 금액을 초과하지 못한다.

② 제1항의 규정에 의한 개간비를 평가함에 있어서는 개간 전과 개간 후의 토지의 지세·지질·비옥도·이용 상황 및 개간의 난이도 등을 종합적으로 고려하여야 한다.

③ 제1항의 규정에 의하여 개간비를 보상하는 경우 취득하는 토지의 보상액은 개간 후의 토지가격에서 개간비를 뺀 금액으로 한다.

---

195) 감정평가실무기준 해설서(Ⅱ) 보상편, 한국감정평가사협회 등, 2014.02, pp.185~190

1) 개간비 지급대상

⑴ 국유지 또는 공유지(사유지에서는 적용 안됨)

개간비보상의 대상토지는 국유지 또는 공유지에 한한다. 따라서 사유지는 소유자가 아닌 자가 적법하게 개간한 경우에도 개간비의 보상대상이 아니다. 이와 같이 개간비보상의 대상을 국·공유지로 한정한 이유는 사유지의 경우, 계약에 의해 개간비의 귀속이 달라질 수 있으므로 이를 법령으로 제한할 수 없기 때문이다.

⑵ 관계법령의 규정에 의하여 적법하게 개간(매립, 간척을 포함)

개간을 위하여 관련 법령에 따라 허가·인가 등을 받아야 하는 경우는 허가·인가 등을 받고 개간한 토지여야 한다. 이러한 허가·인가 등에는 「국토계획법」에 따른 형질변경허가 등뿐만 아니라 「국유재산법」 및 「공유재산 및 물품 관리법」에 따른 사용허가 또는 대부계약을 포함한다. 관련 법령에 따라 허가·인가 등을 받지 않고 개간한 무허가 개간토지가 1995년 1월 7일 당시에 공익사업시행지구에 편입된 경우에는 개간비를 보상한다(토지보상법 시행규칙 부칙 제6조). 이 경우 1995년 1월 7일 당시에 공익사업시행지구에 편입되었는지 여부의 판단은 불법형질변경토지의 기준을 준용한다.

⑶ 계속 점유

개간한 자가 개간 당시부터 보상 당시까지 계속하여 적법하게 해당 토지를 점유하고 있어야 한다. 즉, 개간비의 지출자와 보상대상자가 동일인이어야 한다. 따라서 기준시점 당시 개간을 한 자가 사실상 점유하고 있지 아니한 때에는 원칙적으로 보상대상이 되지 않는다.

⑷ 개간한 자가 사망한 경우에는 그 상속인이 개간한 자가 사망한 때부터 계속하여 적법하게 해당 토지를 점유하고 있는 경우

⑸ 사업시행자로부터 지상물과는 별도로 개간비의 평가의뢰가 있는 경우

2) 개간비의 평가

⑴ 개간비평가가 가능한 경우

개간비의 평가는 가격시점 당시를 기준으로 한 개간에 통상 필요한 비용상당액(개량비를 포함)으로 하되, 개간비의 평가 시에는 개간 전·후 토지의 위치·지형·지세·지질·비옥도 및 이용상태와 개간의 난이도 등을 종합 고려하여야 한다. 또한 개간비는 기준시점을 기준으로 감정평가하므로, 개간 당시에 실제 지출된 금액이 아니라 기준시점에서 새로이 개간하는 것을 전제로 할 때 통상 필요한 비용상당액을 기준으로 한다.

점유자의 상환청구를 규정한 「민법」 제203조 제2항은 점유자가 점유물을 개량하기 위하여 지출한 금액 기타 유익비에 관하여는 그 가액의 증가가 현존한 경우에 한하여 회복자의 선택에 좇아 그 지출금액이나 증가액의 상환을 청구할 수 있도록 규정하고 있으므로, 일반적으로 유익비는 지출금액이나 증가액 중에서 선택적으로 청구할 수 있으나, 개간비는 증가액을 대상으로 하지 않고 지출금액만을 대상으로 한다.

(2) 개간에 통상 필요한 비용상당액을 산정하기 곤란한 경우

개간에 통상 필요한 비용상당액을 산정하기 위해서는 먼저 개간 전 토지의 지세·지질·비옥도·이용상황 등의 파악이 가능하여야 하나, 개간 후 장기간이 경과되어 주위환경이 변경된 경우는 기준시점에서 사실상 이를 확인하는 것이 불가능하다.

따라서 이러한 경우 개간비는 인근지역에 있는 표준지공시지가를 기준으로 한 개간 후의 토지에 대한 평가가액의 3분의 1 이내로 할 수 있다. 다만, 개간지가 도시지역의 녹지지역 안에 있는 경우에는 5분의 1, 도시지역의 그 밖의 용도지역 안에 있는 경우에는 10분의 1 이내로 할 수 있다.

(3) 유의사항(개간비의 보상감정평가액 한도)

개간비보상액은 개간 후의 토지가격에서 개간 전의 토지가격을 뺀 금액을 초과할 수 없다. 한편, 개간비는 개간 후의 토지가액에서 개간 전의 토지가액을 뺀 금액을 초과하지 못하므로, 실제로 개간비용이 지출되었다고 하여도 개간으로 인하여 토지가치가 상승하지 않았다면 보상대상이 아니다.

3) 토지소유자에 대한 보상

토지는 개간이 된 현실적인 이용상황을 기준으로 감정평가한 보상금액을 토지소유자에게 지급한다. 개간비를 보상하는 경우 취득하는 토지의 보상액은 개간 후의 토지가격에서 개간비를 뺀 금액으로 한다(개인별로 보상한다).

$$개간지\ 보상액 = 개간\ 후\ 토지가격 - 개간비\ 보상액$$

4) 유의사항

(1) 점용기간이 만료된 경우

개간비는 개간한 자가 개간 당시부터 보상 당시까지 계속하여 적법하게 해당 토지를 점유하고 있어야 하므로, 적법하게 개간하였다고 하여도 점용기간이 만료 후에 점용기간의 갱신 없이 점유하고 있는 경우는 계속하여 적법하게 점유하고 있다고 볼 수 없으므로 개간비의 보상대상이 아니다. (구)「공공용지의 취득 및 손실보상에 관한 특례법」 제9조에서는 점유의 적법성을 규정하고 있지 않았으므로 점용기간이 만료된 이후에 점유하고 있는 경우에도 개간비의 보상대상으로 볼 수 있었으나(토정 58342-1027, 1997.7.24), 「토지보상법 시행규칙」 제27조에서는 점유의 적법성을 요건으로 규정하고 있으므로 이런 경우 개간비의 보상대상으로 볼 수 없다.

(2) 허가 용도와 다른 용도로 개간한 경우

관련법령에 의하여 허가를 받고 개간하였으나 그 용도가 허가된 용도와 다른 경우에는 이를 적법하게 개간한 경우로 볼 수 없으므로, 개간비 보상대상이 아니다.

⑶ 점용허가면적과 상이한 경우

점용허가면적을 초과하여 개간한 경우 초과 부분은 적법한 개간으로 볼 수 없으므로, 개간비의 보상대상이 아니다. 또한 개간면적이 인·허가면적보다 작은 경우에는 개간면적에 대해서만 보상한다.

⑷ 원상회복 또는 보상제한의 부관이 있는 경우

점용허가의 부관으로 점용기간 만료 시에는 원상회복하여야 한다든가, 또는 보상을 청구하지 않는다는 등의 부관이 있는 경우는 개간비의 보상은 인정되지 않는다. 대법원은 "하천점용허가의 부관에서 정하고 있는 '점용기간 만료 또는 점용을 폐지하였을 때에는 즉시 원상복구할 것'의 의미는 원고들이 이 사건 각 하천부지에 대한 점용기간 만료 시 그에 관한 개간비보상청구권을 포기하는 것을 조건으로 하여 이 사건 각 하천점용허가를 한 것으로 해석함이 상당하고, 하천점용허가 시 위와 같은 내용의 부관을 붙이는 것은 점용허가관청의 재량에 속하는 것이므로, 위 부관의 내용은 원고들에게 유효하게 그 효력을 미친다."라고 판시하고 있다(대판 2008.7.24, 2007두25930·25947·25954).

기 본예제

다음 자료를 이용하여 개간비 및 개간지에 대한 보상액을 산정하시오.

자료 1

1. 대상토지 : 충북 단양군 대강면 A리 100번지
2. 용도지역 : 계획관리지역
3. 도로 등 : 세로(불), 완경사
4. 면적 : 1,000m²

자료 2 인근공시지가(2027.1.1.)

기호	소재지	지목	면적(m²)	이용상황	용도지역	도로교통	형상지세	공시지가(원/m²)
1	A리	임야	1,200	임야	계획관리	맹지	부정형완경사	2,500
2	A리	전	800	전	계획관리	세로(불)	부정형완경사	6,000
3	A리	전	900	전	농림	세로(불)	부정형평지	4,500

자료 3 개별요인

	대상	표준지 1	표준지 2	표준지 3
개별요인	100	95	100	95

자료 4 기타자료

1. 대상토지는 이 씨가 2019년 단양군으로부터 적법한 허가를 득하고 개간하여 이 씨가 현재까지 경작 중에 있는 현황 "전"임.
2. 가격시점 : 2027년 9월 1일
3. 단양군 관리지역 지가변동률(2027.1.1.~2027.9.1.) : 5%
4. 가격시점 현재 개간에 소요되는 표준적 비용은 @3,700원/m²임.
5. 종전의 이용상황은 임야였음.
6. 그 밖의 요인은 대등함.
7. 토지단가는 반올림하여 백원 단위까지 결정한다.

예시답안

Ⅰ. 평가개요

본건은 개간비 및 개간지에 대한 보상감정평가로 가격시점은 2027년 9월 1일이다.

Ⅱ. 개간비 보상

1. 개간비용

$3,700 \times 1,000 = 3,700,000$원

2. 개간비 한도액

(1) 개간 후 토지가격 : 개간 후인 전을 기준으로 용도지역이 동일한 표준지 2를 기준한다.

$6,000 \times 1.05000 \times 1.000 \times 1.000 \times 1.00 = 6,300$원$/m^2(\times 1,000 = 6,300,000$원$)$

(2) 개간 전 토지가격 : 개간 전인 임야를 기준으로 용도지역이 동일한 표준지 1을 기준한다.

$2,500 \times 1.05000 \times 1.000 \times 100/95 \times 1.00 = 2,800$원$/m^2(\times 1,000 = 2,800,000$원$)$

(3) 개간비 보상한도액 : $6,300,000 - 2,800,000 ≒ 3,500,000$원

3. 개간비 보상액

개간비용이 개간비 보상한도액을 초과하므로 개간비 보상한도액인 3,500,000원으로 결정한다.

Ⅲ. 개간지 보상

$6,300,000 - 3,500,000 ≒ 2,800,000$원

---

5. 잔여지의 감정평가 [196][197]

1) 관련법령

> **공익사업을 위한 토지 등의 취득 및 보상에 관한 법률 제73조**(잔여지의 손실과 공사비 보상)
>
> ① 사업시행자는 동일한 소유자에게 속하는 일단의 토지의 일부가 취득되거나 사용됨으로 인하여 잔여지의 가격이 감소하거나 그 밖의 손실이 있을 때 또는 잔여지에 통로·도랑·담장 등의 신설이나 그 밖의 공사가 필요할 때에는 국토교통부령으로 정하는 바에 따라 그 손실이나 공사의 비용을 보상하여야 한다. 다만, 잔여지의 가격 감소분과 잔여지에 대한 공사의 비용을 합한 금액이 잔여지의 가격보다 큰 경우에는 사업시행자는 그 잔여지를 매수할 수 있다.
>
> ② 제1항 본문에 따른 손실 또는 비용의 보상은 관계 법률에 따라 사업이 완료된 날 또는 제24조의2에 따른 사업완료의 고시가 있는 날(이하 "사업완료일"이라 한다)부터 1년이 지난 후에는 청구할 수 없다.
>
> ③ 사업인정고시가 된 후 제1항 단서에 따라 사업시행자가 잔여지를 매수하는 경우 그 잔여지에 대하여는 제20조에 따른 사업인정 및 제22조에 따른 사업인정고시가 된 것으로 본다.
>
> ④ 제1항에 따른 손실 또는 비용의 보상이나 토지의 취득에 관하여는 제9조 제6항 및 제7항을 준용한다.
>
> ⑤ 제1항 단서에 따라 매수하는 잔여지 및 잔여지에 있는 물건에 대한 구체적인 보상액 산정 및 평가방법 등에 대하여는 제70조, 제75조, 제76조, 제77조, 제78조 제4항, 같은 조 제6항 및 제7항을 준용한다.
>
> **동법 제74조**(잔여지 등의 매수 및 수용청구)
>
> ① 동일한 소유자에게 속하는 일단의 토지의 일부가 협의에 의하여 매수되거나 수용됨으로 인하여 잔여지를 종래의 목적에 사용하는 것이 현저히 곤란할 때에는 해당 토지소유자는 사업시행자에게 잔여지를 매수하여

---

196) 감정평가실무기준 해설서(Ⅱ) 보상편, 한국감정평가사협회 등, 2014.02, pp.199~213
197) 토지보상평가지침 제53조

줄 것을 청구할 수 있으며, 사업인정 이후에는 관할 토지수용위원회에 수용을 청구할 수 있다. 이 경우 수용의 청구는 매수에 관한 협의가 성립되지 아니한 경우에만 할 수 있으며, 사업완료일까지 하여야 한다.

② 제1항에 따라 매수 또는 수용의 청구가 있는 잔여지 및 잔여지에 있는 물건에 관하여 권리를 가진 자는 사업시행자나 관할 토지수용위원회에 그 권리의 존속을 청구할 수 있다.

③ 제1항에 따른 토지의 취득에 관하여는 제73조 제3항을 준용한다.

④ 잔여지 및 잔여지에 있는 물건에 대한 구체적인 보상액 산정 및 평가방법 등에 대하여는 제70조, 제75조, 제76조, 제77조, 제78조 제4항, 같은 조 제6항 및 제7항을 준용한다.

동법 시행령 제39조(잔여지의 판단)

① 법 제74조 제1항에 따라 잔여지가 다음 각 호의 어느 하나에 해당하는 경우에는 해당 토지소유자는 사업시행자 또는 관할 토지수용위원회에 잔여지를 매수하거나 수용하여 줄 것을 청구할 수 있다.

    1. 대지로서 면적이 너무 작거나 부정형(不定形) 등의 사유로 건축물을 건축할 수 없거나 건축물의 건축이 현저히 곤란한 경우

    2. 농지로서 농기계의 진입과 회전이 곤란할 정도로 폭이 좁고 길게 남거나 부정형 등의 사유로 영농이 현저히 곤란한 경우

    3. 공익사업의 시행으로 교통이 두절되어 사용이나 경작이 불가능하게 된 경우

    4. 제1호부터 제3호까지에서 규정한 사항과 유사한 정도로 잔여지를 종래의 목적대로 사용하는 것이 현저히 곤란하다고 인정되는 경우

② 잔여지가 제1항 각 호의 어느 하나에 해당하는지를 판단할 때에는 다음 각 호의 사항을 종합적으로 고려하여야 한다.

    1. 잔여지의 위치·형상·이용상황 및 용도지역

    2. 공익사업 편입토지의 면적 및 잔여지의 면적

동법 시행규칙 제32조(잔여지의 손실 등에 대한 평가)

① 동일한 토지소유자에 속하는 일단의 토지의 일부가 취득됨으로 인하여 잔여지의 가격이 하락된 경우의 잔여지의 손실은 공익사업시행지구에 편입되기 전의 잔여지의 가격(해당 토지가 공익사업시행지구에 편입됨으로 인하여 잔여지의 가격이 변동된 경우에는 변동되기 전의 가격을 말한다)에서 공익사업시행지구에 편입된 후의 잔여지의 가격을 뺀 금액으로 평가한다.

② 동일한 토지소유자에 속하는 일단의 토지의 일부가 취득 또는 사용됨으로 인하여 잔여지에 통로·구거·담장 등의 신설 그 밖의 공사가 필요하게 된 경우의 손실은 그 시설의 설치나 공사에 필요한 비용으로 평가한다.

③ 동일한 토지소유자에 속하는 일단의 토지의 일부가 취득됨으로 인하여 종래의 목적에 사용하는 것이 현저히 곤란하게 된 잔여지에 대하여는 그 일단의 토지의 전체가격에서 공익사업시행지구에 편입되는 토지의 가격을 뺀 금액으로 평가한다.

2) 잔여지의 개념 및 요건

⑴ 잔여지의 개념

잔여지의 가치하락 등에 따른 보상에서 잔여지란 동일한 토지소유자에 속하는 일단의 토지 중 일부만이 공익사업에 편입되고 남은 토지를 말한다(토지보상법 제73조 제1항). 따라서 매수보상의 대상이 되는 잔여지는 '종래의 목적에 사용하는 것이 현저히 곤란한 때'에 해당되어야 하나, 잔여지의 가치하락 등에 따른 손실보상에서는 이러한 요건에 구애됨이 없이 일부만 취득되고 남

는 토지는 전부가 잔여지에 해당된다. 즉, 잔여지의 가치하락 등에 따른 보상은 잔여지를 종래의 목적에 사용하는 것이 현저히 곤란하게 되었는지에 관계없이 인정된다.

(2) 잔여지의 요건

① 동일한 토지소유자

잔여지가 되기 위해서는 일단의 토지가 동일한 토지소유자에 속하여야 한다. 여기서 동일한 토지소유자란 일단의 토지의 등기명의가 반드시 동일하여야 하는 것은 아니며, 사실상 동일 소유관계일 경우에도 잔여지로 인정한다.

② 일단의 토지

일단의 토지란 반드시 1필지의 토지만을 가리키는 것이 아니라 일반적인 이용 방법에 의한 객관적인 상황이 동일한 여러 필지의 토지까지 포함하는 것이므로, 일단의 토지가 수 필지인 경우에도 그 가치감소는 일단의 토지 전체를 기준으로 산정한다(대판 1999.5.14, 97누4623). 여기서 여러 필지를 일단의 토지로 판단하기 위해서는 '일단으로 이용되고 있는 상황이 사회적·경제적·행정적 측면에서 합리적이고 해당 토지의 가치형성 측면에서도 타당하여 상호 불가분성이 인정되는 관계'에 해당되어야 하며(대판 2005.5.26, 2005두1428 등), 또한 부동산시장에서의 거래 관행에서도 그 전체가 일단으로 거래될 가능성이 높은 경우이어야 한다. 따라서 일단의 토지의 범위는 현실적이고 외부적인 인식 및 사회 관념에의 적합성 등을 참작하여 용도상 불가분의 관계에 있는 범위에 속하는지 여부를 기준으로 판단한다. 그러므로 지목이나 용도지역 등이 혼재되어 있는 경우 등도 이러한 요건에 해당된다면 일단의 토지로 볼 수 있다.

3) 잔여지 감가보상(잔여지에 대한 손실액의 평가) [198]

(1) 손실액

> 잔여지의 감가 = 공익사업시행지구에 편입되기 전의 잔여지의 가격
> − 공익사업시행지구에 편입된 후의 잔여지의 가격

(2) 공익사업시행지구에 편입되기 전의 잔여지의 가격

① 원칙

공익사업시행지구에 편입되기 전의 잔여지 가액은 일단의 토지의 전체가액에서 공익사업시행지구에 편입되는 토지의 가액을 뺀 금액으로 산정한다.

② 일단의 토지 전체가액

편입토지의 가액은 일단의 토지 전체가액을 기준으로 하여 산정하는 것이 원칙이므로, 일단의 토지 전체가액의 적용단가와 편입토지의 적용단가는 같은 것이 일반적이다. 다만, 편입토지와 잔여지의 용도지역·이용상황 등이 달라 구분감정평가한 경우에는 각각 다른 적용단가를 적용하여 일단의 토지 전체가액을 산정한다.

---

198) 토지보상평가지침 제54조

③ **해당 공익사업으로 인한 가액 변동의 배제**

대상토지가 공익사업시행지구에 편입됨으로 인하여 잔여지의 가치가 변동된 경우에는 변동되기 전의 가액으로 한다. 즉, 공익사업시행지구에 편입되기 전의 잔여지 가액은 일단의 토지 전체가 공익사업에 편입되는 것을 기준으로 한 가액에서 실제 편입되는 부분의 가액을 공제하여 산정한다.

(3) 공익사업시행지구에 편입된 후의 잔여지의 가격

① **원칙**

공익사업시행지구에 편입된 후의 잔여지 가액은 잔여지만이 남게 되는 상태에서의 잔여지 감정평가액으로 한다. 즉, 잔여지의 개별요인을 기준으로 감정평가한다.

공익사업시행지구에 편입된 후의 잔여지의 감정평가에서 잔여지의 개별요인은 ⅰ) 잔여지의 면적·형상 및 지세, ⅱ) 잔여지와 인접한 본인 소유토지의 유·무 및 일단지 사용의 가능성, ⅲ) 잔여지의 용도변경 등이 필요한 경우에는 주위토지의 상황, ⅳ) 잔여지에 도로·구거·담장·울 등 시설의 설치 또는 성토·절토 등 공사의 필요성 유·무 및 공사가 필요한 경우에 그 공사방법 등을 고려한다.

② **적용공시지가 및 공법상 제한 등**

㉠ 적용공시지가 : 2008.4.18. 개정 이전의 「토지보상법」은 잔여지에 대한 보상을 편입 토지의 보상금 증감에 관한 사항으로 다루었으므로, 편입 토지와 분리하여 잔여지만의 취득 또는 가치하락에 따른 보상을 인정하지 않았다. 따라서 잔여지 가치하락에 따른 보상의 기준시점도 편입 토지와 같았기 때문에 적용공시지가의 선정 등에서 별도의 문제가 발생할 여지가 없었다. 그러나 현행 「토지보상법」은 편입 토지의 보상과 잔여지의 가치하락에 따른 보상을 분리하고, 잔여지의 가치하락에 따른 보상의 청구도 공사완료일 후 1년까지 가능하도록 함으로써 잔여지 가치하락에 따른 보상감정평가에서 적용할 적용공시지가의 선택이 문제되고 있다.

특히 잔여지는 공익사업에 편입되어 취득하는 토지가 아니므로, 취득하는 토지의 감정평가방법을 규정한 「토지보상법」 제70조가 준용되지 않으며, 공익사업시행지구 밖의 토지 등에서와 같이 "공익사업시행지구에 편입되는 것으로 보아 보상한다."라는 규정도 두고 있지 않다. 따라서 잔여지의 가액을 감정평가할 경우 적용공시지가의 선택기준도 명확하지 않다. 그러나 잔여지의 가치하락에 따른 손실은 공익사업시행지구에 편입되는 시점에서 발생한다고 보아야 한다. 현행 「토지보상법」에서 해당 공익사업의 공사완료일부터 1년이 지난 후에는 청구할 수 없도록 한 것은 손실의 발생시점을 규정한 것이 아니라, 이러한 손실을 인식하여 보상을 청구하는 기간을 연장한 것으로 보아야 한다. 그러므로 잔여지의 가치하락에 따른 보상은 공익사업시행지구에 편입되는 시점을 기준으로 판단한다. 따라서 공익사업시행지구에 편입되기 전의 잔여지의 가액 및 공익사업시행지구에 편입된 후의 잔여지의 가액의 감정평가를 위한 적용공시지가는 편입된 부분의 적용공시지가와 같이 한다.

     ⓛ **공법상의 제한사항 등** : 잔여지의 가치하락에 따른 손실은 공익사업시행지구에 편입되는 시점에서 발생한다고 보아야 하므로, 공익사업시행지구에 편입되기 전·후 잔여지의 감정평가에서 공법상의 제한사항 등은 편입토지의 보상 당시를 기준으로 한다. 따라서 편입토지의 보상 이후에 해당 공익사업과 관계없이 공법상 제한이 변경된 경우에도 이를 고려하지 아니한다.

③ **사업시행이익과의 상계금지**

    해당 공익사업의 시행으로 인하여 잔여지의 개별요인 등이 개선되어 잔여지의 가치가 증가하거나 그 밖의 이익이 발생한 때에도 그 이익을 잔여지의 가치하락에 따른 보상액과 상계할 수 없다. 즉, 해당 공익사업으로 인한 가치의 증가분을 포함하지 않고 감정평가한다. 이는 「토지보상법」 제66조에 따른 사업시행이익과의 상계금지의 원칙이 적용되기 때문이다. 사업시행이익과의 상계금지의 원칙은 해당 공익사업으로 인하여 인근지의 토지소유자 모두가 받는 통상의 이익에 의한 지가의 상승을 잔여지의 토지소유자에게도 인정하여 잔여지와 인근지 간의 형평을 유지하기 위한 제도이다.

④ **사업손실의 반영 여부**

    잔여지의 가치하락에는 분필 등으로 인하여 형태·면적 등의 개별요인이 나빠짐으로 인한 하락(수용손실)은 물론, 취득 또는 사용 목적 사업의 시행으로 설치되는 시설의 형태·구조·사용 등에 기인하여 발생하는 손실(사업손실) 및 장래의 이용가능성이나 거래의 용이성 등에 의한 사용가치 및 교환가치상의 하락도 포함된다.

판례

[대판 2011.02.24, 2010두23149] 잔여지 손실에는 사업손실도 포함된다.

【판시사항】

구 '공익사업을 위한 토지 등의 취득 및 보상에 관한 법률' 제73조에 따라 토지 일부의 취득 또는 사용으로 잔여지 손실에 대하여 보상하는 경우, 보상하여야 하는 손실의 범위

【판결요지】

구 공익사업을 위한 토지 등의 취득 및 보상에 관한 법률(2007.10.17. 법률 제8665호로 개정되기 전의 것, 이하 '공익사업법'이라 한다) 제73조에 의하면, 동일한 토지소유자에 속하는 일단의 토지의 일부가 취득 또는 사용됨으로 인하여 잔여지의 가격이 감소하거나 그 밖의 손실이 있는 때 등에는 토지소유자는 그로 인한 잔여지 손실보상청구를 할 수 있고, 이 경우 보상하여야 할 손실에는 토지 일부의 취득 또는 사용으로 인하여 그 획지조건이나 접근조건 등의 가격형성요인이 변동됨에 따라 발생하는 손실뿐만 아니라 그 취득 또는 사용 목적 사업의 시행으로 설치되는 시설의 형태·구조·사용 등에 기인하여 발생하는 손실과 수용재결 당시의 현실적 이용상황의 변경 외 장래의 이용가능성이나 거래의 용이성 등에 의한 사용가치 및 교환가치상의 하락 모두가 포함된다(대판 1998.9.8, 97누10680, 대판 2000.12.22, 99두10315 참조).

---

⑤ **장래 이용가능성 등에 따른 가치하락의 반영 여부**

    대법원은 잔여지의 가치하락에 따른 보상에서 보상할 손실에는 장래의 이용가능성이나 거래의 용이성 등에 의한 사용가치 및 교환가치상의 하락 모두가 포함된다고 판결하고 있다(대판 2011.

2.24, 2010두23149). 따라서 공익사업시행지구에 편입된 후의 잔여지 가치의 감정평가에서는 잔여지로 인한 장래의 이용가능성이나 거래의 용이성 등에 의한 사용가치 및 교환가치상의 하락으로 인한 가치의 하락을 반영한다. 다만, 이러한 가치하락이 수용손실과 사업손실로 인한 가치하락에 포함되었다고 판단될 때에는 별도로 구분하여 감정평가하지 않는다.

Check Point!

> **잔여지 가치하락 평가방법**
> - 전후비교법 : 공익사업지구에 편입되기 전 잔여지가액에서 공익사업지구에 편입된 후의 잔여지가액을 뺀 금액으로 평가하는 방법
> - 분리합산법 : 잔여지로 분할됨으로 인한 가치하락분을 각 요인별로 별도로 평가한 후 이를 합산하여 평가하는 방법

⑷ **잔여지에 대한 시설의 설치 또는 공사로 인한 손실액의 결정**

잔여지에 통로·도랑·담장 등의 신설이나 그 밖의 공사가 필요하게 된 경우의 손실은 그 시설의 설치나 공사에 통상 필요한 비용상당액을 기준으로 산정한다(공사완료일부터 1년 내 청구 가능). 보상의 성격상 반드시 공사비(현금)으로 보상하여야 하는 것은 아니며, 사업시행자가 직접 공사하는 것도 허용된다고 본다.

⑸ **잔여지의 가치하락에 따른 보상에 갈음하는 매수보상**

잔여지의 가치하락에 따른 보상과 잔여지에 대한 공사비 등의 보상을 동시에 하는 경우로서 잔여지의 가치하락에 따른 보상액과 잔여지에 대한 공사비 보상액을 합한 금액이 잔여지의 가액보다 큰 경우에는 잔여지를 매수할 수 있다. 이는 사업시행자의 불필요한 보상금의 지출을 막기 위한 것이다. 이 경우의 보상은 사업시행자와 손실을 입은 자가 협의하여 결정하되, 협의가 성립되지 아니하면 사업시행자나 손실을 입은 자는 관할 토지수용위원회에 재결을 신청할 수 있다(토지보상법 제73조 제4항).

> 잔여지 가격감소분(손실) + 잔여지 공사비 ≥ 잔여지 가격

4) 잔여지의 매수 [199]

⑴ **매수대상 잔여지의 개요**

① **매수대상 잔여지의 개념**

잔여지의 매수보상에서 잔여지란 동일한 토지소유자에 속하는 일단의 토지 중 일부가 협의에 의하여 매수되거나 수용됨으로 인하여 남은 잔여지로서, 종래의 목적에 사용하는 것이 현저히 곤란하게 된 토지를 말한다(토지보상법 제74조 제1항). 즉, 잔여지의 가치하락 등에 따른 보상에서 잔여지는 일단의 토지 중에서 공익사업용지로 사업시행자가 취득하고 남은 토지를 의미

---

199) 토지보상법 제74조, 동법 시행령 제39조

하나, 매수보상 대상인 잔여지는 이러한 요건 외에 종래의 목적에 사용하는 것이 현저히 곤란하게 되어야 한다는 요건이 추가된다. 따라서 잔여지가 매수보상의 대상이 되지 않을 경우에도 잔여지의 가치하락 등에 따른 보상대상은 될 수 있다.

② **매수대상 잔여지의 일반적인 요건**

매수대상 잔여지가 되기 위해서는 잔여지의 가치하락 등에 따른 보상에서와 같이 "동일한 소유자에게 속하는 일단의 토지의 일부가 협의에 의하여 매수되거나 수용됨으로 인하여 남은 토지"라는 요건 외에도 다음과 같은 요건이 충족되어야 한다.

㉠ **일반적인 요건**

ⓐ **종래의 목적** : 잔여지의 매수요건으로서 '종래의 목적에 사용하는 것이 현저히 곤란하게 된 때' 중 '종래의 목적'이라 함은 취득 당시에 해당 잔여지가 현실적으로 사용되고 있는 구체적인 목적을 의미하고 장래 이용할 것으로 예정된 목적은 이에 포함되지 않는다.

ⓑ **사용하는 것이 현저히 곤란하게 된 때** : '사용하는 것이 현저히 곤란하게 된 때'라고 함은 물리적으로 사용하는 것이 곤란하게 된 경우는 물론 사회적·경제적으로 사용하는 것이 곤란하게 된 경우, 즉 절대적으로 이용 불가능한 경우만이 아니라 이용은 가능하나 많은 비용이 소요되는 경우를 포함한다(대판 2005.1.28, 2002두4679).

㉡ **구체적인 요건** : 잔여지가 종래의 목적에 사용하는 것이 현저히 곤란하게 되어 매수보상의 대상이 되기 위해서는 ⅰ) 대지로서 면적의 과소 또는 부정형 등의 사유로 인하여 건축물을 건축할 수 없거나 건축물의 건축이 현저히 곤란한 경우, ⅱ) 농지로서 농기계의 진입과 회전이 곤란할 정도로 폭이 좁고 길게 남거나 부정형 등의 사유로 인하여 영농이 현저히 곤란한 경우, ⅲ) 공익사업의 시행으로 인하여 교통이 두절되어 사용 또는 경작이 불가능하게 된 경우, ⅳ) 앞의 세 가지 경우 외에 이와 유사한 정도로 잔여지를 종래의 목적대로 사용하는 것이 현저히 곤란하다고 인정되는 경우 등의 어느 하나에 해당되어야 한다(토지보상법 시행령 제39조 제1항).

③ **이용상황별 잔여지 수용여부에 대한 판단기준**[200]

㉠ **택지(건축물의 부지로 이용 중이거나 건축물의 부지로 이용할 목적으로 조성한 토지)의 경우**

> ① 잔여지가 택지에 해당할 경우에는 다음 각 호 중 어느 하나에 해당하면 수용할 수 있다.
>   1. 잔여지가 일정한 수준의 면적에 미달하여 건축물의 건축이 현저히 곤란한 경우
>   2. 잔여지의 접면도로상태가 바뀌어 「건축법」상 건축허가가 불가능한 경우
>   3. 잔여지의 형상이 부정형으로 바뀌어 건축물의 건축이 현저히 곤란한 경우
> ② 제1항 제1호에서 "일정한 수준의 면적에 미달하는 경우"라 함은 일단의 토지가 공익사업 구역에 편입됨으로 인하여 다음 각 호의 면적 이하로 축소된 경우를 말한다. 다만, 일단의 토지 중 잔여지의 비율이 25% 이하인 경우에는 다음 각 호의 면적을 1.5배까지 완화하여 적용할 수 있다.
>   1. 주거용 토지 : 단독·다세대 주택 90㎡, 연립 주택 330㎡, 아파트 1,000㎡
>   2. 상업용(업무용을 포함한다) 토지 : 150㎡
>   3. 공업용 토지 : 330㎡

---

200) 토지수용업무편람 [별표 10] 잔여지 수용 및 가치하락 손실 등에 관한 참고기준, 중앙토지수용위원회, 2023.12.

③ 제1항 제3호에 있어 잔여지의 형상이 사각형으로서 폭 5미터 이하인 경우 또는 삼각형으로서 한 변의 길이가 11미터 이하인 경우 등은 부정형으로 보며, 그 이외의 형상은 잔여지에 내접하는 사각형 또는 삼각형을 도출하여 판단한다.

④ 제2항 각 호를 판단함에 있어 일단의 토지 위에 건축물의 용도가 2개 이상 혼재한 경우에는 주된 용도로 판단하고, 주된 용도가 명확하지 아니하는 경우에는 해당 건축물에 적용되는 제2항 각 호의 면적 중 작은 면적을 적용하여 판단한다.

ⓛ 농지(「농지법」 제2조에 따른 농지)의 경우

① 잔여지가 농지에 해당할 경우에는 다음 각 호 중 어느 하나에 해당하면 수용할 수 있다.
   1. 잔여지가 일정한 수준의 면적에 미달하여 영농이 현저히 곤란한 경우
   2. 잔여지에 접한 도로 또는 수로가 없어져 농지로서의 사용이 현저히 곤란한 경우
   3. 농기계 진입과 회전이 곤란하거나 잔여지의 형상이 부정형으로 바뀌어 농지로서의 사용이 현저히 곤란한 경우
   4. 축사부지인 잔여지의 접면도로상태가 바뀌어 「건축법」상 건축허가가 불가능하여 영농이 현저히 곤란한 경우
② 제1항 제1호에서 "일정한 수준의 면적에 미달하는 경우"라 함은 일단의 토지가 공익사업 구역에 편입됨으로 인하여 $330m^2$ 이하로 축소된 경우를 말한다. 다만, 일단의 토지 중 잔여지의 비율이 25% 이하인 경우에는 $495m^2$까지 완화하여 적용할 수 있다.
③ 제1항 제3호에 있어 잔여지의 형상이 사각형으로서 폭 5미터 이하인 경우 또는 삼각형으로서 한 변의 길이가 11미터 이하인 경우 등은 부정형으로 보며, 그 이외의 형상은 잔여지에 내접하는 사각형 또는 삼각형을 도출하여 판단한다.

ⓒ 산지(「산지관리법」 제2조에 의한 산지)의 경우

① 잔여지가 산지에 해당할 경우 다음 각 호 중 어느 하나에 해당하면 수용할 수 있다.
   1. 잔여지가 일정한 수준의 면적에 미달하여 종래 목적대로 사용이 현저히 곤란한 경우
   2. 잔여지에 접한 도로가 없어져 종래 목적대로 사용이 현저히 곤란한 경우
② 제1항 제1호에서 "일정한 수준의 면적에 미달하는 경우"라 함은 일단의 토지가 공익사업 구역에 편입됨으로 인하여 $330m^2$ 이하로 축소된 경우를 말한다. 다만, 일단의 토지 중 잔여지의 비율이 25% 이하인 경우에는 $495m^2$까지 완화하여 적용할 수 있다.
③ 제1항 제2호에 있어 일단의 산지가 다음 각 호의 도로와 접하였다가 공익사업으로 인해 잔여지에 접한 도로가 없어진 경우에 산지로서의 사용이 현저히 곤란한 경우로 본다.
   1. 「건축법」 제2조 제11호에 따른 도로
   2. 「농어촌도로법」 제4조에 따른 도로
   3. 「산림자원의 조성 및 관리에 관한 법률」 제2조 제1호 라목에 따른 임도

◉ 소규모토지[201]의 경우

① 소규모 토지의 잔여지 수용은 편입 전과 편입 후의 유효한 이용을 고려하여 판단하되, '현저히 곤란한 변화'가 없는 경우에는 잔여지를 수용하지 않을 수 있다.

② 제1항에도 불구하고 아래 각 호의 어느 하나에 해당하는 경우에는 수용할 수 있다.

　1. 절토 및 성토, 옹벽설치 등으로 인해 진입하는 것이 현저히 곤란한 경우

　2. 일단의 토지 중 잔여지가 차지하는 비율이 50% 이하인 경우. 다만, 현실이용 상황이 도로, 하천 등 공공용지는 제외할 수 있다

　3. 일단의 토지가 양분되어 잔여지가 발생하는 경우

　4. 형상이 현저히 악화되는 경우

　　가. [별표 1] 제1호에 따른 정형인 토지 : 잔여지 폭이 다음의 기준 이하로 바뀐 경우

　　　(1) 주거용 : 5m

　　　(2) 상업용 : 7m

　　　(3) 공업용, 농지, 산지 : 10m

　　나. [별표 1] 제1호에 따른 비정형인 토지 : [별표1] 제2호에 따른 토지 형상지수가 편입 전과 편입 후 1.0 이상 상승한 경우

　5. 일단의 토지가 기 시행된 공익사업의 잔여지로서 기 시행된 공익사업의 편입면적과 당해 공익사업의 편입면적을 고려한 잔여면적 비율이 50% 이하인 경우. 다만, 현실이용 상황이 도로, 하천 등 공공용지는 제외할 수 있다

　6. 그 밖에 제1호부터 제5호까지의 어느 하나에 해당하는 경우와 유사한 수준으로 현저한 변화가 발생하여 위원회에서 잔여지 수용이 필요하다고 결정한 경우

◉ 그 밖의 토지의 판단

① 제6조부터 제8조까지에서 규정하지 아니한 용도의 토지는 다음 각 호의 사항을 종합적으로 고려하여 잔여지 수용 여부를 판단한다.

　1. 잔여지의 면적이 해당 용도의 일정한 수준의 면적에 현저히 미달하는지 여부

　2. 잔여지의 위치, 형상, 접근상태 등을 고려할 때 종래의 목적에 사용하는 것이 현저히 곤란한지 여부

② 제1항을 판단하는 경우 제6조부터 제8조까지에서 규정한 유사한 용도의 기준을 참작할 수 있다. 유사한 용도의 기준을 참작할 수 없는 경우에는 제1항 제1호의 일정한 수준의 면적기준은 $330m^2$로 한다.

---

201) "소규모 토지"란 공익사업지구에 편입되기 전 일단의 토지에 해당하는 면적이 다음 각 목에서 정한 면적 이하인 토지를 말한다.

　가. 택지

　　(1) 주거용 토지 : 단독·다세대 주택 $90m^2$, 연립 주택 $330m^2$, 아파트 $1,000m^2$

　　(2) 상업용(업무용을 포함한다) 토지 : $150m^2$

　　(3) 공업용 토지 : $330m^2$

　나. 농지 : $330m^2$

　다. 산지 : $330m^2$

　라. 그 밖의 토지 : $330m^2$

④ **매수대상 잔여지의 판단기준**

이와 같이 잔여지가 위의 요건에 해당하는지의 여부를 판단할 경우에는 ⅰ) 잔여지의 위치ㆍ형상ㆍ이용상황ㆍ용도지역, ⅱ) 공익사업 편입 토지의 면적 및 잔여지의 면적을 종합적으로 고려한다(토지보상법 시행령 제39조 제2항). 또한 잔여지와 인접한 본인 소유토지의 유ㆍ무 및 일단지 사용의 가능성 등도 고려한다.

(2) **잔여지의 매수보상감정평가**

매수하는 잔여지는 일단의 토지 전체가액에서 편입되는 토지의 가액을 뺀 금액으로 감정평가한다. 여기서 일단의 토지 전체가액이란 잔여지를 포함한 일단의 토지 전체가액을 말한다.

> 잔여지의 평가가격 ≒ 일단의 토지 전체가액 − 편입되는 토지의 가액

① **일단의 토지 전체가액**

편입토지의 가액은 일단의 토지 전체가액을 기준으로 하여 산정하는 것이 원칙이므로, 일단의 토지 전체가액의 적용단가와 편입토지의 적용단가는 같은 것이 일반적이다. 다만, 편입토지와 잔여지의 용도지역ㆍ이용상황 등이 달라 구분감정평가한 경우에는 각각 다른 적용단가를 적용하여 일단의 토지 전체가액을 산정한다.

② **일단 토지의 평가기준**

㉠ **적용공시지가** : 매수보상 대상인 잔여지는 사업인정 시 고시하는 토지세목에 포함되지 않으나, 사업시행자가 잔여지를 협의취득하거나 수용하는 경우에는 그 잔여지에 대하여 사업인정 및 사업인정고시가 있는 것으로 본다. 따라서 매수보상의 대상인 잔여지를 감정평가할 경우 적용공시지가는 편입되는 토지와 동일한 선정기준이 적용된다.

㉡ **공법상 제한사항 등** : 매수대상 잔여지의 손실은 공익사업시행지구에 편입되는 시점에서 발생한다고 보아야 하므로, 일단의 토지 전체가액 및 편입되는 토지가액을 감정평가할 때 공법상의 제한사항 및 이용상황 등은 편입토지의 보상 당시를 기준으로 한다. 따라서 편입토지의 보상 이후에 해당 공익사업과 관계없이 공법상 제한이 변경된 경우에도 이를 고려하지 아니한다.

③ **개발이익의 배제**

잔여지 매수보상은 잔여지를 포함한 일단의 토지 전체의 가액에서 공익사업시행지구에 편입되는 토지가액을 뺀 금액으로 보상하는 것이므로, 잔여지가 종래의 목적에 이용될 수 없어 가치가 하락하거나 최유효이용 면적에 미달하여 가치가 하락하였더라도 그 하락되지 아니한 가치로 보상액을 결정한다. 따라서 해당 공익사업으로 인한 가치의 변동이 있는 경우에도 이러한 변동은 매수보상금액에 포함하여서는 안 된다.

5) 유의사항

(1) 보상대상의 판단

잔여지의 매수보상을 규정한 「토지보상법」 제74조 제1항은 '잔여지를 종래의 목적에 사용하는 것이 현저히 곤란할 때'라고 규정하고 있는 것에 반하여, 잔여지 가치하락보상을 규정한 「토지보상법」 제73조 제1항은 '일단의 토지의 일부가 취득되거나 사용됨으로 인하여 잔여지의 가격이 감소하거나' 라고 하여, 잔여지의 가액 감소 자체를 보상의 대상으로 규정하고 있을 따름이다. 현행 「토지보상법」 상으로는 감소액의 다소에 구애됨이 없이 보상하는 것으로 보아야 한다. 따라서 잔여지 가치하락에 대한 감정평가는 금액의 다소에 불구하고 감정평가한다.

공익사업으로 잔여 영업시설의 운영에 일정한 지장이 초래되는 경우에도 잔여시설에 시설을 새로 설치하거나 잔여 영업시설을 보수할 필요가 있는 경우에 포함된다(대판 2018.11.29, 2018두51911). 사업시행자가 동일한 토지소유자에 속하는 일단의 토지 일부를 취득함으로 인하여 잔여지의 가격이 감소하거나 그 밖의 손실이 있을 때 등에는 잔여지를 종래의 목적으로 사용하는 것이 가능한 경우라도 잔여지 손실보상의 대상이 되며, 잔여지를 종래의 목적에 사용하는 것이 불가능하거나 현저히 곤란한 경우이어야만 잔여지 손실보상청구를 할 수 있는 것이 아니다. 마찬가지로 잔여 영업시설 손실보상의 요건인 "공익사업에 영업시설의 일부가 편입됨으로 인하여 잔여시설에 그 시설을 새로이 설치하거나 잔여시설을 보수하지 아니하고는 그 영업을 계속할 수 없는 경우"란 잔여 영업시설에 시설을 새로이 설치하거나 잔여 영업시설을 보수하지 아니하고는 그 영업이 전부 불가능하거나 곤란하게 되는 경우만을 의미하는 것이 아니라, 공익사업에 영업시설 일부가 편입됨으로써 잔여 영업시설의 운영에 일정한 지장이 초래되고, 이에 따라 종전처럼 정상적인 영업을 계속하기 위해서는 잔여 영업시설에 시설을 새로 설치하거나 잔여 영업시설을 보수할 필요가 있는 경우도 포함된다고 해석함이 타당하다.

다만, 접도구역의 지정으로 인한 가치감소는 도로사업으로 인해 발생하는 손실로 볼 수 없으므로 잔여지의 보상평가에서 이를 고려하지 않는다(대판 2017.7.11, 2017두40860).

(2) 사용하는 토지의 잔여지 가치하락 및 공사비 등에 대한 보상감정평가

「토지보상법」 제73조 제1항은 '동일한 소유자에게 속하는 일단의 토지의 일부가 취득되거나 사용됨으로 인하여'라고 규정하여 사용으로 인한 잔여지 가치하락 및 공사비 등에 대해서도 보상하도록 규정하고 있으나, 「토지보상법 시행규칙」 제32조 제1항은 '동일한 토지소유자에 속하는 일단의 토지의 일부가 취득됨으로 인하여'라고 하여 취득하는 경우의 잔여지 가치하락 및 공사비 등에 대해서만 규정하고 있고, 사용하는 경우에 대한 보상감정평가기준은 규정하고 있지 않다.

그러나 「토지보상법 시행규칙」 제18조 제3항은 "이 규칙에서 정하지 아니한 대상물건에 대하여는 이 규칙의 취지와 감정평가의 일반이론에 의하여 객관적으로 판단·평가하여야 한다."라고 규정하고 있으므로, 사용하는 토지의 잔여지 가치하락 및 공사비 등에 대한 보상감정평가는 「토지보상법 시행규칙」 제32조 제1항 및 제2항과 이 규정을 준용하여 감정평가할 수 있다. 다만, 이 경우는 사용기간 및 사용방법 등을 별도로 고려한다.

(3) 토지의 지상공간 등을 사용하는 경우

「토지보상법」 제73조 제1항은 '동일한 소유자에게 속하는 일단의 토지의 일부가 취득되거나 사용 됨으로 인하여'라고 규정하여 잔여지의 가격하락 및 공사비 등에 대한 보상을 인정하면서 토지의 지상공간 등의 일부를 사용하는 경우 제외한다고 규정하고 있지 않으므로, 토지의 지상공간 등의 일부를 사용하는 경우에도 잔여지의 가치하락 및 공사비 등에 대한 보상이 인정된다.

대법원도 "타인 소유의 토지 일부를 전선로 지지(支持) 철탑의 부지로 수용함과 아울러 「전기사업 법」 제57조 제1항의 규정에 기하여 그 잔여지의 지상 공간에 전선을 가설(架設)함으로써 그 잔여 지의 가격이 감소하는 데 따른 손실도 위와 같은 「토지수용법」 제47조 소정의 잔여지 보상의 대 상에 해당하므로, 그에 관하여는 「토지수용법」상의 수용 또는 사용재결과 이의재결 등의 절차가 적용된다."라고 판시하고 있다(대판 2000.12.22, 99두10315).

기 본예제

아래 토지는 일부가 도시계획시설도로(실시계획고시 : 2025년 11월 30일)에 편입된 토지로서 편입 되지 않은 일부가 잔여지로 남게 되었다. 잔여지에 대한 가치하락분에 대한 감정평가를 진행하시오 (가격시점 : 2027년 7월 1일). 편입된 토지는 2026년 7월 1일을 가격시점으로 하여 아래와 같은 산출근거에 의하여 평가되었다. 아래의 각 물음에 답하시오.

1. 잔여지의 가치하락분의 평가액을 산출하시오.

2. 사업시행으로 인하여 해당 토지로 진입하는 것이 현저히 곤란하게 되어 매수대상이 된 경우의 보상평가액을 산출하시오.

풀이영상

자료 1 ▶ 편입토지의 내역

1. 제1종일반주거지역, 대지(주상나지), 150m² 중 100m² 편입되고 50m²가 잔여지로 남음
2. 편입 전 개별요인 : 세로(가), 정방형, 인접도로 대비 평탄
3. 편입 후 개별요인 : 소로한면(해당 공익사업에 의함), 사다리형, 인접도로 대비 다소 저지(사업시행자의 보수 공사 시행 후 기준)

자료 2 ▶ 편입토지의 산출근거

구분	내용	비고
표준지공시지가(원/m²)	1,500,000원/m²	2025년 1월 1일 공시기준일 공시지가
시점수정치	1.05978	2025.01.01.~2026.07.01.
지역요인 비교치	1.000	인근지역에 소재
개별요인 비교치	1.000	표준지와 개별적 요인 대등(분할 전 기준)
그 밖의 요인 비교치	1.50	인근 거래사례 등 참조
평가단가(원/m²)	2,380,000	유효숫자 3자리 반올림
평가액	238,000,000원	100m² 편입

≫ 해당 표준지의 2026년 및 2027년 공시지가 : 1,550,000원/m²(2026년), 1,610,000원(2027년)

자료 3 ▶ 지가변동률

2025.01.01.~2027.07.01. : 8.174% 상승

자료 4 ▶ 개별요인비교치

1. 세로(가)는 소로한면에 비하여 10% 열세하다.

2. 사다리형은 정방형에 비하여 3% 열세하다.
3. 인접도로대비 저지인 토지는 평탄한 토지에 비하여 5% 열세하다.

자료 5
1. 그 밖의 요인 비교치는 연도별 공시지가와 무관하게 동일하다.
2. 토지단가는 반올림하여 만원 단위까지 결정한다.

예시답안

Ⅰ. (물음 1) 가치하락분 평가액
   1. 편입 전 잔여지가액
   적용공시지가는 편입부분과 같은 기준에 따라 2025년 공시지가를 기준으로 한다.
   $1,500,000 \times 1.08174 \times 1.000 \times 1.000 \times 1.50 ≒ @2,430,000$
   2. 편입 후 잔여지가액
   도로조건은 해당사업에 의하여 개선되어 사업시행이익상계금지원칙에 따라 미고려한다.
   $1,500,000 \times 1.08174 \times 1.000 \times (0.97(형상) \times 0.95(지세)) \times 1.50 ≒ @2,240,000$
   3. 가치하락분 감정평가액
   $(2,430,000 - 2,240,000) \times 50(잔여지면적) = 9,500,000원$

Ⅱ. (물음 2) 매수보상 시 평가액
   잔여지의 매수가액에 의하며, 해당사업에 의한 영향을 고려치 않으며 매수시점에서의 평가액을 결정한다.
   $1,500,000 \times 1.08174 \times 1.000 \times 1.000 \times 1.50 ≒ @2,430,000(\times 50 = 121,500,000원)$

---

6. 환매토지에 관한 감정평가 [202)203)]

> **토지보상법 제91조**(환매권)
>
> ① 공익사업의 폐지·변경 또는 그 밖의 사유로 취득한 토지의 전부 또는 일부가 필요 없게 된 경우 토지의 협의취득일 또는 수용의 개시일(이하 이 조에서 "취득일"이라 한다) 당시의 토지소유자 또는 그 포괄승계인(이하 "환매권자"라 한다)은 다음 각 호의 구분에 따른 날부터 10년 이내에 그 토지에 대하여 받은 보상금에 상당하는 금액을 사업시행자에게 지급하고 그 토지를 환매할 수 있다.
> 1. 사업의 폐지·변경으로 취득한 토지의 전부 또는 일부가 필요 없게 된 경우 : 관계 법률에 따라 사업이 폐지·변경된 날 또는 제24조에 따른 사업의 폐지·변경 고시가 있는 날
> 2. 그 밖의 사유로 취득한 토지의 전부 또는 일부가 필요 없게 된 경우 : 사업완료일
> ② 취득일부터 5년 이내에 취득한 토지의 전부를 해당 사업에 이용하지 아니하였을 때에는 제1항을 준용한다. 이 경우 환매권은 취득일부터 6년 이내에 행사하여야 한다.
> ③ 제74조 제1항에 따라 매수하거나 수용한 잔여지는 그 잔여지에 접한 일단의 토지가 필요 없게 된 경우가 아니면 환매할 수 없다.
> ④ 토지의 가격이 취득일 당시에 비하여 현저히 변동된 경우 사업시행자와 환매권자는 환매금액에 대하여 서로 협의하되, 협의가 성립되지 아니하면 그 금액의 증감을 법원에 청구할 수 있다.
> ⑤ 제1항부터 제3항까지의 규정에 따른 환매권은 「부동산등기법」에서 정하는 바에 따라 공익사업에 필요한 토지의 협의취득 또는 수용의 등기가 되었을 때에는 제3자에게 대항할 수 있다.

---

202) 감정평가실무기준 해설서(Ⅱ) 보상편, 한국감정평가사협회 등, 2014.02, pp.219~226
203) 토지보상평가지침 제55조

> ⑥ 국가, 지방자치단체 또는 「공공기관의 운영에 관한 법률」 제4조에 따른 공공기관 중 대통령령으로 정하는 공공기관이 사업인정을 받아 공익사업에 필요한 토지를 협의취득하거나 수용한 후 해당 공익사업이 제4조 제1호부터 제5호까지에 규정된 다른 공익사업(별표에 따른 사업이 제4조 제1호부터 제5호까지에 규정된 공익사업에 해당하는 경우를 포함한다)으로 변경된 경우 제1항 및 제2항에 따른 환매권 행사기간은 관보에 해당 공익사업의 변경을 고시한 날부터 기산(起算)한다. 이 경우 국가, 지방자치단체 또는 「공공기관의 운영에 관한 법률」 제4조에 따른 공공기관 중 대통령령으로 정하는 공공기관은 공익사업이 변경된 사실을 대통령령으로 정하는 바에 따라 환매권자에게 통지하여야 한다.

1) 환매권의 행사요건

① 해당 사업의 폐지·변경 또는 그 밖의 사유로 취득한 토지의 전부 또는 일부가 필요 없게 된 경우 취득일 당시의 토지소유자 또는 그 포괄승계인(이하 "환매권자"라 한다)은 사업의 폐지·변경 고시가 있는 날 또는 사업완료일로부터 10년 이내에 그 토지에 대하여 받은 보상금에 상당하는 금액을 사업시행자에게 지급하고 그 토지를 환매할 수 있다.[204]

② 취득일부터 5년 이내에 취득한 토지의 전부를 해당 사업에 이용하지 아니하였을 때에는 제1항을 준용한다. 이 경우 환매권은 취득일부터 6년 이내에 행사하여야 한다.

>> 잔여지의 매수 및 수용청구에 따라 매수하거나 수용한 잔여지는 그 잔여지에 접한 일단의 토지가 필요 없게 된 경우가 아니면 환매할 수 없다.

2) 환매금액의 결정

(1) 환매금액의 결정기준

환매금액은 환매토지 및 그 토지에 관한 소유권 이외의 권리에 대하여 사업시행자가 지급한 보상금을 기준으로 한다. 환매권자는 소유권 이외의 권리가 설정되어 있지 아니한 토지를 환매하는 것이므로, 토지소유권을 상실하기 전에 소유권 이외의 권리가 설정되었으면 그 권리와 그 권리가 설정된 토지에 대하여 사업시행자가 지급한 보상금의 합계액을 기준으로 한다. 다만, 그 토지 위에 정착물이 있었다 하더라도 그 정착물은 환매의 대상이 되지 않으므로, 그 정착물이나 그에 대한 소유권 이외의 권리에 대하여 사업시행자가 지급한 보상금은 환매금액에 포함되지 않는다.

(2) 환매금액의 결정방법

① 지가가 현저히 변동되지 아니한 경우의 환매금액

환매 당시 환매토지의 가액이 지급한 보상금액에 인근 유사토지의 지가변동률을 고려한 가액보다 적거나 같을 경우에는 지급한 보상금에 상당하는 금액[205]으로 환매금액을 결정한다. 이는 「토지보상법」상의 환매권은 법정 환매권이므로 특약이 있을 수 없고, 환매에 대하여서 이 법

---

204) 헌법재판소 2020.11.26, 2019헌바131 결정에서 종전 「토지보상법」 제91조 제1항 중 '협의취득일 또는 수용의 개시일로부터 10년 이내에' 부분을 헌법불합치로 선고하여 개정된 사항이다(시행일은 2021년 10월 14일이다).

205) '보상금에 상당하는 금액'은 그 토지 위에 정착물이 있었다 하더라도 정착물에 대한 보상금을 포함하지 않으며, 보상금에 법정이자를 가산한 금액을 의미하는 것은 아니다(대판 1994.05.24, 93누17225). 다만, 「택지개발촉진법」 제13조 제1항에서는 수용 당시 받은 보상금에 법정이자를, 「징발재산정리에 관한 특별조치법」 제20조 제1항에서는 연 5푼의 이자를 가산하여 환매금액을 정하도록 규정하고 있으므로 개별 법률에서 별도로 환매금액을 규정하고 있는 경우에는 이에 따른다.

률에 특별히 규정된 것을 제외하고는 「민법」에 의하여야 하며, 「민법」 제590조는 특약이 없는 한 당초 매매대금을 반환하고 환매권을 행사할 수 있도록 하기 때문이다.

따라서 환매는 환매기간 내에 환매의 요건이 발생하면 환매권자가 수령한 보상금의 상당금액을 사업시행자에게 미리 지급하고 일방적으로 매수의 의사표시를 함으로써 사업시행자의 의사와 관계없이 환매가 성립되고, 토지의 가격이 취득 당시에 비하여 현저히 변경되었더라도 수령한 보상금의 상당금액을 미리 지급하면 소유권은 이전된다(대판 1994.5.24, 93누17225 참조).

② **지가가 현저히 변동된 경우의 환매금액**

　㉠ 지가가 현저히 변동된 경우 : 환매 당시 환매토지의 가액이 협의취득 당시 또는 수용의 개시일 당시에 비하여 현저히 변동된 경우란 환매권 행사 당시 토지가격이 환매권자가 당초 보상받은 금액에 환매 당시까지의 해당 공익사업과 관계없는 인근 유사토지의 지가변동률을 곱한 금액보다 초과되는 경우를 말한다. 여기서 인근 유사토지의 지가변동률이란 환매대상토지와 지리적으로 인접하고 그 공부상 지목과 토지의 이용상황 등이 유사한 인근 유사토지의 지가변동률을 가리키는 것이므로, 보상액의 산정에 있어서와 같이 그 토지가 속하여 있는 시·군·구의 전체 토지에 대한 용도지역별 또는 이용상황별 평균지가변동률을 의미하는 것은 아니다(대판 2000.11.28, 99두3416 참조).

　㉡ 환매금액 : 환매 당시 감정평가액이 지급한 보상금액에 인근 유사토지의 지가변동률을 고려한 금액보다 많을 경우의 환매금액은 다음 산식에 따라 산정된 금액으로 한다.

> 환매금액 = 보상금액 + [환매 당시의 감정평가액 − {보상금액 × (1 + 인근 유사토지의 지가변동률)}]

위의 산식은 협의취득 당시 또는 수용의 개시일 당시부터 환매 당시까지의 인근토지의 지가변동률에 해당하는 금액은 환매권자에게 귀속시킨다는 의미이다. 이 경우 사업시행자 또는 환매권자는 환매금액에 대하여 협의하되, 그 협의가 성립되지 아니한 때에는 그 금액의 증감을 법원에 청구할 수 있다(토지보상법 제91조 제4항). 환매금액의 증감에 관한 소송은 민사소송으로 한다.

Check Point!

● **(요약) 환매금액의 결정**

1. **환매 당시의 평가가격 ≤ 지급한 보상금액 × 인근 유사토지의 지가변동률인 경우**
   지급한 보상금액

2. **환매 당시의 평가가격 > 지급한 보상금액 × 인근 유사토지의 지가변동률인 경우**
   환매가격 = 보상금액 + [환매 당시의 평가가격 − {보상금액 × (1 + 지가변동률)}]

3) 환매 당시의 적정가격 결정 - 시가평가

⑴ 평가방법(적용공시지가 선정)

환매 당시에 공시되어 있는 표준지의 공시지가 중 환매 당시에 가장 근접한 시점의 표준지공시지가를 기준으로 하되, 그 공시기준일부터 가격시점까지의 해당 시·군·구의 지가변동률, 생산자물가상승률 기타 해당 토지의 위치·형상·환경·이용상황 등을 종합 고려한 가격으로 평가한다.

⑵ 공법상 제한 및 개발이익 등 반영

해당 공익사업으로 인한 개발이익 또는 공법상 제한이 있는 경우에는 고려하여 평가한다. 다만, 그 공법상 제한이나 개발이익이 환매권의 행사 등으로 인하여 없어지게 되는 경우에는 그 공법상 제한 등이 없는 상태를 기준으로 평가한다.

「국토계획법」 제42조 제1항은 「산업입지 및 개발에 관한 법률」에 따른 국가산업단지, 일반산업단지 및 도시첨단산업단지, 「택지개발촉진법」에 따른 택지개발지구, 「전원개발촉진법」에 따른 전원개발사업구역 및 예정구역으로 지정·고시된 지역은 도시지역으로 결정·고시된 것으로 보도록 규정하면서, 제4항은 이러한 구역 등이 해제되는 경우(개발사업의 완료로 해제되는 경우는 제외한다) 관계법률에서 어떤 용도지역에 해당되는지를 따로 정하고 있지 아니한 경우에는 이를 지정하기 이전의 용도지역으로 환원된 것으로 보도록 규정하고 있다. 따라서 환매토지의 감정평가 시이 점을 고려하여야 한다.

⑶ 비교표준지 선정

ⅰ) 환매토지의 인근지역에 있는 것으로서, ⅱ) 그 공부상 지목 및 이용상황 등이 유사한 것으로 하되, 그 공법상 제한 등이 동일한 공시된 표준지를 선정한다.

⑷ 이용상황 등 판단

환매토지의 가액은 환매 당시를 기준으로 하므로, 이용상황 등의 판단도 환매 당시를 기준으로 한다. 따라서 해당 공익사업의 시행 등으로 토지의 형질변경 등이 이루어진 경우에는 그 형질변경 등이 된 상태를 기준으로 하되, 원상회복을 전제로 하는 등 의뢰인으로부터 다른 조건의 제시가 있는 경우에는 그에 따른다. 다만, 공익사업의 폐지·변경 등으로 인하여 환매권이 발생한 경우 환매 당시의 이용상황이 도로 등의 공익사업용지 상태인 경우가 있으나, 이런 경우에도 환매권이 발생하였다는 것은 도로 등의 용도폐지가 있었다는 것을 전제로 하므로, 도로로 감정평가하여서는 안 되고 인근지역의 표준적인 이용상황을 기준으로 감정평가한다.

⑸ **공익사업의 변환**(환매토지가 다른 공익사업[206])에 편입되는 경우)

국가, 지방자치단체, 「공공기관의 운영에 관한 법률」 제5조 제3항 제1호에 따른 공기업[207])이 사업인
정을 받아 공익사업에 필요한 토지를 협의취득하거나 수용한 후 해당 공익사업이 제4조 제1호부터 제5
호[208])까지에 규정된 다른 공익사업(별표에 따른 사업이 제4조 제1호부터 제5호까지에 규정된 공익사
업에 해당하는 경우를 포함한다)으로 변경된 경우 제1항 및 제2항에 따른 환매권 행사기간은 관보에
해당 공익사업의 변경을 고시한 날부터 기산(起算)한다.[209]) 이 경우 국가, 지방자치단체 또는 공공기관
은 공익사업이 변경된 사실을 대통령령으로 정하는 바에 따라 환매권자에게 통지하여야 한다.[210])

4) 인근 유사토지의 지가변동률 산정

⑴ 의미

"인근 유사토지의 지가변동률"의 산정은 환매토지의 인근지역에 있는 것으로서 그 공부상 지목 및
이용상황 등이 유사한 토지("표본지")의 취득 당시부터 환매 당시까지의 가격변동률을 의미한다.

⑵ 표본지 선정

① 원칙

표본지는 해당 공익사업과 직접 관계가 없는 공시지가 표준지로 함을 원칙으로 한다. 이는 공
시지가 표준지는 매년 공시되므로, 인근지역의 시계열적인 지가변동상황을 가장 잘 파악할 수
있기 때문이다.[211])

---

206) 「공익사업을 위한 토지 등의 취득 및 보상에 관한 법률」 제4조(공익사업) 제6호 이하(2010.4.5. 개정)의 다른 공익사업의
경우로서 다시 편입되어 환매권이 발생하는 경우(즉, 「공익사업을 위한 토지 등의 취득 및 보상에 관한 법률」 제91조 제6항
에 의한 환매권의 변환특칙에 제한을 받지 아니하고 환매권이 정상적으로 발생하는 경우)에는 그 다른 공익사업에 따른 평가
기준을 적용해야 한다. 이는 환매권의 취지상 환매 당시의 토지가격이라고 함은 환매권을 행사함으로써 토지소유자가 받게
될 토지의 가치를 의미하기 때문이다.

207) 공공기관은 「공공기관의 운영에 관한 법률」 제5조 제3항 제1호에 해당되는 공기업만 해당되고 제2호의 준정부기관은 해당되
지 않는다.

208) 토지보상법 제4조(공익사업)
5. 국가, 지방자치단체, 「공공기관의 운영에 관한 법률」 제4조에 따른 공공기관, 「지방공기업법」에 따른 지방공기업 또는
국가나 지방자치단체가 지정한 자가 임대나 양도의 목적으로 시행하는 주택건설 또는 택지 및 산업단지 조성에 관한 사업

209) 「공익사업을 위한 토지 등의 취득 및 보상에 관한 법률」 제91조 제6항 전문은 당초의 공익사업이 공익성의 정도가 높은
다른 공익사업으로 변경되고 그 다른 공익사업을 위하여 토지를 계속 이용할 필요가 있는 경우에는, 환매권의 행사를 인정한
다음 다시 협의취득이나 수용 등의 방법으로 그 토지를 취득하는 번거로운 절차를 되풀이하지 않게 하기 위하여 이른바 '공
익사업의 변환'을 인정함으로써 환매권의 행사를 제한하려는 것이다(대판 2015.8.19, 2014다201391).

210) 당초 공익사업에 포함되었던 토지가 「토지보상법」 제4조 제6호 이하의 다른 공익사업으로 다시 편입되어 환매권이 발생하는
경우는 다른 공익사업에 다시 편입되지 않은 경우와 달리 환매권의 발생취지 등을 고려하여 볼 때 그 다른 공익사업에 동일한
비교표준지의 선정, 적용공시지가의 선택, 지가변동률의 적용, 그 밖의 평가기준을 적용하는 것이 타당하다.

211) '인근 유사토지의 지가변동률'의 의미 및 지가변동률을 산정하기 위한 인근 유사 토지의 선정 방법(대판 2016.1.28, 2013다60401)
구 공익사업을 위한 토지 등의 취득 및 보상에 관한 법률 시행령(2013.5.28. 대통령령 제24544호로 개정되기 전의 것)의 인근
유사토지의 지가변동률이라 함은 환매대상토지와 지리적으로 인접하고 그 공부상 지목과 토지의 이용상황 등이 유사한 인근
유사토지의 지가변동률을 가리키는 것이고, 지가변동률을 산정하기 위한 인근 유사토지는 협의취득 또는 수용 시부터 환매권
행사 당시 사이에 공부상 지목과 토지의 이용상황 등에 변화가 없고 또 계속하여 기준지가 및 공시지가가 고시되어 온 표준지
중에서 합리적인 지가변동률을 산출할 수 있을 정도의 토지를 선정하면 족하고 반드시 동일한 행정구역 내에 있을 것을 요하
지 아니하며 또 반드시 다수의 토지를 선정하여야 하는 것은 아니다(대판 2000.11.28, 99두3416 참조).

② **예외**

해당 공익사업과 직접 관계가 없는 공시지가 표준지가 인근지역에 없는 경우에는 용도지역
등 및 이용상황 등이 같거나 유사한 토지를 표본지로 선정할 수 있다.

한편, 표본지를 선정함에 있어서 해당 공익사업과 직접 관계 없이 용도지역 또는 이용상황이
변경된 경우에는 그 환매토지와 용도지역 또는 용도지구 등의 변경과정이 유사하거나 인근지
역에 있는 표준지공시지가를 기준으로 한다.

(3) 표본지의 적정가격 결정

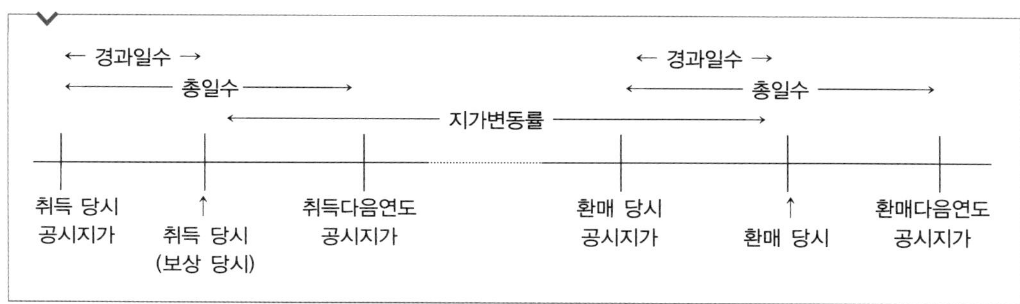

① **산식**

> 취득(환매) 당시의 표본지 단위면적당 적정가격
> ≒ 취득(환매) 당시 연도의 표준지공시지가 + [(다음연도의 표준지공시지가 − 취득(환매)
> 당시 연도의 표준지공시지가) × 경과일수/해당 연도 총일]

② **다음연도 공시지가가 미공시인 경우**

취득(환매) 당시 해당 연도 공시지가 × 공시기준일부터 가격시점까지의 해당 시·군·구의
이용상황 또는 용도지역별 지가변동률

③ **취득 당시의 시점이 1989년 12월 31일 이전인 경우**

> $$\frac{\text{해당 표본지의 1990.1.1. 자 공시지가}}{\text{취득 당시부터 1989.12.31.까지의 해당 시·군·구의 이용상황별 지가변동률}}$$
> = 취득 당시 표본지적정가격

④ **표본지가 공시지가가 아니거나 취득 당시, 환매 당시 중 한 시점에만 표본지의 공시지가가
있는 경우**

인근지역 또는 동일수급권 안의 유사지역의 공부상 지목 및 이용상황 등이 유사한 다른 공시
지가 표준지와 해당 표본지의 지역요인 및 개별요인 등을 비교하여 산정된 지가를 해당 표본
지의 취득 당시 또는 환매 당시 해당 연도 및 다음연도의 1월 1일자 공시지가로 본다.

(4) 인근 유사토지의 지가변동률 산정

$$\frac{\text{환매 당시 표본지의 적정가격}}{\text{취득 당시 표본지의 적정가격}} = \text{인근 유사토지의 지가변동률}$$

Check Point!

▶ **유의사항**(환매 금액이 환매 당시의 환매토지의 가액을 초과하는 경우)

지가가 현저히 변동된 경우의 환매금액을 "환매금액 = 보상금액 + [환매 당시의 감정평가액 − {보상금액 × (1 + 지가변동률)}]"의 산식에 의하여 산정할 경우 부(−)의 지가변동률을 적용하면 환매금액이 환매 당시의 환매토지의 가액을 상회할 수 있다. 그러나 환매제도의 도입취지 및 「토지보상법」 제91조에서 환매금액은 원칙적으로 "보상금에 상당한 금액"으로 하되, 토지가격이 취득일에 비하여 현저히 변동된 경우에 한하여 금액의 증감을 허용하고 있는 점 등을 고려할 때, 환매금액은 환매토지의 환매 당시의 가액을 상한으로 한다.

(5) 환매권 상실로 인한 손해배상액의 산정방법

사업시행자가 위 각 규정에 의한 통지나 공고를 하여야 할 의무가 있는데도 불구하고 이러한 의무를 위배한 채 원소유자 등에게 통지나 공고를 하지 아니하여, 원소유자 등으로 하여금 환매권 행사기간이 도과되도록 하여 이로 인하여 법률에 의하여 인정되는 환매권 행사가 불가능하게 되어 환매권 그 자체를 상실하게 하는 손해를 가한 때에는 그 손해를 배상해야 한다.

환매권 상실로 인한 손해배상액은 환매권 상실 당시의 목적물의 시가에서 환매권자가 환매권을 행사하였을 경우 반환하여야 할 환매가격을 공제한 금원으로 정하여야 할 것이다.

$$\text{손해배상액} = \text{환매권 상실 당시의 감정평가금액} - \text{환매가격}$$

기본예제

충청북도는 과학단지 조성사업계획에 따라 A 씨의 토지를 협의취득하였으나, 해당 사업의 폐지로 인하여 취득한 토지가 더 이상 필요 없게 되었다. 이에 종전 토지의 소유자인 A 씨는 환매권을 행사하였고 이로 인하여 환매가격 협의를 하게 되어 환매가격평가를 감정평가사인 당신에게 의뢰하였다. 다음에 제시된 자료를 기초로 하여 적정한 환매가격을 산정하시오.

자료 1 ▶ 대상토지자료

1. 소재지: 충청북도 B군 O면 C리 10번지, 잡종지, 1,000m²
2. 환매권 행사일: 2027년 8월 1일
3. 이용상황: 협의취득 당시는 개발제한구역 자연녹지지역의 임야였으나, 환매 당시는 자연녹지지역 잡종지였다.
4. 도시계획사항: 자연녹지지역
5. 개발제한구역의 해제는 해당 사업의 지정과 동시에 해제가 된 것이다.

풀이영상

자료 2 ▶ 협의취득내용

1. 협의취득일: 2022년 6월 30일
2. 협의취득가격: 9,000,000원(9,000원/m²)

자료 3 인근지역의 표준지공시지가

기호	소재지	지번	지목	면적 (m²)	용도 지역	이용 상황	도로 교통	지형 지세	22년	23년	26년	27년
1	B군 O면 C리	15	임	1,300	자연 녹지	잡종지	세로 (가)	자루형 평지	35,000	45,000	60,000	63,000
2	B군 O면 C리	20	임	4,000	자연 녹지	임야	세로 (불)	부정형 완경사	7,000	7,500	7,500	10,000
3	B군 L면 K리	산80	임	10,320	자연 녹지	임야	세로 (불)	부정형 완경사	6,500	6,800	7,000	7,000
4	B군 P면 S리	100	잡	1,500	개발 제한	잡종지	소로 한면	가장형 평지	38,000	39,000	42,000	42,000
5	B군 P면 S리	300	답	2,000	자연 녹지	잡종지	세각 (가)	세장형 평지	35,000	37,000	38,000	39,000
6	B군 D면 L리	30	임	13,000	개발 제한	임야	맹지	부정형 급경사	5,000	5,500	5,800	6,300

≫ 표준지 1~3은 해당 사업지구 내의 표준지로 사업 이후 지가변동이 반영되어 있으며, 표준지 4~6은 해당 사업과 무관한 표준지이다.

자료 4 그 밖의 요인보정자료

현 시점 토지평가 시 그 밖의 요인비교치로서 1.10을 적용하기로 한다.

자료 5 국토교통부 고시 B군 녹지지역 평균 지가변동률(단위 : %)

구분		종료시점	
		2022.06.30.	2027.08.01.
시작시점	2022.01.01.	1.057	14.637
	2023.01.01.	–	12.309
	2026.01.01.	–	3.677
	2027.01.01.	–	1.105

자료 6 개별요인

구분	대상	표준지 1	표준지 2	표준지 3	표준지 4	표준지 5	표준지 6
2022년	95	100	105	108	95	96	100
2027년	100	100	103	105	98	95	100

자료 7 기타자료

1. 환매권 행사요건을 충족한 것으로 본다.
2. 환매토지가격을 반올림하여 천원 단위까지 결정하며, 표본지 가격은 십 원 단위까지 표시한다.

예시답안

Ⅰ. 평가개요

　　본건은 환매토지에 대한 환매금액 산정의 감정평가로서 2027년 8월 1일을 가격시점으로 평가한다.

Ⅱ. 환매 당시 토지가격

　　1. 비교표준지 선정

　　　　자연녹지지역, 잡종지로서 현실화, 구체화된 개발이익을 반영하여 평가하며 표준지 1을 선정한다(2027년 공시지가).

2. 환매 당시 토지가격

$63,000 \times 1.01105 \times 1.000 \times 100/100 \times 1.10 ≒ 70,000$원/m²$(\times 1,000 = 70,000,000)$

시*

* 2027.1.1.~8.1. 지가변동률

III. 인근 유사토지의 지가변동률

1. 표본지 선정

취득 당시의 용도지역 및 이용상황으로서 표본지 6을 선정한다.

2. 취득 당시 표본지 가격

$5,000 + (5,500 - 5,000) \times 181/365 ≒ 5,250$원/m²

3. 환매 당시 표본지 가격

$6,300 \times 1.01105 ≒ 6,370$원/m²

4. 인근 유사토지 지가변동률

$6,370 \div 5,250 ≒ 1.213$

IV. 환매금액의 결정

1. 보상금 × 인근 유사토지 지가변동률

$9,000,000 \times 1.213 ≒ 10,917,000$

2. 결정

환매 당시 토지가격 > 보상금 × 인근 유사토지 지가상승률인바, 아래와 같이 환매금액을 결정한다.

$9,000,000 + (70,000,000 - 9,000,000 \times 1.213) ≒ 68,083,000$원

---

7. 공익사업지구 밖의 대지 등에 대한 보상

(1) 해당 공익사업에 편입되는 경우와 같은 평가기준을 적용한다.

(2) 해당 공익사업의 시행 등으로 해당 토지에 대한 공법상 제한이나 이용상황 등이 변경 또는 변동되는 경우 및 통로·도로·담장 등의 신설 그 밖에 공사가 필요하여 해당 토지의 가격이 변동된 경우에는 이를 고려하지 아니한다.

(3) **구체적인 평가방법**

① **법 시행규칙 제59조[212]의 규정에 따른 평가의뢰 시**

대지(조성된 대지를 의미)나 농경지(계획적으로 조성된 유실수단지 및 죽림단지를 포함)가 공익사업으로 산지나 하천 등에 둘러싸여 교통이 두절되거나 경작이 불가능하게 된 경우에는 해당 토지가 공익사업에 편입되는 것으로 보고 평가한다.

② **법 시행규칙 제61조[213]의 규정에 따른 평가의뢰 시**

한 마을의 주거용 건축물이 대부분 공익사업시행지구에 편입되어 잔여주거용 건축물 거주자의 생활환경이 뚜렷이 불편하여 이주가 부득이한 경우에는 "공익사업시행지구 밖의 대지 등의 보상" 규정을 준용한다.

---

212) 공익사업지구 밖의 대지 등에 대한 보상
213) 소수잔존자에 대한 보상

03 토지의 보상감정평가 연습

기 본예제

감정평가사인 당신은 보상감정평가가 의뢰된 다음의 물건에 대해 평가를 하려고 한다. 물음에 대해 답하시오.

1. 각 토지의 평가 시 적용할 적용공시지가를 선정하고, 그 사유를 약술하시오.

2. 각 토지의 평가 시 적용할 비교표준지를 선정하고, 선정사유를 약술하시오.

3. 각 토지의 평가 시 적용할 시점수정률을 결정하고, 결정이유를 설명하시오.

4. 의뢰물건 중에서 토지기호 1과 5의 보상감정평가액을 산정하시오.

자료 1 ▶ 평가의뢰내역

1. 사업명 : 「택지개발촉진법」에 의한 택지개발사업
2. 가격시점 : 2027.8.20.
3. 택지개발지구지정 대상의 공고·열람 : 2025.6.5.
4. 택지개발계획의 수립 : 2026.1.30.
5. 택지개발지구지정고시 : 2026.10.28.
6. 택지개발사업실시계획의 승인·고시 : 2027.2.2.

자료 2 ▶ 평가의뢰물건 내역

1. 토지조서

기호	소재지	지번	지목	면적(m²) 공부	면적(m²) 편입	용도지역	실제이용상황	비고
1	A시 B동	10	대	200	200	2종일주 자연녹지	주거용 건부지	2027년 1월 31일 토지세목추가고시
2	〃	10−1	전	300	300	2종일주	채소경작	
3	〃	11	대	300	300	2종일주	20m²를 시금치경작	
4	〃	38−2	대	30	30	2종일주	도로	−
5	〃	58	전	850	850	자연녹지	무허가건축물부지 (물건기호 1)	−
6	〃	135	답	300	300	자연녹지	잡종지	−
7	〃	235	전	875	875	자연녹지	무허가건축물부지 (물건기호 2)	−
8	〃	245	전	450	450	자연녹지	가설건축물부지 (물건기호 3)	−
9	〃	250	전	125	125	자연녹지	도로	−
10	〃	산300	임야	250	250	자연녹지	(아래 참조)	−
11	〃	산302−1	묘지	80	80	자연녹지	묘지	−
12	〃	산42	임야	3,000	3,000	개발제한 자연녹지	자연림	−

2. 물건조서

기호	소재지 및 지번	물건 종류	구조 및 규격	면적(m²)		실제이용상황
				공부	편입	
1	A시 B동 58	주택	벽돌조 슬라브지붕 단층	95	95	무허가 주택건축물 '88.10. 신축
2	A시 B동 235	주택	벽돌조 슬라브지붕 단층	80	80	무허가 주택건축물 '89.10. 신축
3	A시 B동 245	점포	경량철골조 판넬지붕 단층	200	200	'15.3. A시장으로부터 국토계획법 제64조의 규정에 의거 허가를 득하고 신축한 가설건축물로 현재 식당(허가필)으로 사용 중

3. 표준지공시지가

기호	소재지	지번	면적 (m²)	지목	이용 상황	용도 지역	도로 교통	형상 지세	공시지가(원/m²)	
									2026.1.1.	2027.1.1.
1	A시 B동	40	150	대	단독주택	2종일주	세로(가)	가장형 평지	100,000	110,000
2	〃	50	250	전	전	2종일주	세로(가)	부정형 평지	40,000	45,000
3	〃	69	330	답	답 기타 창고	자연녹지	소로한면	세장형 평지	60,000	63,000
4	〃	70-1	250	전	전	자연녹지	세로(가)	세장형 평지	42,000	49,000
5	〃	80	350	답	답	자연녹지	맹지	세장형 저지	35,000	38,000
6	〃	140	300	대	단독주택	자연녹지	세로(가)	가장형 평지	70,000	80,000
7	〃	산200	1,200	임	자연림	자연녹지	맹지	부정형 완경사	7,000	7,500
8	〃	산250	90	묘	묘지	보전녹지	맹지	부정형 완경사	6,000	6,500
9	〃	산40	2,500	임	자연림	개발제한 자연녹지	세로(불)	부정형 급경사	3,500	4,000

》 기호 1 표준지는 전체 면적의 20%가 도시계획도로에 저촉된다.

자료 3 ▶ **평가의뢰된 토지의 내용**

1. 기호 1 토지는 제2종일반주거지역과 자연녹지지역에 걸치는 토지로서, 토지 중 10m²가 자연녹지지역에 걸쳐 있다. 소로한면에 접하며, 정방형 평지이다.
2. 기호 2 토지는 해당 택지개발사업을 위하여 2026년 3월 1일부로 자연녹지에서 제2종일반주거지역으로 용도지역이 변경되었다.
   》 기호 1, 2 토지는 계획된 택지개발사업구역의 면적부족으로 확장된 것이다.
3. 기호 3 토지는 조성된 나대지로서 현재 전으로 이용 중이나, 주위는 기존주택지대이다. 또한 이 토지는 해당 택지개발사업구역에 포함된 것으로서, 토지세목고시 당시 누락된 것을 추가고시한 것이다.
4. 기호 4 토지는 종전 38-1(지목 : 대)의 일부였으나, 도시·군관리계획시설도로로 시설결정이 되고, 사실상 불특정 다수인의 통행에 이용되고 있다. 그러나, 아직 도시·군관리계획사업이 시행된 것은 아니다.

5. 기호 5 토지는 세로(가)에 접하며, 부정형 평지이다.

6. 기호 6 토지는 종전의 노면보다 약 1.5m 저지인 답이었으나, 2010년 10월 경에 허가 없이 매립하여 현재는 노면과 평탄한 간이건축물(창고)부지로 이용되고 있다.

7. 기호 9 토지는 농어촌도로정비법 제2조의 규정에 의한 농어촌도로로 조사되었다. 인근의 표준적 이용상황은 전이다.

8. 기호 10 토지는 2024년 5월 창고신축을 위하여 형질변경허가를 득하고, 2025년 3월 형질변경완료하였으나 해당 사업으로 인해 준공검사를 득하지 못하였다.

9. 기호 11 토지는 약 15년 전에 A시 B동 302번지 토지(이용상황 : 임)를 분할하여 분묘를 조성한 것이다.

10. 기호 12 토지는 해당 사업으로 인하여 개발제한구역이 해제되었다.

자료 4 ▶ 시점수정자료

1. 지가변동률(A시)(단위 : %)

구분	용도지역별				이용상황별			
	주거	상업	공업	녹지	전	답	대 (주거용)	임야
2025년 누계	−2.000	−2.513	−2.759	−1.750	−1.517	−1.118	−1.852	−1.008
2026년 7월 누계	−0.288	−0.367	−0.472	−0.197	−0.341	−0.261	−0.345	−0.149
2026년 8월	−0.098	−0.183	−0.236	−0.102	−0.170	−0.130	−0.172	−0.075

2. 생산자물가지수

2025년 12월지수	2026년 12월지수	2027년 7월지수	2027년 8월지수
110.4	119.5	121.3	122.0

자료 5 ▶ 토지가격비준표

1. 도로접면

구분	광대한면	중로한면	소로한면	세로(가)
광대한면	1.00	0.94	0.86	0.83
중로한면	1.07	1.00	0.92	0.89
소로한면	1.16	1.09	1.00	0.96
세로(가)	1.21	1.13	1.04	1.00
맹지	1.40	1.30	1.20	1.15

2. 형상

구분	정방형	장방형	사다리형	부정형	자루형
정방형	1.00	0.98	0.98	0.95	0.90
장방형	1.02	1.00	1.00	0.95	0.90
사다리형	1.02	1.00	1.00	0.97	0.92
부정형	1.05	1.05	1.03	1.00	0.95
자루형	1.11	1.11	1.09	1.06	1.00

3. 도시 · 군계획시설

구분	일반	도로	공원	운동장
일반	1.00	0.85	0.60	0.85

자료 6 기타자료

1. 그 밖의 요인은 대등한 것으로 본다.
2. 대지의 면적사정이 필요한 경우 건물의 건축면적만을 대지로 인정하도록 사업시행자의 의뢰가 있었다.
3. 토지단가는 10만원 이상인 경우 유효숫자 3자리, 10만원 미만은 2자리까지 반올림하여 결정한다.

예시답안

Ⅰ. 적용공시지가의 선정 및 선정기준

1. 기호 1, 기호 2

「택지개발촉진법」에서는 택지개발지구지정고시일(2026.10.28.)이 사업인정고시일로 의제되므로 원칙적으로 2026년 1월 1일자 공시지가를 적용하여야 하나, 본건은 해당 사업의 면적부족에 따른 확장으로 인한 토지세목의 추가고시(2027.1.31.)되었으므로 2027년 1월 1일 공시지가를 적용한다.

2. 기호 3

본건은 누락으로 인한 추가고시이므로 기존 사업인정고시가 의제되는 택지개발예정지구지정고시일을 기준으로 2026년 1월 1일 공시지가를 적용한다.

3. 기호 4~기호 12

택지개발예정지구지정고시일이 사업인정고시일로 의제되므로 해당 고시일 이전 공시지가로서 가격시점에 가장 가까운 시점을 공시기준일로 하는 2026년 1월 1일 공시지가를 적용한다.

Ⅱ. 비교표준지의 선정 및 기준

1. 선정기준

비교표준지는 평가대상토지와 용도지역, 이용상황이 동일유사하고 인근지역에 소재하며 주위환경 및 접근성 등을 고려하여 선정한다.

2. 기호 1

둘의 용도지역에 걸치는 토지이므로 용도지역별 평균가격으로 평가함이 원칙이나, 자연녹지부분(10/200)이 과소하여 미미하다 판단되므로, 제2종일반주거지역의 행위제한을 받는 것으로 보아 용도지역, 이용상황 등이 동일유사한 표준지 1을 선정한다.

3. 기호 2

본건은 해당 사업의 시행으로 용도지역이 변경되었다 판단되므로 변경 전 용도지역인 자연녹지지역을 기준하여 표준지 4를 선정한다.

4. 기호 3

"전"으로의 이용은 일시적 이용으로 판단되는바, 일반적 이용방법에 의한 객관적 상황 및 용도지역 등을 고려하여 표준지 1을 선정한다.

5. 기호 4

도시 · 군관리계획시설도로로 결정된 이후에 해당 도시 · 군관리계획시설사업이 시행되지 아니한 상태에서 사실상 불특정 다수인의 통행에 이용되고 있는 토지(예정공도)는 인근지역에 있는 표준적인 이용상황의 표준지공시지가를 기준으로 평가하는바, 지목 등을 고려 표준지 1을 선정한다.

6. 기호 5

무허가건축물부지로 '89.1.24. 이전 신축이므로 무허가건축물부지는 현황 "대"를 기준으로 평가하되, 대지면적은 사업시행자의 의견에 따라 주택면적인 95m²는 표준지 6을, 755m²는 표준지 4를 선정한다.

7. 기호 6

'95.1.7. 이후 공익사업지구에 편입된 불법형질변경토지이므로 현황평가의 예외로서 형질변경될 당시의 이용상황(답) 등을 고려하여 표준지 5를 선정한다.

8. 기호 7

'89.1.24. 이후 신축된 무허가건축물부지이므로 신축 당시 이용상황을 고려하여 표준지 4를 선정한다.

9. 기호 8

국토계획법상 가설건축물부지는 일시적 이용으로 종전이용상황인 '전'을 기준으로 표준지 4를 선정한다.

10. 기호 9

농어촌도로정비법에 의한 도로부지는 도로로 이용되지 아니하였을 경우에 예상되는 인근지역에 있는 표준적인 이용상황을 기준하고 미지급용지인 경우에는 종전 이용상황을 기준으로 평가하는바, "전"을 기준으로 표준지 4를 선정한다.

11. 기호 10

형질변경허가를 득하고 완료하였으나, 해당 사업으로 인해 준공검사를 받지 못한 것이므로, 현황과 가장 유사한 이용상황을 기준하여 표준지 3을 선정한다.[214]

12. 기호 11

지적공부상 묘지로 등재되어 있는 소규모의 토지인바, 현황 자연녹지지역 내 "묘지"인 표준지를 선정하여야 하나, 표준지가 소재하지 아니하여 인근지역의 표준적인 이용상황을 기준으로 표준지 7을 선정한다.

13. 기호 12

해당 사업으로 인한 개발제한구역의 해제는 반영하지 않으므로 개발제한구역을 기준으로 이용상황이 유사한 표준지 9를 선정한다.

III. 시점수정

1. 지가변동률

(1) 기호 1(주거지역, 2027.1.1.~2027.8.20.) : $(1 - 0.00288) \times (1 - 0.00098 \times 20/31) ≒ 0.99649$

(2) 기호 2(녹지지역, 2027.1.1.~2027.8.20.) : $(1 - 0.00197) \times (1 - 0.00102 \times 20/31) ≒ 0.99737$

(3) 기호 3, 4(주거지역, 2026.1.1.~2027.8.20.) :
$(1 - 0.02000) \times (1 - 0.00288) \times (1 - 0.00098 \times 20/31) ≒ 0.97656$

(4) 기호 5~12(녹지지역, 2026.1.1.~2027.8.20.) :
$(1 - 0.01750) \times (1 - 0.00197) \times (1 - 0.00102 \times 20/31) ≒ 0.97992$

2. 생산자물가상승률

(1) 기호 1, 2 : $\dfrac{2027.8}{2026.12} = \dfrac{122}{119.5} ≒ 1.02092$

(2) 기호 3~12 : $\dfrac{2027.8}{2025.12} = \dfrac{122}{110.4} ≒ 1.10507$

》 가격시점은(2027.8.20.) 15일을 경과하고 해당 월지수가 발표되어 이를 적용한다.

---

214) 현실적인 이용상황을 판단하는 경우에도 해당 공익사업으로 인한 것은 고려하지 않는다. 그러므로 농지전용허가를 받고 또한 「건축법」에 의하여 적법하게 건축신고를 한 후 건축물을 준공하여 사용승인단계에서 공익사업에 편입되는 경우라면, 공부상 지목이 변경되지 않았다고 하여도 현실적인 이용상황인 건축물부지(대)로 감정평가한다(2004.5.31, 토관-2443).

3. 시점수정률 결정

생산자물가상승률은 일반적인 재화의 가격을 반영한 것으로 해당 토지의 가격변동추이를 적절히 반영하였다 볼 수 없으므로 지가변동률을 기준한다.

IV. 보상액 산정

1. 기호 1 토지

$110,000 \times 0.99649 \times 1.000 \times 1.094^* \times 1.00 = 120,000$원/㎡(24,000,000원)

$* \text{개별요인 비교}: \dfrac{1}{0.8+0.2\times0.85} \times 1.04 \times 1.02$
$\phantom{* \text{개별요인 비교}: \dfrac{1}{0.8}}\text{저촉}\text{도로}\text{형상}$

2. 기호 5 토지

(1) 대 부분: $70,000 \times 0.97992 \times 1.000 \times 0.950^* \times 1.00 = 65,000$원/㎡(6,175,000원)

    $*$ 개별요인비교: 1.00(도로) $\times 0.95$(형상)

(2) 전 부분: $42,000 \times 0.97992 \times 1.000 \times 0.950 \times 1.00 = 39,000$원/㎡(29,445,000원)

(3) 보상액: $6,175,000 + 29,445,000 = 35,620,000$원

지장물 및 영업손실의 보상감정평가

제1절 물건(지장물)의 보상감정평가

01 건축물의 평가

1. 건축물의 평가

> **토지보상법 시행규칙 제33조**(건축물의 평가)
>
> ① 건축물(담장 및 우물 등의 부대시설을 포함한다)에 대하여는 그 구조·이용상태·면적·내구연한·유용성 및 이전가능성 그 밖에 가격형성에 관련되는 제 요인을 종합적으로 고려하여 평가한다.
> ② 건축물의 가격은 원가법으로 평가한다. 다만, 주거용 건축물에 있어서는 거래사례비교법에 의하여 평가한 금액(공익사업의 시행에 따라 이주대책을 수립·실시하거나 주택입주권 등을 해당 건축물의 소유자에게 주는 경우 또는 개발제한구역 안에서 이전이 허용되는 경우에 있어서의 해당 사유로 인한 가격상승분은 제외하고 평가한 금액을 말한다)이 원가법에 의하여 평가한 금액보다 큰 경우와 「집합건물의 소유 및 관리에 관한 법률」에 의한 구분소유권의 대상이 되는 건물의 가격은 거래사례비교법으로 평가한다.
> ③ 건축물의 사용료는 임대사례비교법으로 평가한다. 다만, 임대사례비교법으로 평가하는 것이 적정하지 아니한 경우에는 적산법으로 평가할 수 있다.
> ④ 물건의 가격으로 보상한 건축물의 철거비용은 사업시행자가 부담한다. 다만, 건축물의 소유자가 해당 건축물의 구성부분을 사용 또는 처분할 목적으로 철거하는 경우에는 건축물의 소유자가 부담한다.

2. 이전비 원칙 및 그 예외

(1) 지장물 보상의 원칙

건축물 등에 대하여는 이전비로 보상하여야 한다. 이전비란 대상물건의 유용성을 동일하게 유지하면서 이를 해당 공익사업시행지구 밖의 지역으로 이전·이설 또는 이식하는 데 소요되는 비용(물건의 해체비, 건축허가에 일반적으로 소요되는 경비를 포함한 건축비와 적정거리까지의 운반비를 포함하며, 「건축법」 등 관계법령에 의하여 요구되는 시설의 개선에 필요한 비용을 제외한다)을 말한다.[1][2]

---

1) 토지보상법 시행규칙 제2조(정의) 제4호
2) 관계법령이 변경되어 현행 허가기준에 맞춘 시설설치비용은 이전비에 포함되나 시설개선비는 제외된다(2010.10.01, 토지정책과 -4757).

(2) 해당물건의 가격으로의 보상[3]

① 해당 물건의 가격으로 보상하는 경우

ⅰ) 건축물의 이전이 어렵거나 그 이전으로 인하여 건축물 등을 종래의 목적대로 사용할 수 없게 된 경우, ⅱ) 건축물 등의 이전비가 그 물건의 가격을 넘는 경우(단, 이전비에서 시설개선비 등은 포함하지 아니한다),[4] ⅲ) 사업시행자가 공익사업의 목적으로 취득하는 경우[5]에는 해당 물건의 가격으로 보상하여야 한다.

② 물건의 가격의 감정평가방법

건축물의 가격은 원가법으로 평가한다. 다만, 주거용 건축물에 있어서는 거래사례비교법에 의하여 평가한 금액(공익사업의 시행에 따라 이주대책을 수립·실시하거나 주택입주권 등을 당해 건축물의 소유자에게 주는 경우 또는 개발제한구역 안에서 이전이 허용되는 경우에 있어서의 당해 사유로 인한 가격상승분은 제외하고 평가한 금액을 말한다)이 원가법에 의하여 평가한 금액보다 큰 경우와 「집합건물의 소유 및 관리에 관한 법률」에 의한 구분소유권의 대상이 되는 건물의 가격은 거래사례비교법으로 평가한다.

(3) 지장물 보상감정평가의 구조

① 건축물의 구조, 용도, 규모 등으로 보아 이전이 가능한 경우

이전비로 감정평가한다. 건축물 등의 이전 가능성 여부는 경제적인 관점에서 판단하여야 하며, 주관적인 의사가 아닌 객관적 타당성을 기준으로 판단하여야 한다.[6] 건축물 등이 이전 후 종래의 목적대로 사용할 수 있는지 여부는 건축물 등의 효용성을 동일하게 유지하면서 사용하는 것이 가능한지 여부를 기준으로 판단해야 한다.

이전이 가능한 건축물 등에 대하여 이전비보다 적은 가액으로 협의보상한 경우에는 사업시행자가 건축물 등의 소유권을 취득한다고 볼 수 없으나, 지장물 소유자도 사업시행자의 지장물 제거를 수인하여야 한다.[7]

---

3) 지장물을 해당 물건의 가격으로 보상하는 경우, 그 물건의 소유권은 취득자(사업시행자)에게 있다(2014.02.18. 토지정책과-1085).

4) 수용할 토지에 정착한 물건이 이전가능한 것인지 여부는 기술적인 문제가 아니라 경제적인 관점에서 판단하여야 할 문제인데, 기술적으로는 가능하더라도 경제적으로 불가능하거나 현저히 곤란한 경우에는 취득가격을 기준으로 보상함이 타당하다(대판 1991.10.22, 90누10117).

5) 개정 토지보상법(2007.10.)에서는 가격으로 보상하는 지장물의 수용 중 ⅰ), ⅱ)에 대해서는 사업시행자는 그 물건의 수용의 재결을 신청할 수 있도록 하였다. 따라서 지장물을 취득가격으로 보상한 경우 취득가격의 성격을 일률적으로 이전비로 볼 수 없으며, 협의 시 매매로 계약하거나 수용으로 재결을 신청하여 수용재결로 결정된 경우는 취득으로 보아야 한다.

6) 이전 가능성은 기술적인 관점이 아니라 경제적인 관점에서 판단하여야 한다(대판 1991.01.29, 90누3775).

7) 이전비가 가액을 초과하여 가액으로 보상한 경우 사업시행자는 지장물의 소유권을 취득하는 것은 아니나, 지장물 소유자도 사업시행자의 지장물 제거를 수인하여야 한다(대판 2012.04.13, 2010다94960).

② **건축물의 구조, 용도, 규모 등으로 보아 이전이 불가능한 경우**

해당 물건의 가격으로 감정평가한다. 물건의 가격은 원가법으로 평가하는 것이 원칙이다. 단, 주거용 건축물이 지장물인 경우로서 물건의 가격은 거래사례비교법으로 평가한 금액이 원가법으로 평가한 금액보다 큰 경우에는 거래사례비교법으로 평가한 금액을 물건의 가액으로 본다. 사업시행자가 ⊙ 건축물 등을 이전하기 어렵거나 그 이전으로 인하여 건축물 등을 종래의 목적으로 사용할 수 없게 된 경우, ⓒ 건축물 등의 이전비가 그 물건의 가액을 넘는 경우 등에 해당되어 관할 토지수용위원회에 그 물건의 수용재결을 신청한 경우(토지보상법 제75조 제5항)에는 사업시행자가 건축물 등의 소유권을 취득한 것으로 보므로 이러한 경우에는 사업시행자가 임의로 건축물 등을 철거하거나 사용할 수 있다.

③ 공부면적과 실제면적이 다를 경우 실제면적을 기준으로 산정한다.[8]

기 본예제

아래 건축물에 대한 보상평가액을 결정하시오(가격시점 : 2027.07.01.).

자료 1 건축물 정보

A동 200번지 지상 조적조 판넬지붕, 연면적 150m², 주거용, 2007.08.07. 사용승인됨

자료 2 가격정보

재조달원가 : @900,000원/m²
경제적내용연수 : 45년(최종잔가율 : 0%)
이전비 정보 : 재조달원가 대비 90%가 소요됨.

자료 3 거래사례자료

A동 300번지 지상 조적조 주거용 건축물로서 200m²의 건축물이 150,000,000원에 거래되었다(건물만의 거래). 해당 건축물은 본건에 비하여 10% 우세(잔가율 포함)한 건축물이다. 건물의 가격변동은 없는 것으로 본다.

예시답안

1. **해당 물건의 이전비** : 900,000 × 0.9 = @810,000(×150 = 121,500,000원)

2. **해당 물건의 가격**
   (1) 원가법 : 900,000 × 26/45 = @520,000
   (2) 거래사례비교법 : (150,000,000 ÷ 200) × 1.000(사정) × 1.00000(시점) × 100/110(개별) ≒ @682,000
   (3) 결정 : 둘 중 큰 금액인 거래사례비교법으로 결정 @682,000(×150 = 102,300,000원)

3. **결정** : 해당 물건의 가격인 102,300,000원으로 결정한다.

---

8) 2018.9.4. 토지정책과-5602

3. 구분소유권의 대상이 되는 건물

집합건물의 소유 및 관리에 관한 법률에 의한 구분소유권의 대상이 되는 건물의 가격은 거래사례비교법으로 평가한다(공익사업의 시행에 따라 이주대책을 수립·실시하거나 주택입주권 등을 해당 건축물의 소유자에게 주는 경우 또는 개발제한구역 안에서 이전이 허용되는 경우에 있어서의 해당 사유로 인한 가격상승분은 제외하고 평가한 금액을 말한다).

4. 무허가건축물 등(1989.1.24. 이후 신축) 보상

1) 무허가건축물 등의 개념

「건축법」 등 관계법령에 의하여 허가를 받거나 신고를 하고 건축 또는 용도변경을 하여야 하는 건축물을 허가를 받지 아니하거나 신고를 하지 아니하고 건축 또는 용도변경한 건축물을 말한다.[9]

건축법상 건축물을 건축 및 용도변경을 위해서 ⅰ) 허가·신고, ⅱ) 사용승인(준공)이 필요한데 건축물에 있어서는 사용승인(건축물대장에 등재)받아야 적합한 건축물이 되며, 일반적으로 사용승인받지 못하여 건축물대장에 등재되지 못한 경우는 무허가건축물이 된다. 다만, 해당 공공사업과 관련하여 사용승인을 받지 못한 경우는 적법한 건축물로 간주한다.

2) 무허가의 판단

사용승인 여부(해당 사업으로 인한 영향 제외)를 기준으로 판단함을 원칙으로 한다.

3) 무허가건축물의 보상 여부

(1) 원칙

행위제한일(사업인정고시일)을 기준한다.

> **토지보상법 제25조**(토지 등의 보전)
>
> ① 사업인정고시가 된 후에는 누구든지 고시된 토지에 대하여 사업에 지장을 줄 우려가 있는 형질의 변경이나 제3조 제2호 또는 제4호에 규정된 물건을 손괴하거나 수거하는 행위를 하지 못한다.
> ② 사업인정고시가 된 후에 고시된 토지에 건축물의 건축·대수선, 공작물(工作物)의 설치 또는 물건의 부가(附加)·증치(增置)를 하려는 자는 특별자치도지사, 시장·군수 또는 구청장의 허가를 받아야 한다. 이 경우 특별자치도지사, 시장·군수 또는 구청장은 미리 사업시행자의 의견을 들어야 한다.
> ③ 제2항을 위반하여 건축물의 건축·대수선, 공작물의 설치 또는 물건의 부가·증치를 한 토지소유자 또는 관계인은 해당 건축물·공작물 또는 물건을 원상으로 회복하여야 하며 이에 관한 손실의 보상을 청구할 수 없다.

---

9) 토지보상법 시행규칙 제24조(무허가건축물 등의 부지 및 불법형질변경토지의 평가)

⑵ 개별법에서 사업인정고시일 이외의 별도의 시점을 행위제한일로 지정한 경우

① 택지개발촉진법

택지개발사업의 경우 사업인정의제일은 택지개발지구지정고시일[10]이나 행위제한일은 택지개발지구의 지정에 관한 주민 등의 의견청취를 위한 공고일이다.[11][12]

> **택지개발촉진법 제6조**(행위제한 등)
>
> ① 제3조의3에 따라 택지개발지구의 지정에 관한 주민 등의 의견청취를 위한 공고가 있는 지역 및 택지개발지구에서 건축물의 건축, 공작물의 설치, 토지의 형질변경, 토석(土石)의 채취, 토지분할, 물건을 쌓아놓는 행위 등 대통령령으로 정하는 행위를 하려는 자는 특별자치도지사・시장・군수 또는 자치구의 구청장의 허가를 받아야 한다. 허가받은 사항을 변경하려는 경우에도 또한 같다.
> ④ 특별자치도지사・시장・군수 또는 자치구의 구청장은 제1항을 위반한 자에게 원상회복을 명할 수 있다. 이 경우 명령을 받은 자가 그 의무를 이행하지 아니하면 특별자치도지사・시장・군수 또는 자치구의 구청장은 「행정대집행법」에 따라 이를 대집행(代執行)할 수 있다.

② 도시 및 주거환경정비법

도시정비사업에 있어서 「토지보상법」이 적용되는 경우 사업인정의제일은 사업시행계획인가의 고시가 있은 때[13]이나 행위제한일은 정비구역의 지정 및 고시일이다.

> **도시 및 주거환경정비법 제19조**(행위제한 등)
>
> ① 정비구역 안에서 건축물의 건축, 공작물의 설치, 토지의 형질변경, 토석의 채취, 토지분할, 물건을 쌓아 놓는 행위, 그 밖에 대통령령으로 정하는 행위를 하려는 자는 시장・군수 등의 허가를 받아야 한다. 허가받은 사항을 변경하려는 때에도 또한 같다.
> ② 다음 각 호의 어느 하나에 해당하는 행위는 제1항에도 불구하고 허가를 받지 아니하고 할 수 있다.
> 　1. 재해복구 또는 재난수습에 필요한 응급조치를 위한 행위
> 　2. 기존 건축물의 붕괴 등 안전사고의 우려가 있는 경우 해당 건축물에 대한 안전조치를 위한 행위
> 　3. 그 밖에 대통령령으로 정하는 행위

---

10) 택지개발촉진법 제12조(토지수용) 제2항
11) 지장물 보상 시 건축물의 적법성 필요 여부

　공익사업으로 인하여 취득하거나 사용하게 되는 토지와 건축물의 보상에 대하여 별도의 규정을 두고, 건축물의 보상에 관해서는 같은 법 제75조에서 이전비를 보상하도록 하되 이전이 어려운 경우 등에는 물건가격으로 보상하도록 하는 규정을 두고 있을 뿐 해당 건축물이 무허가건축물인지 여부에 따라 보상 여부에 차등을 두고 있지 아니하며, 「공익사업을 위한 토지 등의 취득 및 보상에 관한 법률 시행규칙」(이하 "공익사업보상법 시행규칙"이라 함) 제33조 및 제36조에서는 같은 규칙 제45조 및 제54조에 규정된 영업보상이나 주거이전비의 보상 시에는 적법한 건물일 것을 보상의 요건으로 하고 있는 것과는 달리, 건축물이나 공작물 자체에 대한 보상 시에는 해당 건축물의 적법 여부를 보상요건으로 하고 있지 아니한바, 공익사업의 사업인정 고시 이전에 건축되고 공공사업용지 내의 토지에 정착한 지장물인 건물은 통상 적법한 건축허가를 받았는지 여부에 관계없이 손실보상의 대상이 된다고 보아야 할 것이다(대판 2001.4.13, 2000두6411, 대판 2000.3.10, 99두10896 등 참조).
12) 지장물은 토지사용권 유무를 보상요건으로 하지 않는다(대판 2004.10.15, 2003다14355).

　지장물인 수익수 또는 관상수나 묘목 등을 보상대상으로 함에 있어 토지사용권의 유무에 따른 구분을 두고 있지 아니하므로, 다목적 댐 건설사업에 관한 실시계획의 승인 및 고시가 있기 전에 토지를 임차하여 수목을 식재하였다가 그 후 토지의 임대차계약이 해지되어 토지소유자에게 토지를 인도할 의무를 부담하게 되었다고 하더라도, 그러한 사정만으로 위 수목이 지장물 보상의 대상에서 제외된다고 볼 수는 없다.
13) 도시 및 주거환경정비법 제65조(「공익사업을 위한 토지 등의 취득 및 보상에 관한 법률」의 준용)

> ③ 제1항의 규정에 따라 허가를 받아야 하는 행위로서 정비구역의 지정 및 고시 당시 이미 관계 법령에
> 따라 행위허가를 받았거나 허가를 받을 필요가 없는 행위에 관하여 그 공사 또는 사업에 착수한
> 자는 대통령령으로 정하는 바에 따라 시장·군수 등에게 신고한 후 이를 계속 시행할 수 있다.
> ④ 시장·군수 등은 제1항을 위반한 자에게 원상회복을 명할 수 있다. 이 경우 명령을 받은 자가 그
> 의무를 이행하지 아니하는 때에는 시장·군수 등은 「행정대집행법」에 따라 대집행할 수 있다.

③ 공공주택 특별법

주택지구를 지정하거나 주택건설사업계획을 승인하여 고시한 때에는 사업인정의 고시가 있는
것으로 보나, 행위제한일은 주민의견청취일이다.

> **공공주택 특별법 제11조**(행위제한 등)
>
> ① 제10조 제1항에 따라 주택지구의 지정·변경에 관한 주민 등의 의견청취의 공고가 있는 지역 및
> 주택지구 안에서 건축물의 건축, 공작물의 설치, 토지의 형질변경, 토석의 채취, 토지의 분할·합병,
> 물건을 쌓아놓는 행위, 죽목의 벌채 및 식재 등 대통령령으로 정하는 행위를 하고자 하는 자는 시
> 장(특별자치도의 경우에는 특별자치도지사를 말한다. 이하 같다)·군수 또는 구청장(자치구의 구청
> 장을 말한다. 이하 같다)의 허가를 받아야 한다. 허가받은 사항을 변경하고자 하는 때에도 같다.
> ② 다음 각 호의 어느 하나에 해당하는 행위는 제1항에도 불구하고 허가를 받지 아니하고 이를 할 수
> 있다.
> 1. 재해복구 또는 재난수습에 필요한 응급조치를 위하여 하는 행위
> 2. 그 밖에 대통령령으로 정하는 행위

④ 산업입지 및 개발에 관한 법률

산업입지 및 개발에 관한 법률에서는 제7조의4 제1항에 따른 산업단지의 지정·고시가 있는
때(제6조 제5항 각 호 외의 부분 단서, 제7조 제6항, 제7조의2 제6항 또는 제8조 제4항에 따라
사업시행자와 수용·사용할 토지 등의 세부 목록을 산업단지가 지정된 후에 산업단지개발계
획에 포함시키는 경우에는 이의 고시가 있는 때를 말한다)에는 사업인정 및 사업인정의 고시
가 있는 것으로 보나, 행위제한일은 단지지정에 관한 주민 등의 의견청취공고가 있는 때이다.

> **산업입지 및 개발에 관한 법률 제12조**(행위 제한 등)
>
> ① 제10조 제1항에 따라 산업단지의 지정 또는 변경에 관한 주민 등의 의견청취를 위한 공고가 있는
> 지역 및 산업단지 안에서 건축물의 건축, 공작물의 설치, 토지의 형질변경, 토석의 채취, 토지분할,
> 물건을 쌓아놓는 행위 등 대통령령으로 정하는 행위를 하려는 자는 특별시장·광역시장·특별자치
> 시장·특별자치도지사·시장 또는 군수의 허가를 받아야 한다. 허가받은 사항을 변경하려는 경우에
> 도 또한 같다.

⑤ 국토의 계획 및 이용에 관한 법률

국토의 계획 및 이용에 관한 법률 제96조에서는 제88조에 따른 실시계획의 인가고시가 있는
때를 사업인정의 고시가 있는 것으로 보나 행위제한일은 제31조에 의하여 제30조에 의한 도
시·군관리계획의 결정·고시가 있는 때이다.

> **국토의 계획 및 이용에 관한 법률 제31조**(도시·군관리계획 결정의 효력)
>
> ① 도시·군관리계획 결정의 효력은 제32조 제4항에 따라 지형도면을 고시한 날부터 발생한다.
> ② 도시·군관리계획 결정 당시 이미 사업이나 공사에 착수한 자(이 법 또는 다른 법률에 따라 허가·인가·승인 등을 받아야 하는 경우에는 그 허가·인가·승인 등을 받아 사업이나 공사에 착수한 자를 말한다)는 그 도시·군관리계획 결정과 관계없이 그 사업이나 공사를 계속할 수 있다. 다만, 시가화조정구역이나 수산자원보호구역의 지정에 관한 도시·군관리계획 결정이 있는 경우에는 대통령령으로 정하는 바에 따라 특별시장·광역시장·특별자치시장·특별자치도지사·시장 또는 군수에게 신고하고 그 사업이나 공사를 계속할 수 있다.
> ③ 제1항에서 규정한 사항 외에 도시·군관리계획 결정의 효력 발생 및 실효 등에 관하여는 「토지이용규제 기본법」 제8조 제3항부터 제5항까지의 규정에 따른다.

(3) 유의사항

① 무허가건축물 부지의 평가와는 별개의 판단이다.

② 사업인정고시일 이전에 건축되었거나 설치된 건축물 등에 해당되는 경우에도 ⅰ) 손실보상만을 목적으로 설치된 건축물, ⅱ) 관계법령에서 보상에 관하여 제한을 두고 있는 경우, ⅲ) 공익사업에 관련없이 이전·철거 등의 조치가 진행되고 있는 경우 등은 보상대상에 해당하지 않는다.[14]

기 본예제

감정평가사 柳 씨는 2027.8.20.자로 중앙토지수용위원회로부터 평가의뢰를 받고 사전조사 및 실지조사를 통하여 자료를 수집하였다. 이 자료를 활용하여 물건조서상의 무허가건축물의 보상대상여부를 설명하고 그 적정보상감정평가액을 구하시오.

풀이영상

자료 1 ▶ 감정평가의뢰서 내용

1. 사업명: △△ 지방산업단지사업
2. 사업시행자: ○○지방공사
3. 가격시점: 2027.7.1.
4. 평가목적: 이의재결
5. 평가조건: 「공익사업을 위한 토지 등의 취득 및 보상에 관한 법률」 등 보상관계법령의 규정, 판례, 기타 평가의 일반이론, 절차 및 방법 등을 준수하여 평가할 것
6. 주민 등의 의견청취를 위한 공고: 2023.12.6.
7. 지방산업단지 지정고시일: 2024.5.25.
8. 지방산업단지 실시계획고시일: 2026.3.20.
9. 물건조서

기호	소재지	지번	물건의 종류	구조·규격	수량	비고
1	S시 P구 K동	105	주택 및 점포	벽돌조슬레이트지붕	150m²	무허가건축물

---

14) 대판 2013.2.15, 2012두22096

자료 2 **건축물에 대한 조사사항**

1. 건축물은 토지소유자가 허가 없이 건축한 무허가건축물(2023.6.30.)로서 그 재조달원가는 400,000원/m², 경제적 내용연수는 20년, 잔존가치는 없는 것으로 조사되었다.

2. 건축물은 이전 가능한 것으로 판단되며, 이전에 소요되는 통상비용(이전비)은 다음과 같이 조사되었다.
    (1) 해체비 : 6,000,000원
    (2) 운반비 : 2,000,000원
    (3) 정지비 : 1,500,000원
    (4) 재건축비 : 33,000,000원
    (5) 보충자재비 : 4,000,000원
    (6) 부대비용 : 5,000,000원
    ≫ (주) 재건축비에는 건축관계법령 개정으로 인한 시설 개선에 따른 건축설비 추가설치비용(관련부대비용 포함) 10,000,000원이 포함되어 있는 것으로 조사되었다.

3. 인근지역의 건축물 거래사례는 포착되지 않는다.

예시답안

I. 평가개요

본건은 지방산업단지 사업에 편입된 무허가건축물에 대한 보상대상 및 보상액 산정으로 가격시점은 2027년 7월 1일이다.

II. 보상 여부

「산업입지 및 개발에 관한 법률」 제12조에 의하여 산업단지의 지정 또는 변경에 관한 주민 등의 의견청취를 위한 공고가 있은 이후에 무단으로 신축한 지장물은 보상대상이 아니다. 하지만 해당 지장물은 주민 등의 의견청취를 위한 공고 이전에 신축된 바, 보상대상으로 판단한다.

III. 적정보상감정평가액

1. 해당 물건의 가격

$400,000 \times 150 \times 16/20 = 48,000,000$원

2. 이전비[15]

$6,000,000 + 2,000,000 + 1,500,000 + 33,000,000 - 10,000,000^{*} + 4,000,000 + 5,000,000 = 41,500,000$원

* 시설개선비는 배제한다(토지보상법 시행규칙 제2조 제4호).

3. 결정

물건의 가격이 이전비를 초과하므로 이전비로 보상한다.
∴ 보상액 41,500,000원

---

15) 보충자재비의 포함 여부

지장물인 건물이나 공작물은 이전비로 보상하고 이전비는 현재의 상태와 동등한 기능을 유지하는 데 필요한 한도의 시설을 다시 설치하는 데 필요한 공사비와 그 공사에 필요한 자재비를 합한 금액으로 하여야 할 것이다(토정 30241-1217 : '92.8.10). 보충자재비는 현 상태의 기능을 유지하는 필요한 비용으로 보아 이전비에 포함시키는 것이 타당할 것이다.

5. 일부편입 시

1) 보상기준 [16)

사업시행자는 동일한 소유자에게 속하는 일단의 건축물의 일부가 취득되거나 사용됨으로 인하여 잔여 건축물의 가격이 감소하거나 그 밖의 손실이 있을 때에는 국토교통부령으로 정하는 바에 따라 그 손실을 보상하여야 한다. 다만, 잔여 건축물의 가격 감소분과 보수비(건축물의 나머지 부분을 종래의 목적대로 사용할 수 있도록 그 유용성을 동일하게 유지하는 데에 일반적으로 필요하다고 볼 수 있는 공사에 사용되는 비용을 말한다. 다만, 「건축법」 등 관계법령에 따라 요구되는 시설 개선에 필요한 비용은 포함하지 아니한다)[17)를 합한 금액이 잔여건축물의 가격보다 큰 경우에는 사업시행자는 그 잔여 건축물을 매수할 수 있다.

2) 일부편입부분에 대한 보상감정평가

(1) 보수하여 사용하는 경우

보수비를 보상한다. 보수비는 건축물의 잔여부분을 종래의 목적대로 사용할 수 있도록 그 유용성을 동일하게 유지하는 데 통상 필요하다고 볼 수 있는 공사에 사용되는 비용(「건축법」 등 관계법령에 의하여 요구되는 시설의 개선에 필요한 비용은 포함하지 아니한다)으로 평가한다.[18)

(2) 보수가 현실적으로 불가한 경우

동일한 소유자에게 속하는 일단의 건축물의 일부가 협의에 의하여 매수되거나 수용됨으로 인하여 잔여 건축물을 종래의 목적에 사용하는 것이 현저히 곤란할 때에는 그 건축물소유자는 사업시행자에게 잔여 건축물을 매수하여 줄 것을 청구할 수 있으며, 사업인정 이후에는 관할 토지수용위원회에 수용을 청구할 수 있다. 이 경우 수용 청구는 매수에 관한 협의가 성립되지 아니한 경우에만 하되, 사업완료일까지 하여야 한다.

Check Point!

> **● 잔여건축물 확대 보상 판단 참고자료[19)**
>
> **1. 일반적 기준**
> - 잔여건축물이 심하게 노후되어 붕괴가 우려되거나 구조상 안정성이 크게 우려되는 경우
> - 건축물의 주요 구조부 및 필수시설이 편입되고 대체시설 설치가 곤란한 경우(기둥, 내력벽, 보 등 주요 구조물 또는 화장실, 주계단 등 주요 기능시설이 편입되고 대체·보강이 곤란한 경우)
> - 일단의 건축물 중 주요부분(건축물)이 편입되어 잔여 건축물로는 종래의 기능을 수행하지 못할 것으로 판단되는 경우
> - 잔여건축물이 좁고 길다란 형상 또는 삼각형 등 부정형으로 남아 건물의 기능을 다할 수 없게 되는 경우

---

16) 토지보상법 제75조의2

17) 당초 건축될 때와는 달리 개정된 건축법에 따라 내진성능 확보가 필요하게 된 경우 내진성능보강 설계 및 공사 비용은 보수비에 포함된다(2024.10.11, 토지정책과-5859).

18) 건축물의 잔여 부분을 보수하여 종래의 목적대로 사용할 수 있고 사용이 현저히 곤란하지 아니한 경우에 한하여 보수비로 보상할 수 있다(대판 2000.10.27, 2000두5104).

19) 토지수용업무편람, 국토교통부

> – 종래의 목적대로 이용하기 위하여 잔여건축물을 일정한 형상으로 보수하는 경우, 활용할 수 없게 되는 부분
> – 대체시설 설치가 불가하여 건물의 용도에 따라 관련법령이 정하는 바에 따른 시설 기준에 미달하게 되는 경우
> – 잔여건축물의 가격감소분과 보수비를 합한 금액이 잔여건축물의 취득가격보다 큰 경우(토지보상법 제75조의2 제1항 단서)
>
> **2. 주거용 건축물, 비닐하우스에 대한 추가기준**
> – 주거용 건축물
>   • 화장실, 주방, 거실, 계단 등이 편입되고 대체공간확보가 곤란한 경우
>   • 가족 인원수에 비해 남는 주거공간이 과소한 경우
>   • 사업시행으로 형성되는 주변환경이 주거환경을 크게 해치는 것으로 판단되는 경우
> – 비닐하우스
>   • 잔여지면적이 잔여지(농경지) 수용기준(330㎡)미만이거나 잔여지면적비율이 50% 이하로서 종래의 목적대로 사용하는 것이 현저히 곤란한 경우
>   • 스프링클러, 난방시설 등을 각 비닐하우스에 연동하여 운영하는 방식(이른바 연동식)의 경우, 시설대체 가능여부를 고려하여 대체가 불가능하다고 판단되는 경우
>   • 대규모 비닐하우스(3,000㎡ 이상)나 특수작물 재배 비닐하우스에 대해서는 일반적인 기준을 적용하지 아니하고 적정경제성 규모나 특수작물재배에 필요한 최소한의 규모 등을 사례별로 전문기관에 조회하여 판단

3) 잔여건축물에 대한 가치하락분 평가

동일한 건축물소유자에 속하는 일단의 건축물의 일부가 취득 또는 사용됨으로 인하여 잔여건축물의 가격이 감소된 경우의 잔여건축물의 손실은 공익사업시행지구에 편입되기 전의 잔여건축물의 가격(해당 건축물이 공익사업시행지구에 편입됨으로 인하여 잔여건축물의 가격이 변동된 경우에는 변동되기 전의 가격을 말한다)에서 공익사업시행지구에 편입된 후의 잔여건축물의 가격을 뺀 금액으로 평가한다.

> **❯ 잔여건축물 보상감정평가 문제풀이 시 참고사항**
>
> 일부 편입되는 건축물을 보수비로 평가할지 매수청구할지 여부는 사업시행자가 결정하며, 감정평가법인등은 사업시행자가 요청한 조건에 따라 평가하면 된다. 하지만 문제풀이 시에는 간혹 사업시행자의 판단사항이 구체적으로 제시되지 않은 경우가 있으며, 이 경우에는 아래와 같이 풀이하도록 한다.
>
> **1. 전체 이전이 가능한 경우**
> 일부편입부분의 보상감정평가액 + 잔여건축물의 가치감가 보상감정평가액은 아래 평가액 중 가장 작은 금액으로 결정한다.
> (1) 일부편입부분 취득가격 + 보수비 및 잔여건축물 가치감소분
> (2) 전체 이전비
> (3) 전체 취득가격
>
> **2. 이전이 불가능한 경우**
> (1) 일부편입부분 취득가격 + 보수비 및 잔여건축물 가치감소분
> (2) 일부편입부분 취득가격 + 잔여건축물의 취득가격(= 전체 취득가격)

기 본예제

아래 지장물에 대한 보상감정평가액을 결정하시오(가격시점 : 2027.08.25.).

자료 1 **지장물조서**

소재지	물건의 종류	구조·규격	수량	비고
S동 100	주택	시멘트벽돌조 슬래브지붕 단층	50m²	20m² 편입

≫ 편입된 건물의 높이는 2m이다.

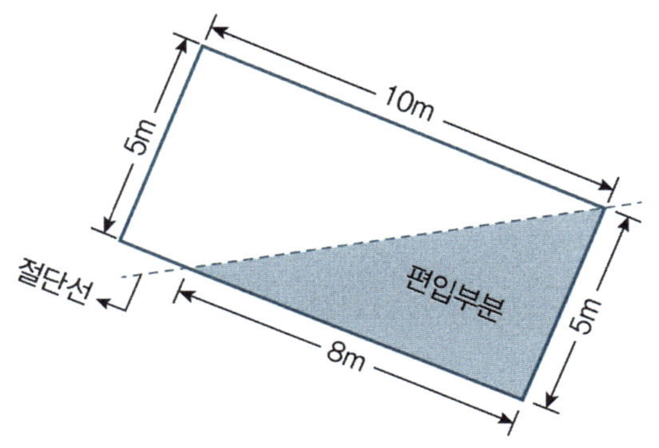

풀이영상

자료 2 **가격관련 자료**

1. 건물의 재조달원가 : 550,000원/m²
2. 건물의 경제적 내용연수 : 45년
3. 사용승인일자 : 2008.10.25.
4. 건물 전체의 이전비

해체비	운반비	정지비	재건축비	보충자재비	부대비용	건축허가비
4,000,000	1,500,000	1,200,000	20,000,000	5,000,000	5,000,000	12,000,000

≫ 위 재건축비에는 설비 개량비용이 5,000,000원 포함되어 있다.

5. 보수비용 : 보수면적당 400,000원/m²을 적용한다.
6. 화장실은 편입되어 재설치되어야 하고, 위생설비 설치비용은 전체면적을 기준으로 하여 50,000원/m²이 소요된다. 위생설비 이외의 추가적인 설비공사는 없는 것으로 본다.

예시답안

1. **전체가격 :** $550,000 \times 27/45 \fallingdotseq 330,000$원/m²($\times 50 = 16,500,000$원)

2. **전체 이전비(시설개선비 제외, 보충자재비는 시설개선과 관련이 없다고 판단하여 이전비에 포함하였음, 이하 통일)**

   $4,000,000 + 1,500,000 + 1,200,000 + (20,000,000 - 5,000,000) + 5,000,000 + 5,000,000 + 12,000,000$
   $= 43,700,000$원

3. **편입부분가격 + 보수비**
   (1) 편입부분가격
      $16,500,000 \times 20/50 \fallingdotseq 6,600,000$원

  (2) 보수비
  ① 보수면적 : $(5^2 + 8^2)^{1/2} \times 2 \fallingdotseq 18.9m^2$
  ② 보수비 : $400,000 \times 18.9m^2 + 50,000 \times 30m^2$(잔여건축물 면적기준한다고 봄) $\fallingdotseq 9,060,000$원
  (3) 소계 : $6,600,000 + 9,060,000 \fallingdotseq 15,660,000$원

 4. 결정
 편입부분 가격 + 보수비가 가장 낮으므로 이를 기준으로 보상한다(15,660,000원).

---

6. 건축물의 사용료 및 철거비

(1) **건축물의 사용료**

임대사례비교법이 원칙이며, 적산법으로도 평가가 가능하다.

(2) **철거비**

물건의 가격으로 보상한 건축물의 철거비용은 사업시행자가 부담한다. 다만, 건축물의 소유자가 해당 건축물의 구성부분을 사용 또는 처분할 목적으로 철거하는 경우에는 건축물의 소유자가 부담한다.

≫ 단, "철거비 및 해체비용"은 보상액에 포함시킨다(이전비 산정 시).

≫ 다만, 건축물의 소유자가 해당 건축물의 구성부분을 사용 또는 처분할 목적으로 철거하는 경우에는 건축물의 소유자가 부담한다.

02 공작물 등의 평가 및 동산의 이전비 보상

1. 공작물[20] 등의 평가

> **토지보상법 시행규칙 제36조**(공작물 등의 평가)
>
> ① 제33조 내지 제35조의 규정은 공작물 그 밖의 시설(이하 "공작물 등"이라 한다)의 평가에 관하여 이를 준용한다.
> ② 다음 각 호의 1에 해당하는 공작물 등은 이를 별도의 가치가 있는 것으로 평가하여서는 아니 된다.
>   1. 공작물 등의 용도가 폐지되었거나 기능이 상실되어 경제적 가치가 없는 경우
>   2. 공작물 등의 가치가 보상이 되는 다른 토지 등의 가치에 충분히 반영되어 토지 등의 가격이 증가한 경우
>   3. 사업시행자가 공익사업에 편입되는 공작물 등에 대한 대체시설을 하는 경우

공작물은 『토지보상법 시행규칙』 제2조 제3호에 따라 지장물의 한 가지 유형이다. 공작물은 개념은 '토지에 정착한 (인위적인 힘이 가해진) 구조물로서 건물로 볼 수 없는 것'을 말한다. 『건축법』 제2조 제2호에서는 건축물을 공작물의 일부로 정의하고 있지만, 『토지보상법 시행규칙』에서는 공작물과 건

---

20) 공작물이란 지상이나 지하에 축조되는 인공 구조물로서 대지를 조성하기 위한 옹벽ㆍ굴뚝ㆍ광고탑ㆍ고가수조(高架水槽)ㆍ 지하 대피호 그 밖에 이와 유사한 것을 말한다.

축물을 구분하고 있다. 『건축법』 제83조에 따라 일정규모 이상의 공작물을 축조하려는 자는 해당 지방자치단체의 장에게 신고를 하여야 한다. 주된 공작물의 유형은 방호목적시설(담장, 울타리/펜스), 상수관련 시설(관정, 수도배관), 하수/배수관련 시설(화장실, 정화조, 하수관, 우수관/맨홀/집수정 등), 이동 및 지지관련 시설(대문, 계단, 도로포장 등), 저장/창고관련 시설(장독대, 주유소탱크 등), 농업관련 시설(비닐하우스, 스프링클러 등), 기타시설(동력, 체육시설(테니스코트 등), 석축 및 옹벽 등)이 있다.

2. 동산의 이전비 보상

동산의 이전비는 공익사업지구 내의 토지 또는 건축물 등에 소재하는 동산을 대상으로 하되, 이사비 보상의 대상이 되는 주거용 건축물 내의 가재도구 등의 동산 및 영업보상의 대상인 영업시설 등은 제외한다. 이사비는 주거용 건축물의 거주자에 대해 실제 소요되는 비용을 보상하는 것이므로, 거주자가 소유자인지 세입자인지 또는 언제부터 거주하였는지, 무허가건축물 등인지에 관계없이 보상 당시 주거용 건축물에 거주하기만 하면 보상대상자가 된다.

토지보상법 시행규칙 제55조(동산의 이전비 보상 등)

① 토지 등의 취득 또는 사용에 따라 이전하여야 하는 동산(제2항에 따른 이사비의 보상대상인 동산을 제외한다)에 대하여는 이전에 소요되는 비용 및 그 이전에 따른 감손상당액을 보상하여야 한다.
② 공익사업시행지구에 편입되는 주거용 건축물의 거주자가 해당 공익사업시행지구 밖으로 이사를 하거나 사업시행자가 지정하는 해당 공익사업지구 안의 장소로 이사를 하는 경우에는 [별표 4]의 기준에 의하여 산정한 이사비(가재도구 등 동산의 운반에 필요한 비용을 말한다)를 보상하여야 한다.
③ 이사비의 보상을 받은 자가 해당 공익사업시행지구 안의 지역으로 이사하는 경우에는 이사비를 보상하지 아니한다.

[별표 4] 이사비기준(제55조 제2항 관련)

주택연면적기준	이사비			비고
	노임	차량운임	포장비	
1. 33제곱미터 미만	3명분	1대분	(노임 + 차량운임) × 0.15	1. 임금은 「통계법」 제3조 제3호에 따른 통계작성기관이 같은 법 제18조에 따른 승인을 받아 작성·공표한 공사부문 보통인부의 임금을 기준으로 한다.
2. 33제곱미터 이상 49.5제곱미터 미만	4명분	2대분	(노임 + 차량운임) × 0.15	
3. 49.5제곱미터 이상 66제곱미터 미만	5명분	2.5대분	(노임 + 차량운임) × 0.15	2. 차량운임은 한국교통연구원이 발표하는 최대적재량이 5톤인 화물자동차의 1일 8시간 운임을 기준으로 한다.
4. 66제곱미터 이상 99제곱미터 미만	6명분	3대분	(노임 + 차량운임) × 0.15	3. 한 주택에서 여러 세대가 거주하는 경우 주택연면적기준은 세대별 점유면적에 따라 각 세대별로 계산·적용한다.
5. 99제곱미터 이상	8명분	4대분	(노임 + 차량운임) × 0.15	

03 과수 등의 평가[21]

1. 수목의 평가

1) 이전이 가능한 경우

(1) **원칙** : 이전비 = 이식비 + 고손액

(2) **이식비의 평가방법**

수목의 이전비는 대상수목을 공익사업지구 밖의 지역으로 이전하는데 소요되는 비용으로서 굴취비(뿌리돌림을 포함함), 상·하차비, 운반비, 식재비, 재료비 및 기타부대비용을 포함한다.

수목의 이전비는 표준품셈에 의하여 평가함을 원칙으로 하되, 수량·식재상황 및 식재장소 등에 따라 적정하게 가감·조정할 수 있다. 다만, 수목의 식재상황 등을 고려할 때 수종·수령·규격 등별로 평가하는 것이 합리적일 경우에는 수종·수령·규격 등 별로 일괄하여 보상평가할 수 있으며, 이 경우 이전비 또는 이식비와 수목가액과의 비교는 일괄하여 평가한 수목 전체를 기준으로 할 수 있다. 수목의 이전비를 표준품셈에 의할 경우 그 산정기준은 수목 1주당 가액을 기준으로 한 것이므로, 소량의 수목을 이전할 때에는 비용이 증가하고(표준품셈에서는 차량 1대에 5주를 옮기는 것을 기준으로 작성되어 있으나 실제 보상대상 수량은 5주 미만인 경우 등), 대량의 수목을 이전하는 경우에는 특별한 사정이 없는 한 규모의 경제원리가 작용하여 그 이전비가 감액될 가능성이 있으므로 수목의 이전비는 표준품셈에 의하여 보상평가하되, 수량에 따라 적정하게 가감·조정하여야 한다(대판 2015.10.29, 2015두2444).

수목의 이전비는 수목이 자연상태로 식재되어 있는지 또는 농장에 식재되어 있는지 등과 같은 식재상황이나 차량의 진입 가능성 여부, 경사도 등의 식재장소에 따라 크게 차이가 날 수 있으므로 식재상황 및 식재장소 등에 따라 적정하게 가감·조정하여야 한다.

(3) **고손액의 평가방법**

수목의 이전 후에 고손·감수 등의 손실이 발생하는 경우에는 그 손실액을 이전비에 더하여 보상평가할 수 있다. 고손액은 수목가액에 고손율을 곱하여 산정하며, 이 경우 수목가액은 가격시점 당시의 가액을 기준으로 한다.

2) 이전이 불가능한 경우

(1) **원칙** : 수목의 가격을 기준하되, 거래사례비교법에 의한다.

(2) **정상식 기준금액 초과 금지**

수목의 가액은 정상식(경제적으로 식재목적에 부합되고 정상적인 생육이 가능한 수목의 식재상태를 말한다.)을 기준으로 한 금액을 초과하지 못한다. 수목의 정상식은 "수목 정상식 판정 세부기준"에 의하되, 수목 정상식의 적용이 불합리할 경우에는 별도의 기준을 적용할 수 있다.

---

21) 토지보상법 시행규칙 제37조

2. 과수의 평가

1) 판단기준

과수 그 밖에 수익이 나는 나무(수익수) 또는 관상수(묘목을 제외함)에 대하여는 수종 · 규격 · 수령 · 수량 · 식수면적 · 관리상태 · 수익성 · 이식가능성 및 이식의 난이도 그 밖에 가치형성에 관련되는 제요인을 종합적으로 고려하여 보상평가한다.

2) 과수 등의 구분

수익수(과수, 과수 외의 수익수), 관상수, 묘목, 입목 및 죽림 등으로 구분할 수 있다. 이러한 과수 등은 수익성, 성장상태, 관리상태, 규격 등에 따라 가격의 차이가 발생한다. 일반적으로 과수 등의 수목은 수고, 수관폭, 흉고직경, 근원직경 및 수관길이에 의해 표시된다.

3) 과수의 보상감정평가방법[22]

⑴ 이식가능한 경우

① 이식가능한 경우로서 결실기인 경우

㉠ 이식적기인 경우

> 보상감정평가액(이전비) = 이식비 + 고손액 + 감수액

>> 이식비 = 굴취비용 + 운반비 + 식재비 + 자재비 + 사후관리비 + 상하차비
>> 고손액 = 주당가격 × 고손율
>> 감수액 = 주당수익 × (1 − 고손율) × 감수율(220%)

㉡ 이식부적기: 이식비 + 고손액의 2배 이내 + 감수액으로 평가한다. 단, 감수액 산정 시 고손되는 수량에 대해서는 제외한다.

② 이식가능한 경우로서 결실기가 아닌 경우

㉠ 이식적기

> 보상감정평가액(이전비) = 이식비 + 고손액

㉡ 이식부적기: 이식비 + 고손액의 2배 이내로 평가한다.

⑵ 이식이 불가능한 경우

이식이 불가능한 경우 과수목의 가격으로 보상한다. 과수목의 거래사례가 있는 경우에는 거래사례비교법으로 평가하며, 거래사례가 없는 경우에는 과수목의 수익성을 고려하여 평가하거나(결실기), 가격시점까지 투하된 비용의 현가액으로 평가할 수 있다.

---

22) 「토지보상법 시행규칙」 별표 2에서 과수의 이식가능 여부는 수령을 기준으로 판단하도록 규정하고 있고, 과수의 수확량 및 수익성은 결실기 이후 일정한 기간은 증가하나 최대 수확기를 도과하면 수확량 및 수익성이 하락하므로 과수의 경우 물건조서에는 반드시 수령이 기재되어야 한다.

4) 물건의 가격으로 보상하는 과수

이식불가능한 과수의 예에 따라 평가한다.

5) 과수외 수익수, 관상수 등의 평가방법

과수의 규정을 준용한다. 단, 관상수의 경우 감수액을 고려하지 않는다.

(1) 수령으로 보아 이식이 가능한 경우

이식적기의 경우에는 이식비에 고손액을 가산하며, 이식부적기인 경우에는 고손액을 2배 이내까지 결정할 수 있다.

(2) 이식이 불가능한 경우(물건의 가격으로 보상하는 과수)

해당 과수의 거래가격이 있는 경우에는 거래가격을 기준으로 하며, 거래가격이 존재하지 않는 경우에는 가격시점까지 소요된 비용의 현가액을 기준으로 한다.

6) 벌채비의 부담

이식이 불가능한 수익수 또는 관상수의 벌채비용은 사업시행자가 부담한다. 다만, 수목의 소유자가 해당 수목을 처분할 목적으로 벌채하는 경우에는 수목의 소유자가 부담한다.

❖ [별표 2] 수종별 이식가능수령·이식적기·고손율 및 감수율기준(토지보상법 시행규칙 제37조 제2항 관련)

구분 / 수종	이식가능 수령	이식적기	고손율	감수율	비고
일반사과	5년 이하	2월 하순~3월 하순	15퍼센트 이하	• 이식 1차년: 100퍼센트 • 이식 2차년: 80퍼센트 • 이식 3차년: 40퍼센트	그 밖의 수종은 유사수종에 준하여 적용한다.
왜성사과	3년 이하	2월 하순~3월 하순, 11월	20퍼센트 이하		
배	7년 이하	2월 하순~3월 하순, 11월	10퍼센트 이하		
복숭아	5년 이하	2월 하순~3월 하순, 11월	15퍼센트 이하		
포도	4년 이하	2월 하순~3월 하순, 11월	10퍼센트 이하		
감귤	8년 이하	6월 장마기, 11월, 12월~3월 하순	10퍼센트 이하		
감	6년 이하	2월 하순~3월 하순, 11월	20퍼센트 이하		
밤	6년 이하	11월 상순~12월 상순	20퍼센트 이하		
자두	5년 이하	2월 하순~3월 하순, 11월	10퍼센트 이하		
호두	8년 이하	2월 하순~3월 하순, 11월	10퍼센트 이하		
살구	5년 이하	2월 하순~3월 하순, 11월	10퍼센트 이하		

기 본예제

감정평가사인 李 씨는 단양군으로부터 도시·군계획시설도로개설사업에 편입되는 토지상의 수목에 대한 보상감정평가의뢰를 받았다. 다음 자료를 참고하여 해당 수목의 보상액을 산정하시오.

자료 1 ▶ 본건자료

1. 수목종류 : 복숭아(H3.0 R6)
2. 수령 : 4년
3. 주수 : 300주
4. 가격시점 : 2027년 9월 1일

풀이영상

자료 2 ▶ 수목의 이식비 및 가격자료 등

1. 이식비 품셈표

규격	굴취		운반	상하차비 (원)	식재		재료비	부대비용	수목 가격
	조경공	보통인부			조경공	보통인부			
H3.0 R6	0.19	0.02	0.015	1,000	0.23	0.14	(굴취비 + 식재비)의 10%	전체이식비의 20%	60,000

> ≫ 수목가격은 산원입목가격(산원거래가격)임.

2. 이식적기 등 : 기본예제 앞 [별표 2] 참조
3. 복숭아의 경우 3년생부터는 수확이 가능하며, 이후 일반적인 주당수익은 5,500원 수준인 것으로 조사됨.
4. 정부노임단가 : 조경공 100,000원, 보통인부 80,000원
5. 구역화물자동차 운임 : 150,000원(4.5t, 30km 이내)
6. 이전비 단가는 반올림하여 십원 단위까지 결정한다.

예시답안

Ⅰ. 평가개요

본건은 과수(복숭아)에 대한 보상으로 가격시점은 2027년 9월 1일이다.

Ⅱ. 보상액 산정

1. 보상기준

본건 과수는 4년생으로 결실기에 있으며(3년생 이상) 이식은 가능하나(5년생 이하), 가격시점 당시 이식부적기이다.

2. 이전비의 산정

(1) 이식비

$[(100,000 \times 0.42(조경공) + 80,000 \times 0.16(보통인부)) \times 1.1(재료비) + 150,000 \times 0.015(운반비) + 1,000$ (상하차비)$] \times 1.2 \fallingdotseq 76,240$원/주

(2) 고손액 : $60,000 \times 0.15 \times 2 = 18,000$원/주

(3) 감수액 : $5,500 \times (1 - 0.15 \times 2) \times 2.2 = 8,470$원/주

(4) 이전비 소계 : 102,710원/주

3. 보상액 결정

수목가격이 이전비 이하인바 수목가격으로 보상한다.

∴ 60,000원(× 300주 = 18,000,000원)

3. 묘목의 평가

(1) 평가방법

상품화가 가능한 경우		원칙	손실 ×(보상 ×)
		예외	매각손실액이 있는 경우는 보상
상품화가 어려운 경우	시기적으로 상품화가 곤란 or 미성묘목		이전비(임시가식비용) + 고손액(고손율 1%~2% 이하)
	파종 or 발아 중		가격시점까지 소요된 비용의 현가액
	보상법 제75조 ① 단서의 경우 (물건의 가격으로 보상하는 경우)	거래사례 ○	거래사례비교법
		거래사례 ×	가격시점까지 소요된 비용의 현가액

(2) 상품화할 수 있는 묘목

손실이 없는 것으로 본다. 즉, 보상하지 않는다. 다만, 매각손실액(일시에 매각함으로 인하여 가격이 하락함에 따른 손실을 말한다)이 있는 경우에는 그 손실을 평가하여 보상하여야 하며, 이 경우 보상액은 시기적으로 상품화가 곤란한 묘목 등의 평가금액을 초과하지 못한다.

(3) 시기적으로 상품화가 곤란하거나 시기를 잃은 경우, 상품화할 수 있는 시기에 이르지 아니한 묘목

이전비(가식소요비용)와 고손율(1% 이내, 주위의 환경, 계절적 사정 등 특별한 사유가 있는 경우 2% 이내)을 감안한 고손액의 합계액으로 평가한다.

(4) 파종 또는 발아 중에 있는 묘목

가격시점까지 소요된 비용의 현가액으로 평가한다.

(5) 물건의 가격으로 보상하는 경우

거래사례비교법에 의하되, 거래사례가 없는 경우에는 가격시점까지 소요된 비용의 현가액으로 평가한다.

4. 입목의 평가 [23]

(1) 평가기준

입목(죽목을 포함한다)에 대하여는 벌기령(「산림자원의 조성 및 관리에 관한 법률 시행규칙」 [별표 3]에 따른 기준벌기령을 말한다)·수종·주수·면적 및 수익성 그 밖에 가격형성에 관련되는 제 요인을 종합적으로 고려하여 평가한다.
세부적으로 입목의 보상감정평가는 벌채시기 도래여부가 매우 중요하며, 입목은 이식이 불가능하므로 이식의 경우의 보상감정평가방법은 고려치 않아야 한다.

---

23) 토지보상법 시행규칙 제39조

⑵ **입목의 구분 등**

조림된 용재림[24],(조림된 용재림과 유사한) 자연림으로 구분되며, 벌기령의 10분의 9 이상을 경과하였거나 그 나무의 성장 및 관리상태가 양호하여 벌기령에 달한 나무와 유사한 경우에는 벌기령에 달한 것으로 본다.

자연림으로서 수종·수령·면적·주수·입목도·관리상태·성장정도 및 수익성 등이 조림된 용재림과 유사한 자연림은 조림된 용재림의 보상평가방법을 준용한다.

입목이란 토지에 부착된 수목의 집단으로서 그 소유자가 「입목에 관한 법률」에 따라 소유권보존의 등기를 받은 것으로 정의하고 있으나(입목에 관한 법률 제2조 제1호), 대법원에서는 「입목에 관한 법률」에 의한 등기를 하지 않은 입목도 명인방법(明認方法)에 의해서도 토지와 별도의 소유권을 인정하고 있으며, 「입목에 관한 법률」에 따라 소유권보존의 등기를 받거나 명인방법에 의해 공시되고 있지 않아도 토지와는 별도의 경제적 가치를 지니는 수목 또는 수목의 집단도 입목에 포함된다.[25]

⑶ **평가방법**

지장물	조림된 용재림, 유사한 자연림	벌채시기에 달한 입목		손실 없다(보상 ×). 단, 일시 벌채로 인한 비용증가분이나 목재가격 하락으로 인한 손실 보상함.
		벌채시기에 달하지 아니한 입목	인근시장에서 거래되는 경우	거래가격 − 벌채비용 − 운반비
			거래되지 않는 경우	가격시점까지 소요된 비용의 현가액(예상총수입의 현가액에서 장래 투하비용의 현가액을 뺀 금액을 초과하지 못한다)
	연료림 등			삭제
사업시행자가 취득하는 경우 (조림된 용재림, 자연림 등 모두)				지장물인 경우를 준용

》 벌채시기 도달 간주
① 벌채시기기준 9/10 이상
② 성장 및 관리상태가 양호하여 벌채할 수 있는 수령에 달한 나무와 유사한 경우

》 벌채비[26]의 규정
① 이식이 불가능한 입목의 벌채비용은 사업시행자 부담
② 소유자가 해당 수목을 처분할 목적으로 벌채하는 경우 : 소유자 부담

---

24) 조림된 용재림으로서 보상받기 위하여는 그 수목이 산림법에 의한 산림의 영림계획인가를 받아 사업하였거나 산림의 생산요소를 기업적으로 경영 관리하는 산림으로서 입목에 관한 법률 제8조의 규정에 의하여 등록된 입목의 집단 또는 이에 준하는 산림이어야 한다(대판 2002.6.28, 2002두2727).

25) 집달관의 공시문을 붙인 팻말의 설치가 입목에 대한 명인방법으로서 유효하다고 본 사례(대판 1989.10.13, 89다카9064)

26) 개정 토지보상법(2007.10.)에서는 이전이 불가능한 지장물 및 이전비가 취득가격을 초과하여 취득가격으로 보상하는 경우 수용재결이 가능하도록 규정하여 벌채비 규정도 이에 따라 개정이 필요함.

(4) **수목의 수량산정방법**[27]

수목의 수량은 평가의 대상이 되는 수목을 그루별로 조사하여 산정한다. 다만, 그루별로 조사할 수 없는 특별한 사유가 있는 경우에는 단위면적을 기준으로 하는 표본추출방식에 의한다. 수목의 손실에 대한 보상액은 정상식(경제적으로 식재목적에 부합되고 정상적인 생육이 가능한 수목의 식재상태를 말한다)을 기준으로 한 평가액을 초과하지 못한다.

❀ 산림자원의 조성 및 관리에 관한 법률 시행규칙 별표 3[기준벌기령 및 벌채 · 굴취기준(제7조 제2항 및 제48조의5 관련)]

구분	국유림	공 · 사유림 (기업경영림)
가. 일반기준벌기령		
소나무	60년	40년(30년)
(춘양목보호림단지)	(100년)	(100년)
잣나무	60년	50년(40년)
리기다소나무	30년	25년(20년)
낙엽송	50년	30년(20년)
삼나무	50년	30년(30년)
편백	60년	40년(30년)
기타 침엽수	60년	40년(30년)
참나무류	60년	25년(20년)
포플러류	3년	3년
기타 활엽수	60년	40년(20년)
나. 특수용도기준벌기령 펄프, 갱목, 표고 · 영지 · 천마 재배, 목공예, 목탄, 목초액, 섬유판, 산림바이오매스에너지의 용도로 사용하고자 할 경우에는 일반기준벌기령 중 기업경영림의 기준벌기령을 적용한다. 다만, 소나무의 경우에는 특수용도기준벌기령을 적용하지 않는다.		

》 비고

1. 불량림의 수종갱신을 위한 벌채, 피해목 · 옻나무 · 약용류(「임업 및 산촌진흥촉진에 관한 법률 시행규칙」 [별표 1]에서 정한 약용류 중 약용을 목적으로 식재한 수목으로 한정한다) 또는 지장목의 벌채와 임지생산능력급수 I급지부터 III급지까지의 지역에서 리기다소나무를 벌채하는 경우에는 기준벌기령을 적용하지 않는다.
2. 특수용도기준벌기령을 적용받으려는 자는 입목벌채허가 신청 시 별지 제53호 서식의 목재사용계획서에 목재를 펄프, 갱목, 표고 · 영지 · 천마 재배, 목공예, 목탄, 목초액, 섬유판, 산림바이오매스에너지의 용도로 직접 사용하려 한다는 사실을 증명하는 서류를 첨부하여 관할 시장 · 군수 · 구청장 또는 지방산림청국유림관리소장에게 제출하여야 한다. 이 경우 시장 · 군수 · 구청장 또는 지방산림청국유림관리소장은 「전자정부법」 제36조 제1항에 따른 행정정보의 공동이용을 통하여 신청인의 사업자등록증명을 확인하여야 하고, 신청인이 확인에 동의하지 아니하는 경우에는 이를 첨부하도록 하여야 한다.

---

27) 토지보상법 시행규칙 제40조

기 본예제

감정평가사인 당신은 충북 단양군으로부터 산림법에 의한 산림의 영림계획인가를 받아 조림된 사유림에 대한 보상감정평가를 의뢰받았다. 다음에 제시된 자료를 참고하여 입목의 보상가액을 산정하시오(단, 참나무는 사업시행자 취득조건이다).

자료 1 입목자료

종류	수령	수량	비고
잣나무	50년	7,000	성장 및 관리상태가 양호하여 벌채가 가능함.
참나무	20년	12,000	–

자료 2 인근시장에서의 거래가격

종류	목재가격(원/주)	벌채비용	운반비
잣나무	15,000	600	1,000
참나무	3,000	500	1,000

≫ 잣나무의 경우 2,000주 이상을 일괄매각할 경우 그 초과분에 대하여는 약 10%의 목재가격 하락이 발생하는 것으로 조사된다.

자료 3 기준벌기령(산림자원의 조성 및 관리에 관한 법률 시행규칙 [별표 3])

기본예제 앞의 페이지의 [별표 3] 참조

예시답안

Ⅰ. 평가개요

본건은 조림된 사유림에 대한 보상감정평가이다.

Ⅱ. 잣나무

잣나무는 성장 및 관리상태가 양호하여 벌채가 가능하므로 원칙적으로 보상대상이 아니나, 목재가격의 하락에 대하여는 보상한다.

$(7,000주 - 2,000주) \times 15,000 \times 0.1 = 7,500,000원$

Ⅲ. 참나무

벌기령에 달하지 아니하고 인근시장의 거래가격이 제시되었으므로 거래가격에서 벌채비용과 운반비를 배제하여 보상액을 산정한다.

$(3,000 - 500 - 1,000) \times 12,000 = 18,000,000원$

04 농작물의 평가[28]

1. 원칙

농작물을 수확하기 전에 토지를 사용할 경우의 농작물에 대한 손실액은 농작물의 종류 및 성숙정도 등을 종합적으로 고려하여 평가한다.

2. 판단기준 등

농작물이 수확기에 도달하였는지 여부가 중요하며, 농작물은 원칙적으로 이전이 불가능한 것으로 보므로 농작물이 지장물인 경우에도 이전가능성 및 이전비가 가액을 초과하는지 여부 등에 대해서는 별도로 검토할 필요가 없다.

한편, 농작물보상과 농업손실보상은 별도의 보상이므로 수확기 이전에 토지를 사용하는 경우는 농업손실보상과 별도로 농작물보상을 하여야 한다.[29]

3. 수확기 도달 후

농작물이 수확기인 경우에는 소유자가 해당 공익사업과 무관하게 처분할 수 있으므로 손실이 없는 것으로 보아 보상하지 아니한다. 다만, 수확기임에도 급시를 요하는 토지의 사용 등으로 농작물에 손실이 발생하는 경우에는 보상하여야 할 것이다.

4. 성장기 또는 수확기 이전의 경우

> 농작물 보상액 = 예상총수입의 현가액 − 장래투하비용의 현가액
> − 보상 당시에 상품화가 가능한 농작물의 값(중간 판매액)

(1) 예상총수익

풍·흉년을 제외한 최근 3년간의 평균총수익을 기준으로 한 주산물 가격과 부산물 가격의 합계액

(2) 장래투하비용(생산비)

비료비, 농약비, 재료비, 노력비(투입된 노동의 용역에 대한 비용으로 고용노력비, 자가노력비 포함), 제세공과금 및 기타 경비 등 가격시점 이후에 통상 투하될 농업경영비

(3) 상품화가 가능한 농작물의 값

풋고추, 풋마늘, 풋고구마, 풋감자, 들깻잎, 애호박 등 수확기 이전에 상품화가 가능한 농작물

---

28) 토지보상법 제75조 제2항, 토지보상법 시행규칙 제41조

29) 수확기 이전에 토지를 사용하는 경우는 농업손실과 별도로 농작물보상을 하여야 한다(2008.07.04. 토지정책과−1827).

5. 파종 중 또는 발아기에 있거나 묘포에 있는 농작물

> 농작물 보상액 = 가격시점까지 소요된 비용의 현가액*

* 종묘비, 비료비, 농약비, 광열동력비, 수리비, 제재료비, 농구비, 영농시설 상각비, 임차료, 고용노력비, 자가노력비, 토지임차료 및 기타 경비 등을 포함한다.

기본예제

감정평가사 SLA 씨는 공익사업에 편입되는 물건 중 아래의 물건에 대한 보상감정평가를 의뢰받았다. 다음 제시된 자료를 통해 지장물인 농작물의 보상액을 산정하여라.

자료 1 ▶ 농가현황조사 내용

1. 주소 : 경남 J시 H동 100-3번지 외 3필지
2. 재배작물 : 풋고추, 토마토
3. 재배면적 : 풋고추(10a), 토마토(5a)
4. 고추는 보통 재배되고 있으며, 파종기는 3월 하순이고 수확기는 10월 초 정도이다.
   한편 토마토의 파종기는 3월 하순경이고 수확기는 8월 말임.

풀이영상

자료 2 ▶ 생산량

1. 풋고추 생산량(최근 4년간)

(kg/m²)

2023년	2024년	2025년	2026년
5.99	9.90	6.23	7.00

2. 고추경작 후 부산물인 고춧잎의 생산량 : 평균 0.2kg/m²
3. 토마토 생산량(최근 3년간)

(kg/m²)

2024년	2025년	2026년
16	18	20

자료 3 ▶ 생산물의 가격

1. 풋고추
   (1) 고추의 가격 : 3,230원/kg
   (2) 부산물의 가격 : 990원/kg
2. 토마토 : 5,000원/kg
   ≫ 상기의 가격은 최근의 변동상황을 적정하게 반영한 평균적인 가격임.

자료 4 ▶ 장래투하비용 및 투하시점(공통자료)

1. 투하비용

직접 생산비용(원/a)		간접 생산비(원/a)	
종묘비	5,900	토지용역비	13,700
비료비	7,200	자본용역비	7,300
농약비	8,000		
농구비	5,100		
노동비	76,200		
기타	10,000		
소계	112,400	소계	21,000

2. 투하시점 : 직접비는 매월 말에 균등하게 투하되며 간접비는 직접비의 투하시기와 같이 지출된다고 가정함.

자료 5 **가격시점 현재 상품화가 가능한 작물의 예상수입**

1. 상품화 가능한 풋고추의 가격 : 1,200원/kg
2. 풋고추 출하 가능량 : 0.2kg/m²
3. 토마토 수확 가능량 : 20kg/m²

자료 6 **기타사항**

1. 시장이자율은 연 10%로 조사됨.
2. 가격시점 현재(2027년 8월 31일) 파종 중이거나 발아 중인 농작물은 없는 것으로 조사됨.
3. 가격시점 현재 풋고추는 성장기에 있고 성장률은 약 75% 정도임.
4. 대상 농작물의 보상대상자는 이미 토마토의 재배에 따른 농업손실보상액을 수령한 것으로 조사됨.

예시답안

Ⅰ. **평가개요**

1. 본건은 농작물의 토지사용에 따른 보상감정평가로서 2027년 8월 31일이 가격시점이다.

2. 풋고추는 성장기로서 예상총수입 현가에서 장래투하비용 현가와 상품화가 가능한 작물의 수입을 차감하여 평가한다.

3. 농업손실보상 여부와 관계없이 토마토는 수확기에 다다른 것으로 보이는바, 손실이 없다.[30]

Ⅱ. **풋고추의 보상감정평가액**

1. **예상총수입 현가**

   (1) 주산물 수입

   ① 최근 3년간의 평균생산량(2024년 수입은 현저한 차이로서 배제)

   $(5.99 + 6.23 + 7.00) \div 3 \times 100m^2 ≒ 641kg/a$

   ② 예상총수입 : $641 \times 3,230 \times 10a = 20,704,000$원

   (2) 부산물 수입 : $990 \times 0.2 \times (10 \times 100) = 198,000$원

   (3) 예상총수입 현가 : $(20,704,000 + 198,000) \div (1 + 0.1/12) ≒ 20,729,000$원

2. **장래비용투하 현가액**

   (1) 비용의 합계(직접비 및 간접비) : $112,400 + 21,000 = 133,400$원/a

   (2) 현재가치 : $133,400 \times 10a \times 1개월 \div (1 + 0.1/12) ≒ 1,323,000$원

3. **상품화가 가능한 작물수입**

   $1,200원/kg \times 0.2kg/m^2 \times 1,000m^2(10a) = 240,000$원

4. **보상감정평가액**

   $20,729,000 - 1,323,000 - 240,000 = 19,166,000$원

---

30) 수확기 이전에 토지를 사용하는 경우는 농업손실보상과 별도로 농작물보상을 하여야 한다(2008.07.04, 토지정책과-1827).

05 토지에 속한 흙·돌·모래 또는 자갈 등

1. 원칙

토지에 속한 흙·돌·모래 또는 자갈 등이 해당 토지와 별도로 취득 또는 사용의 대상이 되는 경우에는 거래가격 등을 고려하여 보상평가한다.

2. 유의사항

보상대상이 되기 위해서는 공익사업에 필요할 뿐만 아니라, 다른 수단으로는 그 공익사업의 수행을 할 수 없는 비대체성이 인정되어야 하나, 토지에서 분리된 흙·돌·모래 또는 자갈은 비대체성이 있다고 보기 어려우므로 원칙적으로 취득 또는 사용의 보상대상이 아니며, 지장물로서 이전보상의 대상이 된다.

토지에 속한 흙·돌·모래 또는 자갈 등이 '해당 토지와 별도로 취득 또는 사용의 대상이 되는 경우'란 ① 토지에 속한 흙·돌·모래 또는 자갈이 공익사업에 직접 필요한 경우, ② 토지에 속한 흙·돌·모래 또는 자갈이 토지와는 별도의 경제적 가치가 있는 경우 등에 해당되어야 한다(대판 2014.4.24, 2012두16534).

토지에 속한 흙·돌·모래 또는 자갈 등이 '해당 토지와 별도로 취득 또는 사용의 대상이 되는 경우'에 해당되지 않는 경우에는 별도의 보상대상으로 되지 않고, 토지의 구성부분으로서 토지의 가치형성에 영향을 미치는 개별요인 중의 하나로 참작될 수 있을 뿐이다.[31]

06 분묘에 대한 보상액의 산정 [32]

분묘에 대하여는 이장(移葬)에 드는 비용 등을 산정하여 보상하여야 한다.

1. 분묘이장비

1) 분묘이전비

4분판 1매·마포 24미터 및 전지 5권의 가격, 제례비, 노임 5인분(합장인 경우에는 사체 1구당 각각의 비용의 50퍼센트를 가산한다) 및 운구차량비를 포함한다.

» 운구차량비는 「여객자동차 운수사업법 시행령」 제3조 제2호 나목의 특수여객자동차 운송사업에 적용되는 운임·요금 중 해당 지역에 적용되는 운임·요금을 기준으로 산정한다.

» 인건비 산정 시 도서벽지 등의 지역에 있어서는 50%를 가산할 수 있다.

---

[31] 양질의 점토가 함유된 토지라는 사정은 개별요인으로 참작하여야 한다(대판 1985.08.20, 83누581).

[32] 토지보상법 제75조 제4항, 토지보상법 시행규칙 제42조

2) 석물이전비

(1) 상석 및 비석 등의 이전실비[석물해체비, 운반비(차량운반비 포함), 손상비, 각자비]를 포함한다.

(2) 비석 및 상석 1개씩, 기타 석물(인물상 제외) 1개 또는 1쌍(다만, 1981.4.25. 전에 설치된 것은 개수 제한 없음)

(3) 좌향이 표시되어 있거나 그 밖의 사유로 이전사용이 불가능한 경우에는 제작·운반비를 말한다.

3) 잡비

> (분묘이전비 + 석물이전비) × 0.3

4) 분묘이전보조비 : 100만원

5) 유형별 분묘이장비의 산정

(1) 유연묘

① 유연단장

> 분묘이전비(4분판 1매·마포 24미터 및 전지 5권의 가격, 제례비, 노임 5인분
> + 운구차량비) + 석물이전비 + 잡비 + 이전보조비

② 유연합장

> 분묘이전비[(4분판 1매·마포 24미터 및 전지 5권의 가격, 제례비, 노임 5인분) × 1.5
> + 운구차량비] + 석물이전비 + 잡비 + 이전보조비

(2) 무연묘

연고자가 없는 분묘에 대한 보상액은 분묘이전비, 석물이전비, 잡비를 포함하여 산정한 금액의 50퍼센트 이하의 범위 안에서 산정한다.

2. 기타물건의 산정

분묘구역 안에 있는 잔디·석축 등은 분묘이장비와 별도로 산정한다.

3. 분묘기지권

분묘기지권은 그 존속기간을 분묘의 존속기간으로 하고 지료의 지급의무가 없는 관습법상의 지상권으로서 점유권과 유사한 성격을 가지므로, 이를 양도할 수 없고 분묘를 이전할 경우 그 권리가 소멸되므로 별도의 보상대상이 되는 소유권 외의 권리에 해당되지 않는다.

따라서 타인의 토지상에 분묘가 있고 기준시점 당시에 분묘기지권이 있다고 하여도 분묘의 보상평가에서는 이를 별도로 고려하지 않고 평가한다.[33]

4. 유의사항

「장사 등에 관한 법률」에는 분묘 외에도 봉안시설·자연장지 등 다양한 장사의 유형을 규정하고 있으나 위 내용(토지보상법 시행규칙 제42조)은 분묘의 보상평가에 한하여 적용한다. 분묘란 시신이나 유골을 매장하는 시설을 말하며, 매장이란 시신이나 유골을 땅에 묻어 장사(葬事)하는 것을 말하므로(장사 등에 관한 법률 제2조 제1호), 시신이나 유골을 땅에 묻지 않은 봉안시설은 분묘에 해당되지 않는다. 또한 분묘란 시신이나 유골을 매장하는 시설을 말하므로 봉분 등으로 조성되어 분묘의 형태를 취하고 있으나 시신이나 유골은 매장되어 있지 않은 가묘는 분묘로 볼 수 없으므로 이 규정을 적용하여 보상평가할 수 없다.

PART 04

제2절 **영업손실의 보상감정평가**[34]

01 영업손실보상 대상인 영업[35]

1) 법령상 규정

(1) 사업인정고시일 등 전부터 적법한 장소(무허가건축물 등,[36] 불법형질변경토지, 그 밖에 다른 법령에서 물건을 쌓아놓는 행위가 금지되는 장소가 아닌 곳을 말한다)에서 인적·물적시설을 갖추고 계속적으로 행하고 있는 영업. 다만, 무허가건축물 등에서 임차인이 영업하는 경우에는 그 임차인이 사업인정고시일 등 1년 이전부터 「부가가치세법」 제8조에 따른 사업자등록을 하고 행하고 있는 영업을 말한다.

(2) 영업을 행함에 있어서 관계법령의 허가·면허·신고 등(이하 "허가 등"이라 한다)을 필요로 하는 경우에는 사업인정고시일 등 전에 허가 등을 받아 그 내용대로 행하고 있는 영업

---

33) 분묘기지권의 성질(대판 2007.6.28, 2007다16885)
  타인의 토지에 합법적으로 분묘를 설치한 자는 관습상 그 토지 위에 지상권에 유사한 일종의 물권인 분묘기지권을 취득하나, 분묘기지권에는 그 효력이 미치는 범위 안에서 새로운 분묘를 설치하거나 원래의 분묘를 다른 곳으로 이장할 권능은 포함되지 않는다.
34) 토지보상법 제77조
35) 토지보상법 시행규칙 제45조
36) 「건축법」 등 관계법령에 의하여 허가를 받거나 신고를 하고 건축 또는 용도변경을 하여야 하는 건축물을 허가를 받지 아니하거나 신고를 하지 아니하고 건축 또는 용도변경한 건축물

2) 요건별 분류[37]

(1) 시간적 요건

영업이 보상대상이 되기 위해서는 "사업인정고시일 등" 전부터 행하여야 한다. 여기서 "사업인정고시일 등"이란 「토지보상법」 제15조 제1항 본문의 규정에 따른 보상계획의 공고(동항 단서의 규정에 의하는 경우에는 토지소유자 및 관계인에 대한 보상계획의 통지를 말한다) 또는 「토지보상법」 제22조의 규정에 따른 사업인정의 고시가 있은 날 중 빠른 날을 의미한다(법제처-14-0574). 보상계획의 공고·통지 또는 사업인정의 고시가 있은 후에 영업을 한 경우에는 공익사업의 시행으로 이전이 예정되어 있다는 것을 알고 영업을 한 경우이므로, 공익사업의 시행으로 해당 영업을 계속할 수 없다고 하여도 그로 인하여 특별한 손실이 있다고 할 수 없으므로 영업보상의 대상이 될 수 없다(2003.2.27, 토관58342-299).

즉, 보상계획의 공고·통지 또는 사업인정의 고시가 있은 후에도 영업자체는 금지하지 않으나, 공익사업의 시행으로 인하여 이전하여야 한다는 것을 알고 영업하였으므로, 이전하여야 하는 경우에도 해당 공익사업으로 인한 별도의 손실을 인정하지 않는다는 것이다. 이는 보상시점 이전에 임대차기간이 만료되어 이전하는 영업은 해당 공익사업으로 인하여 손실이 발생하였다고 볼 수 없으므로 보상대상에서 제외하는 것과 유사한 논리이다.

다만, 개별법이 정한 행위제한일이 사업인정고시일 등[38] 이전인 경우에는 이 날을 기준으로 한다고 보아야 한다. 다만, 대부분의 개별법에서 별도의 행위제한일을 규정하면서도 그 제한되는 행위에 영업을 규정하고 있지는 않으나, 이 역시 공익사업의 시행으로 이전이 예정되어 있다는 것을 알고 영업을 한 경우에 해당되므로 영업보상 대상에서 제외된다.

(2) 장소적 요건

① 원칙

영업이 보상대상이 되기 위해서는 적법한 장소에서 행하여야 한다. 즉, 영업뿐만 아니라 해당 영업이 행해지는 장소도 적법하여야 한다. 따라서 무허가건축물 등이나 불법형질변경토지 그 밖에 다른 법령에서 물건을 쌓아놓는 행위가 금지되는 장소에서 하는 자유영업도 보상대상에서 제외된다.

　㉠ **무허가건축물 등 및 불법형질변경토지** : "무허가건축물부지"와 "불법형질변경토지"의 감정평가에서 전술한 바와 같은 개념이다.

　㉡ **물건을 쌓아놓는 행위가 금지되는 장소** : "다른 법령에서 물건을 쌓아놓는 행위가 금지되는 장소"는 다음과 같이 구분할 수 있다.

---

37) 감정평가실무기준 해설서(Ⅱ) 보상편, 한국감정평가사협회 등, 2014.02, pp.309~322
38) 도시 및 주거환경정비법 시행령 제54조(손실보상 등)
　③ 제2항에 따라 영업손실을 보상하는 경우 보상대상자의 인정시점은 제13조 제1항에 따른 공람공고일로 본다(단, 2012.08.02. 이전에 정비계획을 수립하여 『도시정비법 시행령』 제11조에 따라 공람공고를 하는 경우부터 적용된다).

        ⓐ 절대적으로 금지되는 장소 : 「국토계획법」 제38조에 따른 개발제한구역(개발제한구역 특별조치법 제12조 제1항), 「국토계획법」 제38조의2에 따른 도시자연공원구역(도시공원 및 녹지 등에 관한 법률 제27조 제1항) 등에서는 물건을 쌓아놓는 행위 자체가 금지된다.

        ⓑ 허가를 요하는 장소

- 녹지지역 또는 지구단위계획구역에서 물건을 쌓아놓는 면적이 25제곱미터 이하인 토지에 전체무게 50톤 이상, 전체부피 50세제곱미터 이상으로 물건을 쌓아놓는 행위
- 관리지역(지구단위계획구역으로 지정된 지역을 제외한다)에서 물건을 쌓아놓는 면적이 250제곱미터 이하인 토지에 전체무게 500톤 이상, 전체부피 500세제곱미터 이상으로 물건을 쌓아놓는 행위는 허가를 받도록 규정하고 있으므로(국토계획법 시행령 제51조 제1항 제6호 및 제53조 제6호) 허가를 받고 물건을 적치하여야 함에도 허가를 받지 않고 물건을 적치한 경우도 여기에 해당된다.

  ② **무허가건축물 등에서의 영업손실보상**

무허가건축물 등에서는 일반적으로 영업의 허가 또는 신고가 수리되지 않으므로 영업보상대상과 관련한 문제가 발생하지 않으나, 자유업일 경우는 무허가건축물 등에서의 영업이 문제가 될 수 있다. 현행 「토지보상법 시행규칙」은 영업장소의 적법성도 영업보상대상 요건으로 규정하여 불법행위에 의한 것은 보상대상에서 제외한다는 원칙을 엄격하게 시행하고 있다.

  ③ **예외**

    ㉠ 무허가건축물 등의 임차인의 영업 : 공익사업으로 인하여 생계에 지장을 받을 수 있는 영세 서민을 보호하기 위하여 무허가건축물 등의 임차인이 사업인정고시일 등 1년 이전부터 「부가가치세법」 제8조에 따른 사업자등록[39]을 하고 행하고 있는 영업은 영업보상 대상으로 본다(보상액의 상한 있음).

        》 불법형질변경토지, 그 밖에 다른 법령에서 물건을 쌓아놓는 행위가 금지되는 장소에서 임차인이 사업인정고시일 등 1년 이전부터 「부가가치세법」 제8조에 따라 사업자등록을 하고 영업을 하고 있다고 하더라도 영업보상대상이 아니다.

    ㉡ 가설건축물에서의 영업 : 적법한 장소라고 하여도 「건축법」 제20조 제1항에 따른 가설건축물(도시·군계획시설 예정지에서 허가를 받아 건축한 가설건축물) 안에서 행하던 영업은 보상대상이 되지 아니한다. 이러한 가설건축물은 「국토계획법」 제64조 제3항에 따라 도시·군계획시설사업이 시행되는 경우에는 그 시행예정일 3개월 전까지 가설건축물 소유자의 부담으로 그 가설건축물을 철거하여야 하기 때문이다. 즉, 보상 당시에는 가설건축물은 물론 영업도 존재하지 않는 것으로 본다.

    ㉢ 1989.1.24. 당시 무허가건축물 등에서의 영업 : 1989.1.24. 당시 무허가건축물 등에서의 영업은 세입자가 하는 영업은 물론 소유자가 하는 영업도 보상대상이며, 세입자의 영업보상의

---

39) 「부가가치세법」 제8조에 따른 사업자등록은 조세행정의 편의를 위한 것일 뿐 영업의 적법성과는 관련이 없으므로, 사업자등록을 하지 않았다고 하여 영업보상의 대상에서 제외되지 않는다. 다만, 무허가건축물 등에서 보상계획의 공고·통지 또는 사업인정의 고시가 있기 1년 이전부터 임차인이 영업하는 경우로서 그 임차인에게 영업보상을 하는 경우에는 그 임차인이 사업자등록을 하여야 영업보상대상이 된다.

경우에도 보상의 요건으로서 ⅰ) 사업인정고시일 등 1년 이전부터 행하여 온 영업, ⅱ) 「부가가치세법」 제8조에 따른 사업자등록을 하고 행하고 있는 영업, ⅲ) 보상금의 상한 등은 적용되지 않는다.

ⓔ **불법용도변경 건축물에서의 영업** : 무허가건축물 등이란 「건축법」 등 관련 법령에 의하여 허가를 받거나 신고를 하고 건축 또는 용도변경을 하여야 하는 건축물을 허가를 받지 아니하거나 신고를 하지 아니하고 건축 또는 용도변경한 건축물을 말한다(토지보상법 시행규칙 제24조). 이 조항 중 용도변경은 2012.1.2. 「토지보상법 시행규칙」 개정 시에 추가되었다. 그 이유는 1997.12.13. 이전 「건축법」 제14조에서는 건축물의 용도를 변경하는 행위를 건축물의 건축으로 보았으므로, 불법 용도변경 건축물 역시 무허가건축물에 포함되었다. 그러나 1997.12.13. 「건축법」이 개정되면서 이 조항이 삭제되고, 「건축법」 제2조 제8호에서 건축이란 건축물을 신축·증축·개축·재축(再築)하거나 건축물을 이전하는 것으로 규정하여 용도변경을 건축에서 제외하였다.

이와 같이 「건축법」이 개정된 이후에도 국토교통부에서는 불법용도변경건축물을 무허가건축물 등에 포함시켜, 사실상 무허가건축물 등을 위법건축물로 확대 해석하였다(2006.7. 19. 토지정책팀-2856 참조). 그러나 대법원은 "1997.12.13. 법률 제5450호로 구 건축법이 개정되면서 용도변경 행위를 건축물의 건축으로 보는 내용이 삭제되었는바, 이 사건 수용재결 당시인 2008.11.20.을 기준으로 하면 이 사건 주택을 무단 용도변경 건축물로 볼 수 있는 것은 별론으로 하더라도 무허가건축물에 해당한다고 볼 수는 없고, 따라서 이 사건 주택이 무허가건축물에 해당한다는 이유로 이 사건 영업이 손실보상의 대상이 되는 영업이 아니라고 볼 수는 없다."라고 판시하여(대판 2010.9.9, 2010두11641) 불법용도변경 건축물을 무허가건축물에서 제외하였으며, 불법용도변경 건축물에서의 영업을 보상대상으로 보았다. 이에 2012.1.2. 「토지보상법 시행규칙」 제24조를 개정하여 무허가건축물 등의 부지에 불법 용도변경을 추가함으로써 이를 입법적으로 해결하였다. 다만, 부칙 제2조에서 제24조의 개정규정은 이 규칙 시행 후 최초로 보상계획을 공고하거나 토지소유자 및 관계인에게 보상계획을 통지하는 공익사업부터 적용하도록 규정하고 있으므로, 2012.1.2. 이전에 보상계획을 공고하거나 토지소유자 및 관계인에게 보상계획을 통지한 공익사업에서는 불법 용도변경 건축물에서의 영업도 보상대상으로 보아야 한다.

(3) 시설적 요건

영업이 보상대상이 되기 위해서는 일정한 정도의 인적·물적시설을 갖추어야 한다. 다만, 어느 정도의 인적·물적시설을 갖추어야 하는지에 대해서는 일률적인 기준이 없으므로, 해당 사업의 성격 등을 종합적으로 고려하여 객관적으로 결정한다. 특히 최근에는 영업의 형태가 다양하게 변화함으로 인해 인적·물적시설을 갖추고 있다고 보기 어려운 영업이 늘어나고 있으므로, 시설적 요건은 단순히 영업에 종사하는 사람의 수나 물적 시설의 수량으로 판단하여서는 안 되며, 실제로 공익사업의 시행으로 인하여 손실이 발생하였고 그 손실이 특별한 희생에 해당하는지 여부를 기준으로 판단한다.

따라서 유권해석은 인적요건은 충족되지 않았지만 손실이 발생한다고 볼 수 있는 조명탑광고시설물은 영업보상대상으로 인정하였지만(2000.11.2, 토관 58342-1650), 물적시설이 없고 손실이 발생한다고 보기 어려운 철학관은 영업보상대상으로 인정하지 않았다(2003.6.25, 토관 58342-903).

또한 대법원은 "장터에서 토지를 임차하여 앵글과 천막 구조의 가설물을 축조하고 … 장날의 전날에는 음식을 준비하고 장날 당일에는 종일 장사를 하며 그 다음날에는 뒷정리를 하는 등 5일 중 3일 정도는 이 사건 영업에 전력을 다하였다고 보이는 점 등에 비추어 볼 때, 비록 원고들이 영업을 5일에 한 번씩 하였고 그 장소도 철거가 용이한 가설물이었다고 하더라도 원고들의 상행위의 지속성, 시설물 등의 고정성을 충분히 인정할 수 있으므로, 원고들은 이 사건 장소에서 인적·물적시설을 갖추고 계속적으로 영리를 목적으로 영업을 하였다고 봄이 상당하다."라고 판시하여 시설적 요건을 완화하고 있다(대판 2012.3.15, 2010두26513).

(4) 계속성 요건

영업이 보상대상이 되기 위해서는 계속적으로 영업을 행하여야 한다. 다만, 어느 정도까지 영업을 계속 행하여야 하는지에 대해서는 일률적인 기준을 적용할 수 없으며 해당 사업의 성격 등을 종합적으로 고려하여 객관적으로 결정한다.

또한 계속성 요건의 판단도 단순히 시간적인 길고 짧음으로 판단할 것이 아니고 영업으로서의 계속성과 실질적인 손실발생을 기준으로 판단한다. 따라서 유권해석은 계절적 수요에 의하여 일시적으로 숙박을 제공하는 등 부업으로 이를 행하는 민박은 영업보상대상이 아니지만(2001.12.11, 토정 58342-1912), 민박마을로 지정된 경우의 민박 영업은 계속성을 인정하여 영업보상대상으로 보고 있다(2003.4.17, 토관 58342-547).

또한 대법원은 "영업을 5일에 한 번씩 하였다고 하더라도 … 상행위의 지속성을 충분히 인정할 수 있으므로, 원고들은 이 사건 장소에서 … 계속적으로 영리를 목적으로 영업을 하였다고 봄이 상당하다."라고 판시하여 계속성의 요건을 상행위의 지속성으로 판단하고 있다(대판 2012.3.15, 2010두26513).

계속성의 요건이 있는 취지는 일시적인 영업이나 계절적인 영업 및 휴업 중인 영업 등은 공익사업에 편입되어도 별도의 손실이 없다고 보기 때문에 영업보상대상에서 제외한다는 것이다. 다만, 대법원은 "구 공익사업법 시행규칙 제45조 제1호는 '사업인정고시일 등 전부터 일정한 장소에서 인적·물적시설을 갖추고 계속적으로 영리를 목적으로 행하고 있는 영업'을 영업손실보상의 대상으로 규정하고 있는바, 여기에는 매년 일정한 계절이나 일정한 기간 동안에만 인적·물적시설을 갖추어 영리를 목적으로 영업을 하는 경우도 포함된다고 봄이 타당하다."라고 판시하여 일시적 영업 또는 계절적 영업의 경우에도 매년 반복적으로 이루어지는 경우는 계속성을 인정하여 영업보상 대상으로 보고 있다(대판 2012.12.13, 2010두12842).

(5) 허가 등 요건

① 원칙

영업이 보상대상이 되기 위해서는 영업을 행함에 있어서 관련법령에 따른 허가 등을 필요로 하는 경우에는 사업인정고시일 등 전에 허가 등을 받아 그 내용대로 행하고 있어야 한다.

　　㉠ 허가 등 : "허가 등"이란 허가 · 면허 · 신고 등을 의미한다(토지보상법 시행규칙 제15조 제2항 제1호). 또한 허가 등을 받아 그 내용대로 행하고 있어야 하므로, 허가 등을 받지 않고 행한 경우는 물론 허가 등을 받은 경우에도 허가 등의 내용을 벗어났거나 다른 사람이 행하는 영업 또는 다른 장소에서 행하는 영업은 보상대상이 되지 아니한다.

　　㉡ 허가 등의 시점 : 2007.4.12.「토지보상법 시행규칙」개정 이전에는 언제까지 허가 등을 받아야 하는지에 대해서는 별도로 규정하지 않았으나, 현행 규칙은 사업인정고시일 등 전에 허가 등을 받아야 하도록 규정하고 있다. 그러므로 사업인정고시일 등 이후에 허가 등을 받고 영업을 개시한 경우는 물론이고, 사업인정고시일 등 전에 허가 등을 받지 않고 영업하다가 사업인정고시일 등 이후에 허가 등을 받은 영업도 보상대상이 아니다. 또한 "사업인정고시일 등 전"이라고 규정하고 있으므로, 사업인정고시일 또는 보상계획공고일 당일에 허가 등을 받고 영업을 개시한 경우에도 영업보상대상이 아니다.

　　이 규정의 취지는 관련법령에서 영업의 요건으로 허가 등을 규정하고 있는 것은 그 영업의 성격상 일정한 요건을 갖춘 경우를 제외하고는 영업을 허용할 수 없는 사회적 · 경제적 · 행정적 필요성이 있기 때문이다. 따라서 허가 등을 받아야 하는 영업을 허가 등이 없이 하는 경우는 불법행위에 해당되므로 이를 보상대상에서 제외한다는 것이다.

(6) 기타 참고사항

① 영리요건

2007.4.12.「토지보상법 시행규칙」개정 이전에는 보상대상으로서의 영업은 영리를 목적으로 해야 하도록 규정하고 있었다. 이는 영리를 목적으로 하지 않는 영업은 별도의 손실이 없다고 보았기 때문이다.

그러나 영업손실 보상의 취지는 영업이 영리를 목적으로 하여 수익을 산출하기 때문에 보상하는 것이 아니라, 공익사업으로 인하여 영업이 폐지되거나 이전하게 됨에 따른 손실을 전보해 주는 것이다. 따라서 보상대상으로서의 영업은 공익사업으로 인한 손실의 발생여부에 초점을 맞추는 것이 타당하므로 개정 규칙에서는 이를 삭제하였다.

즉, 종전 규정에서는 영리를 목적으로 하지 않는 영업은 영업보상의 대상이 되지 않으므로, 영업시설 등의 매각이나 이전에 따른 손실이 발생하여도 이를 보상할 수 없게 될 뿐만 아니라, 영업장이 일부 편입되는 경우 및 임시영업소를 설치하여야 하는 경우에도 이에 대한 보상을 받을 수 없다는 문제점이 있어 이를 입법적으로 해결하였다.

② 자기완결적 신고

신고영업의 경우 신고의 성격에는 전형적 신고(자기완결적 신고)와 변형적 신고(수리를 요하는 신고)로 구분된다. 전형적 신고, 즉 자기완결적 신고란 특정의 사실 · 법률관계에 관하여 행정청에 단순히 알림으로써 그 의무를 다하는 보통의 신고를 말하며, 이러한 신고행위는 그 자체로 법적 효과를 완성시키는 것이므로 따로 행정청의 수리를 전제로 하지 않는 개념이다.

반면 변형적 신고는 "효력발생요건으로서 행정청의 수리"라는 개념을 상정한 것으로서, 신고가 수리되어야 신고의 대상이 되는 행위에 대한 금지가 해제되는 신고를 말한다. 즉, 신고의 요건을 갖춘 신고가 있었다고 하더라도 수리되지 않으면 신고되지 않은 것이 되므로, 수리를 요하는 신고는 등록 또는 허가와 유사하다.

원칙적으로 행정청에 대하여 일정한 사항을 통지함으로써 최종적인 법률효과가 발생하는 자기완결적 신고는 신고에 의해 어떤 창설적 효과가 생기는 것이 아니므로, 이러한 신고영업을 신고하지 않았다고 하여 일률적으로 보상대상에서 제외함은 타당하지 않다는 지적이 있어 왔다. 이에 대하여 대법원은 "영업의 종류에 따라서는 관련행정법규에서 일정한 사항을 신고하도록 규정하고는 있지만 그러한 신고를 하도록 한 목적이나 관련법령의 체제 및 내용 등에 비추어 볼 때 신고를 하지 않았다고 하여 영업 자체가 위법성을 가진다고 평가할 것은 아닌 경우도 적지 않고, 이러한 경우라면 신고 등을 하지 않았다고 하더라도 그 영업손실 등에 대해서는 보상을 하는 것이 헌법상 정당보상의 원칙에 합치하므로, 위 구 공익사업법 시행규칙의 규정은 그러한 한도에서만 적용되는 것으로 제한하여 새겨야 한다."라고 하여 자기완결적 신고에 해당하는 신고영업의 경우에는 신고를 하지 않은 경우에도 영업보상대상으로 인정하고 있다(대판 2012.12.13, 2010두12842). 따라서 앞으로 자기완결적 신고에 해당하는 신고영업은 신고를 하지 않은 경우에도 영업보상대상에 포함하여야 할 것이다.

③ **영업장이 편입되어도 계속 영업이 가능한 경우**

국토교통부는 영업보상은 영업을 폐지하거나 휴업함에 따라 발생되는 영업손실에 대하여 보상하는 것이므로, 상품을 영업장에 임시 보관한 후 거래처에 배달 납품하는 영업 등과 같이 영업장이 해당 공익사업시행지구에 편입되어도 영업의 성질상 휴업하지 아니하고 다른 장소에 이전하여 계속적으로 영업이 가능한 경우에는 영업보상대상이 아니라고 하였다(2010.9.24, 토지정책과 -4676).

그러나 영업보상대상을 규정하고 있는 「토지보상법 시행규칙」 제45조는 휴업의 여부를 영업보상대상을 결정하는 요건으로 규정하고 있지 않으므로 휴업하지 아니하고 다른 장소에 이전하여 계속적으로 영업이 가능한 경우에는 휴업기간에 해당하는 영업이익을 보상액에서 제외하는 것은 별론으로 하고 영업보상대상이 아니라고 보기는 어렵다. 다만, 이러한 경우는 해당 영업장에서 수행되는 업무가 「토지보상법 시행규칙」 제45조가 규정한 영업에 해당되는지, 아니면 단순한 사무에 해당되는 것인지를 판단하여 사무에 해당되는 것이라면 영업보상대상에서 제외한다.

3) 영업손실보상대상의 결정

영업손실보상 역시 「토지보상법」에서 정하는 일정한 절차, 즉 물건조서의 작성(사업시행자 및 관계인의 서명 또는 날인) → 보상계획의 열람 등 → 관계인(영업자)의 이의 → 이의의 처리 → 보상대상의 결정 등의 절차를 통하여 결정된다. 사업시행자 또는 토지수용위원회가 「토지보상법」에서 정하는 일정한 절차에 따라 영업보상대상을 결정하므로, 감정평가법인등은 사업시행자 또는 토지수용위원회가 제시한 목록에 의하여 감정평가하며, 보상대상을 임의로 추가하거나 삭제하여서는 안 된다. 다만, 필요한 경우 이에 대한 감정평가법인등의 의견을 감정평가서에 기재할 수는 있다.

영업보상대상에서 제외된 영업자가 이에 대해 이의가 있는 경우, 사업인정 후에는 「토지보상법」 제30조의 규정에 따라 사업시행자에게 재결 신청 청구를 하여 토지수용위원회의 재결을 통하여 보상대상에 대한 판단을 받거나, 이 재결에 대한 행정소송을 통하여 다툴 수 있다.

02 영업의 폐업에 대한 손실평가[40]

1) 영업의 폐업 요건

영업의 폐업은 영업손실의 보상대상인 영업으로서 ⅰ) 영업장소 또는 배후지(해당 영업의 고객이 소재하는 지역을 말한다)의 특수성으로 인하여 해당 영업소가 소재하고 있는 시·군·구(자치구를 말한다) 또는 인접하고 있는 시·군·구의 지역 안의 다른 장소에 이전하여서는 해당 영업을 할 수 없는 경우, ⅱ) 해당 영업소가 소재하고 있는 시·군·구 또는 인접하고 있는 시·군·구의 지역 안의 다른 장소에서는 해당 영업의 허가 등을 받을 수 없는 경우, ⅲ) 도축장 등 악취 등이 심하여 인근 주민에게 혐오감을 주는 영업시설로서 해당 영업소가 소재하고 있는 시·군·구 또는 인접하고 있는 시·군·구의 지역 안의 다른 장소로 이전하는 것이 현저히 곤란하다고 특별자치도지사·시장·군수 또는 구청장(자치구의 구청장을 말한다)이 객관적인 사실에 근거하여 인정하는 경우 중에서 어느 하나에 해당되어 영업을 폐업하는 것을 말한다. 이를 구분하면 다음과 같다.

(1) 배후지 상실의 경우

영업장소 또는 배후지의 특수성으로 인하여 해당 영업소가 소재하고 있는 시·군·구 또는 인접하고 있는 시·군·구의 지역 안의 다른 장소에 이전하여서는 해당 영업을 할 수 없는 경우를 말한다. 댐사업 등과 같은 대규모 공익사업으로 인하여 배후지 자체가 상실되어 인근지역으로 이전한다고 하여도 종전과 같은 영업을 할 수 없는 경우가 여기에 해당된다.

① **배후지**

배후지란 해당 영업의 수익을 올리는 고객이 소재하는 지역적 범위를 말한다.

② **배후지의 특수성**

배후지의 특수성이란 도정공장·양수장·창고업 등과 같이 제품원료 및 취급품목의 성격상 배후지가 상실되면 영업행위를 할 수 없는 경우를 말한다.

③ **인접하고 있는 시·군·구**

인접하고 있는 시·군·구란 해당 영업소가 소재하고 있는 시·군·구와 접하고 있는 모든 시·군·구를 말한다(대판 1994.12.23, 94누8822 ; 대판 1999.10.26, 97누3972).

④ **해당 영업을 할 수 없는 경우**

해당 영업을 할 수 없는 경우란 법적이나 물리적으로 할 수 없는 경우는 물론, 다른 장소에 이전하여서는 수익의 감소로 사실상 영업을 할 수 없는 경우를 포함한다.

---

40) 감정평가실무기준 해설서(Ⅱ) 보상편, 한국감정평가사협회 등, 2014.02, pp.323~326

(2) 법적으로 이전이 불가능한 경우

해당 영업소가 소재하고 있는 시·군·구 또는 인접하고 있는 시·군·구의 지역 안의 다른 장소에서는 해당 영업의 허가 등을 받을 수 없어 법적으로 이전이 불가능한 경우이다. 여기에는 해당 영업소가 소재하고 있는 시·군·구 또는 인접하고 있는 시·군·구의 지역에서 관련 법령의 제한으로 해당 영업의 허가 또는 면허를 받을 수 없거나 신고가 수리되지 않는 경우와 「국토계획법」 등 관련 법령에 따른 용도지역 등의 제한으로 해당 영업의 허가·신고 자체가 불가능한 경우가 여기에 해당된다.

(3) 사실상 이전이 불가능한 경우

도축장 등 악취 등이 심하여 인근주민에게 혐오감을 주는 영업시설로서 해당 영업소가 소재하고 있는 시·군·구 또는 인접하고 있는 시·군·구의 지역 안의 다른 장소로 이전하는 것이 현저히 곤란하다고 특별자치도지사·시장·군수 또는 구청장(자치구의 구청장을 말한다)이 객관적인 사실에 근거하여 인정하는 경우이다.

① 현저히 곤란

"현저히 곤란"하다는 것은 이전하여 영업을 계속하는 것이 사실상 불가능한 경우를 말한다. 즉, 이 경우는 배후지의 상실도 없고 법적으로도 이전이 가능하므로 이전보상의 대상이 되어야 함에도, 영업의 폐업으로 보상하는 것이므로 영업이 사실상 불가능한 정도에 이르러야 한다.

② 객관적 사실

"객관적인 사실"은 2007.4.12. 「토지보상법 시행규칙」을 개정하여 추가되었다. 이는 시장·군수 또는 구청장이 민원 등에 의해 합리적인 이유 없이 이전이 불가능하다고 인정하여 영업의 폐지보상이 확대되는 것을 막기 위한 조치였다. 따라서 객관적인 사실에 근거하여 인정하는 경우란 단순히 이전이 불가능하다는 공문만으로는 부족하고, 실제적으로 해당 시·군·구에서 동종 영업의 허가 등이 이루어지지 않고 있는 등의 사실의 적시가 필요하다는 의미이다. 대법원은 주민들의 반대가 있을 가능성이 있다는 가정만으로 양돈장을 이전하는 것이 현저히 곤란하다고 단정하기는 어렵다고 판시하고 있다(대판 2002.10.8, 2002두5498).

(4) 그 밖의 영업의 폐업 요건에 해당되지 않는 경우

인근지역에 이전 장소가 없다거나(2005.10.10, 토지정책팀-640), 이전 소요비용이 기존 토지나 시설 등에 대한 보상액의 합계액을 초과함으로써 다른 장소로 이전하여서는 사실상 해당 영업을 계속하기 곤란하다 등의 사유 등은(서울고법 1996.5.22, 95구6757) 영업폐지의 요건에 해당되지 않는다.

2) 영업의 폐업에 대한 손실감정평가방법

> 폐업손실보상액 = 영업이익(소득) × 보상연한(2년) + 영업용 고정자산매각손실액
> + 재고자산매각손실액

3) 영업이익(소득)의 산정

(1) 개념

① "영업이익"이란 기업의 영업활동에 따라 발생된 이익으로서 매출총액에서 매출원가와 판매비 및 일반관리비를 뺀 것을 말한다. 매출액은 기업의 주요 영업활동 또는 경상적 활동으로부터 얻는 수익으로서 상품 등의 판매 또는 용역의 제공으로 실현된 금액을 말한다. 주요 영업활동이 아닌 것으로부터 얻는 수익은 영업외수익으로, 비경상적 활동으로부터 얻은 수익은 특별이익으로 계상되며, 손익계산서상의 매출액은 총매출액에서 매출할인 및 매출에누리와 매출환입을 차감한 순매출액을 표시한다. 매출원가는 판매된 상품의 생산원가 혹은 구입원가를 말하며, '기초재고액 + 당기순매입액 − 기말재고액 = 매출원가'로 계산된다. 당기순매입액이란 총매입액에서 매입환출 및 에누리를 차감하여 구하며, 총매입액에는 매입 운임을 포함시켜야 한다. 우리나라 기업회계기준에서는 매입할인은 매입의 차감계정으로 보지 아니하고 영업외수익으로 처리하도록 규정하고 있다. 제조기업의 경우 순매입액 대신 당기제품제조원가로 하여 계산된다. 매출액에서 매출원가를 차감한 것을 매출총이익이라 한다.

판매비 및 관리비는 양자를 구분하기 곤란한 경우도 있기 때문에 손익계산서에서는 총괄한 명칭하에 각기의 비용을 열거하여 표시하기도 하며, 매출총이익에서 공제되어 영업이익이 계상된다. 판매비는 상품의 판매에 필요한 비용을 말하며, 판매 직접비와 판매 간접비로 구분된다. 판매 직접비에는 매출 상품에 대하여 특히 개별적으로 형성된 판매비용으로 판매수수료·하역비·발송운임·보험료 등이 포함되며, 판매 간접비에는 각 매출상품에 공통으로 발생한 판매비용으로 판매부문의 사무원 급료·사무용 소모품비·통신비·교통비 등이 포함된다.

② "소득"이란 개인의 주된 영업활동에 따라 발생된 이익으로서 자가노력비상당액(생계를 함께 하는 같은 세대 안의 직계존속·비속 및 배우자의 것을 포함한다)이 포함된 것을 말한다. 회계학적으로 소득은 생산자원의 용역에 대한 보수로서 개인(가계)에 지급되는 대가와 기업이윤을 포함하고, 생산자원의 용역에 대한 보수로서는 노동용역에 대한 임금·봉급, 토지 및 건물용역에 대한 임료, 자본용역에 대한 이자 등이 그 대표적인 형태이나, 보상에서는 토지 및 건물용역에 대한 임대료 및 자본용역에 대한 이자 등은 제외된다.

(2) 영업이익(소득) 산정방법 [41]

① 영업이익의 산정

㉠ 원칙 : 영업이익의 산정은 해당 영업의 최근 3년간의 평균 영업이익을 기준으로 하여 감정평가한다. 이 경우 해당 영업의 영업활동과 직접 관계없이 발생되는 영업외손익 또는 특별손익은 고려하지 아니하며, 해당 영업장소에서 발생하지 아니한 것은 제외한다. 즉, 동일한 회사에 둘 이상의 영업장소가 있고 그중 일부 영업장소만이 공익사업에 편입될 경우 편입되는 영업장소에 해당하는 영업이익을 기준으로 한다.

---

41) 감정평가실무기준 해설서(Ⅱ) 보상편, 한국감정평가사협회 등, 2014.02, pp.327~332

ⓛ **예외**

ⓐ **특별한 사정으로 정상적인 영업이 이루어지지 않은 경우** : 최근 3년간 중 특별한 사정으로 인하여 정상적인 영업이 이루어지지 아니한 연도가 있을 경우는 이를 제외한다. 따라서 최근 3년 중 1년이 정상적인 영업이 이루어지지 않은 경우는 2년간 평균영업이익을 기준으로 한다. 여기서 특별한 사정이란 일반적인 경기변동이나 해당 업종 전체의 경기변동에 의한 것이 아닌 대상 업체 또는 인근지역의 특별한 사정을 의미한다. 따라서 3년의 기간 중 단지 영업실적이 없거나 실적이 현저하게 감소된 시기가 있다고 하여 그 기간을 제외한 나머지 기간의 영업실적만을 기초로 하거나 최근 3년 이전 기간의 영업실적을 기초로 하여 연평균 영업이익을 산정하여서는 안 된다(대판 2002.3. 12, 2000다73612).

ⓑ **해당 공익사업으로 인한 경우** : 공익사업의 계획 또는 시행이 공고 또는 고시됨으로 인하여 영업이익이 감소된 경우에는 최근 3년이 아니라 해당 공고 또는 고시일 전 3년간의 평균영업이익을 기준으로 감정평가한다. 공익사업의 시행이 공고 또는 고시되면 인근 주민의 이주 등으로 영업이익이 감소하게 되며, 이러한 영업이익의 감소는 해당 공익사업으로 인한 가격의 변동에 해당되므로 보상액의 산정에 이를 고려하지 않기 위하여 영업이익의 산정시점을 소급하는 것이다.

② **소득의 산정**

㉠ **원칙** : 소득은 총수입금액에서 필요제경비를 공제하여 산정한다. 이 경우 필요제경비에는 영업자 및 영업활동에 같이 참여하는 영업자와 생계를 함께하는 같은 세대 안의 직계존속·비속 및 배우자에 대한 자가노력비가 포함되지 않는다. 따라서 총수입금액에서 필요제경비를 공제한 금액에는 자가노력비가 이미 포함되어 있으므로, 보상금액 산정 시 이를 다시 추가하여서는 안 된다.

㉡ **예외**

ⓐ **소득의 하한** : 개인영업으로서 최근 3년간의 평균영업이익이 [「통계법」 제3조 제3호에 따른 통계작성기관이 같은 법 제18조에 따른 승인을 받아 작성·공표한 제조부문 보통인부의 노임단가 × 25(일) × 12(월)]의 산식에 의하여 산정한 연간 영업이익에 미달하는 경우에는 그 연간 영업이익을 최근 3년간의 평균영업이익으로 본다. 다만, 개인영업의 최저보상은 개인의 생계비를 보상한다는 취지이므로, 동일인이 동일한 공익사업시행지구 내에서 둘 이상의 영업을 행하는 경우에도 이를 하나의 영업으로 본다.

> 연간 영업이익
> = 통계법 제3조 제3호에 따른 통계작성기관이 같은 법 제18조에 따라 승인을 얻어 작성·공표한 제조부문 보통인부의 노임단가 × 25(일) × 12(월)

    ⓑ **무허가건축물 등에서의 임차인 영업의 경우** : 무허가건축물 등에서 임차인이 사업인
정고시일 등 1년 이전부터 「부가가치세법」 제8조에 따른 사업자등록을 행하고 영업하
는 경우 임차인의 영업에 대한 보상액 중 영업용 고정자산·원재료·제품 및 상품 등
의 매각 손실액을 제외한 금액은 1천만원을 초과하지 못한다(토지보상법 시행규칙 제
46조 제5항). 다만, 1989.1.24. 당시 무허가건축물 등은 부칙에서 이를 적법한 건축물로
보도록 규정하고 있으므로, 임차인이 하는 영업의 경우에도 소득의 상한이 적용되지
않는다.

③ **영업이익 및 소득의 산정방법**

영업이익 및 소득의 산정은 실제의 영업이익 또는 소득을 파악할 수 있는 합리적인 방법에
의하면 되므로 방법상의 제한은 없다. 대법원은 "구 공특법 시행규칙 제24조 제1항 및 제3항의
각 규정에 의하면, 폐지하는 영업의 손실액 산정의 기초가 되는 영업이익은 해당 영업의 최근
3년간의 영업이익의 산술평균치를 기준으로 하여 이를 산정하도록 하고 있는바, 여기에서의
영업이익의 산정은 실제의 영업이익을 반영할 수 있는 합리적인 방법에 의하면 된다고 할 것
이다."라고 판시하고 있다(대판 2004.10.28, 2002다3662·3679).

④ **자료가 불충분한 경우의 영업이익**(소득)**의 산정**

사업시행자 또는 영업자가 관련 자료를 제시한 경우에는 이를 기준으로 산정한다. 다만, 자료의
제시가 없는 경우 또는 제시된 자료가 불충분하거나 신빙성이 부족한 경우에는 다음과 같이
산정할 수 있다.[42]

    ㉠ **매출액** : 해당 영업의 종류·성격·영업규모·영업상태·영업연수·배후지상태 기타 인근
지역 또는 동일수급권 안의 유사지역에 있는 동종 유사규모 영업의 최근 3년간의 평균매출
액 등을 고려하여 평균추정매출액으로 할 수 있다.

    ㉡ **영업이익** : 매출원가 및 판매비와 관리비 등의 자료의 제출이 없는 경우 또는 자료가 불충분
하거나 신빙성이 부족한 경우에는 해당 영업의 최근 3년간의 매출액에 인근지역 또는 동일
수급권 안의 유사지역에 있는 동종 유사규모 영업의 일반적인 영업이익률을 적용하거나
국세청장이 고시한 경비비율 등을 적용하여 해당 영업의 영업이익을 산정할 수 있다.

- 최근 3년간 평균(추정) 매출액 등 × 인근·유사지역 내 동종 유사규모 영업의 일반적인
  영업이익률
- 최근 3년간 평균(추정) 매출액 등 × 국세청장이 고시한 표준소득률 등

---

[42] 영업손실보상평가지침 제11조 제3항

> **❂ 자가노력비의 처리방법**

1. **어업보상감정평가**
   평년어업경비에 자가노력비 포함

2. **농작물의 보상감정평가**
   파종중 또는 발아기에 있거나 묘포에 있는 경우 → 투하비용(자가노력비 포함) 원리금 합계액

3. **농작물의 보상감정평가**
   성장기에 있는 농작물 → 예상총수익(부산물 포함) − 장래투하비용(자가노력비 포함)

4) 영업용 고정자산 매각손실액 [43]

⑴ 분리하여 매각이 가능한 자산

영업용 고정자산 중에서 기계, 기구, 집기, 비품 등과 같이 영업시설에서 분리하여 매각이 가능

$$매각손실액 = 평가가액 \ 또는 \ 장부가액(현재가액) − 처분가액$$

다만, 매각손실액의 감정평가가 현실적으로 곤란한 경우에는 원가법에 의하여 산정한 가격의 60퍼센트 이내에서 매각손실액을 정할 수 있다.

⑵ 분리하여 매각이 불가능하거나 현저히 곤란한 자산

영업용 고정자산 중 분리하여 매각이 불가능하거나 현저히 곤란한 자산의 매각손실액은 원가법에 의하여 산정한 가격에서 해체처분가액을 뺀 금액으로 한다.

>> 건축물, 공작물 등의 경우와 같이 분리매각이 불가능하거나 현저히 곤란한 때에는 건축물 등의 평가방법에 의하되, 따로 평가가 이루어진 경우에는 매각손실액의 산정에서 제외한다.

5) 원재료·제품 및 상품 등에 대한 매각손실액

⑴ 원칙

$$매각손실액 = 현재가액 − 처분가액$$

⑵ 이의산정이 곤란한 경우

① **제품·상품으로서 일반적인 수요성이 있는 것**: 20퍼센트 이내

② **제품·상품으로서 일반적인 수요성이 없는 것**: 50퍼센트 이내

③ **반제품·재공품·저장품**: 60퍼센트 이내

④ **원재료로서 신품인 것**: 20퍼센트 이내

⑤ **원재료로서 사용 중인 것**: 50퍼센트 이내

---

43) 영업용 고정자산의 매각손실액의 의미 및 산정방법(대판 2004.10.28, 2002다3662·3679)

6) 보상대상인 영업용 고정자산 · 원재료 · 제품 및 상품 등의 확정

(1) 영업용 고정자산의 확인

매각손실액의 산정기준이 되는 영업용 고정자산 등에 대한 종류 · 규격 · 수량 · 장부가액 등의 확인은 의뢰인이 제시한 목록을 기준으로 함을 원칙으로 한다. 다만, 의뢰인이 제시한 목록의 내용이 가격시점 당시의 실제내용과 뚜렷한 차이가 있다고 인정되거나 목록의 제시가 없는 때에는 실지조사한 내용을 기준으로 할 수 있다.

(2) 물건조사일 이후에 부가 · 증치한 경우

사업인정고시일 이전에는 토지 등의 이용 및 물건의 부가 · 증치가 제한되지 않으므로, 물건조사일 이후에 영업용 고정자산 등을 부가 · 증치한 경우에도 원칙적으로 보상대상으로 보아야 한다. 다만, 통상적인 영업과 관련 없이 보상을 목적으로 부가 · 증치한 경우는 보상대상으로 보지 않는다.

(3) 보상계획 공고일 이후에 부가 · 증치한 경우

영업보상의 대상 여부는 보상계획 공고일을 기준으로 하나, 보상계획 공고일을 기준으로 토지 등의 이용 및 물건의 부가 · 증치가 제한되지 않으므로, 보상계획 공고일 이후에 영업용 고정자산 등을 부가 · 증치한 경우에도 원칙적으로 보상대상으로 보아야 한다. 다만, 통상적인 영업과 관련 없이 보상을 목적으로 부가 · 증치한 경우는 보상대상으로 보지 않는다.

(4) 사업인정고시일 이후 부가 증치된 영업용 고정자산 등

「토지보상법」 제25조 제2항은 사업인정고시가 된 후에 고시된 토지에 물건의 부가(附加) · 증치(增置)를 하려는 자는 시장 · 군수 또는 구청장의 허가를 받도록 규정하고 있다. 따라서 사업인정고시일 이후 허가 없이 부가 · 증치한 영업용 고정자산 등은 보상대상이 아니다. 다만, 통상적인 영업활동의 범위 내에서 부가 · 증치한 것은 보상대상으로 본다.

7) 폐업보상금액의 환수

사업시행자는 영업자가 폐업 후 2년 이내에 해당 영업소가 소재하고 있는 시 · 군 · 구 또는 인접하고 있는 시 · 군 · 구의 지역 안에서 동일한 영업을 하는 경우에는 폐업에 대한 보상금을 환수하고 영업의 휴업 등에 대한 손실을 보상해야 한다(토지보상법 시행규칙 제46조 제4항).

8) 최고한도(무허가건축물 등 내에서 임차인이 영업하는 등의 요건 시)

임차인의 영업에 대한 보상액 중 영업용 고정자산 · 원재료 · 제품 및 상품 등의 매각손실액을 제외한 금액은 1천만원을 초과하지 못한다.

9) 영업의 폐업 보상에서 2년간 영업이익의 의미

영업의 폐업 보상은 영업을 폐업하고 전업하는 것을 전제로 하므로 "2년간 영업이익"은 전업에 소요되는 기간 동안 실현할 수 없는 영업이익을 손실로 보고 이를 보상한다는 의미이지, 영업을 할 수 있는 권리 또는 동종기업이 올리는 평균수익률보다 더 많은 초과수익을 낼 경우 그 초과수익이 장래에도 계속된다는 가망성을 자본화한 영업권을 보상하는 것이 아니다.

그러므로 영업이익을 산정하면서 기준시점 이후의 장래 발생할 이익을 추정하거나 영업을 위한 투자비용을 기준으로 영업이익을 산정하여서는 안 되며, 만일 기준시점 이전에 영업이익이 발생하지 않았다면 영업이익의 상실이라는 손실이 발생하지 않으므로 영업이익에 대한 보상액은 없는 것으로 보아야 한다. 대법원은 "'영업상의 손실'이란 수용의 대상이 된 토지 · 건물 등을 이용하여 영업을 하다가 그 토지 · 건물 등이 수용됨으로 인하여 영업을 할 수 없거나 제한을 받게 됨으로 인하여 생기는 직접적인 손실을 말하는 것이므로 위 규정은 영업을 하기 위하여 투자한 비용이나 그 영업을 통하여 얻을 것으로 기대되는 이익에 대한 손실보상의 근거규정이 될 수 없다."라고 판시하고 있다(대판 2006.1.27, 2003두13106).

03 영업의 휴업 등에 대한 보상감정평가

영업의 휴업 등이란 영업손실의 보상대상인 영업으로서 영업의 폐지 외의 영업을 말한다. 이러한 영업의 휴업 등에는 ⅰ) 공익사업의 시행으로 영업장소를 이전하여야 하는 경우, ⅱ) 공익사업에 영업시설의 일부가 편입됨에 따라 잔여시설에 그 시설을 새로 설치하거나 잔여시설을 보수하지 아니하고는 해당 영업을 계속할 수 없는 경우, ⅲ) 그 밖에 영업을 휴업하지 아니하고 임시영업소를 설치하여 영업을 계속하는 경우 등으로 구분된다.

1) 영업장소 이전하는 경우 영업손실 평가

⑴ 기본산식

> 휴업보상액 = (영업이익 × 휴업기간) + 영업장소 이전 후 발생하는 영업이익 감소액
> + 인건비 등 고정적 비용계속지출액
> + 영업시설, 재고자산 등의 이전에 소요되는 비용
> + 영업시설 등의 이전에 따른 감손 상당액
> + 이전광고비 및 개업비 등 그 밖의 부대비용

⑵ 영업이익 및 소득의 산정

> 1. 폐업보상 시 영업이익 산정방법을 준용한다[3년간 영업이익(소득)을 기준함].
> 2. 계절적 영업으로 이의 적용이 현저히 부적절한 경우에는 실제 이전하게 되는 기간에 해당되는 월의 최근 3년간의 평균영업이익기준으로 산정할 수 있다.

① 영업이익의 산정

폐업의 경우와 동일하다.

② **소득의 산정**

폐업의 경우와 동일하나, 개인영업의 소득의 하한의 경우 휴업기간에 해당하는 영업이익(소득)이 「통계법」에 따른 통계작성기관이 조사·발표하는 가계조사통계의 도시근로자가구 월평균 가계지출비를 기준으로 산정한 3인 가구의 휴업기간 동안의 가계지출비[44](휴업기간이 4개월을 초과하는 경우에는 4개월분의 가계지출비를 기준으로 한다)에 미달하는 경우에는 그 가계지출비를 휴업기간에 해당하는 영업이익으로 본다. 이 경우 둘 이상 업종의 영업이 하나의 사업장에서 공동계산으로 행하여진 경우에는 이를 하나의 영업으로 본다.

(3) **휴업기간**

① 평가의뢰인의 제시를 기준한다.

② 제시가 없으면 특별한 경우를 제외하고 4개월[45] 이내로 한다. 단 다음 중 하나에 해당하는 경우에는 실제 휴업기간으로 하되, 휴업기간은 2년을 초과할 수 없다.[46]

  ㉠ 해당 공익사업을 위한 영업의 금지 또는 제한으로 인하여 4개월 이상의 기간 동안 영업을 할 수 없는 경우

  ㉡ 영업시설의 규모가 크거나 이전에 고도의 정밀성을 요구하는 등 해당 영업의 고유한 특수성으로 인하여 4개월 이내에 다른 장소로 이전하는 것이 어렵다고 객관적으로 인정되는 경우

③ **경과규칙**

  ㉠ 휴업기간 증가(3개월 → 4개월), 영업장소 이전 후 발생하는 영업이익 감소액 포함 여부에 대한 경과규칙: 본 개정규정은 이 규칙 시행 후(2014년 10월 22일) 법 제15조 제1항(법 제26조 제1항에 따라 준용되는 경우를 포함한다)에 따라 최초로 보상계획을 공고하고 토지소유자 및 관계인에게 보상계획을 통지하는 공익사업부터 적용한다.

  ㉡ 「도시정비법」상의 정비사업으로 인한 영업의 휴업 등에 대하여 손실의 평가: 「토지보상법」 시행규칙상의 휴업기간 개정(3개월 → 4개월) 이전부터 4개월을 적용하고 있었다(단, 2009년 12월 1일 이후 사업시행인가를 신청한 사업에 대하여 적용한다).

④ **휴업기간과 이전에 소요되는 기간**

공익사업 중 보상금 지급 후 즉시 건축물 등의 철거가 이루어지는 경우에는 휴업기간과 이전에 소요되는 기간이 일치한다. 그러나 댐사업 등의 경우와 같이 보상금 지급 후 실제 이전이 이루어지는 시점 사이에 상당한 기간이 소요되는 경우가 있다. 따라서 이러한 경우에는 "영업시설의

---

44) 농림어가가 포함된 1인 이상 가구의 가계조사통계를 적용하여야 한다(토지정책과-6720, 2022.11.18.).

45) 휴업기간은 특별한 경우를 제외하고는 3개월 이내(현재는 4개월로 개정되었음)로 규정한 것은 피수용자 개개인의 현실적인 이전계획에 맞추어 휴업기간을 정하는 경우 그 자의에 좌우되기 쉬워 감정평가의 공정성을 유지하기가 어려우므로, 통상 필요한 이전기간으로 누구든지 수긍할 수 있을 것으로 보이는 3월의 기준으로 하고, 3월 이상이 소요될 것으로 누구든지 수긍할 수 있는 특별한 경우임이 입증된 경우에는 그 입증된 기간을 휴업기간으로 정할 수 있도록 하여 정당한 보상이 이루어질 수 있도록 하기 위해서이다(대판 2005.9.15, 2004두14649 참조).

46) 영업손실보상평가지침 제17조

규모가 크거나 이전에 고도의 정밀성을 요구하는 등 해당 영업의 고유한 특수성"이 인정되어 이전에 소요되는 기간이 4월을 초과하는 경우에도 보상대상으로서의 휴업기간은 이전에 소요되는 기간과 다르게 보아야 하므로, 휴업기간이 이전기간과 반드시 일치하는 것은 아니다.

(4) 영업장소 이전 후 발생하는 영업이익 감소액

휴업기간(통상 4개월 기준)에 해당하는 영업이익(최저영업이익에 미달하는 개인영업의 경우 가계지출비)의 100분의 20으로 하되, 그 금액은 1천만원을 초과하지 못한다.

(5) 인건비 등 고정적 비용의 산정 [47]

인건비 등 고정적 비용은 영업장소의 이전 등으로 휴업기간 중에도 해당 영업활동을 계속하기 위하여 지출이 예상되는 다음 각 호의 비용을 더한 금액으로 산정한다.

① **인건비**

   ㉠ 원칙 : 휴업기간 중에도 휴직하지 아니하고 근무하여야 할 최소인원에 대한 실제지출이 예상되는 인건비 상당액으로 한다. 이는 휴업기간 동안에도 회사의 기본적인 업무는 수행되어야 하므로 이에 대한 비용을 보상하여야 하나, 휴업보상의 성격상 최소인원에 대한 실제지출이 예상되는 인건비만으로 산정한다.

   ㉡ 인건비 대상 근로자의 요건 : 인건비 대상 근로자는 일반관리직 근로자 및 영업시설 등의 이전·설치 계획 등을 위하여 정상적인 근무가 필요한 근로자 등으로서 사업인정고시일 등 당시 공익사업시행지구 안의 사업장에서 3월 이상 근무한 근로자로서 「소득세법」에 따라 소득세가 원천징수된 자에 한한다. 이와 같이 인건비 대상 근로자의 요건을 「토지보상법 시행규칙」 제51조에 따른 휴직보상 대상자의 요건으로 한정하는 이유는 인건비 대상 근로자도 원칙적으로는 휴직보상 대상자이나, 휴업기간 중에 휴직하지 않으므로 휴직보상금이 지급되지 않게 되어 부득이 영업자가 급료를 지급하게 되므로 이를 보상해 주기 위한 것이기 때문이다.

② **제세공과금**

   휴업기간 중에도 정상적으로 지출되어야 하는 해당 영업과 직접 관련된 제세 및 공과금에 한한다. 세금 중 법인세는 대상이 아니며, 공과금의 경우 쓴 만큼의 요금을 내는 전화료, 상·하수도료, 전기료, TV수신료, 도시가스료, 지입료, 차량유지비, 통신비, 수도·광열비, 여비교통비, 도서인쇄비, 사무용품비, 소모품비 및 지급이자·할인료 등은 회사가 생산·영업활동을 계속 영위하는 것을 전제로 한 비용이기 때문에 포함되지 않는다(대판 2001.3.23, 99두851 참조).

③ **임차료**

   임대차계약에 의하여 휴업기간에도 계속 지출되는 임차료를 말한다. 일반적으로 휴업기간 동안에는 종전의 영업장소 및 이전하는 영업장소의 임차료가 중복적으로 발생하므로 이를 보상한다는 의미이다.

---

47) 감정평가실무기준 해설서(Ⅱ) 보상편, 한국감정평가사협회 등, 2014.02, pp.345~348

④ **감가상각비**

휴업기간에 해당하는 고정자산의 감가상각비상당액으로 하되, 기계·기구 등은 휴업기간에는 사용하지 않으므로 진부화에 따른 감가상각비상당액만 해당되고, 건축물 등은 이전 또는 신축하여 시험조업을 한다거나 단계적으로 조업을 개시하는 경우의 감가상각비상당액에 한한다. 다만, 유형고정자산으로서 이전이 사실상 곤란하여 취득가격으로 보상하는 물건에 대한 감가상각비는 포함되지 않는다.

⑤ **보험료**

계약 등에 의하여 휴업기간에도 지출되어야 하는 보험료에 한한다. 그러므로 취득보상 대상의 건축물 등 화재보험료는 제외되어야 하고, 이전대상 건축물 및 기계기구 중 실제 이전·설치 후 화재보험료가 발생하는 경우에 한한다. 4대 보험 중 산재보험은 사업주가 부담하고, 국민연금·건강보험·고용보험은 사업주와 근로자가 분담하는 구조로 되어 있다. 그러나 휴업기간 중에는 4대 보험료의 납부예외가 가능하고, 지불한 경우에도 휴직기간에는 정산 후 차감하는 제도가 있으므로, 4대 보험료는 휴업기간 중에도 정상적으로 근무하여야 할 최소인원에 대한 사업주 부담금액에 한하여 인정한다.

⑥ **광고선전비**

계약 등에 의하여 휴업 중에도 계속 지출되는 광고비 등에 한한다.

⑦ **그 밖의 비용**

위와 유사하게 휴업기간 중에도 계속 지출하여야 하는 비용에 한한다.

(6) 그 밖의 부대비용 [48]

㉠ 영업장소의 이전에 따른 그 밖의 부대비용은 이전광고비 및 개업비 등 이전과 관련하여 소요되는 부대비용 지출상당액으로 한다.

㉡ 이전광고비는 이전과 관련하여 통상 소요되는 광고비로 한다.

㉢ 개업비는 이전과 관련하여 통상 소요되는 개업비로 한다.

㉣ 부대비용은 종전 주소가 기재되어 사용할 수 없는 용지 등에 대한 교체비용을 포함한다.

(7) 영업시설 이전에 드는 비용의 산정

① 영업시설 및 재고자산의 이전비용

㉠ 영업시설은 그 시설의 해체, 운반, 재설치 및 시험가동 등에 소요되는 일체의 비용을 포함한다. 다만, 개량, 개선비용은 포함하지 않으며, 이전소요비용이 해당 물건의 가격을 초과 시 물건의 가격을 시설이전비로 본다. 영업시설의 재설치 등으로 인하여 가치가 증가하거나, 내용연수가 연장 시 그 가치증가액을 뺀 것이다.

---

48) 감정평가실무기준 해설서(Ⅱ) 보상편, 한국감정평가사협회 등, 2014.02, pp.353~357

     ⓛ 재고자산은 해제·이전·재적치에 소요되는 일체의 비용을 의미한다. 다만, 재고자산 중 영업활동에 의하여 이전 전에 감소가 예상되거나 가격에 영향을 받지 아니하고 현 영업장소에서 이전 전에 매각할 수 있는 것에 대한 이전비용은 제외한다.

② 이전거리

이전거리는 동일 또는 인근 시·군·구에 이전장소가 정하여져 있거나 해당 영업의 성격이나 특수성 기타 행정적 규제 등으로 인하여 이전가능한 지역이 한정되어 있는 경우에는 그 거리를 기준으로 하고, 이전장소가 정하여져 있지 아니한 경우에는 30킬로미터 이내로 한다.

    📌 운반 시 400,000원(40km 기준)이면 → 400,000 × (30/40) = 300,000원(30km 기준)

(8) 영업시설 이전에 따른 감손상당액의 산정 [49]

① 원칙

"현재가액 − 이전 후 가액"을 기준으로 하되, 산정곤란 시 현재 물건의 가액의 10% 이내로 결정할 수 있다.

② 이전으로 본래용도로 사용할 수 없거나, 현저히 곤란한 재고자산은 매각손실로 평가한다.

(9) 그 밖의 유의사항

① **제품 등의 공급을 중단할 수 없는 영업** : 부품 등을 생산하여 완성품 생산자에게 납품하는 부품공장 등과 같이 휴업기간에도 제품 등의 공급을 중단할 수 없는 영업의 경우에는 별도의 자본을 투입하여 생산한 제품 등을 재고자산으로 보유하여 휴업기간에도 계속 공급하거나, 별도의 자금을 투입하여 사전에 공장을 이전하여 제품 등의 공급에 단절이 없도록 하여야 한다. 따라서 이러한 비용이 그 밖의 부대비용에 포함될 수 있는지 명확하지 않으나, 공익사업으로 인한 새로운 비용의 지출은 보상대상에 포함되어야 한다는 점을 고려할 때, 이러한 비용도 그 밖의 부대비용에 포함한다.

② **종전의 영업수준으로 회복하는 기간 동안의 수익감소액** : 영업장소를 이전하는 경우 이전기간(휴업기간)이 지나면 바로 종전의 영업수준으로 회복된다고 보는 것은 일반적인 경험칙에 부합하지 않는다. 특히 이전거리로 30km를 기준으로 하고 있으므로 인접한 장소로 이전하여 고객의 이탈이 없는 경우를 제외하고, 사실상 새로운 장소에 적응하여 종전과 같은 영업이익을 실현하기 위해서는 상당한 기간이 소요되므로, 이 기간 동안의 수익감소액도 손실에 포함된다고 볼 수 있다. 그러나 이러한 수익감소액은 비용의 지출에 해당되지 않으므로 그 밖의 부대비용에 포함하여 보상할 수 없으며, 현행 규정에서 별도로 규정하고 있지 않으므로 보상대상이 아니다.

③ **권리금** : 헌법 제23조 제3항에서는 보상대상을 재산권으로 규정하고 있으므로 권리금이 보상대상이 되기 위해서는 재산권의 실질을 가져야 한다. 헌법상의 재산권은 일반적으로 "사적 유용성 및 그에 대한 원칙적인 처분권을 내포하는 재산가치 있는 구체적인 권리"로 보므로, 구체

---

49) 영업손실보상평가지침 제20조 제2항

적 권리가 아닌 영리획득의 단순한 기회나 기업 활동의 사실적·법적 여건은 재산권으로 보지 않는다(헌재 2002.7.18, 99헌마574 참조). 또한 단순한 이윤추구의 측면에서 자신에게 유리한 경제적·법적 상황이 지속되리라는 일반적인 기대나 희망은 원칙적으로 재산권의 범위에 속하지 않는다. 이러한 관점에서 대부분의 권리금은 재산권의 범주에 포함되기 어려울 것으로 보이고 또한 「토지보상법」에서 이를 보상대상으로 규정하고 있지 않으므로, 권리금 자체는 보상대상에 포함하지 않는다.

⑽ **최고한도**(무허가건축물 내 임차자의 경우 최고 보상한도액 제한)

1천만원을 최고한도로 하며, 이와는 별도로 제1항 제2호(영업시설·원재료·제품 및 상품의 이전에 소요되는 비용 및 그 이전에 따른 감손상당액)는 별도로 보상한다.

2) 영업시설을 보수하는 경우(일부편입)

영업시설의 일부 편입으로 인하여 영업장소가 축소되는 경우는 ⅰ) 영업의 규모가 종전 영업을 계속할 수 없을 정도로 축소된 경우와 ⅱ) 종전의 영업을 계속할 수 있는 경우로 나눌 수 있다. 전자의 경우는 영업장소의 이전의 경우로 보상한다.

공익사업에 영업시설의 일부가 편입됨으로 인하여 잔여시설에 그 시설을 새로이 설치하거나 잔여시설을 보수하지 아니하고는 그 영업을 계속할 수 없는 후자의 경우의 영업손실 및 영업규모의 축소에 따른 영업손실은 아래와 같다.

⑴ 일부편입되는 영업손실의 보상감정평가방법

① 기본산식

> 해당 시설의 설치 등에 소요되는 기간의 영업이익 + 해당 시설의 설치 등에 통상 소요되는 비용 + 영업규모의 축소에 따른 영업용 고정자산·원재료·제품 및 상품 등의 매각손실액 + (보수기간 중의 고정적 비용)[50]

② 영업의 휴업(전체)에 따른 보상감정평가액을 초과하지 못한다.

③ 영업규모의 축소에 따른 손실액에는 영업용 고정자산·원재료·제품 및 상품 등의 매각손실액 외에도 영업장소 축소로 인한 영업수익이 감소가 있을 수 있으나, 현행 「토지보상법」은 이는 보상대상으로 하지 않는다.

④ 건축물의 일부가 공익사업에 편입되는 경우로서 그 건축물의 잔여부분에서 해당 영업을 계속할 수 없는 경우에는 휴업보상에 따라 감정평가할 수 있다.

---

50) 영업손실보상평가지침 제23조

⑤ 일부편입되는 영업손실의 보상감정평가 시 보수기간 중의 고정적 비용의 보상은 토지보상법 시행규칙의 명문의 규정은 없으나 대법원 판례는 실질적인 손실이 발생하면 이를 보상함이 타당하다고 판시하고 있다.[51]

⑵ 영업이익 및 소득의 산정

영업시설의 이전에 따른 휴업보상에서의 산정방법과 동일하다. 다만, 해당 시설의 설치 등에 소요되는 기간(보수기간 등) 중에도 일부 영업이 가능한 경우에는 이로 인한 영업이익을 공제한 금액으로 산정한다.

⑶ 해당 시설의 설치 등에 통상 소요되는 비용의 산정방법

해당 시설의 설치 등에 통상 소요되는 비용은 해당 시설을 종래의 목적대로 사용할 수 있도록 그 유용성을 동일하게 유지하는 데 통상 필요하다고 볼 수 있는 공사에 사용되는 비용으로 감정평가한다. 다만, 이 경우 관련 법령에 의하여 요구되는 시설의 개선에 필요한 비용은 포함하지 아니한다.

⑷ 보수기간

① 평가의뢰인의 제시가 있으면 제시기간을 기준한다.

② 제시가 없으면 4월을 기준한다. 단, 영업시설의 특성이나 보수 등의 규모 등에 비추어 특별히 인정되는 경우에는 의뢰인으로부터 보수기간 등을 제시받아 정한다.

⑸ 영업규모의 축소에 따른 영업용 고정자산 · 원재료 · 제품 및 상품 등의 매각손실액

공익사업에 영업시설의 일부가 편입됨으로 인하여 영업규모가 축소되어 영업용 고정자산 등의 매각이 불가피한 경우 이로 인한 매각손실액의 산정방법은 영업폐지 보상에서의 영업용 고정자산 등의 매각손실액의 산정방법을 따른다.

---

[51] 대판 2005.11.25, 2003두11230 【재결처분취소 및 손실보상금】

【판시사항】 영업장소를 이전하지 않는 영업의 경우에도 (구)공공용지의 취득 및 손실보상에 관한 특례법 시행규칙 제25조 제1항을 유추적용하여 보수기간 중의 인건비 등 고정적 비용을 보상하여야 하는지 여부(적극)

【판결요지】 (구)공공용지의 취득 및 손실보상에 관한 특례법 시행규칙(2002.12.31. 건설교통부령 제344호 공익사업을 위한 토지 등의 취득 및 보상에 관한 법률 시행규칙 부칙 제2조로 폐지) 제25조 제3항은 "영업시설의 일부가 편입됨으로 인하여 잔여시설에 그 시설을 새로이 설치하거나 보수하지 아니하고는 해당 영업을 계속할 수 없는 경우에는 3월의 범위 내에서 그 시설의 설치 등에 소요되는 기간의 영업이익에 그 시설의 설치 등에 소요되는 통상비용을 더한 금액으로 평가한다."고 규정하고 있을 뿐 그 보수기간 중의 인건비 등 고정적 비용을 보상한다는 명문의 규정을 두고 있지는 아니하지만, 그와 같은 경우라도 고정적 비용에 대한 보상을 금하는 취지로 볼 것은 아니고, 휴업 및 보수기간 중에도 고정적 비용이 소요된다는 점에 있어서 영업장소를 이전하는 영업의 경우와 그렇지 않은 경우를 달리 볼 아무런 이유가 없으며, 영업장소의 이전을 불문하고 휴업 및 보수기간 중 소요되는 고정적 비용을 보상함이 적정보상의 원칙에도 부합하는 점에 비추어 보면, 영업장소를 이전하지 않는 영업의 경우에도 같은 법 시행규칙 제25조 제1항을 유추적용하여 영업장소를 이전하는 경우와 마찬가지로 그 보수기간 중의 인건비 등 고정적 비용을 보상함이 타당하다.

3) 임시영업소를 설치하고 계속 영업 시(통상 공익성이 강한 은행, 병원 등이 대상)

(1) 임시영업소를 임차하는 경우

임시영업소를 임차하는 경우의 설치비용은 ⅰ) 임시영업기간 중의 임차료 상당액과 설정비용 등 임차에 필요하다고 인정되는 그 밖의 부대비용을 더한 금액, ⅱ) 영업시설 등의 이전에 드는 비용 및 영업시설 등의 이전에 따른 감손상당액, ⅲ) 그 밖의 부대비용을 더한 금액으로 산정한다. 이 경우 영업시설 등의 이전에 드는 비용 및 영업시설 등의 이전에 따른 감손상당액 및 그 밖의 부대비용은 영업장소 이전에 따른 휴업보상 감정평가방법을 준용한다.

(2) 임시영업소를 가설하는 경우

임시영업소를 가설하는 경우의 설치비용은 ⅰ) 임시영업소의 토지에 대한 지료 상당액과 설정비용 등 임차에 필요하다고 인정되는 그 밖의 부대비용을 더한 금액, ⅱ) 임시영업소 신축비용 및 해체·철거비를 더한 금액(해체·철거 시에 발생자재가 있을 때에는 그 가액을 공제한다), ⅲ) 영업시설 등의 이전에 드는 비용 및 영업시설 등의 이전에 따른 감손상당액, ⅳ) 그 밖의 부대비용을 더한 금액으로 산정한다. 이 경우 영업시설 등의 이전에 드는 비용 및 영업시설 등의 이전에 따른 감손상당액 및 그 밖의 부대비용은 영업장소 이전에 따른 휴업보상 감정평가방법을 준용한다.

(3) 임시영업소의 임차 및 가설하는 비용이 휴업(이전)보상액을 초과할 경우에는 휴업보상액으로 보상액을 결정한다.

4) 허가 등을 받지 아니한 영업의 손실보상 특례 [52]

(1) 사업인정고시일 등 전부터 허가 등을 받아야 행할 수 있는 영업을 허가 등이 없이 행하여 온 자가 공익사업의 시행으로 인하여 제45조 제1호 본문에 따른 적법한 장소에서 영업을 계속할 수 없게 된 경우에는 제45조 제2호에 불구하고 「통계법」 제3조 제3호에 따른 통계작성기관이 조사·발표하는 가계조사통계의 도시근로자가구 월평균 가계지출비를 기준으로 산정한 3인 가구 3개월분[53] 가계지출비[54]에 해당하는 금액을 영업손실에 대한 보상금으로 지급하되, 제47조 제1항 제2호에 따른 영업시설·원재료·제품 및 상품의 이전에 소요되는 비용 및 그 이전에 따른 감손상당액(이하 "영업시설 등의 이전비용"이라 한다)은 별도로 보상한다.

(2) 본인 또는 생계를 같이 하는 동일세대 안의 직계존속·비속 및 배우자가 해당 공익사업으로 다른 영업에 대한 보상을 받은 경우에는 영업시설 등의 이전비용만을 보상하여야 한다.

---

52) 토지보상법 시행규칙 제52조(해당 규정은 2007.4.12. 건설교통부령 제556호로 신설되었으며 당시 무허가건축물 임차인 등 영세영업자의 생활유지 및 생활보호를 목적으로 마련된 것이므로 법인의 경우 해당되기는 어려울 것이다. 국토교통부 질의회신, 2022.08.23.)

53) 4개월분이 아님에 주의해야 한다.

54) 도시근로자가구의 가구원수별 월평균 명목 가계지출비를 기준으로 한다(토지정책과–4135, 2018.06.27.). 근로자가구 중위값이 아님에 유의해야 한다.

영업보상의 구분 및 보상범위

구분		영업보상의 범위		
영업장소의 적법 여부	영업허가의 적법 여부	영업이익 등	월평균가계지출비 상당금액	이전비 등
적법한 건축물 (89.1.24. 이전 건축 무허가건축물 포함)	적법한 영업 (자유업 포함)	○	×	○
	무허가영업	×	○	○
89.1.24. 이후 건축한 무허가건축물	적법한 영업 (자유업)	임차인 ○* (소유자 ×)	×	○
	무허가영업**	×	×	○

* 상한 1,000만원

** 무허가건축물 등에서 영업허가 등을 득할 수 없을 것이다.

5) 공익사업시행지구 밖의 영업손실에 대한 보상

① 일반 영업손실의 보상대상(자유영업도 포함). 단, 공고고시 이후 영업은 제외

② 배후지의 2/3 이상 상실 그리고 해당 장소에서 계속 영업할 수 없을 것

③ 영업을 하는 자의 청구

6) 주의사항

휴업보상과 휴직·실직 보상은 개인별보상의 원칙에 따라서 각각 보상되어야 하며, 양자를 혼용하여 계산하면 안 된다.

기 본예제

감정평가사 柳 씨는 K 구청장으로부터 "○○도시계획도로사업"에 편입되는 영업에 대한 보상감정평가를 의뢰받아 현장조사를 통하여 다음과 같은 사항을 조사하였다. 의뢰된 각 영업의 조사사항을 참작하여 관련규정에 따라 보상에 대한 방침을 밝힌 후 각 영업에 대한 개별적인 보상액을 결정하시오.

자료 1 평가의뢰내역

1. 공익사업명 : ○○도시계획도로사업
2. 사업시행자 : K구
3. 도시·군계획시설결정고시일 : 2025.3.20.
4. 실시계획승인 고시일 : 2027.3.20.
5. 보상계획공고일 : 2027.5.12.
6. 가격시점 : 2027.8.1.

풀이영상

자료 2 공통자료(기호 1~5)

건축물의 일부에는 그 건축물 영업자(가족수 7인)가 소규모 식당을 운영하고 있으며, 현지조사 시에 영업장소 이전에 따른 휴업 등에 대한 손실보상을 요구하고 있다. 조사된 영업상황은 다음과 같다.

1. 영업개시일 : 2024년 1월
2. 영업행위 관련 허가 또는 신고 이행 여부 : 영업개시 당시 부가가치세법 제8조 규정에 의한 사업자 등록은 되어 있음.

3. 최근 3년간 연간 신고된 영업이익

구분	2024년	2025년	2026년
손익계산서상 영업이익	80,000,000	84,000,000	88,000,000

4. 이전 시 적정 휴업기간 : 4월
5. 휴업기간 중 고정적 비용 계속지출 예상액(화재보험료 등) : 4,000,000원
6. 영업시설 및 재고자산 등의 이전비 : 3,600,000원
   >> 이전 이후 규모에 맞게 추가시설분 시설비 상당액 600,000원이 포함되어 있다.
7. 재고자산의 이전에 따른 감손상당액 : 700,000원
8. 그 밖의 부대비용 : 500,000원

자료 3 기호 6에 대한 추가 조사사항

1. 잔여시설 보수기간 : 4개월
2. 해당 시설의 보수비 : 18,000,000원
3. 영업규모 축소에 따른 고정자산 등의 매각손실액 : 5,000,000원

자료 4 물건조서

기호	소재지	지번	물건의 종류	수량	상호	비고	
						건축물의 허가 여부	영업의 허가 여부
1	S동	11	영업의 휴업	1식	A상회	×	–
2	S동	12	영업의 휴업	1식	B상회	×	–
3	S동	13	영업의 휴업	1식	C상회	×	×
4	S동	14	영업의 휴업	1식	D상회	×	×
5	S동	15	영업의 휴업	1식	E상회	○	○
6	S동	16	영업의 휴업 (일부편입)	1식	F상회	○	○

자료 5 3인 도시근로자가구 가계지출비 : 월 4,427,633원

자료 6 영업에 대한 조사사항

구분	조사사항
기호 1	자유업에 해당하며 건축물의 소유자가 영업을 행하고 있다. 해당 건축물은 1997년 4월 8일에 건축된 것으로 확인되었다.
기호 2	자유업에 해당하며 건축물의 임차인이 영업을 행하고 있다. 해당 건축물은 1997년 4월 8일에 건축되었다.
기호 3	허가업종이나 무허가로 소유자가 직접 영업 중이며, 해당 건축물은 1988년 12월에 건축되었다.
기호 4	허가업종이나 무허가로 소유자가 직접 영업 중이며, 해당 건축물은 1996년 8월에 건축되었다.
기호 5	허가업종으로 허가를 득하였으며, 해당 건물은 2011년 6월에 사용승인되었다.
기호 6	기호 5의 상황과 동일하며, 해당 사업으로 인하여 영업장소의 일부가 편입되었다.

예시답안

Ⅰ. 평가개요

본건은 도시·군계획시설도로에 편입된 영업의 손실에 대한 보상감정평가로서 각 영업별 보상 여부를 판단한 후 보상액을 결정한다(가격시점 : 2027.8.1.).

Ⅱ. 각 영업별 보상기준 검토

1. 기호 1

① 자유업으로서 적법한 영업이나, ② '89.1.24. 이후 무허가건축물 내 영업이고 소유자 영업인바, ③ 불법건축물 내 영업으로서 영업손실 보상대상이 아니며, 이전비 등만 보상한다.

2. 기호 2

① 자유업으로서 적법한 영업이며, ② '89.1.24. 이후 무허가건축물 내 영업으로, ③ 임차인 영업이며 사업인정고시일 등 이전 1년 이전 사업자 등록을 한바, 임차인 영업보상 특례를 적용 ④ 이전비 등을 제외한 영업손실보상액의 최고한도 1,000만원을 고려한다.

3. 기호 3

① '89.1.24. 이전 무허가건축물로서 적법건축물 내 영업이나, ② 무허가영업으로서 무허가 영업보상 특례(시행규칙 제52조)를 적용하여 ③ 3인 가구 3월분 가계지출비와 이전비 등을 보상한다.

4. 기호 4

① '89.1.24 이후 무허가건축물로서 불법건축물 내 영업이고, ② 무허가 영업인바, ③ 이전비 등으로 보상한다.

5. 기호 5

요건에 해당하는 영업으로서 휴업손실보상의 대상이다.

6. 기호 6

사업장의 일부가 편입되는 영업손실로서 휴업보상을 한도로하여 일부편입에 따른 영업손실을 보상한다.

Ⅲ. 각 영업별 보상액 산정

1. 공통사항의 처리

(1) 휴업기간 중 영업이익

  ① 휴업기간 동안 영업이익 : 3년치 영업이익 평균 기준한다(연간 84,000,000원).

    ∴ 84,000,000 × 4/12 = 28,000,000원

  ② 최저한도액 : 휴업기간 중 3인 가구 근로자 가계지출비(최대 4개월)를 고려한다.

    ∴ 4,427,633 × 4개월 = 17,710,532원

  ③ 영업이익 결정 : 한도액 이상으로서 28,000,000원으로 결정한다.

(2) 고정적 비용 및 부대비용 : 4,000,000 + 500,000 ≒ 4,500,000원

(3) 영업장소 이전 후 발생하는 영업이익 감소액 : 28,000,000 × 0.2 = 5,600,000원(상한 1천만원)

(4) 이전비 및 감손상당액 : 추가 시설분 제외 : ∴ (3,600,000 − 600,000) + 700,000 ≒ 3,700,000원

2. 각 조서별 영업손실 보상액

(1) 기호 1 : 이전비 등 ∴ 3,700,000원

(2) 기호 2

  ① 임차인 보상특례 한도

    ㉠ 영업이익 및 고정적 비용 등(이전비 등을 제외한 보상액)

      $28,000,000 + 4,500,000 + 5,600,000 ≒ 38,100,000$원

    ㉡ 결정 : 10,000,000원을 초과하는바, 10,000,000원으로 결정한다.

  ② 보상액 결정 : $10,000,000 + 3,700,000 ≒ 13,700,000$원

(3) 기호 3 : $4,427,633 \times 3 + 3,700,000 = 16,982,899$원

(4) 기호 4 : 이전비 등 ∴ 3,700,000원

(5) 기호 5 : $28,000,000 + 4,000,000 + 3,700,000 + 5,600,000 + 500,000 = 41,800,000$원

(6) 기호 6

- 일부편입에 따른 보상평가액 : $28,000,000 + 4,000,000 + 18,000,000 + 5,000,000 = 55,000,000$원
- 전체 휴업에 따른 보상평가액 : 41,800,000원
- 결정 : 전체 휴업에 따른 보상평가액 기준으로서 41,800,000원으로 결정한다.

기타 권리의 감정평가 및 생활보상

제1절 농업손실 보상감정평가 [1]

01 농업손실 보상대상

1. 공익사업에 편입되는 농지

(1) 농지법 제2조 제1호 가목에 해당하는 농지

> **농지법 제2조**(정의)
>
> 이 법에서 사용하는 용어의 뜻은 다음과 같다.
> 1. "농지"란 다음 각 목의 어느 하나에 해당하는 토지를 말한다.
>   가. 전·답, 과수원, 그 밖에 법적 지목(地目)을 불문하고 실제로 농작물 경작지 또는 대통령령으로 정하는 다년생식물 재배지로 이용되는 토지. 다만, 「초지법」에 따라 조성된 초지 등 대통령령으로 정하는 토지는 제외한다.
>   나. 가목의 토지의 개량시설과 가목의 토지에 설치하는 농축산물 생산시설로서 대통령령으로 정하는 시설의 부지

(2) 농지법 시행령 제2조 제3항 제2호 가목에 해당하는 농지

> **농지법 시행령 제2조**(농지의 범위)
>
> ① 「농지법」(이하 "법"이라 한다) 제2조 제1호 가목 본문에서 "대통령령으로 정하는 다년생식물 재배지"란 다음 각 호의 어느 하나에 해당하는 식물의 재배지를 말한다.
>   1. 목초·종묘·인삼·약초·잔디 및 조림용 묘목
>   2. 과수·뽕나무·유실수 그 밖의 생육기간이 2년 이상인 식물
>   3. 조경 또는 관상용 수목과 그 묘목(조경목적으로 식재한 것을 제외한다)
> ② 법 제2조 제1호 가목 단서에서 "「초지법」에 따라 조성된 토지 등 대통령령으로 정하는 토지"란 다음 각 호의 토지를 말한다.
>   1. 「공간정보의 구축 및 관리 등에 관한 법률」에 따른 지목이 전·답, 과수원이 아닌 토지(지목이 임야인 토지는 제외한다)로서 농작물 경작지 또는 제1항 각 호에 따른 다년생식물 재배지로 계속하여 이용되는 기간이 3년 미만인 토지
>   2. 「공간정보의 구축 및 관리 등에 관한 법률」에 따른 지목이 임야인 토지로서 「산지관리법」에 따른 산지전용허가(다른 법률에 따라 산지전용허가가 의제되는 인가·허가·승인 등을 포함한다)를 거치

---

1) 토지보상법 시행규칙 제48조

지 아니하고 농작물의 경작 또는 다년생식물의 재배에 이용되는 토지

3. 「초지법」에 따라 조성된 초지

③ 법 제2조 제1호 나목에서 "대통령령으로 정하는 시설"이란 다음 각 호의 구분에 따른 시설을 말한다.

1. 법 제2조 제1호 가목의 토지의 개량시설로서 다음 각 목의 어느 하나에 해당하는 시설

   가. 유지(溜池: 웅덩이), 양·배수시설, 수로, 농로, 제방

   나. 그 밖에 농지의 보전이나 이용에 필요한 시설로서 농림축산식품부령으로 정하는 시설

2. 법 제2조 제1호 가목의 토지에 설치하는 농축산물 생산시설로서 농작물 경작지 또는 제1항 각 호의 다년생식물의 재배지에 설치한 다음 각 목의 어느 하나에 해당하는 시설

   가. 고정식온실·버섯재배사 및 비닐하우스와 농림축산식품부령으로 정하는 그 부속시설

   나. 축사(제29조 제5항 제3호에 따른 간이양축시설은 제외한다. 이와 같다)·곤충사육사와 농림축산식품부령으로 정하는 그 부속시설

   다. 간이퇴비장

   라. 농막·농촌체류형 쉼터·간이저온저장고 및 간이액비저장조 중 농림축산식품부령으로 정하는 시설

   마. 농림축산식품부령으로 정하는 지역, 지구 또는 구역 안에 설치하는 수직농장·식물공장(「마트농업 육성 및 지원에 관한 법률 시행령」 제4조 제1항 제5호에 따른 수직농장·식물공장을 말한다. 이하 같다)

2. 보상 제외대상(농지로 보지 않는 경우) [2]

① 사업인정고시일 등 이후부터 농지로 이용되고 있는 토지

② 토지이용계획·주위환경 등으로 보아 일시적으로 농지로 이용되고 있는 토지

③ 타인소유의 토지를 불법으로 점유하여 경작하고 있는 토지

④ 농민(「농지법」 제2조 제3호의 규정에 의한 농업법인 또는 「농지법 시행령」 제3조 제1호 및 동조 제2호의 규정에 의한 농업인을 말한다)이 아닌 자가 경작하고 있는 토지

⑤ 토지의 취득에 대한 보상 이후에 사업시행자가 2년 이상 계속하여 경작하도록 허용하는 토지

> **농지법 시행령 제3조(농업인의 범위)**
> 법 제2조 제2호에서 "대통령령으로 정하는 자"란 다음 각 호의 어느 하나에 해당하는 자를 말한다.
> 1. 1천제곱미터 이상의 농지에서 농작물 또는 다년생식물을 경작 또는 재배하거나 1년 중 90일 이상 농업에 종사하는 자
> 2. 농지에 330제곱미터 이상의 고정식온실·버섯재배사·비닐하우스, 그 밖의 농림축산식품부령으로 정하는 농업생산에 필요한 시설을 설치하여 농작물 또는 다년생식물을 경작 또는 재배하는 자
> 3. 대가축 2두, 중가축 10두, 소가축 100두, 가금(家禽: 집에서 기르는 날짐승) 1천수 또는 꿀벌 10군 이상을 사육하거나 1년 중 120일 이상 축산업에 종사하는 자
> 4. 농업경영을 통한 농산물의 연간 판매액이 120만원 이상인 자

---

2) 토지보상법 시행규칙 제48조 제3항

3. 농업손실보상액 산정방법

1) 원칙

「통계법」에 따른 통계작성기관이 매년 조사·발표하는 농가경제조사통계의 도별 농업총수입 중 농작물수입을 도별 표본농가현황 중 경지면적으로 나누어 산정한 연간 농가평균 단위면적당 농작물 총수입[3]의 직전 3년간 평균의 2년분

> 농업손실보상액 = 연간농가평균단위경작면적당 농작물 총수입(원/m²) × 면적(m²) × 2년

≫ 연간농가평균단위경작면적당 농작물총수입(원/m²) = 농작물총수입 ÷ 표본농가경지면적

기 본예제

아래 농업에 대한 농업손실보상액을 산정하시오.

자료

1. 평가대상 : 경기도 ◎◎시 ◎◎동 100번지, 자연녹지지역, 전, 8,000m²
2. 소유자가 경작하고 있으며, 실제소득 입증은 없다.
3. 관련 통계자료(경기도)

구분	3년전	2년전	1년전
표본농가 농작물수입(원)	25,000,000	26,650,000	26,880,000
표본농가 농업총수입(원)	35,000,000	36,650,000	36,880,000
표본농가 경지면적(m²)	12,500	13,000	12,800

예시답안

Ⅰ. 처리방침

토지보상법 시행규칙 제48조에 의하여 단위경작면적당 농작물 총수입의 직전 3년간 평균의 2년분을 곱하여 산정한다.

Ⅱ. 단위경작면적당 농작물총수입

구분	3년전	2년전	1년전	평균
원/m²	2,000	2,050	2,100	2,050

Ⅲ. 농업손실보상액

2,050 × 2년분 = 4,100원/m²(×8,000m² = 32,800,000원)

---

3) 서울특별시·인천광역시는 경기도, 대전광역시는 충청남도, 광주광역시는 전라남도, 대구광역시는 경상북도, 부산광역시·울산광역시는 경상남도의 통계를 각각 적용한다.

2) 국토교통부장관이 농림축산식품부장관과의 협의를 거쳐 관보에 고시하는 농작물실제소득인 정기준에서 정하는 바에 따라 실제소득을 입증하는 자의 경우

(1) 농업손실보상액

그 면적에 단위경작면적당 3년간 실제소득 평균의 2년분을 곱하여 산정한 금액을 영농손실액으로 보상한다.

> 농업손실보상액 = 단위 경작면적당 3년간 실제소득 평균(원/m²)[4]×2년

(2) 제한사항

① 단위경작면적당 실제소득이 「통계법」 제3조 제3호에 따른 통계작성기관이 매년 조사·발표 하는 농축산물소득자료집의 작목별 평균소득의 2배를 초과하는 경우

해당 작목별 단위경작면적당 평균생산량[5]의 2배(단위경작면적당 실제소득이 현저히 높다고 농작물실제소득인정기준에서 따로 배수를 정하고 있는 경우에는 그에 따른다)를 판매한 금액을 단위경작면적당 실제소득으로 보아 이에 2년분을 곱하여 산정한 금액

② 농작물실제소득인정기준에서 직접 해당 농지의 지력(地力)을 이용하지 아니하고 재배 중인 작물을 이전하여 해당 영농을 계속하는 것이 가능하다고 인정하는 경우

단위경작면적당 실제소득(제1호의 요건에 해당하는 경우에는 제1호에 따라 결정된 단위경작 면적당 실제소득을 말한다)의 4개월분을 곱하여 산정한 금액

(3) **적용예시(⑩ 시설참외)**

구분	총액(원) (A×B)	수량(kg) (A)	단가(원/kg) (B)	농지면적 (m²)	실제소득 입증 시 (원/m²)*	실제소득 미입증 시
입증사례 1	4,200,000	2,100	2,000	1,000	4,939	
입증사례 2	7,500,000	2,500	3,000	1,000	8,820	
농작물 평균	6,527,634	3,214	2,031	1,000	7,676	2,668원/m²
입증사례 3	9,139,500	4,500	2,031	1,000	10,748	
입증사례 4	125,000,000	50,000	2,500	1,000	147,000	

* 실제소득기준 단위면적당 농작물 총수입 : 총액(원)(A×B)/1,000m² × 58.8%(소득률) × 2년
» 평균수입기준 단위면적당 농작물 총수입 3년치 평균(실제소득 미입증 시) : 2,668원/m²(2년치)

---

4) 해당 규칙 개정(2020.12.11.) 시행 이후 법 제15조(법 제26조 제1항에 따라 준용되는 경우를 포함한다)에 따라 보상계획을 공고 하고 토지소유자 및 관계인에게 보상계획을 통지하는 공익사업부터 적용한다(개정 이전에는 3년간 실제소득 평균이 아니라 연간 실제소득으로 규정되어 있었음).
5) 소득 자체가 아니고 평균생산량의 2배인 점에 주의해야 한다.

현행 토지보상법 시행규칙에 의한 각 사례별 실제소득

- 입증사례 1, 2, 3 : 입증금액 그대로 적용(평균소득의 2배 이내)
- 입증사례 4
  - 입증금액 : 16,070,000원(3,214kg × 2배 × 2,500원/kg)
  - 1,000㎡의 농지에서 50,000kg 생산은 불가하므로 평균생산량의 2배를 판매한 금액(2,500원/kg)을 상한으로 한다.

기 본예제

다음 농업에 대한 농업손실보상 감정평가액을 결정하되, 단가는 원 단위까지 표시한다.

자료 1 ▶ 지장물조서

소재지	지목	면적(㎡)	명칭	수량	비고
A리 100(경기도 소재)	전	2,000	농업손실보상(당근재배)	1식	실제소득인정

자료 2 ▶ 출하실적(출하처 : 지역농협)

구분	수량(kg)	판매단가(원/kg)	판매금액
3년전	10,000	1,100	11,000,000
2년전	11,000	1,050	11,550,000
1년전	12,000	1,150	13,800,000

자료 3 ▶ 농축산물소득자료집 중 작목별 평균소득(연1기작, 1,000㎡)(경기도 기준)

구분	수량(kg)	단가(원)	금액(원)	비고
조수입	4,148	832	3,451,136	–
생산비	–	–	1,579,612	종자비, 비료비 등
소득	–	–	1,871,524	소득률 54.2%

예시답안

I. 처리방침

토지보상법 시행규칙 제48조에 의하여 3년간 실제소득 평균의 2년분을 곱하여 산정한 금액을 영농손실액으로 보상한다.

II. 작목별 평균소득의 2배(상한) : 1,871,524원 ÷ 1,000㎡ ≒ 1,872원/㎡ × 2배 = 3,744원/㎡

III. 실제소득입증액

$$\frac{11,000,000 + 11,550,000 + 13,800,000}{3} \times 0.542 \div 2,000㎡ ≒ 3,284원/㎡(상한액 이내임)$$

IV. 보상평가액

3,284 × 2년분 = 6,568원/㎡(×2,000㎡ = 13,136,000원)

3) 공부상 지목이 임야인 사실상 농지

「농지법」 제2조 제1호 가목에서는 전·답, 과수원, 그 밖에 법적 지목을 불문하고 실제로 농작물 경작지 또는 다년생식물 재배지로 이용되는 토지를 농지로 본다. 다만, ㉠ 「공간정보관리법」에 따른 지목이 전·답, 과수원이 아닌 토지(지목이 임야인 토지는 제외함)로서 농작물 경작지 또는 다년생식물 재배지로 계속하여 이용되는 기간이 3년 미만인 토지, ㉡ 「공간정보관리법」에 따른 지목이 임야인 토지로서 「산지관리법」에 따른 산지전용허가(다른 법률에 따라 산지전용허가가 의제되는 인가·허가·승인 등을 포함함)를 거치지 아니하고 농작물의 경작 또는 다년생식물의 재배에 이용되는 토지, ㉢ 「초지법」에 따라 조성된 초지 등은 농지로 보지 않는다.

위 내용 중 임야에 관한 규정(농지법 시행령 제2조 제2항)은 2016.1.19.자로 개정·시행되었으며 「농지법 시행령」 부칙 제2조에서 농지의 범위에 관한 경과조치로서 ㉠ 이 영 시행 당시 「공간정보관리법」에 따른 지목이 전·답, 과수원이 아닌 토지로서 농작물 경작지 또는 제2조 제1항 제1호에 따른 다년생식물의 재배에 이용되고 있는 토지, ㉡ 이 영 시행 당시 「공간정보관리법」에 따른 지목이 임야인 토지로서 토지의 형질을 변경하고 제2조 제1항 제2호 또는 제3호에 따른 다년생식물의 재배에 이용되고 있는 토지는 종전의 규정에 따르도록 규정하고 있으므로 이런 경우에는 시행령 개정 후에도 농지로 본다(2016년 1월 19일 이전부터 사실상의 농지로 이용되는 공부상 지목이 임야인 토지는 농지에 해당되며 농업손실보상의 대상이 된다).[6]

다만, ㉠ 관계 법령의 입법 취지와 그 법령에 위반된 행위에 대한 비난 가능성과 위법성의 정도, 합법화될 가능성, 사회통념상 거래 객체가 되는지 여부 등 전반적인 사실관계, ㉡ 구체적인 개별 사안별로 대상 토지에 경작이 이루어지게 된 시기 및 경작이 이루어진 기간, 경작 규모 및 이용현황, 산지로서의 관리 필요성 및 농지화된 정도, 사업인정 고시와의 관계 등을 종합하여 고려할 때 손실보상을 하는 것이 사회적으로 용인될 수 없는 경우라면 영농손실 보상에 해당하지 않는다.[7]

4) 자경농지가 아닌 농지에 대한 영농손실액

⑴ **농지의 소유자가 해당 지역에 거주하는 농민인 경우**

  ① **농지의 소유자와 제7항에 따른 실제 경작자**(이하 "실제 경작자"라 한다) **간에 협의가 성립된 경우**
  협의내용에 따라 보상

  ② **농지의 소유자와 실제 경작자 간에 협의가 성립되지 아니하는 경우에는 다음의 구분에 따라 보상**
  ㉠ 제1항(연간농가평균단위경작면적당 농작물 총수입 기준)에 따라 영농손실액이 결정된 경우: 농지의 소유자와 실제 경작자에게 각각 영농손실액의 50퍼센트에 해당하는 금액을 보상
  ㉡ 제2항(농작물실제소득인정기준)에 따라 영농손실액이 결정된 경우: 농지의 소유자에게는 제1항의 기준에 따라 결정된 영농손실액의 50퍼센트에 해당하는 금액을 보상하고, 실제

---

6) 임야중 일부를 2015년 이전부터 경작하고 있는 부분에 대하여 농업손실보상 대상으로 인용한 사례(중토위 2020.9.10.)
7) 법제처 법령해석례, 11-0737, 2012.1.5.

경작자에게는 제2항에 따라 결정된 영농손실액 중 농지의 소유자에게 지급한 금액을 제외한 나머지에 해당하는 금액을 보상

(2) 농지의 소유자가 해당 지역에 거주하는 농민이 아닌 경우

실제 경작자에게 보상[8]

5) 실제 경작자가 자의로 이농하는 등의 사유로 보상협의일 또는 수용재결일 당시에 경작을 하고 있지 않는 경우의 영농손실액

농지의 소유자가 해당 지역에 거주하는 농민인 경우에 한정하여 농지의 소유자에게 보상한다.

6) 농업용 자산

(1) 요건

① 해당 지역에서 경작하고 있는 농지의 3분의 2 이상에 해당하는 면적이 공익사업시행지구에 편입된 경우

② 농기구를 이용하여 해당 지역에서 영농을 계속할 수 없게 된 경우(과수 등 특정한 작목의 영농에만 사용되는 특정한 농기구의 경우에는 공익사업시행지구에 편입되는 면적에 관계없이 해당 지역에서 해당 영농을 계속할 수 없게 된 경우를 말한다.)

③ 농기구란 농업을 능률적·효율적으로 하기 위한 기계 및 기구 등을 말하는 것으로서 호미·낫 등 인력을 사용하는 소농구는 농기구보상의 대상이 되는 농기구로 보지 않는다.

(2) 농기구

① 매각손실액을 평가하여 보상한다.

② 매각손실액의 평가가 현실적으로 곤란한 경우 원가법에 의하여 산정한 가격의 60퍼센트 이내에서 매각손실액을 정할 수 있다.

7) 실제 경작자에 대한 확인방법

(1) 타인소유의 농지를 임대차 등 적법한 원인에 의하여 점유하고 자기 소유의 농작물을 경작하는 것으로 인정된 자를 의미한다.

(2) 구체적인 확인방법

① 농지의 임대차계약서

② 농지소유자가 확인하는 경작사실확인서(실제 경작자로 인정받으려는 자가 경작사실확인서의 자료만 제출한 경우 사업시행자는 해당 농지의 소유자에게 그 사실을 서면으로 통지할 수 있으며, 농지소유자가 통지받은 날부터 30일 이내에 이의를 제기하지 않는 경우에는 농지소유자가 확인하는 경작사실확인서의 자료가 제출된 것으로 본다.)

---

8) 영농보상은 농경지의 수용으로 인하여 장래에 영농을 계속하지 못하게 되는 실제경작자의 특별한 희생을 보상하기 위한 것이다(대판 2004.04.27, 2002두8909).

③ 「농업·농촌 공익기능 증진 직접지불제도 운영에 관한 법률」에 따른 직접지불금의 수령 확인자료

④ 「농어업경영체 육성 및 지원에 관한 법률」 제4조에 따른 농어업경영체 등록 확인서

⑤ 해당 공익사업시행지구의 이장·통장이 확인하는 경작사실확인서

⑥ 그 밖에 실제 경작자임을 증명하는 객관적 자료

(3) 그 밖의 유의사항

① 실제경작자는 자기소유의 농작물을 경작하여야 하므로 농지소유자의 농작물을 대신 재배하는 경우는 보상대상자가 아니다.

② 실제경작자가 해당 지역에 거주할 것을 요건으로 하지 않으므로 해당 지역에 거주하지 않는다고 하여 실제경작자에서 제외되지 않는다.[9]

제2절 권리의 보상감정평가(어업권 및 광업권)[10]

01 개요(어업권 및 광업권의 일반평가와 차이점)

어업권 및 광업권의 보상감정평가는 일반거래목적의 평가와 대체적으로 유사하나 그 개념 및 보상감정평가 시 산정방법의 차이가 있으므로 유의해야 한다.

02 어업권 보상감정평가[11]

토지보상법 시행규칙 제44조(어업권의 평가 등)

① 공익사업의 시행으로 인하여 어업권이 제한·정지 또는 취소되거나 「수산업법」 제14조 또는 「내수면어업법」 제13조에 따른 어업면허의 유효기간의 연장이 허가되지 아니하는 경우 해당 어업권 및 어선·어구 또는 시설물에 대한 손실의 평가는 「수산업법 시행령」 [별표 10]에 따른다.

② 공익사업의 시행으로 인하여 어업권이 취소되거나 「수산업법」 제14조 또는 「내수면어업법」 제13조에 따른 어업면허의 유효기간의 연장이 허가되지 않는 경우로서 다른 어장에 시설을 이전하여 어업이 가능한 경우 해당 어업권에 대한 손실의 평가는 「수산업법 시행령」 [별표 10] 중 어업권이 정지된 경우의 손실액 산출방법 및 기준에 따른다.

③ 법 제15조 제1항 본문의 규정에 의한 보상계획의 공고(동항 단서의 규정에 의하는 경우에는 토지소유자 및 관계인에 대한 보상계획의 통지를 말한다) 또는 법 제22조의 규정에 의한 사업인정의 고시가 있는 날(이하 "사업인정고시일 등"이라 한다) 이후에 어업권의 면허를 받은 자에 대하여는 제1항 및 제2항의 규정을 적용하지 아니한다.

---

9) 실제경작자는 해당 지역에 거주하여야 하는 것은 아니다(대판 2002.06.14, 2000두3450).

10) 토지보상법 제76조 제1항

11) 감정평가실무기준 해설서(Ⅱ) 보상편, 한국감정평가사협회 등, 2014.02, pp.285~296 참조

④ 제1항 내지 제3항의 규정은 허가어업 및 신고어업(「내수면어업법」 제11조 제2항의 규정에 의한 신고어업을 제외한다)에 대한 손실의 평가에 관하여 이를 준용한다.
⑤ 제52조는 이 조의 어업에 대한 보상에 관하여 이를 준용한다.

1. 어업권의 보상감정평가

1) 개념

(1) 어업

어업이란 수산동식물을 포획·채취하거나 양식하는 사업을 말한다(수산업법 제2조 제2호). 반면 수산업이란 어업·양식업·어획물운반업 및 수산물가공업을 말한다(수산업법 제2조 제1호). 그러므로 어업이란 수산업에서 양식업·어획물운반업 및 수산물가공업을 제외한 것을 말하며, 양식업·어획물운반업 및 수산물가공업은 어업에 해당하지 않는다.

(2) 어업권

어업권이란 「수산업법」 제7조 및 「내수면어업법」 제6조에 따른 면허를 받아 어업을 경영할 수 있는 권리를 말한다. 어업면허를 받은 자와 어업권을 이전받거나 분할받은 자는 어업권원부에 등록을 함으로써 어업권을 취득한다. 어업권은 물권(物權)으로 하고, 「수산업법」에서 정한 것 외에는 「민법」 중 토지에 관한 규정을 준용하되, 어업권과 이를 목적으로 하는 권리에 관하여는 「민법」 중 질권(質權)에 관한 규정을 적용하지 아니하고, 법인이 아닌 어촌계가 취득한 어업권은 그 어촌계의 총유(總有)로 한다(수산업법 제16조).

(3) 허가어업

허가어업이란 「수산업법」 제40조 및 「내수면어업법」 제9조에 따른 허가를 얻은 어업을 말한다.

(4) 신고어업

신고어업이란 「수산업법」 제48조 및 「내수면어업법」 제11조에 따라 신고를 한 어업을 말한다.

(5) 어업손실

시장·군수·구청장은 「토지보상법」 제4조의 공익사업을 위하여 필요한 경우에는 면허한 어업을 제한 또는 정지하거나 어선의 계류(繫留) 또는 출항·입항을 제한하거나(수산업법 제34조 제1항 제6호), 허가어업 또는 신고어업을 제한할 수 있으며(수산업법 제43조 제2항 및 제49조 제3항), 이러한 처분으로 인하여 손실을 입은 자는 그 처분을 행한 행정관청에 보상을 청구할 수 있다(수산업법 제81조 제1항 제1호). 어업손실이란 공익사업의 시행 등으로 인하여 어업권·허가어업·신고어업(이하 "어업권 등"이라 한다)이 제한·정지 또는 취소되거나 「수산업법」 제14조 또는 「내수면어업법」 제13조에 따른 어업면허의 유효기간의 연장이 허가되지 아니하는 경우 해당 어업권 등 및 어선·어구 또는 시설물(이하 "시설물 등"이라 한다)에 대한 손실을 말한다.

(6) 어업취소손실

어업취소손실이란 공익사업의 시행 등으로 인하여 어업권 등의 효력이 상실되거나 「수산업법」 제14조 또는 「내수면어업법」 제13조에 따른 어업면허의 유효기간의 연장이 허가되지 아니하여 발생한 손실을 말한다.

(7) 어업정지손실

어업정지손실이란 공익사업의 시행 등으로 인하여 어업권 등이 정지되어 발생한 손실을 말한다.

(8) 어업제한손실

어업제한손실이란 공익사업의 시행 등으로 인하여 어업권 등이 제한되어 발생한 손실을 말한다.

2) 어업권 보상감정평가의 대상

어업권 보상감정평가의 대상도 다른 보상대상과 마찬가지로 사업시행자가 「토지보상법」에서 정한 절차에 따라 보상대상으로 확정한 후 의뢰한 것으로 한다. 다만, 「수산업법」 제81조 제1항에 따라 어업 제한 또는 정지의 처분을 행한 행정관청이 직접 보상하는 경우는 해당 행정관청이 보상감정평가를 목적으로 제시한 것으로 한다.

3) 어업손실보상에서 제외되는 어업

(1) 수산자원의 증식·보호 등의 필요에 의하여 허가·신고어업을 제한한 경우

시장·군수·구청장이 ⅰ) 수산자원의 증식·보호를 위하여 필요한 경우, ⅱ) 군사훈련 또는 주요 군사기지의 보위(保衛)를 위하여 필요한 경우, ⅲ) 국방을 위하여 필요하다고 인정되어 국방부장관이 요청한 경우 등에 해당되어 허가어업 또는 신고어업을 제한한 경우에는 보상의 대상이 되지 아니한다(수산업법 제81조 제1항 제1호 단서).

(2) 면허·허가받거나 신고·등록하지 아니한 어업

「수산업법」은 면허어업·허가어업 및 신고어업을 규정하고, 누구든지 이러한 어업 외의 방법으로 수산동식물을 포획·채취 또는 양식하지 못하도록 하고 있다(수산업법 제58조). 따라서 면허·허가받거나 신고하지 아니한 어업은 보상대상이 아니다.

(3) 관행어업

종전에는 어업권이 설정되기 전부터 수면에서 계속적으로 수산동식물을 포획·채취하여온 관행에 의하여 행하여진 어업인 관행어업을 보상대상으로 인정하여 왔다. 그러나 1991.2.2. 「수산업법」을 개정하여 입어 및 입어자를 신설하고 "입어"란 입어자가 공동어업의 어장에서 수산동식물을 포획·채취하는 것을, "입어자"란 어업의 신고를 한 자로서 공동어업권이 설정되기 전부터 해당 수면에서 계속적으로 수산동식물을 포획·채취하여 온 사실이 대다수 사람들에게 인정되는 자 중 어업권원부에 등록된 자로 한정하고(수산업법 제2조 제10호 및 제11호), 이 법 시행 당시 공동어업의 어장 안에서 입어관행이 있는 것으로 인정되는 자로서 종전의 규정에 의하여 어업권원부에 입어자로 등록하지 아니한 자는 이 법 시행일부터 2년 이내(1993.2.1.까지)에 어업권원부에 등록을 한 경우에 한하여 입어자로 보도록 규정하고 있으므로(부칙 제11조 제2항), 현재는 어업권원부에 등록하지 않은 관행어업은 보상대상이 아니다.

⑷ 보상계획 등의 고시 후에 면허·허가를 받거나 신고한 어업

보상계획의 공고·통지(토지보상법 제15조) 또는 사업인정의 고시(토지보상법 제22조)가 있은 후에 어업권의 면허 또는 허가를 받거나 신고를 한 어업은 손실보상의 대상이 아니다(토지보상법 시행규칙 제44조 제3항 및 제4항).

대법원은 "공유수면매립사업시행의 면허 등 고시 이후에 비로소 어업허가를 받았거나 어업신고를 한 경우에는 이는 그 공유수면에 대한 공공사업의 시행과 이로 인한 허가 또는 신고어업의 제한이 이미 객관적으로 확정되어 있는 상태에서 그 제한을 전제로 하여 한 것으로서 그 이전에 어업허가 또는 신고를 마친 자와는 달리 위 공공사업이 시행됨으로써 그렇지 않을 경우에 비하여 그 어업자가 얻을 수 있는 이익이 감소된다고 하더라도 손실보상의 대상이 되는 특별한 손실을 입게 되었다고 할 수 없어 이에 대하여는 손실보상을 청구할 수 없다."라고 판시하고 있다(대판 2002.2.26, 2000다72404).

⑸ 어업권의 면허 시 보상청구 포기의 부관이 붙은 경우 등

어업권의 면허 시 공익사업의 시행 등으로 인하여 필요한 경우 어업권면허는 취소되며, 이에 대하여 별도로 보상을 청구하지 않는다는 취지의 부관이 붙은 경우에는 보상대상에서 제외된다. 허가어업 또는 신고어업의 경우도 같다. 대법원은 "면허의 제한 또는 조건으로 정부 또는 지방자치단체의 개발계획상 면허지가 필요할 때 어업권면허는 취소되며 이 경우 아무런 보상도 실시하지 아니한다는 내용의 부관이 붙여져 있었고 그 부관이 어업권등록원부에 기재되었으며 … 어업권은 「수산업법」 제8조 제1항의 면허어업으로서 면허권자는 면허를 함에 있어서 면허의 제한 등에 관한 부관을 붙일 수 있다 할 것이고 위와 같이 어업권등록원부에 기재된 부관의 효력은 그 후 어업권을 양수한 자에게도 미친다고 한 판단은 정당하다."라고 판시하였다(대판 1993.6.22, 93다17010).

⑹ 내수면 중 사유수면에서 하는 어업

「내수면어업법」이 적용되는 하천·댐·호소·저수지 기타 인공으로 조성된 담수나 기수의 수류 또는 수면인 내수면은 공공용수면(국가·지방자치단체 또는 대통령령이 정하는 공공단체가 소유 또는 관리하는 내수면)과 사유수면(사유토지에 자연 또는 인공으로 조성된 내수면)으로 구분된다. 공공용수면에서는 면허어업 외에도 허가어업 및 신고어업도 인정하고 있으나, 사유수면에서 공공용수면에서의 면허·허가·신고어업의 대상이 되는 어업을 하고자 하는 자는 시장·군수·구청장에게 신고할 수 있도록 규정하고 있다(내수면어업법 제11조 제2항). 이와 같은 사유수면에서의 어업은 어업권의 감정평가방법이 준용되지 않는다(토지보상법 시행규칙 제44조 제4항).

따라서 내수면 중 공공용수면에서의 면허·허가·신고어업에 한하여 「수산업법 시행령」 [별표 10]을 적용하고, 사유수면에서의 신고어업에 대한 보상은 「토지보상법 시행규칙」 제45조부터 제47조까지의 영업손실보상으로 처리한다.

4) 어업의 종류

(1) 면허어업

① 면허어업의 의의

면허어업은 지형 등 혹은 어법·어구에 따라 특히 일정한 수면에 한해서만 이를 행할 필요가 있는 어업에 대하여 시장·군수·구청장 또는 해양수산부장관의 면허를 받은 자로 하여금 해당 어업을 하는 데 방해가 되는 행위를 배제하고, 해당 수면을 독점하여 배타적으로 지배하도록 해 주는 것을 말한다.

② 면허어업의 유효기간

어업면허의 유효기간은 특별한 사유가 없는 한 10년으로 하되, 어업권자의 신청에 따라 면허기간이 끝난 날부터 10년의 범위에서 유효기간의 연장을 허가하여야 한다. 어업권은 면허의 유효기간이나 연장허가기간이 끝남과 동시에 소멸된다(수산업법 제14조).

③ 면허어업의 구분(수산업법 제7조)

> ① 다음 각 호의 어느 하나에 해당하는 어업을 하려는 자는 시장·군수·구청장의 면허를 받아야 한다.
>   ⅰ) 정치망어업(定置網漁業) : 일정한 수면을 구획하여 대통령령으로 정하는 어구(漁具)를 일정한 장소에 설치하여 수산동물을 포획하는 어업
>   ⅱ) 마을어업 : 일정한 지역에 거주하는 어업인이 해안에 연접한 일정한 수심(水深) 이내의 수면을 구획하여 패류·해조류 또는 정착성(定着性) 수산동물을 관리·조성하여 포획·채취하는 어업
> ② 시장·군수·구청장은 제1항에 따른 어업면허를 할 때에는 개발계획의 범위에서 하여야 한다.
> ③ 제1항 각 호에 따른 어업의 종류와 마을어업 어장의 수심 한계는 대통령령으로 정한다.
> ④ 다음 각 호에 필요한 사항은 해양수산부령으로 정한다.
>   ⅰ) 어장의 수심(마을어업은 제외한다), 어장구역의 한계 및 어장 사이의 거리
>   ⅱ) 어장의 시설방법 또는 포획·채취방법
>   ⅲ) 어획물에 관한 사항
>   ⅳ) 어선·어구(漁具) 또는 그 사용에 관한 사항
>   ⅴ) 해적생물(害敵生物) 구제도구의 종류와 사용방법 등에 관한 사항
>   ⅵ) 그 밖에 어업면허에 필요한 사항

(2) 허가어업(수산업법 제40조)

① 허가어업의 의의

허가어업은 그 어구·어법에 따라 이를 자유로이 방임하면 수산동식물의 번식 보호상 또는 어업질서를 유지하는 데 지장을 가져올 염려가 있어 이를 적절히 제한할 필요가 있어 자유로운 어업을 금지하였다가 일정한 경우 이를 풀어 허가하는 것을 말한다.

② 허가어업의 유효기간

어업허가의 유효기간은 5년으로 한다. 다만, 어선을 임차하여 사용하는 등 일정한 경우에는 그 유효기간을 단축할 수 있다(수산업법 제47조).

③ **허가어업의 구분**

허가어업에는 어선 또는 어구(漁具)마다 ⅰ) 해양수산부장관의 허가를 받아야 하는 어업, ⅱ) 시·도지사의 허가를 받아야 하는 어업, ⅲ) 시장·군수·구청장의 허가를 받아야 하는 어업 등이 있다.

⑶ **신고어업**(수산업법 제48조)

신고어업은 면허어업 또는 허가어업 외의 어업으로서 어선·어구 또는 시설마다 시장·군수 또는 자치구의 구청장에게 신고하여야 하는 어업을 말한다.

신고어업의 유효기간은 원칙적으로 신고를 수리(受理)한 날부터 5년으로 하며, 신고어업에는 맨손어업·나잠어업 등이 있다(수산업법 제48조).

　》 하천, 댐, 호수, 저수지 기타 인공으로 조성된 담수나 기수의 수류 또는 수면을 내수면이라 하는데 이러한 내수면어업에 적용되는 법을 내수면어업법이라 하고, 이에는 면허어업과 허가어업이 있다.

2. 어업손실보상의 종류

어업손실이란 공익사업의 시행 등으로 인하여 어업권·허가어업·신고어업(이하 "어업권 등"이라 한다)이 제한·정지 또는 취소되거나 「수산업법」 제14조 또는 「내수면어업법」 제13조에 따른 어업면허의 유효기간의 연장이 허가되지 아니하는 경우 해당 어업권 등 및 어선·어구 또는 시설물(이하 "시설물 등"이라 한다)에 대한 손실을 말한다.

어업손실은 손실발생의 원인에 따라 어업처분손실과 어업피해손실로 구분된다.

⑴ **어업처분손실보상의 대상물건**

어업권 보상감정평가에서 피해범위, 어업피해손실의 구분, 피해정도 등에 대해서는 전문용역기관의 조사결과를 참고할 수 있다. 다만, 조사결과가 불분명하거나 판단하기 어려운 경우에는 사업시행자와 협의 등을 거쳐 판단할 수 있다.

⑵ **어업피해손실보상의 대상물건**

어업피해 손실액의 산출에 있어서는 관련 증빙서류가 있는 경우의 산출기관과 증빙서류가 없는 경우의 산출기관으로 구분하여(수산업법 시행령 [별표 10] 4.가.1)2)), 보상을 받고자 하는 자가 제출한 증빙서류에 의하여 어업별 보상액을 산출할 수 있는 경우에는 보상의 원인이 되는 처분을 한 행정기관에서 직접 손실액을 산출하도록 규정하고 있으나, 증빙서류가 없는 경우에는 행정관청은 피해의 범위와 정도에 대하여 해양수산부장관이 지정하는 수산에 관한 전문조사연구기관 또는 교육기관으로 하여금 손실액 산출을 위한 용역조사를 하게 한 후 그 조사결과를 토대로 2인 이상의 감정평가법인등에게 손실액의 감정평가를 의뢰하도록 하고 있다(수산업법 시행령 [별표 10] 4.나.1)).

3. 어업처분손실평가

1) 개요

「수산업법」 제34조, 제35조, 제36조 또는 「내수면어업법」 제16조 등에 의한 행정관청의 어업처분에 따른 손실로서 행정처분의 종류에 따라 취소(연장불허처분 포함), 제한, 정지처분손실로 각각 구분한다.

2) 취소처분손실평가

어업취소손실이란 공익사업의 시행 등으로 인하여 어업권 등의 효력이 상실되거나 「수산업법」 제14조 또는 「내수면어업법」 제13조에 따른 어업면허의 유효기간의 연장이 허가되지 아니하여 발생한 손실을 말한다.

(1) 면허어업

$$평가액 = 평년수익액 ÷ 연리(12\%) + 어선, 어구 등 시설물의 잔존가액^{*}$$

* 어선, 어구 등 시설물의 잔존가액 : 원가법에 의하되 선체, 기관, 의장별로 구분하여 평가하되 원가법(적정치 않으면 거래사례비교법)에 의한다.

(2) 허가 및 신고어업

$$평가액 = 평년수익액 × 3년 + 어선, 어구 등 시설물의 잔존가액$$

3) 제한처분손실평가

어업의 제한기간, 제한정도 등을 참작하여 산출한 손실액으로 평가한다.

4) 정지처분손실평가(단 2)의 평가액을 초과할 수 없다.)

어업정지손실이란 공익사업의 시행 등으로 인하여 어업권 등이 정지되어 발생한 손실을 말한다.

(1) 면허어업

$$평가액 = 평년수익액 × 정지기간 + 시설물 등 또는 양식물의 이전·수거 등에 소요되는 손실액$$
$$+ 어업의 정지기간 중에 발생하는 통상의 고정적 경비$$

(2) 허가·신고어업

$$평가액 = 평년수익액 × 정지기간 또는 어선의 계류기간$$
$$+ 어업의 정지기간 또는 계류기간 중에 발생하는 통상의 고정적 경비^{*}$$

* 통상의 고정적 경비 : 어업의 정지기간 중 또는 어선의 계류기간 중에 해당 시설물 또는 어선·어구를 유지· 관리하기 위하여 통상적으로 발생하는 경비

5) 이전손실평가

공익사업의 시행으로 인하여 어업권(허가어업 및 신고어업을 포함함)이 취소되거나 어업면허의 유효기간의 연장이 허가되지 아니하는 경우로서 다른 어장에 시설을 이전하여 어업이 가능한 경우의 어업권에 대한 보상감정평가는 「수산업법 시행령」 [별표 10] 중 어업권이 정지된 경우의 손실액 산출방법 및 기준에 따른다(토지보상법 시행규칙 제44조 제2항 및 제4항). 여기서 "다른 어장"은 전국의 모든 어장을 의미하므로 지역적·거리적 제한은 없다(2006.1.5, 토지정책팀-79).

4. 어업피해손실평가(어업제한손실)

(1) 개요

어업제한손실이란 공익사업의 시행 등으로 인하여 어업권 등이 제한되어 발생한 손실을 말한다. 이는 「토지보상법」 제4조에 규정된 공익사업 등의 사업시행으로 인한 어업피해에 대한 손실로서 피해의 크기에 따라 소멸(폐지)손실과 부분손실로 각각 구분한다.

(2) 어업권(면허어업)소멸손실평가

> 평가액 = 평년수익액 ÷ 12퍼센트 + 어선·어구 또는 시설물의 잔존가액

(3) 허가·신고어업 폐지손실평가

> 평가액 = 평년수익액 × 3년 + 어선·어구 또는 시설물의 잔존가액

(4) 부분손실평가

① 면허, 허가, 신고어업의 부분손실평가는 평년수익액에 피해 정도(피해율과 피해기간을 참작하여 산출)를 감안하여 산정한다.
② 장래 피해기간 동안의 피해보상액은 연 12%로 환원하여 산정한다.
③ 면허, 허가, 신고어업의 부분손실보상액은 "소멸(폐지)손실보상액"을 초과할 수 없다.

5. 어업별 손실액 산출방법 및 기준

1) 평년수익액

(1) 기본산식

> 평년수익액 = 평균연간어획량 × 평균연간판매단가 − 평년어업경비

(2) 평균연간어획량

① 3년 이상의 어획(양식)실적이 있는 경우

법 제104조 및 「수산자원관리법」 제12조 제4항에 따라 보고된 어획실적, 양륙량(선박으로부터 수산물 등을 육상으로 옮긴 양을 말한다) 또는 판매실적(보상의 원인이 되는 처분을 받은

자가 보고된 실적 이상의 어획실적 등이 있었음을 증거서류로 증명한 경우에는 그 증명된 실적을 말한다)을 기준으로 산출한 최근 3년 동안의 평균어획량으로 하되, 최근 3년 동안의 어획량은 보상의 원인이 되는 처분일이 속하는 연도의 전년도를 기준연도로 하여 소급 기산(起算)한 3년 동안(소급 기산한 3년의 기간 동안 일시적인 해양환경의 변화로 연평균어획실적의 변동폭이 전년도에 비하여 1.5배 이상이 되거나 휴업·어장정비 등으로 어획실적이 없어 해당 연도를 포함하여 3년 동안의 평균어획량을 산정하는 것이 불합리한 경우에는 해당 연도만큼 소급 기산한 3년 동안을 말한다)의 어획량을 연평균한 어획량으로 한다.

② **어획실적이 3년 미만인 경우**

㉠ 면허어업 : 해당 어장의 실적기간 중의 어획량 × 인근 같은 종류의 어업의 어장(통상 2개소)의 3년 평균어획량 ÷ 인근 같은 종류의 어업의 어장의 해당 실적기간 중의 어획량

㉡ 허가어업 또는 신고어업 : 해당 어업의 실적기간 중의 어획량 × 같은 규모의 같은 종류의 어업(통상 2건)의 3년 평균어획량 ÷ 같은 규모의 같은 종류의 어업의 해당 실적기간 중의 어획량. 다만, 같은 규모의 같은 종류의 어업의 어획량이 없으면 비슷한 규모의 같은 종류의 어업의 어획량을 기준으로 3년 평균어획량을 계산한다.

》 ㉠ 및 ㉡의 계산식에서 실적기간은 실제 어획실적이 있는 기간으로 하되, 같은 규모 또는 비슷한 규모의 같은 종류의 어업의 경우에는 손실을 입은 자의 실제 어획실적이 있는 기간과 같은 기간의 실제 어획실적을 말한다.

》 어획량의 기본단위는 킬로그램을 원칙으로 하고, 어획물의 특성에 따라 생물(生物) 중량 또는 건중량(乾重量)을 기준으로 한다. 다만, 김은 마른 김 1속을 기준으로 하고, 어획물을 내용물 중량으로 환산할 필요가 있으면 해양수산부장관이 고시하는 수산물가공업에 관한 생산고 조사요령의 수산물 중량환산 및 수율표를 기준으로 한다.

기 본예제

아래 제시된 어장의 연간 평균어획량을 산정하시오.

자료 1 ▶ 본건 어장의 어획실적 (단위 : TON)

2026년	2027년(6월 30일까지)
200	110

자료 2 ▶ 인근 동종어장의 어획실적 (단위 : TON)

구분	2024년	2025년	2026년	2027년(6월 30일까지)
A어장	270	260	250	120
B어장	290	310	300	140

예시답안

$$(200+110) \times \frac{\dfrac{(270+260+250)/3 + (290+310+300)/3}{2}}{\dfrac{(250+120)+(300+140)}{2}} ≒ 214 \ \text{TON}$$

⑶ **평균연간판매단가**

① 보상액의 산정을 위한 가격시점 현재를 기준으로 하여 소급기산한 1년간의 수산물의 평균판
   매단가(주된 위판장의 수산물별, 품질별 판매량을 수산물별로 가중평균)

② **계통출하된 판매실적이 없는 경우**

   ㉠ 1순위: 해당 지역 인근의 수산업협동조합의 위판가격

   ㉡ 2순위: 해당 지역 인근의 수산물도매시장의 경락가격

③ **소급기산한 1년의 기간 동안 어획물의 일시적인 흉작·풍작 등으로 어가(魚價)의 연평균변동
   폭이 전년도에 비하여 1.5배 이상이 되어 평균연간판매단가를 산정하는 것이 불합리한 경우**
   소급기산한 1년간의 평균판매단가에 소급기산한 최초의 1년간의 수산물계통출하가격의 전국
   평균변동률을 곱한 금액

⑷ **평년어업경비**

① **의의**: 가격시점 현재 기준 소급 1년분 경비

② **경비항목**

구분	경비항목	
1. 생산관리비	① 어미고기 및 수산종자 구입비	② 미끼구입비
	③ 사료비	④ 유지보수비
	⑤ 연료 및 유류비	⑥ 전기료
	⑦ 약품비	⑧ 소모품비
	⑨ 어장관리비[어장 청소, 해적생물(害敵生物) 구제(驅除) 및 표지시설 설치 등]	
	⑩ 자원조성비	⑪ 용선료(傭船料)
2. 인건비	① 어업자 본인의 인건비	② 본인 이외의 자에 대한 인건비
3. 감가상각비	① 시설물	② 어선 또는 관리선(선체·기관 및 의장품등 포함)
	③ 어구	④ 기타 장비·도구
4. 판매관리비	① 가공비	② 보관비
	③ 용기대	④ 판매수수료
	⑤ 판매잡비(운반·포장등)	
5. 기타잡비	① 제세공과금	② 어장행사료
	③ 주부식비	④ 복리후생비
	⑤ 보험료 및 공제료	⑥ 기타

③ **산출방법**

   ㉠ 평년어업경비는 상기에서 규정하고 있는 경비항목별로 계산하되, 규정된 경비항목 외의
      경비가 있으면 그 밖의 경비항목에 포함시켜 전체 평년어업경비가 산출되도록 해야 한다.
      경비항목별 경비 산출은 어선의 입항 및 출항에 관한 신고사항, 포획·채취물의 판매실적,
      유류 사용량, 임금정산서, 보험료 및 공제료, 세금납부실적, 국토교통부의 건설공사표준품셈
      등 수집 가능한 자료를 확보·분석하고 현지 실제조사를 통하여 객관적이고 공정하게 해야
      한다. 다만, 인건비, 감가상각비 및 판매관리비 중 판매수수료의 산출은 다음과 같이 한다.

ⓒ 인건비

    ⓐ **어업자 본인의 인건비** : 본인 이외의 자의 인건비의 평균단가

    ⓑ **본인 이외의 자의 인건비** : 본인 외의 사람의 인건비는 현실단가를 적용하되, 어업자가 직접 경영하여 본인 외의 자의 인건비가 없으면 「통계법」 제18조에 따른 승인을 받아 작성·공포한 제조부문 보통인부의 임금단가를 적용한다. 이 경우 제29조 제1항에 따른 신고어업에 대한 인건비는 투입된 노동시간을 고려하여 계산해야 한다.

ⓒ **감가상각비** : 감가상각비는 신규 취득가격을 기준으로 하여 해당 자산의 내용연수(耐用年數)에 따른 상각률을 적용하여 계산한 상각액이 매년 균등하게 되도록 계산해야 한다. 이 경우 어선의 내용연수 및 잔존가치율은 다음과 같이 하되, 어선의 유지·관리 상태를 고려하여 이를 단축·축소할 수 있다.

선질별	내용연수(년)	잔존가치율(%)
강선	25	20
F. R. P선	20	10
목선	15	10

ⓒ **판매관리비 중 판매수수료** : 해당 어선의 주된 양육지 또는 어업장이 속한 지역에 소재하고 있는 수산업협동조합의 위판수수료율을 적용한다.

ⓒ **생산관리비 중 소모품비와 감가상각비의 적용대상 구분**

    ⓐ **내용연수를 기준으로** 하여 내용연수가 1년 이상인 것 : 감가상각비

    ⓑ 1년 미만인 것 : 소모품비

ⓗ 수산 관련 법령에서 규정하고 있는 수산종자 살포, 시설물의 철거 등 어업자의 의무사항은 어장면적 및 경영규모 등을 고려하여 적정하게 계산해야 한다.

ⓢ 산출된 경비가 일시적인 요인으로 통상적인 경우보다 변동폭이 1.5배 이상이 되어 이를 적용하는 것이 불합리하다고 판단되면 인근 비슷한 규모의 같은 종류의 어업(같은 종류의 어업이 없는 경우에는 비슷한 어업) 2개 이상을 조사하여 평균치를 적용할 수 있다.

ⓞ 어업생산주기가 1년 이상 걸리는 경우 수산종자 구입비, 사료비, 어장관리비 및 판매관리비 등 생산주기와 연계되는 경비항목에 대해서는 생산주기로 나누어 연간 평균 어업경비를 계산해야 한다. 이 경우 생산주기는 국립수산과학원의 관할 연구소와 협의하여 정한다.

2) 어선·어구 또는 시설물의 잔존가액

(1) 가격시점

보상액의 산정을 위한 평가시점 현재를 기준한다.

(2) 평가방법

「감정평가 및 감정평가사에 관한 법률」에 따른 평가방법 및 기준에 따라 평가한 어선·어구 또는 시설물의 잔존가액을 말한다.

(3) **평가제외**

해당 잔존가액은 보상을 받으려는 자가 어선·어구 또는 시설물을 재사용하는 등의 사유로 보상을 신청하지 않으면 손실액 산출에서 제외한다.

6. 간접보상(토지보상법 시행규칙 제63조)

공익사업의 시행으로 인하여 해당 공익사업시행지구 인근에 있는 어업에 피해가 발생한 경우에는 사업시행자는 실제 피해액을 확인할 수 있는 때에는 그 피해에 대하여 보상하여야 한다. 이 경우 실제 피해액은 「수산업법 시행령」 [별표 10] 평년수익액을 기준한다.

≫ 종전과 같이 피해액을 예측하여 피해발생 전에 보상하는 것은 불가하다.

7. 관행입어권

(1) **의의**

일정한 공유수면에서 계속적으로 수산동식물을 포획, 채취하여온 사실이 대다수 사람들에게 인정되는 경우에 인정되는 권리로서 현행 「수산업법」상 어업의 유형은 아니다.

(2) **취지**

어업권은 물권으로서 독점적, 배타적 권리를 가지므로 마을어업(종래의 공동어업)이 일정한 해역을 준거하여 면허되면 그 어업권이 설정된 해역에서는 면허권자만 행사권한이 있게 되어 다른 어업인은 배척되어야 하는데 종전부터 어업행위를 영위해 온 어업인들의 권리를 보호하자는 것이 입어의 관행을 인정하는 취지이다.

(3) **법적 성질**

일정한 공유수면을 전용하면서 그 수면에서 배타적으로 수산동식물을 체포 또는 채취할 수 있는 독점적인 권리가 아니라 단지 타인의 방해를 받지 않고 일정한 공유수면에 출입하면서 수산동식물을 체포 또는 채취할 수 있는 권리에 지나지 않는다.

(4) **요건**

① 마을어업권이 설정되기 전부터 해당 수면에서 계속적으로 수산동식물을 포획, 채취하여온 사실이 대다수 사람들에게 인정되는 자

② 1993.2.1.까지 어업권원부에 등록된 자

③ 면허어업(양식어업, 정치망어업)에 저촉되지 않은 자

(5) **평가**

신고어업에 준하여 평가(대판 1998.4.14, 95다15032·15049)한다. 다만, 타 공공사업으로 이미 보상을 받아 어업권이 소멸된 자가 동 사업지구에서 어업행위를 계속하고 있는 경우에는 이를 관행어업으로 볼 수 없다.

8. 허가 등을 받지 아니한 어업의 손실보상에 대한 특례

공익사업에 관한 계획의 고시 등이 있기 이전부터 허가 · 면허를 받거나 신고를 하여야 행할 수 있는 어업을 허가 · 면허나 신고 없이 행하는 자(본인 또는 생계를 같이 하는 동일 세대 안의 직계 존 · 비속 및 배우자가 해당 공익사업으로 어업 기타의 영업에 대한 보상을 받은 경우는 제외함) 및 어업권원부에 등록하지 않고 어업하는 관행어업권자가 공익사업의 시행으로 인하여 해당 장소에서 어업을 계속할 수 없게 되는 경우에는 「통계법」 제3조 제3호에 따른 통계작성기관이 조사 · 발표하는 가계조사통계의 도시근로자가구 월평균 가계지출비를 기준으로 산정한 3인 가구 3개월분 가계지출비에 해당하는 금 액을 어업손실에 대한 보상금으로 지급하되, 어업시설 등의 이전에 소요되는 비용 및 그 이전에 따른 감손상당액은 별도로 보상한다. 다만, 본인 또는 생계를 같이 하는 동일 세대 안의 직계존속 · 비속 및 배우자가 해당 공익사업으로 다른 영업에 대한 보상을 받은 경우에는 어업시설 등의 이전비용만을 보상하여야 한다(토지보상법 시행규칙 제44조 제5항, 제52조).

여기에서 어업시설 등의 이전비란 해당 어장에 설치한 인공시설물 자체에 한정된다고 볼 수 없고, 인공적인 살포에 의하여 양식되고 있거나 자연적으로 부착하여 생장되고 있거나 구별하지 않고 그 시설에 의하여 생장되고 있는 생물도 대상이 된다. 다만, 보상기준일 이후에 새로이 산란 및 부착 · 생 장하게 된 생물은 보상의 대상에 해당되지 않는다(대판 2001.12.11, 99다56697 참조).

9. 공익사업시행지구 밖의 어업권 등의 보상감정평가방법

(1) 원칙

공익사업의 시행으로 인하여 해당 공익사업시행지구 인근에 있는 어업에 피해가 발생한 경우 사 업시행자는 실제 피해액을 확인할 수 있는 때에 그 피해에 대하여 보상한다. 즉, 이 경우는 「토지 보상법」 제62조에 따른 사전보상의 원칙에 대한 예외로서 사후보상에 해당된다. 이는 공익사업시 행지구에 편입되는 어업권 등은 「수산업법」에 따른 취소 등의 행정처분과 이에 대한 보상청구 절차에 따라 보상이 시행되므로 사전에 보상대상을 확정할 수 있다. 그러나 공익사업시행지구 밖 어업 피해의 경우 사전에 피해범위를 확정할 수 없으므로, 「수산업법」에 의해 어업의 제한 또는 정지의 처분을 할 수 없다. 따라서 실제 피해가 발생한 경우에 한하여 보상할 수밖에 없는 어업보 상의 특수성을 반영한 것이다. 또한 사업인정고시일 등 이후에 어업권의 면허를 받은 자 또는 어 업의 허가를 받거나 신고를 한 자는 보상대상자가 아니다(토지보상법 시행규칙 제63조 제3항).

(2) 실제 피해액의 산정방법

실제 피해액은 감소된 어획량 및 「수산업법 시행령」 [별표 10]의 평년수익액 등을 참작하여 감정 평가하되, 어업권 · 허가어업 또는 신고어업이 취소되거나 어업면허의 유효기간이 연장되지 아니하 는 경우의 보상액을 초과하지 못한다(토지보상법 시행규칙 제63조 제1항 및 제2항).

즉, 실제 피해액은 공익사업 착수 전의 평년수익액에서 착수 후의 평년수익액을 공제하여 산정한 연간 평년수익감소액에 피해기간을 곱하여 산정하고, 평년수익액은 평균 연간어획량에 평균 연간 판매단가를 곱한 금액에서 평년어업경비를 뺀 금액으로 산정한다.

그러나 평년수익액을 산정하기 위한 평균 연간어획량·평균 연간판매단가·평년어업경비 등에는 해당 공익사업으로 인한 변동분 외에도 전반적인 어획량 증감 또는 판매단가의 등락 등 다른 요인으로 인한 변동분이 포함될 수도 있으므로 이를 구분하는 것이 필요하다.

기 본예제

남해안에 위치한 J시 일대에 새로운 수출자유지역이 설치됨으로 인하여 대규모 간척사업 대상지역이 확정되었고, 이 사업에 편입되는 지역에서의 어업관련행위 등은 불가능하게 되었다. 다음의 주어진 자료를 활용하여, 지급할 적정한 손실보상액을 평가하시오.

자료 1 ▶ 해당 평가에 관한 사항

1. 해당 공익사업의 근거법률 : 수출자유지역설치법
2. 가격시점 : 2027.9.1.
3. 면허취소처분일 : 2027.4.1.
4. 평가목적 : 어업권 등의 어업손실 평가(협의보상)
5. 피보상자

풀이영상

피보상자	어업종류	면허일자
A 씨	• 전복 및 피조개양식업 • 가두리양식업	2021년 2월 1일자로 10년간 면허

자료 2 ▶ 과거 수입 및 경비자료

1. 과거 신고 어획량 및 평균 판매단가

기간	신고 어획량(ton)
2023.1.1.~2023.12.31.	56
2024.1.1.~2024.12.31.	60
2025.1.1.~2025.12.31.	58
2026.1.1.~2026.12.31.	30
2027.1.1.~2027.9.1.	24

2. 2026년 9월부터 2027년 초까지 이상기온에 따른 적조피해로 인해 가격시점까지 생산량이 부족하여 수산물에 대한 공급이 수요를 따르지 못하게 되었고 이로 인한 수산물 가격 상승원의 원인이 되었다. 다만 이로 인해 어업경비에 미치는 영향은 없는 것으로 판단된다.

3. 판매단가

구분	과거 1년 판매단가(원/ton)	과거 2년~과거 1년 판매단가(원/ton)	혼획률(%)
피조개	10,000,000	5,600,000	60%
전복	95,000,000	50,000,000	40%

4. 어업경비 : 가격시점 기준 1년 소급한 대상어장의 어업경비는 600,000,000원인데 여기에는 A 씨의 자가노임 80,000,000원이 포함돼 있다.

자료 3 ▶ 대상어업의 2021년 2월 1일 투자 당시 시설투자내역

1. 어선
   (1) 어선의 현재규모는 1,100톤이다.
   (2) 가격시점 현재 적정 재조달원가 : 1,000,000원/톤(내용연수 : 20년, 잔가율 : 15%)
2. 양식장시설 : 1,300,000,000원(내용연수 20년, 잔가율 10%)
3. 하역시설 : 400,000,000원(내용연수 10년, 잔가율 10%)
4. 부대시설 : 200,000,000원(내용연수 20년, 잔가율 10%)

자료 4 ▶ **수산물 계통 출하 판매가격의 전국평균변동률**
지난 1년간 수산물 계통 출하 판매가격의 전국평균변동률 : 1.469%

자료 5 ▶ **기타사항**
1. 양식장의 상각전 종합환원이율 : 30%
2. 정기예금이자율 : 6%
3. 양식시설 및 하역시설, 부대시설의 건설비 상승률 : 연간 5%(월할계산할 것)
4. 평가액은 반올림하여 천원 단위까지 결정한다.
5. 톤당 판매단가는 반올림하여 십만원 단위까지 표시한다.

◢**예시답안**

Ⅰ. **평가개요**
　본건은 면허어업의 취소에 따른 보상감정평가로서 관련법령에 근거하여 평가한다(가격시점 : 2027년 9월 1일).

Ⅱ. **평년수익액**
　1. 평균 연간어획량
　　면허취소처분일 이전 3년 어획량을 기준으로 하나, 2026년 어획량의 현저한 변동이 포착되는바, 2023~2025년의 어획량을 기준으로 산정한다.
　　$(56 + 60 + 58) \div 3 \fallingdotseq 58\text{ton}$

　2. 연간 평균판매단가
　　2025년 전년 대비 현저한 변동이 있는바, 재소급하여 단가를 결정한다(과거 2년~과거 1년 판매단가기준).
　　$(5,600,000 \times 0.6 + 50,000,000 \times 0.4) \times 1.01469 \fallingdotseq 23,700,000$원/ton

　3. 평균어업경비
　　자가노력비를 포함한다(600,000,000원).

　4. 평년수익액
　　$58 \times 23,700,000 - 600,000,000 \fallingdotseq 774,600,000$원

Ⅲ. **시설물 잔존가액(감가상각은 정률법 적용함)**
　1. 어선(현재규모기준)
　　$1,000,000 \times 1,100 \times 0.15^{6/20} \fallingdotseq 622,616,000$

　2. 양식장 시설
　　$1,300,000,000 \times 1.37918 \times 0.1^{6/20} \fallingdotseq 898,596,000$
　　　　　　　　　시*
　　$*$ 2021.2.1.~2027.9.1. 상승률 : $1.05^6 \times (1 + 0.05 \times 7/12)$

　3. 하역시설
　　$400,000,000 \times 1.37918 \times 0.1^{6/10} \fallingdotseq 138,574,000$

　4. 부대시설
　　$200,000,000 \times 1.37918 \times 0.1^{6/20} \fallingdotseq 138,245,000$

　5. 소계
　　$622,616,000 + 898,596,000 + 138,574,000 + 138,245,000 \fallingdotseq 1,798,031,000$원

Ⅳ. **보상감정평가액**
　면허어업의 취소인바, 아래와 같이 산정한다.
　$774,600,000 \div 0.12 + 1,798,031,000 \fallingdotseq 8,253,031,000$원

03 광업권의 보상감정평가 [12)13)]

> **토지보상법 시행규칙 제43조**(광업권의 평가)
>
> ① 광업권에 대한 손실의 평가는 「광업법 시행령」 제30조에 따른다.
> ② 조업 중인 광산이 토지 등의 사용으로 인하여 휴업하는 경우의 손실은 휴업기간에 해당하는 영업이익을 기준으로 평가한다. 이 경우 영업이익은 최근 3년간의 연평균 영업이익을 기준으로 한다.
> ③ 광물매장량의 부재(채광으로 채산이 맞지 아니하는 정도로 매장량이 소량이거나 이에 준하는 상태를 포함한다)로 인하여 휴업 중인 광산은 손실이 없는 것으로 본다.

1. 광업권 보상의 대상 등

1) 개념

(1) 광업

광업이란 광물의 탐사 및 채굴과 이에 따르는 선광·제련이나 그 밖의 사업을 말한다(광업법 제3조 제2호). 즉, 광업이란 광물을 탐광·채굴(채광)하고 유용광물과 폐석을 선광(선별)하여 정광을 제련하는 산업 및 기타 사업을 말한다.

(2) 광업권

광업권이란 「광업법」 제38조의 규정에 따라 등록을 한 일정한 토지의 구역인 광구에서 등록을 한 광물과 이와 동일광상 중에 부존하는 다른 광물을 채굴 및 취득하는 권리를 말하며, 탐사권과 채굴권으로 구분된다(광업법 제3조 제3호). 광업권은 물권으로 하고 「광업법」에서 따로 정한 경우 외에는 부동산에 관하여 「민법」과 그 밖의 법령에서 정하는 사항을 준용하며, 광업권은 광업의 합리적 개발이나 다른 공익과의 조절을 위하여 「광업법」이 규정하는 바에 따라 제한할 수 있다(광업법 제10조).

(3) 탐사권

탐사권이란 등록을 한 일정한 토지의 구역인 광구에서 등록을 한 광물과 이와 같은 광상에 묻혀 있는 다른 광물을 탐사하는 권리를 말한다(광업법 제3조 제3의2호). 탐사권은 상속, 양도, 체납처분 또는 강제집행의 경우 외에는 권리의 목적으로 할 수 없다(광업법 제11조 제1항). 탐사권자는 탐사권설정의 등록이 된 날부터 1년 이내에 산업통상부장관에게 탐사계획을 신고하여야 하며(광업법 제40조), 탐사계획을 신고한 날부터 3년 이내에 산업통상부장관에게 탐사실적을 제출하여야 한다. 이 경우 탐사실적의 제출은 채굴권설정의 출원으로 본다(광업법 제41조 제1항). 탐사권의 존속기간은 7년을 넘을 수 없으며, 존속기간은 연장이 허용되지 않는다(광업법 제12조 제1항).

---

12) 토지보상법 시행규칙 제43조, 광업법 시행규칙 제19조
13) 감정평가실무기준 해설서(Ⅱ) 보상편, 한국감정평가사협회 등, pp.273~284

(4) 채굴권

채굴권이란 광구에서 등록을 한 광물과 이와 같은 광상에 묻혀 있는 다른 광물을 채굴하고 취득하는 권리를 말한다(광업법 제3조 제3의3호). 채굴되지 아니한 광물은 채굴권의 설정 없이는 채굴할 수 없다(광업법 제4조). 산업통상부장관은 제출받은 탐사실적이 광물의 종류별 광체의 규모 및 품위 등 기준에 적합하여 탐사실적을 인정한 때에 채굴권설정의 허가를 하여야 한다(광업법 제41조 제3항). 채굴권자는 채굴을 시작하기 전에 산업통상부장관의 채굴계획 인가를 받아야 하며, 채굴계획의 인가를 받지 아니하면 광물을 채굴하거나 취득할 수 없다(광업법 제42조 제1항 및 제4항). 채굴권은 상속, 양도, 조광권·저당권의 설정, 체납처분 또는 강제집행의 경우 외에는 권리의 목적으로 할 수 없다(광업법 제11조 제2항). 채굴권의 존속기간은 20년을 넘을 수 없다. 다만, 채굴권자는 채굴권의 존속기간이 끝나기 전에 산업통상부장관의 허가를 받아 채굴권의 존속기간을 연장할 수 있으나, 연장할 때마다 그 연장기간은 20년을 넘을 수 없다(광업법 제12조 제2항 및 제3항).

(5) 광업손실

산업통상부장관은 국가중요건설사업지 또는 그 인접 지역의 광업권이나 광물의 채굴이 국가중요건설사업에 지장을 준다고 인정할 때에는 광업권의 취소 또는 그 지역에 있는 광구의 감소처분을 할 수 있고, 이러한 광업권의 취소처분 또는 광구의 감소처분으로 발생한 손실을 해당 광업권자(취소처분에 따른 광업권의 광구 부분 또는 감소처분에 따른 광구 부분에 조광권이 설정되어 있는 경우에는 그 조광권자를 포함한다)에게 보상하여야 한다(광업법 제34조 제2항 및 제3항). 광업손실이란 공익사업의 시행으로 인하여 광업권의 취소 및 광구의 감소처분 또는 광산의 휴업으로 인한 손실과 기계장치·구축물(갱도 포함)·건축물 등에 관한 손실을 말한다.

(6) 탐사

탐사란 광산·탄전 등의 개발을 위하여 광상을 발견하고 그 성질·상태 및 규모 등을 알아내는 작업으로서 물리탐사·지화학탐사·시추탐사 및 굴진탐사를 말한다.

(7) 채광

채광이란 목적광물의 채굴·선광·제련과 이를 위한 시설을 하는 것을 말한다.

(8) 조광권

조광권(租鑛權)이란 설정행위에 의하여 타인의 광구에서 채굴권의 목적이 되어 있는 광물을 채굴하고 취득하는 권리를 말한다(광업법 제3조 제4호).

2) 보상대상의 결정

(1) 「광업법」에 따른 보상대상의 결정

산업통상부장관은 국가중요건설사업지 또는 그 인접 지역의 광업권이나 광물의 채굴이 국가중요건설사업에 지장을 준다고 인정할 때에는 광업권의 취소 또는 그 지역에 있는 광구의 감소처분을 할 수 있고, 국가는 광업권의 취소처분 또는 광구의 감소처분으로 발생한 손실을 해당 광업권자 또는 조광권자에게 보상하여야 한다(광업법 제34조 제2항 및 제3항). 이 경우 보상할 손실의 범위는 광업권의 취소처분 또는 광구의 감소처분에 따라 통상 발생하는 손실로 하며, 산업통상부장관은 광업권의 취소처분 또는 광구의 감소처분에 따라 이익을 받은 자가 있을 경우에는 그 자에게 그 이익을 받은 한도에서 보상 금액의 전부나 일부를 부담하게 할 수 있다(광업법 제34조 제4항 및 제5항).

그리고 국가중요건설사업지 또는 그 인접 지역의 구역은 국가나 지방자치단체가 건설하는 철도(지하철도를 포함한다)·공업단지·고속도로 및 댐지역과 그 인접 지역으로서 관계 기관의 장이 지정·고시하는 구역으로 하도록 규정하고 있으므로(광업법 시행령 제31조) 이와 같이 지정·고시된 지역에서 보상대상은 산업통상부장관이 결정한다.

⑵ 「토지보상법」에 따른 보상대상의 결정

보상대상이 되는 광업권도 「토지보상법」에서 정하는 절차에 따라 사업시행자가 결정한다. 다만, 이 경우 산업통상부장관이 광업권의 취소처분 또는 광구의 감소처분 등의 행정처분을 선행하지 않은 상태에서 「토지보상법」상의 절차를 통하여 보상대상을 결정할 수 있는지가 문제이나, 어업권에서와 같이 광업권 등에 대한 행정처분을 선행하지 않은 경우에도 사업시행자는 「토지보상법」상의 절차를 통하여 보상대상을 결정할 수 있다.

⑶ 보상대상의 제한

① 채굴제한 지역

광업권자는 ⅰ) 철도·궤도(軌道)·도로·수도·운하·항만·하천·호(湖)·소지(沼地)·관개(灌漑)시설·배수시설·묘우(廟宇)·교회·사찰의 경내지(境內地)·고적지(古蹟地)·건축물, 그 밖의 영조물의 지표 지하 50미터 이내의 장소, ⅱ) 묘지의 지표 지하 30미터 이내의 장소에서는 관할 관청의 허가나 소유자 또는 이해관계인의 승낙이 없으면 광물을 채굴할 수 없으므로(광업법 제44조 제1항), 허가 등이 없는 경우 이러한 지역에 대해서는 광업권 보상대상에서 제외된다.

② 사업인정고시일 등 이후에 광업권을 취득한 경우

광업권은 어업권과는 달리 사업인정고시일 등 이후에 광업권을 취득한 경우에도 보상대상에서 제외되지 않는다. 그 이유는 광업권은 광물 채굴만을 목적으로 하므로 일반적으로는 공익사업과 양립할 수 있다고 보기 때문이다.

3) 보상의 구분

광업권에 대하여는 투자비용·예상수익 및 거래가격 등을 참작하여 평가한 적정가격으로 보상하여야 한다(토지보상법 제76조 제1항). 그리고 광업권에 대한 손실의 평가는 「광업법 시행령」 제30조에 따른다(토지보상법 시행규칙 제43조 제1항). 다만, 「광업법」은 광산을 보상대상으로 보고 이에 대한 보상을 규정하고 있는 반면, 「토지보상법」은 광산을 구성하는 시설물들은 지장물로서 별도의 보상대상으로 하므로, 광업권만을 보상대상으로 규정하고 있다는 차이점이 있다.

소멸	광업권이 취소되거나 광구가 감소된 경우	광산평가액 − 이전·전용가능시설잔존가치 + 이전비
	① 탐사권자가 탐사를 시작한 경우 ② 탐사권자가 탐사실적을 인정받은 경우 ③ 채굴권자가 채굴계획인가를 받은 후 광물의 생산실적이 없는 경우	(개발투자비용 + 현재시설가액) − 이전·전용가능시설잔존가치 + 이전비
	탐사 이전인 경우 등	등록에 소요된 비용
휴업	조업 중인 광산	연수익 × 정지기간 + 시설물의 이전·수거 등에 드는 비용 + 정지기간 중에 발생하는 통상의 고정적 경비
	휴업 중인 광산으로 매장량 없거나 채산이 맞지 않을 정도의 소량	영업손실 없는 것으로 본다(보상 없음).

> **Check Point!**
>
> ● 용역의뢰기관 및 용역보고서의 검토
>
> 감정평가법인등이 광업권 등을 감정평가할 때 「토지보상법 시행규칙」 제16조 제3항에 따라 전문기관의 자문 또는 용역을 의뢰하는 경우에는 ① 「광업법 시행령」 제9조 제3항 제1호의 규정에 따라 산업통상부장관이 인정하는 기관, ② 「엔지니어링기술진흥법」에 따른 엔지니어링사업자, ③ 「기술사법」에 따라 기술사사무소의 개설등록을 한 기술사로서 광업자원 부문이나 국토개발(지질 및 지반 분야에 한정한다) 부문의 엔지니어링 활동주체 또는 기술사 등의 지정기관에 의뢰하여야 한다(광업법 시행규칙 제19조 제2호).

전문기관의 용역보고서를 기준으로 보상감정평가를 하는 경우 용역보고서가 관련 법령에서 정하는 바에 의하여 적정하게 작성되었는지 여부 등을 검토한다. 특히 광업권의 용역보고서를 검토할 경우 사업시행자가 제시한 광업권 감소처분의 범위를 기준으로, ⅰ) 광물별로 한국산업규격으로 정하고 있는 관련 기준에 따라 반드시 필요한 기본적인 필수 성분에 대하여 분석·표기하였는지 여부, ⅱ) 관련법령에 따라 시료채취가 이뤄지고 광량표시가 되었는지 여부, ⅲ) 광상별, 광량 종류별 산출계산표를 작성하고 이에 적정한 축척의 정밀지질도와 광상 분포도 및 지질단면도, 시료채취도, 광량 산출 평면도와 단면도 등을 첨부하였는지 여부 등을 확인·검토한다.

2. 유형별 광업권의 보상감정평가

1) 광업권의 소멸에 대한 평가

(1) 광산업자가 조업 중이거나 정상적으로 생산 중에 휴업한 광산

① 기본산식(광산보상액)

> 보상액 = 광산평가액 − 이전(移轉)이나 전용(轉用)이 가능한 시설의 잔존가치(殘存價値)
> + 이전비

② **광산평가액**

$$\text{광산평가액} = a \times \cfrac{1}{S + \cfrac{i}{(1+i)^n - 1}} - E(+R)$$

a: 연수익 　　　　 S: 배당이율(A: 환원이율) 　　　　 i: 축적이율
n: 가행연수 　　　　 E: 투자비(장래소요기업비)
R: 가행연수 말 파악되는 잔존유형자산의 가치 현가

③ **연수익(a)**

$$\text{월간생산량} \times \text{연가행월수} \times \text{광물가격} - \text{소요경비}$$

㉠ **광물의 가격**

ⓐ 물가안정 및 공정거래에 관한 법령에 의한 정부지정고시가격(석탄의 경우 석탄가격 안정지원금을 포함시킬 수 있다.)

ⓑ 국내제철소 및 제련소 공급광물은 매광약정에 의한 가격

ⓒ 상기 ⓐ · ⓑ에 의하지 않은 광물은 최근 1년간의 평균판매가격, 계속적인 상승 또는 하락추세가 있을 때에는 최근 3개월간의 평균판매가격

ⓓ 상기 ⓐ · ⓑ · ⓒ를 적용할 수 없는 때는 유사한 광물을 판매하는 2개 이상 업체의 평균판매가격

㉡ **소요경비**

$$\text{소요경비}^* = \text{채광비} + \text{선광제련비} + \text{일반관리비, 경비 및 판매비} + \text{운영자금 이자}^{**}$$

* 비용을 산정하기 위한 적용단가 등은 해당 광산 최근 3월의 평균실적치를 적용함을 원칙으로 하고 적용이 곤란 시 유사한 2개 이상의 광산의 평균실적을 적용

** 운영자금이자 = (채광비 + 선광제련비 + 일반관리비, 경비 및 판매비) × 은행 1년 만기 정기예금 이자율 × 3/12

④ **배당이율(S)**

$$\text{배당이율} = \cfrac{\text{전년도 광업부문상장법인배당률}}{\{1 - \text{세율(법인세 · 주민세)}\}} \geq \text{은행 1년 만기 정기예금 이자율}$$

⑤ **축적이율(r)**

평가 당시 은행 1년 만기 정기예금이자율에 준한다.

⑥ **가행연수(n)**

$$\text{가행연수} = \cfrac{\text{가채광량}\{\text{확정광량} \times \text{확정가채율} + \text{추정광량} \times \text{추정가채율}(\times \text{안전율})\}}{\text{연간생산량}(\text{월간생산량} \times \text{가행월수})}$$

구분	확정광량	추정광량
석탄광	70%	42%
일반광	90%	70%

⑦ **장래소요기업현가(E)**

기계장치, 차량 및 운반구, 건물 및 구축물(갱도포함)에 대한 총투자소요액의 현가

⑧ **이전 · 전용 가능 시설물의 잔존가치, 이전비**

　㉠ 시설물의 종별에 따라 법령 등 관계법령에 의거 평가

　㉡ 이전비는 잔존가치와 비교하여 결정(만약 이전비가 더 크면 이전 불가능한 시설됨)

　㉢ 내용연수(건물)(미래수명법으로 내용연수를 조정해야 한다.)

구분	장래보존연수
광산의 가행연수 < 장래보존연수	가행연수를 기준으로 함.
추정광량의 연장이나 예상광량이 있다고 인정되는 경우	가행연수 이상으로 가능 (≤ 장래보존연수)
다른 광산과 인접하여 다른 용도로 전용이 가능한 경우	
시가지 및 농경지와 인접한 건물의 경우	

(2) **탐광단계에 있으나 광물의 생산이 없는 광산**

① **개요**

탐사권자는 탐사권설정의 등록이 된 날부터 1년 이내에 산업통상부장관에게 탐사계획을 신고하여야 하며(광업법 제40조), 탐사계획을 신고한 날부터 3년 이내에 산업통상부장관에게 탐사실적을 제출하여야 하고(광업법 제41조 제1항), 산업통상부장관은 탐사실적이 광물의 종류별 광체의 규모 및 품위 등 기준에 적합하여 탐사실적을 인정한 때에는 그 탐사실적을 제출한 자에게 채굴권설정의 허가를 하여야 한다(광업법 제41조 제3항). 또한 채굴권자는 채굴을 시작하기 전에 산업통상부장관의 채굴계획 인가를 받아야 한다(광업법 제42조 제1항).

이와 같이 조업 중이거나 정상적으로 생산 중에 있지는 않으나, ⅰ) 탐사권자가 탐사를 시작한 경우, ⅱ) 탐사권자가 탐사실적을 인정받은 경우, ⅲ) 채굴권자가 채굴계획인가를 받은 후 광물의 생산실적이 없는 경우

② **기본산식**

> 광산보상액 = 해당 광산에 투자된 현재 시설평가액* − 이전 · 전용가능시설 잔존평가액
> 　　　　 + 이전비

* 해당 광산에 투자된 현재 시설평가액 = 광산개발투자비용 + 현재시설가액

(3) 탐광 미착수 광산

① **요건**

　㉠ 등록을 한 후 탐광에 착수하지 아니한 경우

　㉡ 채광계획인가를 받지 아니한 경우

② **기본산식**

> 광산의 보상액 = 등록에 소요된 비용*(광업법 시행령 제30조 제1항 제3호)

＊ 등록에 소요된 비용 : 출원비, 광산설명서제출비, 등록세, 기타 현장조사비

2) 조업 중인 광산이 토지 등의 사용으로 인해 휴업을 한 경우의 보상

> 광업권을 정지하는 경우의 보상액 = 연수익 × 정지기간 + 시설물의 이전·수거 등에 드는 비용
> ＋ 정지기간 중에 발생하는 통상의 고정적 경비

다만, 광업권 소멸에 대한 보상감정평가에 따른 보상액을 초과할 수 없다.

3) 손실이 없는 것으로 보는 경우

광물매장량의 부재 또는 채광으로 채산이 맞지 아니하는 정도로 매장량이 소량이거나 이에 준하는 상태로 인하여 휴업 중인 광산은 손실이 없는 것으로 본다(토지보상법 시행규칙 제43조 제3항).

기 본예제

충북 단양군에서는 감정평가사인 당신에게 농공단지 조성을 위하여 편입되는 광업권에 대한 보상평가를 의뢰하였다. 다음의 제시자료를 기준하여 광업권의 소멸에 따른 보상액을 산정하되 천원 단위까지 결정한다.

풀이영상

자료 1 대상물건

1. 소재지 : 충북 단양군 매포읍 평동리 A번지
2. 광산종류 : 석회석(일반광)
3. 가격시점 : 2027년 9월 1일

자료 2 광산의 자산가액

(단위 : 원)

	장부가액	평가가액*	이전비	물리적인 이전전용가능성
토지	20,000,000	45,000,000	–	–
건축물	12,000,000	15,000,000	25,000,000	가능
기계기구	30,000,000	18,000,000	10,000,000	가능
구축물	6,000,000	5,000,000	3,000,000	불가능
차량운반구	10,000,000	6,000,000	0	가능
기타	4,000,000	2,500,000	1,500,000	가능

＊ 평가가액은 해당 광산의 가행연수에 따라 조정된 평가가액이다.

자료 3 광산의 기본자료

1. 매장량 : 확정광량(4,000,000ton), 추정광량(1,600,000ton)
2. 월간생산량 : 30,000ton
3. 가행월수 : 12개월
4. 가채율

	가채율(%)
석탄광 확정광량	70
석탄광 추정광량	42
일반광 확정광량	90
일반광 추정광량	70

5. 물가안정 및 공정거래에 관한 법령에 의하여 정부가 지정한 고시가격 : @15,000원/ton
6. 소요경비

(단위 : 원)

채광비	선광제련비	일반관리비, 경비 및 판매비	운영자금이자
3,000,000,000	320,000,000	400,000,000	별도 산정

자료 4 기타자료

1. 장래소요기업비현가액은 12억원 수준인 것으로 조사됨.
2. 유사업종 상장법인의 배당률 : 15%
3. 세율(법인세 · 주민세) : 29%
4. 1년 만기 정기예금이자율 : 6%
5. 시장할인율 : 8%

예시답안

I. 평가개요

본건은 광업권 소멸에 대한 보상감정평가로 가격시점은 2027년 9월 1일이다.

II. 광산평가액

1. 연수익 산정

(1) 판매수입 : $30,000 \times 12 \times 15,000 = 5,400,000,000$원

(2) 소요경비 : $(3,000,000,000 + 320,000,000 + 400,000,000) \times (1 + 0.06 \times 3/12) = 3,775,800,000$원

(3) 연수익 : 1,624,200,000원

2. (세전)배당률 : $\dfrac{0.15}{1-0.29} \fallingdotseq 0.2113$

3. 가행연수 : $\dfrac{4,000,000 \times 0.9 + 1,600,000 \times 0.7}{30,000 \times 12} \fallingdotseq 13$년

4. 광산평가액 : $\dfrac{1,624,200,000}{0.2113 + \dfrac{0.06}{1.06^{13} - 1}} - 1,200,000,000 \fallingdotseq 4,946,217,000$원

III. 광업권 소멸에 따른 보상액

이전 및 전용이 가능한 시설은 기계기구, 기타자산 및 차량운반구이다(건축물은 이전비가 물건의 가격보다 큰바, 이전 및 전용이 불가능하다고 판단된다).

$4,946,217,000 - \underset{\text{잔존가치}}{(18,000,000 + 2,500,000 + 6,000,000)} + \underset{\text{이전비}}{(10,000,000 + 1,500,000)} \fallingdotseq 4,931,217,000$원

04 축산업에 대한 보상[14)

1. 손실보상 대상 축산업의 기준

아래 요건 중 어느 하나에 해당하면 된다.

① 「축산법」에 의하여 허가를 받았거나 등록한 종축업, 부화업, 정액등처리업 또는 가축사육업을 말한다.

'가축사육업'이란 가축을 사육하여 판매하거나 젖·알·꿀을 생산하는 업으로서 ㉠ 허가 가축사육업, ㉡ 등록 가축사육업, ㉢ 등록에서 제외되는 가축사육업 등으로 분류된다. 허가 가축사육업은 가축 종류 및 사육시설 면적이 「축산법 시행령」 제13조에서 정하는 기준에 해당하는 가축사육업으로서 「축산법 시행령」 [별표 1]에서 정하는 시설·장비 및 단위면적당 적정사육두수와 위치에 관한 사항을 갖추어 시장 등에게 허가를 받아야 한다. 등록 가축사육업은 「축산법 시행령」 제13조에서 정하는 기준에 해당하지 않는 가축사육업으로서 「축산법 시행령」 [별표 1]에서 정하는 시설·장비 등을 갖추어 시장 등에게 등록하여야 한다. 등록에서 제외되는 가축사육업은 ㉠ 가축사육시설 면적이 10제곱미터 미만인 닭·오리·거위·칠면조·메추리·타조 또는 꿩 사육업, ㉡ 말·노새·당나귀·토끼·개·꿀벌 등의 가축사육업이다.

② **영업보상대상 기준마리 수 이상의 가축[15)을 기르는 경우**

⁚ 토지보상법 시행규칙 [별표 3] 축산업의 가축별 기준마리 수

가축	기준마리 수
닭	200마리
토끼	150마리
오리	150마리
돼지	20마리
소	5마리
사슴	15마리
염소·양	20마리
꿀벌	20군

③ **기준마리 수 미만의 가축을 기르는 경우**

그 가축별 기준마리 수에 대한 실제사육마리 수의 비율의 합계 ≥ 1

④ [별표 3] 규정 외의 유사한 가축도 가능하다. 다만, 「축산법」 제22조에 의해 허가 또는 등록을 하여야 하는 가축사육업으로서 허가 또는 등록을 하지 않은 경우는 기준마리수 이상의 가축을 사육하는 경우에도 축산업손실 보상대상이 아니다.

---

14) 토지보상법 시행규칙 제49조(축산업의 손실에 대한 평가)

15) 가축이란 사육하는 소·말·면양·염소(유산양을 포함함)·돼지·사슴·닭·오리·거위·칠면조·메추리·타조·꿩·노새·당나귀·토끼 및 개, 꿀벌, 그 밖에 사육이 가능하며 농가의 소득증대에 기여할 수 있는 동물로서 농림축산식품부장관이 정하여 고시하는 동물 등을 말한다. 따라서 가축이 아닌 동물을 사육하는 것은 가축사육업이 아니므로 축산업에도 해당되지 않음

2. 보상액

① 영업손실보상감정평가를 준용한다(폐업보상에서의 개인영업 영업이익의 하한, 휴업보상에서의 개인영업 영업이익의 하한, 휴업보상에서의 영업장소 이전 후 발생하는 영업이익 감소액은 준용에서 제외된다).

② **축산시설**

해당 물건의 가격 범위 내에서 이전비로 보상하며, 해체발생자재대가 있는 경우 이를 고려한다.

③ **손실보상의 대상이 되지 않는 축산업의 보상**

이전비 등으로 보상한다. 단 이전으로 인한 체중감소, 산란율 저하 및 유산 그 밖의 손실이 예상되는 경우 보상한다. 가축의 이전비가 가축의 가액을 초과하는 경우에는 손실보상의 일반원칙에 따라 가액으로 평가한다.

④ 허가 등을 받지 아니한 영업의 손실보상에 관한 특례 규정은 축산업손실 보상에는 적용이 없다(2008.04.22. 토지정책과-587).

05 잠업에 대한 보상 [16]

영업손실의 보상대상인 영업이며, 영업의 폐지·휴업에 대한 손실평가를 준용한다(소득의 최저한도액 규정 및 영업장소 이전 후 발생하는 영업이익 감소의 규정은 준용에서 제외된다).

제3절   생활보상

1. 주거용 건축물 [17]에 대한 보상특례 [18]

(1) 주거용 건축물 최저보상액

600만원(무허가인 경우에는 제외)

(2) 재편입 가산금

① 공익사업의 시행으로 인하여 주거용 건축물에 대한 보상을 받은 자가 그 후 해당 공익사업시행지구 밖의 지역에서 매입하거나 건축하여 소유하고 있는 주거용 건축물이 그 보상일로부터 20년 이내에 다른 공익사업시행지구에 편입되는 경우 그 주거용 건축물 및 그 대지(보상을

---

16) 토지보상법 시행규칙 제50조(잠업의 손실에 대한 평가)
17) '주거용 건축물'이란 건축물대장상의 용도란에 주택, 다가구주택, 공동주택 등의 주택으로 기재되어 있는 건축물만을 의미하는 것이 아니다. 공부상 단독, 다세대, 연립주택, 아파트 및 이와 유사한 경우나, 건축법 제19조의 규정에 의하여 신고 등을 하지 아니하고 용도변경할 수 있는 경우에는 주거용 건축물에 해당된다고 본다.
18) 토지보상법 시행규칙 제58조

받기 이전부터 소유하고 있던 대지 또는 다른 사람 소유의 대지 위에 건축한 경우에는 주거용 건축물에 한한다. 즉, 보상을 받기 이전부터 소유하고 있던 대지 또는 다른 사람 소유의 대지는 제외)에 대하여는 해당 평가액의 30%를 가산하여 보상한다.

② 재편입 주거용 건축물의 가산보상은 거주를 요건으로 한다.

③ 무허가건축물 등을 매입 또는 건축한 경우와 다른 공익사업의 사업인정고시일 등 또는 다른 공익사업을 위한 관계법령에 의한 고시 등이 있은 날 이후에 매입 또는 건축한 경우에는 제외한다.

④ 한도는 1,000만원이다.

⑤ 보상을 받기 이전부터 소유하고 있던 대지 또는 다른 사람 소유의 대지 위에 건축한 경우의 보상한도액을 결정한다.

$$보상한도액 = 1천만원 \times \left(1 - \frac{토지의\ 평가액}{토지\ 및\ 건물의\ 평가액\ 합계}\right)$$

기본예제

다음 자료를 통해 재편입가산보상액을 산정하시오.

자료

1. 주거용 대지와 건축물의 평가액
   (1) 토지 : 50,000,000원
   (2) 건축물 : 20,000,000원
2. 피수용자는 10년 전 인근에 시행된 택지개발사업으로 인하여 이주하였으며, 토지는 이주 이전부터 소유하고 있었다.

예시답안

1. **재편입가산보상한도액**
   10,000,000 × (1 − 50,000,000/70,000,000) ≒ 2,857,000원

2. **재편입가산보상액**
   20,000,000 × 0.3 = 6,000,000원(상한인 2,857,000원을 가산보상한다.)

2. 주거이전비 보상[19]

(1) 주거이전비의 성격

주거이전비는 주거용 건축물의 거주자에 대한 주거이전에 필요한 비용의 보상이므로 원칙적으로 실비변상적 보상의 성격을 지닌다. 즉, 우리나라의 부동산 거래 및 임대차에서 매매대금 또는 전세금의 수수 관행은 계약금·중도금·잔금으로 나누어 순차적으로 지급되므로 실제적으로 계약일로부터 입주일까지는 상당한 기간이 소요되나, 보상금은 일시불로 지급되고 보상금 수령과 동

---

19) 토지보상법 시행규칙 제54조

시에 이주하여야 하므로, 주거이전비는 보상금 수령 후 새로운 주택을 취득하거나 임차하는 기간 동안의 임시거주에 소요되는 비용을 보상하는 것이다.

(2) 주거이전비 보상요건 및 보상액

① 공익사업시행지구에 편입되는 주거용 건축물의 소유자에 대해서 가구원수에 따라 2월분 주거이전비를 보상한다(주거이전비가 실제 소요되는 비용에 대한 보상이기 때문에 실제 거주하지 않거나 무허가건축물인 경우에는 제외함). 다만, 「도시정비법」상 소유자인 주거이전비 보상대상자가 되기 위해서는 정비계획에 관한 공람공고일부터 해당 건축물에 대한 보상을 하는 때까지 계속하여 소유 및 거주하여야 한다.[20][21]

② 공익사업의 시행으로 인하여 이주하게 되는 주거용 건축물의 세입자(무상으로 사용하는 거주자를 포함하되, 법 제78조 제1항에 따른 이주대책대상자인 세입자는 제외한다)로서 사업인정고시일등 당시 또는 공익사업을 위한 관계 법령에 따른 고시 등이 있은 당시 해당 공익사업시행지구 안에서 3개월 이상 거주한 자에 대해서는 가구원수에 따라 4개월분의 주거이전비를 보상해야 한다[22](무허가건축물의 세입자의 경우에는 사업지구 안에서 1년 이상 거주할 것을 요건으로 한다). 세입자에 대해서는 거주 개시시점은 규정하고 있으나 거주 종료시점은 규정하고 있지 않으므로 보상 당시까지 거주하지 않아도 보상대상자로 본다.[23]

(3) 주거이전비 산정방법

① 가구원수가 1인~4인인 경우 주거이전비 산정방법

「통계법」 제3조 제3호에 따른 통계작성기관이 조사·발표하는 가계조사통계의 도시근로자 가구원수별 월평균 명목 가계지출비[24][25]를 기준으로 산정한다.

② 가구원수가 5인 이상인 경우 주거이전비 산정방법

- 가구원수가 5인인 경우 : 5인 이상 기준의 월평균 가계지출비에 해당하는 금액을 기준으로 한다. 다만, 4인 기준의 월평균 가계지출비가 5인 이상 기준의 월평균 가계지출비를 초과하는 경우에는 4인 기준의 월평균 가계지출비에 해당하는 금액으로 한다.
- 가구원수가 6인 이상인 경우

  5인 이상 가계지출비(단, 4인 기준이 더 큰 경우에는 4인 기준) + {5인을 초과하는 가구원수 × [(5인 이상 가계지출비(단, 4인 기준이 더 큰 경우에는 4인 기준) − 2인 기준의 월평균 가계지출비) ÷ 3]}

---

20) 대판 2016.12.15, 2016두49754
21) 실제 거주하고 있지 아니하다면(징집으로 인한 입영, 공무, 취학 등) 주거이전비 보상대상은 아니다(토지정책과-5288, 2018.08.20.).
22) 세입자에 대한 주거이전비는 사회보장적인 차원의 성격도 있다(대판 2012.9.27, 2010두13890).
23) 대판 2012.2.23, 2011두23603
24) 도시근로자가구의 가구원수별 월평균 명목 가계지출비를 기준으로 한다(토지정책과-4135, 2018.06.27.). 근로자가구 중위값이 아님에 유의해야 한다.
25) 농림어가가 포함된 1인 이상 가구의 가계조사통계를 적용하여야 한다(토지정책과-6720, 2022.11.18.).

» http://www.kosis.kr/index/index.jsp → 국내통계(주제별통계) → 소득·소비·자산 → 가계소득지출 → 가계동향조사(2019년~) → 1인 이상 가구(농림어가 포함)[26] → 도시(명목) → 가구원수별 가구당 월평균 가계수지(도시, 1인 이상)[27]

가구원수별	가계지출항목별	20XX		
		전체가구	근로자가구	근로자외가구
전체평균	가구원수(명)	2.34	2.43	2.18
	가계지출	3,660,512	4,050,363	2,984,681
1인	가구원수(명)	1.00	1.00	1.00
	가계지출	2,140,241	2,445,836	1,643,048
2인	가구원수(명)	2.00	2.00	2.00
	가계지출	3,120,364	3,438,659	2,741,524
3인	가구원수(명)	3.00	3.00	3.00
	가계지출	4,607,254	4,804,543	4,209,484
4인	가구원수(명)	4.00	4.00	4.00
	가계지출	5,686,951	5,946,550	4,930,632
5인 이상	가구원수(명)	5.20	5.20	5.21
	가계지출	6,206,131	6,514,903	5,456,495

기 본예제

위의 가구원수별 가계지출비를 기준으로 하여 아래의 경우의 주거이전비를 산출하시오.

(사례 1) A씨는 세입자로서 주민공고공람 3년 전부터 해당 주거용 건축물(적법)에 거주하였으며, 거주인원은 6명이나 1명은 현재 징집으로 인하여 거주하고 있지 않다.

(사례 2) B씨는 소유자로서 주민공고공람 1년 전부터 해당 주거용 건축물(적법)에 거주하였으며, 거주인원은 7명이다.

※ 사례 2에 대해서는 5인 이상 가계지출비는 아래와 같음을 가정한다.

가구원수별	가계지출항목별	전체가구	근로자가구	근로자외가구
5인 이상	가구원수(명)	5.20	5.20	5.21
	가계지출	5,640,441	5,817,597	5,178,197

---

26) 「공익사업을 위한 토지 등의 취득 및 보상에 관한 법률」(이하 "토지보상법") 제47조 제5항 및 제54조 제3항에 따른 가계조사통계는 2020년까지 농림어가를 포함하지 않은 2인 이상 가구를 기준으로 조사·발표되어 왔으나, 2021년 이후 농림어가를 포함한 1인 이상 가구를 기준으로 조사·발표되고 있으며 이는 1인 가구의 증가 등 변화된 현실을 반영하여 통계의 포괄성과 대표성을 제고하기 위한 것으로 보인다(2021.5.20. 국가데이터처 보도 참고자료 등 참조). 따라서 주거이전비 등 보상을 위한 가계조사통계는 보다 대표성이 있는 '농림어가가 포함된 1인 이상 가구'의 발표 자료를 사용하는 것이 타당할 것임(토지정책과 –6720, 2022.11.18).

27) 국가데이터처에서 가계동향조사와 관련하여 2017년부터 지출과 소득부문을 분리하여 재설계하고 지출부문은 연간통계로 개편하였으나 2019년 통계부터 분기별 통계도 제공하는 것으로 재차 개편되었다. 국토교통부 유권해석(토지정책과–6934, 2020.08.06.)에 따라 "분기단위"에서 "연단위" 통계자료 기준하여 보상액을 산정하는 것으로 변경되었다("분기단위" 가계동향조사는 상여금·성과급의 지급시기 및 명절 등이 어느 분기에 위치하느냐에 따라 소비지출의 변동이 크게 나타나는 계절적 특성을 지니므로 보상시기에 따라 보상금액의 변동이 커지는 등 정당보상에 반하는 결과를 초래할 것으로 예상되기 때문이다).

예시답안

Ⅰ. 사례 1

세입자로서 4개월분 가계지출비를 보상하며, 실제 거주 중인 5명을 기준으로 하며, 5인 이상의 근로자가구의
가계지출비에 의한다.

6,514,903 × 4개월 = 26,059,612원

Ⅱ. 사례 2

소유자로서 2개월분 가계지출비를 보상하며, 7명을 기준으로 한다. 단, 근로자가구 가계지출비가 4인기준이
5인 이상 가계지출비를 초과하는바, 4인기준의 가계지출비를 기준으로 한다.

$$[4인\ 가계지출비(5,946,550) + 2명(5인을\ 초과하는\ 가구원수) \times \frac{5,946,550 - 3,438,659}{3}] \times 2개월$$

$$= 15,236,955원$$

---

3. 이농비, 이어비 [28]

(1) 대상

공익사업의 시행으로 인하여 영위하던 농업·어업을 계속할 수 없게 되어 다른 지역으로 이주하는
농민·어민이 받을 보상금이 없거나 그 총액이 국토교통부령으로 정하는 금액에 미치지 못하는
경우에는 그 금액 또는 그 차액을 보상하여야 한다.

(2) 산정

① 「통계법」 제3조 제3호에 따른 통계작성기관이 조사·발표하는 농가경제조사통계의 연간 전국
평균 가계지출비 1년분

② 농업기본통계조사의 가구당 전국평균 농가인구를 기준으로 산정한 가구원수(아래 산식)에 따른
1년분의 평균생계비

> 가구원수에 따른 1년분의 평균생계비 = 연간 전국평균 가계지출비
> ÷ 가구당 전국평균 농가인구 × 이주가구원수

(3) 농민 및 어민

이농비 또는 이어비(離漁費)는 공익사업의 시행으로 인하여 영위하던 농·어업을 계속할 수 없게
되어 다음 각 호의 어느 하나 외의 지역으로 이주하는 농민(「농지법 시행령」 제3조 제1호에 따른
농업인으로서 농작물의 경작 또는 다년생식물의 재배에 상시 종사하거나 농작업의 2분의 1 이상을
자기의 노동력에 의하여 경작 또는 재배하는 자를 말한다) 또는 어민(연간 200일 이상 어업에 종
사하는 자를 말한다)에게 보상한다.

① 공익사업에 편입되는 농지의 소재지(어민인 경우에는 주소지를 말한다)와 동일한 시·군 또는 구

② 제1호의 지역과 인접한 시·군 또는 구

---

28) 토지보상법 제78조 제7항

4. 휴직 또는 실직보상[29]

> **토지보상법 시행규칙 제51조**(휴직 또는 실직보상)
>
> 사업인정고시일 등 당시 공익사업시행지구 안의 사업장에서 3월 이상 근무한 근로자(「소득세법」에 의한 소득세가 원천징수된 자에 한한다)에 대하여는 다음 각 호의 구분에 따라 보상하여야 한다.
> 1. 근로장소의 이전으로 인하여 일정기간 휴직을 하게 된 경우 : 휴직일수(휴직일수가 120일을 넘는 경우에는 120일로 본다)에 「근로기준법」에 의한 평균임금의 70퍼센트에 해당하는 금액을 곱한 금액. 다만, 평균임금의 70퍼센트에 해당하는 금액이 「근로기준법」에 의한 통상임금을 초과하는 경우에는 통상임금을 기준으로 한다.
> 2. 근로장소의 폐지 등으로 인하여 직업을 상실하게 된 경우 : 「근로기준법」에 의한 평균임금의 120일분에 해당하는 금액

(1) 대상

사업인정고시일 등 당시 공익사업시행지구 안의 사업장에서 3월 이상 근무한 근로자(「소득세법」에 의한 소득세가 원천징수된 자)

(2) 보상액

① 휴직보상

휴직일수(120일 한도) × 근로기준법에 의한 평균임금의 70%

>> 단, 「근로기준법」상 통상임금을 초과하는 경우는 통상임금기준

② 실직보상

「근로기준법」상 평균임금의 120일분

5. 이주대책

> **토지보상법 제78조**(이주대책의 수립 등)
>
> ① 사업시행자는 공익사업의 시행으로 인하여 주거용 건축물을 제공함에 따라 생활의 근거를 상실하게 되는 자(이하 "이주대책대상자"라 한다)를 위하여 대통령령으로 정하는 바에 따라 이주대책을 수립·실시하거나 이주정착금을 지급하여야 한다.

(1) 이주대책의 수립·실시요건[30]

이주대책은 이주대책 대상자 중 이주정착지에 이주를 희망하는 자가 10호 이상인 경우에 수립·실시한다(시행령 제40조 제2항). 다만, 이주정착지에 이주를 희망하는 자가 10호 이상인 경우에도 ⅰ) 공익사업지구 인근에 택지조성에 적합한 토지가 없는 경우, ⅱ) 이주대책에 필요한 비용이 해당 공익사업의 본래 목적을 위한 소요비용을 초과하는 등 이주대책의 수립·실시로 인하여 해당 공익사업의 시행이 사실상 곤란하게 되는 경우에는 이주대책을 수립하지 않을 수 있다.

---

29) 토지보상법 제77조 제3항
30) 토지보상법 시행령 제40조

(2) 이주대책 대상자의 선정요건

① 이주대책 대상자 요건

공익사업의 시행으로 인하여 주거용 건축물을 제공함에 따라 생활의 근거를 상실하게 되는 자

② 제외대상

㉠ 허가를 받거나 신고를 하고 건축 또는 용도변경을 하여야 하는 건축물을 허가를 받지 아니하거나 신고를 하지 아니하고 건축 또는 용도변경을 한 건축물의 소유자

㉡ 해당 건축물에 공익사업을 위한 관계법령에 따른 고시 등이 있은 날부터 계약체결일 또는 수용재결일까지 계속하여 거주하고 있지 아니한 건축물의 소유자. 다만, 질병으로 인한 요양, 징집으로 인한 입영, 공무, 취학, 그밖에 이에 준하는 부득이한 사유 중 어느 하나에 해당하는 사유로 거주하고 있지 아니한 경우에는 그러하지 아니하다.

㉢ 타인이 소유하고 있는 건축물에 거주하는 세입자. 다만, 해당 공익사업지구에 주거용 건축물을 소유한 자로서 타인이 소유하고 있는 건축물에 거주하는 세입자는 제외한다.

(3) 이주대책의 내용

① 이주정착지의 조성 및 공급
② 이주대책의 의제: 타법령에 의한 이주대책, 사업시행자의 알선으로 공급
③ 이주정착금의 지급

6. 이주정착금 [31]

(1) 대상

사업시행자는 이주대책 대상자에게 ⅰ) 이주대책을 수립, 실시하지 않거나, ⅱ) 이주대책대상자가 이주정착지가 아닌 다른 지역으로 이주하는 경우, ⅲ) 이주대책대상자가 공익사업을 위한 관계법령에 따른 고시 등이 있은 날의 1년 전부터 계약체결일 또는 수용재결일까지 계속하여 해당 건축물에 거주하지 않은 경우, ⅳ) 이주대책대상자가 공익사업을 위한 관계 법령에 따른 고시 등이 있은 날 당시 국토교통부, 사업시행자 등의 어느 하나에 해당하는 기관·업체에 소속(다른 기관·업체에 소속된 사람이 파견 등으로 각 목의 기관·업체에서 근무하는 경우를 포함한다)되어 있거나 퇴직한 날부터 3년이 경과하지 않은 경우에 이주정착금을 지급한다.

이주대책대상자에게 이주대책을 수립·실시하거나 이주정착금을 지급하여야 하므로 이주정착금을 지급받기 위해서는 이주대책대상자의 요건을 구비하여야 한다(대판 2016.12.15, 2016두49754).

(2) 이주정착금

주거용 건축물에 대한 평가액 × 30%
≫ 1천2백만원 미만인 경우는 1천2백만원, 2천4백만원을 초과하는 경우에는 2천4백만원 [32]

---

31) 토지보상법 시행령 제41조, 토지보상법 시행규칙 제53조
32) 개정(2020.12.11.) 이 규칙 시행 이후 최초로 이주정착금을 지급하는 공익사업지구부터 적용

부록

감정평가사 2차
답안지 양식

(총   권중   번째)

1교시(과목)

(20   )년도 (   )시험 답안지

과 목 명	

수험자 확인사항	1. 답안지 인적사항 기재란 외에 수험번호 및 성명 등 특정인임을 암시하는 표시가 없음을 확인하였습니다. 확인 ☐ 2. 연필류, 유색필기구 및 지워지는 펜 등을 사용하지 않았습니다. 확인 ☐ 3. 답안지 작성시 유의사항을 읽고 확인하였습니다. 확인 ☐

답안지 작성시 유의사항

가. 답안지는 **표지, 연습지, 답안내지(20쪽)**로 구성되어 있으며, 교부받는 즉시 쪽 번호 등 정상 여부를 확인하고 연습지를 포함하여 1매라도 분리하거나 훼손해서는 안 됩니다.
나. 답안지 표지 앞면 빈칸에는 시행년도 · 자격시험명 · 과목명을 정확하게 기재하여야 합니다.

다. 채점사항
1. 답안지 작성은 반드시 **검은색 필기구만 사용**하여야 합니다.(그 외 연필류, 유색필기구 및 지워지는 펜 등을 사용한 **답항은 채점하지 않으며 0점 처리**됩니다.)
2. 수험번호 및 성명은 반드시 연습지 첫 장 좌측 인적사항 기재란에만 작성하여야 하며, **답안지의 인적사항 기재란 외의 부분에 특정인임을 암시하거나** 답안과 관련 없는 특수한 표시를 하는 경우 **답안지 전체를 채점하지 않으며 0점 처리**합니다.
3. 계산문제는 반드시 계산과정, 답, 단위를 정확히 기재하여야 합니다.
4. 요구한 가지(문제) 수 이상을 답란에 표기한 경우, 답란기재 순으로 요구한 가지(문제) 수만 채점합니다.
5. 답안 정정 시에는 두 줄(=)을 긋고 다시 기재 또는 수정테이프 사용이 가능하며, 수정액을 사용할 경우 채점상의 불이익을 받을 수 있으므로 사용하지 마시기 바랍니다.
6. 기 작성한 문항 전체를 삭제하고자 할 경우 반드시 해당 문항의 답안 전체에 명확하게 X표시하시기 바랍니다.(X표시 한 답안은 채점대상에서 제외)
7. 채점기준 및 모범답안은 「공공기관의 정보공개에 관한 법률」 제9조제1항제5호에 의거 공개하지 않습니다.

라. 일반사항
1. 답안 작성 시 문제번호 순서에 관계없이 답안을 작성하여도 되나, 문제번호 및 문제를 기재(긴 경우 요약기재 가능)하고 해당 답안을 기재하여야 합니다.
2. 각 문제의 답안작성이 끝나면 바로 옆에 **"끝"**이라고 쓰고, 최종 답안작성이 끝나면 줄을 바꾸어 중앙에 **"이하여백"**이라고 써야합니다.
3. 수험자는 시험시간이 종료되면 즉시 답안작성을 멈춰야 하며, 종료시간 이후 계속 답안을 작성하거나 감독위원의 답안지 **제출지시에 불응할 때에는 당회 시험을 무효처리**합니다.
4. 답안지가 부족할 경우 추가 지급하며, 이 경우 먼저 작성한 답안지의 20쪽 우측하단 [ ] 란에 **"계속"**이라고 쓰고, 답안지 표지의 우측 상단(총 권 중 번째)에는 답안지 **총 권수, 현재 권수**를 기재하여야 합니다.(**예시: 총 2권 중 1번째**)

HRDK 한국산업인력공단

부정행위 처리규정

다음과 같은 행위를 한 수험자는 부정행위자 응시자격 제한 법률 및 규정 등에 따라 **당회 시험을 정지 또는 무효**로 하며, 그 시험 시행일로부터 **일정 기간 동안 응시자격을 정지**합니다.

1. 시험 중 다른 수험자와 시험과 관련한 대화를 하는 행위
2. 시험문제지 및 답안지를 교환하는 행위
3. 시험 중에 다른 수험자의 문제지 및 답안지를 엿보고 자신의 답안지를 작성하는 행위
4. 다른 수험자를 위하여 답안을 알려주거나 엿보게 하는 행위
5. 시험 중 시험문제 내용을 책상 등에 기재하거나 관련된 물건(메모지 등)을 휴대하여 사용 또는 이를 주고 받는 행위
6. 시험장 내 · 외의 자로부터 도움을 받고 답안지를 작성하는 행위
7. 사전에 시험문제를 알고 시험을 치른 행위
8. 다른 수험자와 성명 또는 수험번호를 바꾸어 제출하는 행위
9. 대리시험을 치르거나 치르게 하는 행위
10. 수험자가 시험시간 중에 통신기기 및 전자기기(휴대용 전화기, 휴대용 개인정보 단말기(PDA), 휴대용 멀티미디어 재생장치(PMP), 휴대용 컴퓨터, 휴대용 카세트, 디지털 카메라, 음성파일 변환기(MP3), 휴대용 게임기, 전자사전, 카메라 펜, 시각표시 이외의 기능이 부착된 시계)를 휴대하거나 사용하는 행위
11. 공인어학성적표 등을 허위로 증빙하는 행위
12. 응시자격을 증빙하는 제출서류 등에 허위사실을 기재한 행위
13. 그 밖에 부정 또는 불공정한 방법으로 시험을 치르는 행위

[연습지]

성명

수험번호

감독확인란

※ 연습지에 성명 및 수험번호를 기재하지 마십시오.(기재할 경우, 0점 처리됩니다.)
※ 연습지에 기재한 사항은 채점하지 않으나 분리하거나 훼손하면 안됩니다.

HRDK 한국산업인력공단

[연습지]

※ 연습지에 성명 및 수험번호를 기재하지 마십시오.(기재할 경우, 0점 처리됩니다.)
※ 연습지에 기재한 사항은 채점하지 않으나 분리하거나 훼손하면 안됩니다.

HRDK 한국산업인력공단

1쪽

번호	

HRDK 한국산업인력공단

3쪽

HRDK 한국산업인력공단

19쪽

HRDK 한국산업인력공단

※ 추가작성의 경우 [   ]에 "계속"이라고 기재하시기 바랍니다. [   ]

HRDK 한국산업인력공단

수험생 여러분의 합격을 기원합니다!

박문각 감정평가사

유도은 S+감정평가실무
2차 | 기본서 3권

제13판 인쇄 2026. 4. 15. | **제13판 발행** 2026. 4. 20. | **편저자** 유도은

발행인 박 용 | **발행처** (주)박문각출판 | **등록** 2015년 4월 29일 제2019-0000137호

주소 06654 서울시 서초구 효령로 283 서경 B/D 4층 | **팩스** (02)584-2927

전화 교재 문의 (02)6466-7202

저자와의
협의하에
인지생략

정가 58,000원
ISBN 979-11-7519-904-0(3권)
　　　979-11-7519-901-9(세트)

MEMO

MEMO

MEMO